LE CALICE NOIR 2
LE SCEAU DE SALOMON

Peter Berling est né en 1934 dans la partie de l'Allemagne de l'Est aujourd'hui polonaise. Sa famille — des émigrés russes venus des pays Baltes — est traditionnellement vouée aux métiers militaires et scientifiques. À la fin de la Seconde Guerre mondiale, après une jeunesse passée sous les bombes à Osbabrück, il est envoyé dans une école expérimentale autogérée par les élèves. En 1954, il part étudier l'architecture à Munich mais entre finalement à l'Académie des Beaux-Arts. Alors promoteur de voyages dans le Maghreb, Peter Berling s'engage ensuite politiquement auprès du FLN. De retour à Munich il découvre le milieu cinématographique : il produit une cinquantaine de documentaires de jeunes metteurs en scène allemands et devient l'agent de Juliette Gréco, Charles Aznavour, Gilbert Bécaud et Marcel Marceau. En 1969, Peter Bering travaille avec Rainer Werner Fassbinder, Jean-Jacques Annaud et Martin Scorsese, de même qu'il interprète des rôles importants dans des films tels que *Aguirre ou La Colère de Dieu, Le Nom de la rose, Francesco...*
En 1984, il cède à une nouvelle passion et devient journaliste pour *Der Spiegel, Lui, Playboy, Cinéma*. Il est également l'auteur de livres à succès : *La Vie de saint François d'Assise, Les Enfants du Graal, Le Sang des rois, La Couronne du monde, Les Treize Arts de Rainer Werner Fassbinder*.
Peter Berling vit aujourd'hui à Rome.

Paru dans Le Livre de Poche :

Les Enfants du Graal :

LES ENFANTS DU GRAAL
LE SANG DES ROIS
LA COURONNE DU MONDE
LE SECRET DES TEMPLIERS
(Le Calice noir 1)

PETER BERLING

LE CALICE NOIR 2

Le Sceau de Salomon

ROMAN TRADUIT DE L'ALLEMAND PAR OLIVIER MANNONI

JC LATTÈS

Titre original :

DER SCHWARZE KELCH

publié par Gustav Lübbe Verlag

TANT MIEUX JE GRIFFE, TANT PIS!

Dédié à mes frères et sœurs
et à mes amis

NEC SPE NEC METU

DRAMATIS PERSONAE

LE COUPLE ROYAL

Roger-Ramon-Bertrand Trencavel du Haut-Ségur, dit « Roç »

Isabelle-Constance-Ramona Esclarmonde du Mont y Sion, dite « Yeza »

SES COMPAGNONS, PROTECTEURS ET SOUTIENS

Guillaume de Rubrouck, *moine franciscain*

Jordi Marvel, *troubadour catalan*

Philippe, *écuyer et page*

Sigbert von Öxfeld, *chevalier teutonique, commandeur de Starkenberg*

Constance de Sélinonte, dit « Faucon rouge », *chevalier de l'empereur*

Taxiarchos, dit « le Pénicrate », *marin*

Gosset, *prêtre, ancien ambassadeur du roi de France*

Potkaxl, *princesse toltèque*

Kefir Alhakim, *charlatan d'Ustica*

Kadr ibn Kefir Benedictus, dit « Beni le Matou », *son fils*

Sutor, *berger des Apennins*

Dietrich von Röpkenstein, *chevalier de l'empire*

Rinat Le Pulcin, *peintre et agent secret*

Arslan, *chaman mongol de l'Altaï*

D'Occitanie

Jourdain de Levis, *comte de Mirepoix*
Pons de Levis, *son fils*
Melisende, *sa fille aînée, épouse de Comminges*
Mafalda de Levis, *fille cadette du comte Jourdain*
Gers d'Alion, *fiancé de Mafalda*
Simon de Cadet, *neveu du comte Jourdain*
Burt de Comminges, *beau-fils du comte Jourdain*
Gaston de Lautrec, *beau-frère de Jourdain*
Esterel de Levis, *épouse du comte de Lautrec*
Mas de Morency, *fils adoptif du comte de Lautrec*
Raoul de Belgrave, *chevalier*
Xacbert de Barbera, dit « Lion de Combat », *chef d'armée au service de l'Aragon*
Wolf de Foix, *noble proscrit*
Mauri En Raimon, *prêtre des cathares*
Na India, *herboriste cathare*
Geraude, *sa fille*

Membres de l'ordre des Templiers ou du Prieuré

Thomas Bérard, *grand maître de l'ordre des Templiers*
Gavin Montbard de Béthune, *précepteur de Rhedae*
Marie de Saint-Clair, dite « la Grande Maîtresse », *grande maîtresse du Prieuré*
Guillaume de Gisors, dit « Face d'Ange », *son fils adoptif*
Guy de la Roche, *Templier*
Botho de Saint-Omer, *Templier*
Laurent d'Orta, *franciscain*
Georges Morosin, dit « le Doge », *commandeur d'Ascalon*
Jakov Ben Mordechai, *érudit juif*
Ezer Melchsedek, *cabaliste*

Patrimonium Petri

Alexandre IV, *pape*
Octavien degli Ubaldini, dit « le Cardinal gris », *chef des Services secrets*

Arlotus, *notaire pontifical*
Rostand Masson, *nonce pontifical*
Brancaleone degli Andalò, *sénateur romain*
Bezù de la Trinité, dit « le Gros Trini », *inquisiteur au Languedoc*
Jacob Pantaleon, *patriarche de Jérusalem*
Bartholomée de Crémone, *franciscain, agent de la curie*

AU SERVICE DE LA FRANCE

Louis IX, *roi de France*
Yves le Breton, *son garde du corps*
Gilles Le Brun, *connétable de France*
Olivier de Termes, *renégat occitan*
Pier de Voisins, *sénéchal de Carcassonne*
Fernand Le Tris, *capitaine du sénéchal*
Charles d'Anjou, *le plus jeune frère du roi*
Comte Robert de Les Beaux, *vassal de Charles d'Anjou*

ENTRE LA SICILE ET LA GRÈCE

Manfred, *roi de Sicile*
Constance, *sa fille*
Hélène d'Épire, *épouse du roi Manfred*
Galvano di Lancia, *prince de Salerne*
Jean de Procida, *médecin, chancelier du roi de Sicile*
Maletta, *chambellan du roi de Sicile*
Le roi Enzio, *bâtard de l'empereur Frédéric II*
Oberto Pallavicini, *vicaire de l'Empire allemand*
Alekos, *aubergiste à Palerme*
Hamo l'Estrange, *comte d'Otrante*
Shirat Bunduktari, *son épouse*
Alena Elaia, *fille de Hamo et Shirat*
Nikephoros Alyattes, *ambassadeur de l'empereur de Nicée*
Ugo d'Arcady, *seigneur du castel Maugriffe*
Zaprota, *podestà à Corfou*
Démétrios, *moine grec*

LE MONDE DE L'ISLAM

An-Nasir, *souverain ayyubide, sultan de Damas*
Clarion de Salente, *sa compagne*
El-Aziz, *fils d'An-Nasir*
Turan-Shah, *malik d'Alep, oncle d'An-Nasir*
Rukn ed-Din Baibars Bunduktari, dit « l'Archer »,
émir mamelouk
Mahmoud, dit « le Diable du feu », *son fils*
Fassr ed-Din Octay, dit « Faucon rouge », *émir
mamelouk*
Madulain, *son épouse, princesse Saratz*
Nur ed-Din Ali, *fils d'Aibek, sultan mamelouk assassiné*
Saif ed-Din Qutuz, *successeur d'Aibek au Caire*
Naiman, *son agent*
Abdal le Hafside, *marchand d'esclaves*
El-Ashraf, *émir de Homs*
Abu Bassiht, *soufi*

AU ROYAUME DE JÉRUSALEM

Rabbi Jizchak, *chef de la communauté juive de Jérusalem*
Miriam, *sa fille*
Jacob Pantaleon, *patriarche de Jérusalem*
Plaisance, *reine de Chypre et de Jérusalem*
Godefroy de Sargines, *bailli du royaume*
Philippe de Montfort, *seigneur de Tyr*
Julien de Sidon, *chevalier-brigand de Beaufort*
Hanno von Sangershausen, *grand maître de l'ordre
des Chevaliers teutoniques*
Jean de Ronay, *maréchal de l'ordre des chevaliers de
Saint-Jean*

LA PISTE DU CALICE

I

VERS DE NOUVEAUX RIVAGES

Bain froid dans le détroit

Pendant plusieurs jours, ils avaient remonté la côte rocheuse solitaire au nord de l'île, allant d'une tour de garde rudimentaire à l'autre. Les Hohenstaufen avaient le plus souvent repris telles quelles les fortifications sommaires de leurs prédécesseurs normands. Yeza aurait mille fois préféré parcourir l'intérieur des terres, où des villas romaines bien conservées se dressaient encore dans les vallées ombragées comme si leurs habitants venaient juste de sortir pour une promenade à cheval, et où des sources brûlantes jaillissaient depuis toujours dans des thermes dont les sols étaient ornés de splendides mosaïques. Des temples grecs dominaient les vertes collines et, avec leurs rangées régulières de piliers en marbre, semblaient inviter les dieux à s'arrêter un peu. En leur honneur, on donnait toute l'année dans les théâtres et les arènes collés aux coteaux des mystères et des jeux, les *circenses*, pour la joie et la distraction des habitants.

Le chambellan Maletta, un connaisseur enthousiaste du riche passé de la Sicile, demeura cependant parfaitement sourd aux demandes de Yeza, lorsqu'elle voulut faire un petit détour. Et elle fut heureuse, au bout du compte, quand elle vit enfin la ville de Messine, à la pointe septentrionale de l'île.

Derrière, presque à portée de main, se dressaient les terres du continent.

Sans la moindre halte, ils descendirent au port pour se faire transporter par une barge. Yeza reconnut aussitôt la trirème. Elle ressemblait à un insecte, une grande libellule qui scintillait entre tous ces bateaux de pêcheurs aux couleurs vives, et les navires de fret sans ornement.

— De l'autre côté, à Regium, vous attend une escorte du prince Lancia, annonça respectueusement Maletta. Il avait à peine fini sa phrase que Yeza s'exclama « Mais c'est Taxiarchos ! » et éperonna son cheval.

Lorsque le cortège formé par les chariots et sa litière arriva sur le quai, Yeza s'était précipitée à bord depuis longtemps. Elle avait oublié les contrariétés de Rhedae, où le Pénicrate l'avait affrontée dans la recherche du trésor du Templier. Il avait en outre manifestement perdu la partie, car la bonne vieille trirème ne semblait pas transporter de richesses à son bord ; mais elle était servie par les redoutables *lancelotti* d'Otrante. Ils saluèrent Yeza comme ils en avaient l'habitude, en faisant claquer les unes contre les autres les lames de leurs faux.

— Où vous mène votre chemin, ma reine ?

Taxiarchos ne semblait pas avoir de rancune, en tout cas pas à son égard : il descendit vers elle d'un pas souple, de la passerelle de quart. Yeza ouvrit malgré elle les bras pour le saluer, mais Taxiarchos aperçut Maletta derrière elle et s'arrêta donc froidement au pied de l'escalier au lieu de l'embrasser. Yeza, déçue, presque hargneuse, répondit donc simplement :

— Sur le continent !

Et Taxiarchos annonça d'une voix puissante :

— Que personne ne vienne nous contester le droit de passage !

Comme pour confirmer ses propos, les *lancelotti* frappèrent leurs faux affûtées, et le chambellan jugea plus prudent de ne rien dire.

— Je vous accompagnerai pour cette traversée, ma dame, annonça Maletta. Moins pour assurer votre sécurité (avec messire Taxiarchos, vous ne craignez rien!) que pour veiller à la prise de possession de la trirème qui, *sous mes ordres* (il souligna les derniers mots, d'une voix suffisamment forte pour que chacun puisse l'entendre), poursuivra ensuite sa route vers Palerme.

Ces mots étaient destinés au Pénicrate, qui fit mine de ne pas voir et de ne pas entendre le chambellan. Il salua en revanche Sigbert, qui menait lui-même son cheval à bord, puis passa sous le pont comme s'il voulait éviter d'être impliqué dans la querelle imminente. Il sourit à Yeza avant de disparaître.

Cela déplut à Maletta, qui monta à son tour à bord. Pour souligner ses prétentions au commandement, il lança quelques ordres et pressa les hommes qui assuraient le chargement. Taxiarchos le laissa faire. Mais dès que la dernière caisse fut à bord, en compagnie de Jordi, qui avait veillé à ce que rien ne reste à quai, ni les chariots, ni la litière portant le coffre au trésor, ni les dames ou le vizir, il donna d'un signe aux *lancelotti* l'ordre de lever l'ancre.

Les faux redescendirent et, dans un mouvement puissant, s'enfoncèrent dans l'eau. Sur le môle, les sbires de Maletta et tous les badauds eurent un mouvement de recul. Le chambellan réprima son envie de protester. Pourquoi ses hommes auraient-ils dû franchir la passerelle? Lui, Maletta, était bien capable de s'imposer tout seul à bord.

La trirème glissa hors du port et Taxiarchos tourna le gouvernail, si bien que la proue surélevée et son bélier dissimulé s'orientèrent rapidement vers Regium. Les premiers dauphins apparurent des deux côtés, en décrivant de gracieux bonds hors de l'eau. Les battements réguliers des *lancelotti* conduisirent bientôt le navire au milieu du détroit qui séparait Scylla et Charybde, deux lieux qui, à l'époque de Homère, inspiraient encore aux navigateurs une peur considérable.

Maletta, lui, ne croyait pas à ces fables. Mais il vit d'un seul coup les *lancelotti* sortir leurs rames de l'eau. La trirème s'immobilisa, balancée par les flots.

— Vous êtes sur le chemin de Rome ? s'enquit Taxiarchos à Yeza. Je vais vous y conduire !

— Qu'est-ce que cette absurdité ? intervint le chambellan. Il n'en est pas question !

La seule réponse fut un claquement de faux, qui sonna comme un éclat de rire moqueur. Taxiarchos se tourna tout de même vers lui :

— M'avez-vous amené ces trois lascars d'Occitanie, comme je vous l'ai demandé ?

— Vous n'avez pas à poser de conditions ! aboya le chambellan, ce qui lui valut un nouveau claquement de faux.

— Vous savez nager, Maletta ? questionna Taxiarchos, impassible, avant de répondre à sa propre question. Non ? Dans ce cas, il va vous falloir quelques vessies de porc. Elles vous ramèneront sur le rivage de votre île !

Le chambellan était livide de rage — il ne voulait pas montrer sa peur. Hormis un faible « Vous le regretterez ! », il ne parvint pas à prononcer le moindre mot.

On lui avait déjà passé sous les aisselles les baudruches gonflées. Il en avait une moitié devant la poitrine, une moitié sur la nuque. Deux *lancelotti* musclés l'attrapèrent par les chevilles et par les bras, et le portèrent tranquillement vers le bastingage. Ils balancèrent son corps trois ou quatre fois au rythme des faux, et il prit son envol, décrivit un bel arc de cercle et atterrit dans l'eau. Des dauphins tout heureux bondirent autour du nageur, qui se dirigea vers la côte en agitant les pattes comme un cabot mouillé. Mais l'île était encore plus proche, et le chambellan décida de s'y rendre. Il avalait l'eau, la recrachait, ses râles étaient entrecoupés de jurons muets. Les dauphins tournoyaient autour de lui et le poussèrent vers le rivage. Le chambellan vit ensuite la trirème filer vers le nord. Au grand dam des marins, une barque de pêcheur finit par récupérer le pauvre homme, qui battait furieusement des bras autour de lui.

— Moi, au lieu de lui attacher des tripes de cochon, je lui aurais fixé du plomb aux pieds. Vous vous êtes fait un ennemi mortel, constata tranquillement Yeza, sans la moindre satisfaction, alors que les autres ne semblaient pas pouvoir se défaire de leur hilarité. Le chambellan vous pendra pour cela ! ajouta-t-elle.

Taxiarchos l'observa, amusé.

— Il en a toujours eu envie. Et puis je vivrai volontiers avec cette menace tant qu'il me sera donné non seulement de vous servir, mais aussi de vous tenir compagnie, même pour un bref trajet.

Yeza, étonnée, le dévisagea.

— Vous en avez eu largement le temps à Rhedae. Mais si je ne me trompe, vous l'avez utilisé pour creuser votre propre chemin, avec l'égoïsme d'une taupe. Quel éclair de bonté a donc frappé notre Saül ?

Taxiarchos surmonta sa confusion en souriant insolemment.

— Vénus, née de l'écume, m'a fait percer le cœur par la flèche de l'amour.

Les sourcils de Yeza se froncèrent. Cela n'annonçait rien de bon.

— Des images aussi plates ne sont pas dignes de vous, dit-elle d'une voix forte. Si vous en vouliez à ma vertu, soyez certain qu'Aphrodite ne guide pas mes actes. Mes déesses sont Diane et surtout Pallas Athénée. Épargnez-moi donc vos allusions stupides.

Elle se tourna vers son troubadour :

— Jordi, éloigne-moi ce m'as-tu-vu !

Taxiarchos se réfugia dans un rire tonitruant.

— Dans le rôle de Cupidon, votre page me fait plutôt penser à saint Benoît !

Jordi se sentit atteint dans son honneur.

— Je manie l'arc avec un infini plaisir, Taxiarchos. Je commencerai par vous tirer dans les couilles, qui me semblent sérieusement enflées, une petite saignée ne pourrait pas leur faire de mal. Un conseil : allez dans votre cabine et arrangez-vous tout seul !

Ce conseil valut au nain les applaudissements et les braillements amusés des *lancelotti*. Mafalda éclata elle aussi de rire. Geraude ne savait pas si elle devait rougir vertueusement ou blêmir. Kefir prit cette passe d'armes au sérieux. Il se campa devant Taxiarchos.

— En tant que vizir de dame Yeza Esclarmonde, je dois m'interdire formellement pareil langage truffé d'indécences. Mais permettez-moi de vous dire que vous devriez avoir honte d'abuser ainsi de la position de ma maîtresse, qui est montée en toute confiance dans votre navire. Éloignez-vous, et agissez comme un homme !

Taxiarchos se sentit placé au pied du mur. Suivant une inspiration subite, il s'agenouilla devant Yeza.

— Ma dame, s'exclama-t-il, si vous ne me pardonnez pas sur-le-champ d'avoir laissé mon cœur stupide s'exprimer aussi ouvertement, je suis l'exemple de Maletta et je saute par-dessus bord !

Yeza baissa les yeux vers lui. Elle ressentit de la pitié pour cet homme, le roi des escrocs et des voleurs de la Corne d'Or, l'homme qui avait dompté l'Océan, qui avait navigué jusqu'aux « Îles lointaines » et qui paraissait à présent n'être plus capable que de dire des bêtises.

— Ne jetez pas votre cœur dans la mer, il est encore à mes pieds, lui répondit-elle en souriant. Levez-vous et, si vous pensez devoir parler, commencez par vous servir de votre cerveau. Sans cela, taisez-vous. Cela ne fait jamais de mal !

Taxiarchos eut tôt fait de se remettre sur ses jambes. Et il tenta tout de même d'avoir le dernier mot.

— Dame Esclarmonde, pensez au noble chevalier Perceval ! Lui non plus n'a pas posé la bonne question, et il a été puni pour cela.

Il eut un sourire de gamin, et elle fut incapable de lui en vouloir. Mais elle ne voulait rien lui passer.

— Vous n'êtes pas Perceval, vous ne cherchez pas le Graal !

Pourquoi n'aurait-elle pas joué avec lui ? Il l'avait bien mérité !

— Si vous désirez partager ma couche, reprit-elle, vous me l'avez fait savoir, à moi comme au monde entier. Et vous n'attendrez plus longtemps ma réponse : Non merci, Taxiarchos !

Le Pénicrate crut deviner, au comportement de Yeza, que la porte n'était pas totalement fermée ; Yeza voulait juste le laisser un peu mijoter. Il n'était pas homme à laisser ce plaisir à une femme. Il porta ostensiblement la main sur ses parties et se dirigea, le pas ample, vers sa cabine.

La trirème avait hissé toutes ses voiles au vent de l'automne et mis le cap vers le nord-ouest, en pleine mer. Au deuxième jour, on dut reprendre les rames. Le Ponant, avant même qu'ils ne soient arrivés à la hauteur du cap de Sorrente, repoussait constamment le navire contre les roches du rivage.

Tout un escadron de navires de guerre légers et rapides jaillit alors de la baie de Salerne. Ils portaient le drapeau du duché de Lancia, et coupèrent la route à la trirème. Encerclé, Taxiarchos dut admettre que toute résistance était inutile. Il fut forcé de se diriger vers le port.

On pria aimablement, mais fermement, Yeza et sa cour de quitter le bord. Le duc Lancia la conduirait personnellement à Rome, dès qu'il serait arrivé, car il attendait jusqu'ici son hôte à Regium.

Taxiarchos vit monter à son bord une troupe de Sarrasins censés lui servir de « garnison ». Ils se répartirent immédiatement sur le pont et tinrent les *lancelotti* en respect avec leurs arbalètes. Le Pénicrate fut aussitôt escorté vers Palerme, prisonnier sur son propre navire, puisque c'est ainsi qu'il considérait déjà la trirème. On lui permit tout de même de prendre congé de Yeza. Il le fit avec beaucoup de froideur. Taxiarchos alla chercher sous sa chemise une amulette qu'il portait sur la poitrine, au bout d'un ruban de cuir. C'était une croix des Templiers en or, elle la reconnut tout de suite. Mais, à l'intersection des deux poutres, elle était rehaussée par une petite pyramide en onyx noir. Elle paraissait très ancienne.

— Cela vient du cœur, murmura-t-il, mais seule une vive intelligence permet de le comprendre.

Yeza ne voulait repousser ni le corsaire échoué, ni l'homme. Et puis elle devinait que ce talisman avait appartenu à Gavin.

— J'espère seulement qu'il ne laissera pas mon cœur derrière moi, et que mon intelligence ne me laissera pas en plan.

Elle sourit tandis qu'il lui passait le ruban autour de la tête et faisait disparaître la croix dans le corsage de la jeune fille. Puis on emmena Taxiarchos.

Yeza était certaine de revoir l'aventurier. En guise d'adieux, elle lui lança l'un de ses regards étoilés. Ses yeux brillaient d'un vert profond. Elle en connaissait l'effet.

DEVANT LE CARDINAL GRIS

Dans l'imposant Palazzo dei Normanni, Beni le Matou aidait à contrecœur sa Potkaxl à étendre le linge. Ils avaient tendu en boucle une corde d'une fenêtre à l'autre au-dessus de la cour intérieure. Ils y suspendaient les chemises et les sous-vêtements, puis tiraient sur la corde pour la faire défiler. Comme la suivante ne connaissait pas cette méthode, et que Beni n'avait jamais fait que l'observer, des vêtements trempés tombaient régulièrement entre les déchets de la cuisine du palais. Pour les ramasser, Beni devait descendre bon nombre d'escaliers et parcourir des couloirs interminables. Chaque fois, Potkaxl devait reprendre le nettoyage au début.

— On a vite fait de se perdre, ici, fit le Matou en

haletant. Chaque escalier mène à un endroit différent, et l'on se retrouve tout d'un coup ou bien dans une salle de fête, ou bien dans un garde-manger au sous-sol, entre le gibier suspendu, les sacs à fromage dégoulinants ou les betteraves pourries.

Potkaxl répondit en riant à cette plainte.

— La princesse Constance a moins de difficultés. On dirait qu'elle a mis son guépard sur la piste de notre seigneur Roç. Même si Monsignore Gosset fait dormir Roç chaque nuit dans une chambre différente, on la retrouve devant la porte le lendemain matin, comme si Immà l'avait conduite là par hasard.

Beni aida sa compagne de lit à essorer les plus grandes pièces de linge.

— Tant que les draps du Trencavel n'ont pas de taches de sang, la cour doit considérer que la princesse est vierge. J'ai récemment vu le chambellan en personne observer le linge.

— Mais le roi regarde tout cela d'un mauvais œil, soupira Potkaxl comme si elle était directement concernée. Pourtant, notre pauvre maître ne devrait plus la repousser, surtout maintenant que la dame Yeza l'a quitté.

— Ne te mets pas en tête d'aller combler son absence! ordonna le Matou jaloux. Je ne le tolérerais pas.

Potkaxl lui lança un regard amusé.

— Je te vois déjà faire le gros dos, mon cher Matou. Je vois ta fourrure se hérisser, tes griffes sortir, tu feules et tu sautes au visage de notre maître. Mais je frissonne à l'idée de la fureur du roi si la prunelle de ses yeux devait être déshonorée. Messire Manfred en ferait porter la faute sur le seul Trencavel. Il lui ferait couper l'engin scélérat, lui arracherait les yeux et lui ouvrirait le ventre.

— Arrête! s'exclama Beni, horrifié. À partir de maintenant, je dormirai devant son lit. Je ne le quitterai plus des yeux, jour et nuit!

— Sais-tu donc où il est passé, en cet instant précis ? demanda Potkaxl, amusée par l'ardeur soudaine de son amant.

— Par tous les saints ! s'écria Beni. Il n'aura tout de même pas...

— Il est parti à la chasse au faucon avec messire Manfred, le tranquillisa la suivante. C'est l'une des mesures de sécurité prises par le roi : il s'est attaché à Roç et ne veut pas qu'il subisse toutes ces choses affreuses.

— Mais si cela arrivait, l'auteur de l'adultère serait condamné. Manfred le doit de toute façon au roi d'Aragon. Constance, si lascive soit-elle, est tout de même promise à l'infant. Nous allons cacher des sous-vêtements de Roç dans tout le palais, proposa Beni, qui se sentait soudain une âme de saint Georges. Cela égarera Immà.

— Je viens de les laver ! répondit Potkaxl. Il ne nous reste qu'à ouvrir les yeux et les oreilles !

C'est aussi ce que faisait le prêtre Gosset. Il fut ainsi témoin lorsque Maletta, passablement démonté, se précipita dans le bureau du chancelier.

— Vous m'avez honteusement trompé, Jean de Procida ! fit-il en écumant, sans la moindre explication ni même une ombre de salut. Cet homme mérite la potence ! Vous savez forcément comment il s'est joué de moi !

Le chancelier l'interrompit :

— Il ne m'en a pas dit un mot, mon cher Maletta !

— Les messagers que j'ai envoyés dans le monde entier pour s'emparer de ce criminel ne vous auront tout de même pas caché l'ignominie qu'il m'a faite ?

— Leur récit se limitait à l'excursion de Taxiarchos, à laquelle nous avons mis un terme rapide. Lancia, lui aussi, l'aurait volontiers décapité de sa main, parce que notre capitaine enamouré l'avait fait attendre à Regium, lui, Sa Majesté le duc ! Je peux tout de même vous consoler : pour cette journée gaspillée, il a fait donner une douzaine de coups de martinet sur le dos nu du Pénicrate.

— Et vous, vous avez reçu ce mutin avec tous les honneurs, vous l'avez confirmé dans ses fonctions de capitaine de cette galère du diable, vous lui avez laissé le commandement sur ces faux et sur ces lascars insolents, les *lancelotti* ! couina le chambellan, qui sentait l'eau de mer lui remonter à la gorge au souvenir du claquement moqueur de leurs lames. Il fallait tous les pendre ! Tous !

— La prochaine fois, le tranquillisa le chancelier. À présent, la trirème est déjà repartie. Pour une mission importante dont je porte seul la responsabilité.

— Je souhaite que votre capitaine fasse preuve à votre égard de la même insubordination que celle qu'il s'est permise envers moi. Ensuite, vous parlerez autrement ! grogna le chambellan.

— Tout capitaine est maître de ses actes tant qu'il se trouve en haute mer. Sans cela, il ne serait pas capitaine. L'unique possibilité de lui demander des comptes est le moment où il remet le pied sur terre. C'est ce qui attend tous les capitaines un jour ou l'autre. Et ce qui leur fait perdre leur toute-puissance.

— La prochaine fois que Taxiarchos sera jeté sur le rivage et qu'il frétillera sur le sable, je le suspendrai par le cou, je l'embrocherai vif, je le ferai griller à la flamme, puis je le découperai et je le consommerai avec bonheur !

— N'est-ce pas l'image d'un morceau juteux de rôti de porc qui vous hante, Maletta ? Ou bien avez-vous pris un trop long bain dans l'eau de mer ?

Jean de Procida n'avait que moquerie pour la soif de vengeance du chambellan, qui quitta la pièce en claquant la porte.

Le bon Lancia ne s'était effectivement pas laissé ravir l'honneur d'accompagner en personne Yeza, une fois reprise, au port romain d'Ostie. Là, ils avaient été reçus par le redouté Oberto Pallavicini et le non moins redoutable cardinal Octavien, qui paraissaient pour une fois s'être mis d'accord. Ils ne se tenaient certes pas sur le môle, mais attendaient leur hôte au Castel d'Ostia, à l'intérieur des terres. Peu à peu ce bassin portuaire romain autrefois réputé s'était ensablé sans que les papes s'en émeuvent. Le duc de Salerne n'avait en fait aucune intention de débarquer, mais le message lui indiquant que ces deux seigneurs souhaitaient les saluer, lui-même et la dame Yeza, lui fit oublier sa rancœur contre Rome et sa cour de guelfes. Il avait toujours rêvé de se retrouver en tête à tête avec le célèbre Cardinal gris.

Yeza ordonna à Jordi de se procurer de nouveaux véhicules, car les bateaux légers de Lancia n'avaient pu embarquer les chariots. Seuls avaient pris place à bord les chevaux et la litière où reposait son coffre au trésor. Elle renonça aussi à l'accompagnement de sa Première dame de cour, ce qui blessa profondément Mafalda, car la comtesse de Levis aurait volontiers présenté ses hommages au pape au lieu de se soucier des caisses et des cassettes. Seule l'information selon laquelle « Sa Sainteté Alexandre IV » ne se trouvait pas à Rome, et encore moins à Ostia, put la calmer provisoirement. Yeza n'emmena que Sigbert, le commandeur de l'ordre des Chevaliers teutoniques, qui avait supporté tout le trajet, y compris le changement d'embarcation, avec un calme stoïque. Ce géant aux cheveux blancs portait lui-même sur l'épaule son modeste sac de voyage. Il n'était guère touché par tout ce qui se déroulait autour de lui. Il gardait seulement un œil sur Yeza, mais discrètement, car il savait qu'elle n'appréciait pas d'être chaperonnée. Il lui faisait confiance, et elle le remerciait de temps en temps pour sa présence, en lui lançant un bref regard.

L'un des murs de la grande salle d'audience du château pontifical était recouvert, du sol au plafond, par la fameuse *Mappa Terrae Mongalorum*, cette carte du monde qui montrait pour la première fois le royaume du grand khan des Mongols, avec les bulbes coiffés d'or, les minarets élancés et les campaniles chrétiens de Karakorom.

Yeza ne put s'empêcher de sourire. Guillaume lui avait souvent raconté l'étrange manière dont avait été créée cette peinture murale. Il s'était alors plus couvert de peinture que de la gloire d'un découvreur de mondes. Ne parlons même pas du prestige de l'artiste. Yeza chercha et trouva la porte secrète, tout en haut, entre le désert de Gobi et les montagnes de l'Altaï. Elle savait par Guillaume que cette porte pouvait être actionnée depuis le haut, et elle n'était pas fâchée de connaître ce détail. Elle pensa malgré elle à Roç, qui serait aussitôt monté vérifier le mécanisme.

— Bienvenue, jeune dame! s'exclama très cordialement le cardinal en voyant arriver Yeza. Et, par pure habitude, il lui tendit la main gantée et ornée d'une bague.

Yeza prit la main, contempla l'anneau avec intérêt et commenta :

— Moi, je n'accouplerais pas les rubis et les émeraudes, on dirait qu'ils s'éteignent mutuellement.

Puis elle lui rendit la main avec un sourire désarmant.

Sigbert, qui n'avait pourtant encore jamais rencontré le cardinal, se chargea des présentations :

— Le prince Galvano Lancia, duc de Salerne (ce que chacun savait, mais il lui avait paru utile de le rappeler pour annoncer Yeza sous le jour qui lui convenait), a eu l'amabilité de placer sa Majesté royale Yezabel Esclarmonde du Mont y Sion en sécurité, sous la garde de Votre Excellence. C'est le vœu de nombreux princes et peuples chrétiens, entre les Pyrénées et l'Altaï, dans les lointains territoires orientaux des Mongols, entre les îles de la mer du Nord glaciale et les pyramides du désert : seul le couple royal doit désormais occuper le trône de Jérusalem et y imposer enfin la paix. L'imposer, oui, aussi bien aux armées déferlantes du grand khan et aux sauvages mamelouks du sultan du Caire qu'aux Vénitiens et aux Génois qui règlent en Terre sainte leurs querelles absurdes alors que les véritables pèlerins n'y viennent pratiquement plus. (Le vieux commandeur reprit son souffle.) La situation en *Terra sancta* a toujours été un reflet, pour ne pas dire une caricature des rapports de force en Occident et en Orient. La responsabilité de Rome est d'y assurer l'ordre et la tolérance. Autrement, notre bien-aimée Jérusalem sera la victime définitive de ces honteuses bisbilles. Au lieu de semer le tendre grain de l'amour parmi les hommes, au profit de la foi chrétienne, nous le jetons entre les meules de la cupidité profane et de la haine fanatique. Est-ce ce que Rome désire ?

Sigbert von Öxfeld se tut, épuisé. Il n'avait pas préparé son discours. Mais l'occasion unique qui s'était offerte à lui de parler devant deux grands personnages de l'empire et le plus haut représentant du trône de saint Pierre avait fait jaillir de sa poitrine toute la rage accumulée après une vie au service de la chrétienté.

Mais le commandeur ne toucha pas son assistance. Ces messieurs jugeaient au contraire que l'intervention du chevalier n'était guère convenable. Yeza, seule, avait marché vers le vieil homme et lui avait posé fermement la main sur le bras, en signe de reconnaissance pour ses paroles, mais aussi de volonté d'apaisement. Elle ne s'était pas attendue à une autre réaction, et voulait éviter qu'une fureur légitime s'empare à présent de Sigbert.

— Eh bien ! dit le vicaire de l'empire au Cardinal gris, en lui lançant un clin d'œil lourdaud et familier. Vous connaissez à présent les prétentions du couple royal, et même si l'on ne nous en présente ici que la meilleure moitié, vous pouvez être certain que la dame Yeza les exposera d'une façon identique devant notre Saint-Père.

— Alexandre est prévenu ! plaisanta Lancia d'une voix de stentor.

Le cardinal lui emboîta le pas.

— Le pape sait pourquoi il séjourne à Viterbe, bien à l'abri entre ses murs. Mais j'attends de dame Yeza qu'elle me demande un sauf-conduit pour la ville de Bologne.

— Je ne me laisse pas montrer en spectacle comme un animal exotique, et je n'ai pas l'habitude d'entrer en brisant les portes, répondit-elle sèchement. La manière dont on accueille ici nos prétentions sur le trône de Jérusalem ne me donne guère l'envie de solliciter encore quelque faveur que ce soit de l'Église ou de l'empire !

— Je vous en prie, précieuse dame, assura le cardinal d'une voix mielleuse, le sauf-conduit sur nos terres vous est d'ores et déjà garanti, et ne se heurtera à aucun obstacle. (Il se tourna un peu avant de reprendre :) Cela me coûtera ce trait de plume que l'on reconnaît comme ma signature.

Sa plaisanterie le fit éclater de rire, et Pallavicini l'imita.

— Mais il en va autrement du royaume de Jérusalem.

— Je ne veux pas être mal comprise, même par mes amis, expliqua Yeza. Le couple royal n'a aucune prétention sur le territoire qui, conformément au droit féodal, porte le nom de « Royaume de Jérusalem », bien que la Ville sainte n'appartienne plus elle-même *de facto*, depuis plus de soixante-dix ans, à la zone de pouvoir des chrétiens. Nous n'avons pas non plus l'intention de mener une nouvelle croisade violente ni de nous emparer du royaume par la ruse. Nous voulons un havre pour l'esprit, une Jérusalem de l'âme.

— On dirait qu'un ange a chanté ! jubila le cardinal en écartant les bras. Comme cela va réjouir le Saint-Père ! La rose du Christ refleurit dans les ruines, le Saint Sépulcre rayonne d'un nouvel éclat !

Yeza avait reculé, ce qui lui permit d'échapper à l'accolade, mais pas à ce flot de mots qui cachaient à peine leur fausseté. Elle décida de répondre avec la même monnaie.

— Que ce serait beau, soupira-t-elle en tournant ses yeux rayonnants vers le plafond de la salle comme si le pape y était perché, comme ce serait beau si nous pouvions recevoir la Jérusalem céleste en fief, des mains du représentant du Christ sur cette terre ! Le couple royal reçoit humblement la couronne d'épines dorée du Saint-Esprit, et le pape bénit notre œuvre !

Le cardinal dévisagea Yeza, d'abord ahuri, puis touché, et pour finir amusé.

— Je présenterai votre vœu au Saint-Père. Je suis persuadé que cette reconquête pacifique qui nous permettra de faire une petite farce à tous les adversaires de l'*Ecclesia catolica* est tout à fait dans son esprit. Mais soyez d'abord mon hôte ici.

— Je vous remercie, Excellence, de comprendre aussi vite. Je ne suis cependant pas venue ici admirer un port ensablé, mais votre Rome éternelle, *urbis et orbis*. Sachez que vous pourrez m'y trouver à n'importe quel moment, car j'y attendrai votre lettre, portant une signature lisible et certifiée !

Yeza tourna les talons pour s'en aller, et fit un signe à Sigbert. Mais Pallavicini la fixa du regard, ce qui poussa le cardinal à retenir Yeza.

— Je suis en mesure de vous établir un sauf-conduit pour un voyage à Bologne, mais pas pour la ville de Rome. Pour une jeune dame, c'est une route très dangereuse, contre laquelle je ne peux que vous mettre en garde. Les Romains sont un peuple insoumis !

Yeza toisa le vicaire de l'empire.

— Vous, Oberto Pallavicini, vous êtes certainement un bon ami du *Podestà* de cette ville qui a chassé le pape de ses murs ?

Yeza s'était attendue que le vicaire des Hohenstaufen ait beaucoup de mal à répondre à ce défi ; mais il ne broncha pas. Il se contenta de laisser son regard glisser devant elle.

— Je peux vous donner une lettre de recommandation pour Brancaleone ; mais je dois reprendre à mon compte la mise en garde du cardinal !

— Qui donc a le pouvoir à Rome ? demanda Sigbert.

— La plèbe ! répondit le cardinal. Brancaleone a

proclamé la république, et cette canaille croit à présent qu'elle peut se gouverner elle-même. Brancaleone, ce rêveur infidèle, est depuis longtemps devenu le jouet des masses déchaînées. *Senatus populusque Romanus !* Quelle assemblée !

— Un tas de merde ! s'exclama le vicaire.

— Cela ne me fait pas peur, déclara Yeza. Rome ne sera pas pire que les autres capitales de cette terre. Accompagnez-moi à l'extérieur ! dit-elle au vicaire.

Elle fit une petite révérence ironique devant Galvano Lancia et le cardinal, et franchit la porte, suivie par Sigbert et Pallavicini.

— Voyez-vous, précieuse dame, lui chuchota le vicaire, plus rien ne s'oppose à votre visite à Bologne, auprès du roi Enzio. Vous avez conquis le cœur du cardinal, je n'ai jamais obtenu un tel sauf-conduit. Saluez pour moi le roi Enzio et dites-lui que tout va pour le mieux, qu'il ne doit pas abandonner son espoir. Bologne sera bientôt isolée, et la ville ne pourra supporter la pression d'un blocus ! Son fidèle Oberto y veillera !

Sur ces mots flatteurs, le vicaire de l'empire s'éloigna d'un pas agile, après avoir lancé à Yeza un regard perçant, qui était censé exprimer ses meilleurs vœux.

— Aller saluer Enzio, murmura Sigbert, cela signifie aller lui dire : reste où tu es. Moi, ton représentant, je règle de toute façon toutes les affaires mieux que tu ne le ferais. Personne n'a besoin de toi !

— Quelle bande de gredins vulgaires ! laissa échapper Yeza. Ils se tiennent tous les coudes !

— Ils protègent tous leur pouvoir ! confirma le commandeur, mais l'attention de Yeza avait été distraite.

— J'ai l'impression de voir des fantômes, murmura-t-elle. Le Triton vient de disparaître derrière un pilier !

Sigbert sourit.

— Bartholomée de Crémone compte effectivement au nombre des spectres employés par le Cardinal gris.

— Son apparition n'annonce rien de bon! constata Yeza, soucieuse.

— Il boite, répondit le commandeur pour la tranquilliser.

Ils étaient arrivés devant le château. Jordi avait trouvé des chariots, et les avait déjà chargés.

— À Rome, nous nous installerons à la maison des Allemands, proposa Sigbert.

Yeza ne répondit pas, mais prit le troubadour de côté et lui résuma rapidement ce que Guillaume lui avait raconté sur sa cachette secrète dans le château pontifical, que l'on pouvait atteindre depuis le toit, par une cheminée désaffectée.

— Vous n'êtes pas forcé de vous exposer à ce péril, Jordi, dit-elle. Mais j'aurais aimé connaître les projets de ces messires.

À son grand soulagement, le nain s'enflamma aussitôt pour ce plan. Yeza alla avec lui jusqu'à la garde de la porte et demanda où se trouvaient les lieux paisibles du grand besoin. Pendant que les gardes lui montraient le chemin, Jordi leur était déjà passé devant les jambes. Yeza monta l'escalier, entra dans cette pièce collée aux murs comme un nid d'hirondelle, regarda la mer lointaine, et prit ensuite le chemin du retour. Elle suivit le Tibre en direction de la ville, que l'on disait tellement différente de celles qu'elle avait vues jusque-là.

Dans la salle d'audience pontificale, le cardinal Octavien était agacé. Pallavicini se montrait pour sa part satisfait du résultat de l'entretien.

— À Rome, elle ne dérangera pas nos cercles, elle se rendra dès que possible à Bologne. On y est déjà préparé à la recevoir pour une assez longue visite. Elle ne résistera pas à la tentation!

— Et même? insista le cardinal. Et si son entreprise aboutit?

— Alors, ce sera la couronne de Jérusalem qui l'attirera! se moqua Pallavicini.

— Ah, laissa échapper le cardinal, ce que la Rome chrétienne n'est pas parvenue à faire au cours de ses mille années d'histoire, vous voulez l'installer là-bas en un tournemain? Et imposer par-dessus le marché la paix entre les peuples, la réconciliation entre les religions, y compris les hérétiques et les idolâtres?

— Je ne peux parler de « volonté ». Le couple royal s'y efforcera, et échouera au bout du compte.

— C'est la seule manière de nous en débarrasser, ajouta le cardinal, satisfait, sans qu'ils apparaissent comme des martyrs héroïques, des héros du grand projet sacrifiés par le Prieuré ou des ennemis défavorisés (comme l'Église!), acquérant ainsi la gloire des grands hommes, et survivant dans l'esprit de leurs semblables.

— C'est exactement cela! approuva solennellement Oberto Pallavicini. Mais Lancia était sceptique.

— Vous n'êtes même pas certain de réussir à Bologne; et puis votre plan ne concernerait que la dame Yeza, mais pas Roç Trencavel. Comment comptez-vous donc garder les commandes en main, après, à Jérusalem?

— Sans la dame Yeza, le couple royal n'en est plus un.

— Yeza vit encore, et Roç n'aura pas de répit avant qu'elle ne...

— C'est le roi Manfred qui s'occupe du Trencavel, assura le vicaire en lançant au cardinal un regard apaisant qui n'eut pas beaucoup d'effet.

— Bologne ne doit pas être un coup d'épée dans l'eau! s'exclama le cardinal. Car Jérusalem m'inquiète. Là, on libérera des forces que nos seuls moyens ne pourront pas canaliser!

Octavien, si posé d'ordinaire, était en train de perdre son calme.

— Il est impossible de toute façon de demander au Saint-Père d'accepter l'installation de ce couple. Ils ne sont même pas baptisés!

— Ni mariés devant l'Église ! (Cette dispute amusait beaucoup Lancia :) et ils feront reconnaître le catharisme comme profession de foi !

Le cardinal irrité ne perçut pas l'ironie du noble. Lancia se crut obligé d'en rajouter un peu :

— Ils en feront une religion d'État !

— Il ne manquerait plus que cela, dans ce lieu de malheur où les juifs nous posent déjà tellement de problèmes. Lorsqu'ils ont voulu construire leur temple, ils ont fait raser toute une montagne, uniquement pour trouver un lieu consacré pour leur Arche d'Alliance, qu'ils ne sont même pas capables de montrer !

— Rome a aussi le Temple sur la conscience ! ajouta Lancia, mais le cardinal ne se laissa pas détourner de son idée.

— Pour les musulmans, c'est là-bas que le prophète Mahomet est monté au ciel, à cheval, il existe même une pierre avec une empreinte de sabot.

— Allons, allons, dit Lancia, vous n'allez pas énumérer à présent tous les lieux saints que les chrétiens ont à offrir là-bas et aux alentours immédiats. Rome, avec son saint Pierre enchaîné et quelques catacombes, ne supporte pas la comparaison !

— Vous n'êtes pas un ami de l'Église, le tança le cardinal. Mais le fait que vous êtes l'oncle de Manfred ne vous force pas à jouer l'Antéchrist !

— Je me réjouis d'entendre, Octavien degli Ubaldini, que vous considérez toujours les partisans des Hohenstaufen comme des chrétiens.

Le cardinal ne se laissa pas entraîner dans la provocation.

— Nous sommes tous entre les mains de Dieu, répondit-il d'une voix cérémonieuse. Aux uns, il montre la voie vers la foi véritable, les autres passent devant son tribunal. Qu'est-ce que c'était que cette histoire d'attentat au poison contre le roi Manfred ?

— Il ne sortait pas de votre cuisine. Excellence, intervint le vicaire. Les Grecs...

— Ces misérables schismatiques ! s'exclama le

cardinal. Voilà qui leur ressemble bien, un calice empoisonné !

— Comment savez-vous donc que c'était un calice ? demanda Pallavicini, méfiant ; mais le cardinal lui fit signe d'arrêter.

— C'était un lourd calice en marbre noir, reprit le vicaire. Nous avons fait reconstituer les éclats par deux condamnés à mort.

— Il vous a fallu six hommes pour arriver au bout du travail, corrigea Lancia, courroucé.

— En tout cas, nous avons trouvé dans le socle de la coupe un espace creux destiné à recevoir le poison ; il coulait ensuite par un canal fin comme une aiguille, montait le pied du calice par un fil de laine lorsque le sommelier versait le vin, déjà goûté, dans la coupe.

— Pas mauvais, nota le cardinal. Ces Grecs ! Géniaux dans la conception, mais exécrables dans la mise en œuvre ! D'épouvantables schismatiques ! Et comment messire Manfred a-t-il échappé à son destin ?

— Un franciscain nous a mis en garde !

— On n'est nulle part à l'abri de ces frères mineurs ! Ils sont presque aussi terribles que les hérétiques. Non, ils sont pires encore !

— Il s'agissait de Guillaume de Rubrouck !

— Sainte fausse couche de Marie ! dans ce cas, ça ne pouvait qu'échouer ! s'exclama le cardinal. Messieurs, à table ! Mon *venerarius venerabilis*, mon empoisonneur attitré, est aujourd'hui en congé.

Et ils quittèrent la pièce, de fort bonne humeur.

BRANCALEONE SUR LE CAPITOLE

Le petit cortège composé par les deux chariots et la litière atteignit les murs de la Ville Éternelle à la « Porta Portuensis », la porte située en dessous du port sur le Tibre. Le vicaire de l'empire lui avait envoyé une troupe de cavaliers qui négociaient à

présent avec les gardiens des portes. Et le chemin
était déjà libre pour dame Yeza, qui fit son entrée
dans la ville à cheval, au côté de Sigbert. Elle observa
de ses yeux brillants le grouillement de barques et de
navires qui peuplaient le port fluvial, près de l'île de
Lepra, au milieu du Tibre, tandis qu'à droite, l'Aventin se dressait majestueusement, avec ses palais et
ses jardins.

— Nous devrions éviter Trastevere, que l'on
appelle à juste titre le quartier des voleurs, lui suggéra le Chevalier teutonique. Il est censé protéger le
port intérieur. En réalité, toute personne qui s'y
égare est aussitôt dépouillée.

Yeza aurait aimé vivre une attaque de coupe-jar-
rets, mais elle se rappela à temps que le coffre trans-
porté dans la litière contenait tout ce qu'elle possédait pour pouvoir achever son voyage. Elle suivit
donc docilement le gigantesque gouverneur dans la
rue pavée qui, empruntant un pont romain, obli-
quait vers le quartier de la ville où l'on soulageait
d'une autre manière les voyageurs esseulés. Le pavé
paraissait déjà de très bonne qualité, et la rue était
flanquée, de part et d'autre, par des statues de
marbre. Elle débouchait droit sur un bâtiment circulaire majestueux, entouré de temples.

— Le Colisée! s'exclama Yeza, toute fière d'en
connaître le nom. Mais Sigbert fut contraint de la
décevoir.

— Ce n'est que le théâtre de Marcellus. Le Colisée
est dix fois plus haut et plus massif!

Une fois entrée dans les ruelles sinueuses, Yeza
n'en finissait plus de s'étonner. Jusque-là, elle avait
rencontré partout des témoignages de l'architecture
romaine, du Liban jusqu'au Languedoc. Mais elle
était stupéfiée par la quantité de piliers et d'arcs,
tous d'une beauté ahurissante.

— Nous voici devant le château fort des Teutons!
plaisanta Sigbert en désignant un billot de travertin
apparemment sans fenêtres, un édifice clair mais
qui, dans ses proportions et son sobre décor, révélait

la main des architectes romains. C'est là que nous allons prendre nos quartiers.

— J'aimerais descendre dans un logis tout simple et aller sentir la mer, dit Yeza en désignant une entrée sombre creusée dans un mur, au-dessus de laquelle un panonceau de bois orné d'une flèche annonçait une « *Albergo del Paradiso* ». C'était un bâtiment semblable à une tour, auquel avait jadis mené un escalier. Il s'était effondré sur la moitié de sa hauteur, et un figuier s'y était niché. Yeza remarqua le regard désapprobateur de son protecteur.

— Le bouclier de l'Ordre teutonique s'étend sûrement sur ce petit « paradis ». D'en haut, comme Dieu le père, vous pourrez surveiller ma couche spartiate et protéger mon sommeil.

Mafalda, quant à elle, préféra revendiquer son statut de Première dame de cour.

— Le vizir et mon humble personne accepteront volontiers l'hospitalité du vénéré messire d'Öxfeld, puisque nous devons aussi garantir la sécurité de nos biens, ce qui me paraît assez difficile au « Paradis », dit-elle en fronçant le nez.

— Parfait ! l'interrompit Yeza. Vous prendrez vos quartiers dans le château, avec les chariots et les bagages. Ne resteront avec moi, je suppose, que Geraude et maître Jordi. Il se plaira bien ici.

Elle mit pied à terre et actionna énergiquement un heurtoir composé d'une casserole en cuivre trouée et d'un fer à cheval usé. L'aubergiste avait sûrement remarqué depuis longtemps la présence de ses hôtes devant sa porte : dès le premier coup ou presque, il apparut avec sa femme.

— Je passerai vous voir tous les jours, s'exclama le commandeur à voix haute. Cette annonce était moins destinée à Yeza qu'aux aubergistes, qui s'inclinèrent aussitôt profondément en découvrant l'homme en tenue de l'Ordre, manteau blanc et croix noire.

— La haute dame ne manquera de rien ! déclara l'aubergiste en observant Mafalda.

Yeza profita de l'occasion pour plaisanter un peu.

— Vous pourrez m'appeler à toute heure, haute dame, dit-elle en effectuant une révérence parfaite devant sa dame de cour, je serai aussitôt à votre service. Cela vaut aussi pour le valet Jordi, dès qu'il sera revenu parmi nous.

— Je vais immédiatement envoyer chercher cet oublieux ! répondit dignement dame Mafalda, qui était entrée dans le jeu.

Seule Geraude s'inquiétait véritablement.

— J'espère qu'il nous trouvera !

— Dois-je aller le chercher ? proposa le vizir.

— Il n'en est pas question, Kefir Alhakim, décida Mafalda. Qui décharge les chariots ? (Elle se tourna vers Yeza, d'un air majestueux.) Je vous enverrai l'indispensable !

Sigbert, tourmenté, souleva les sourcils.

— Par sécurité, je ferai déposer la litière dans mes appartements ! lança-t-il à Yeza sans la regarder.

— Si ces dames veulent bien me suivre, proposa l'aubergiste, déjà moins respectueux. Son épouse observait même Yeza et Geraude avec un certain dédain. Les créatures féminines qui descendaient dans son établissement sans être accompagnées par des hommes étaient le plus souvent de réputation douteuse. Mais ces deux-là ne ressemblaient pas aux autres courtisanes de San Giovanni in Laterano, le palais de la curie et des cardinaux, ces vieux boucs lubriques.

L'aubergiste mena les deux voyageuses dans deux chambres voisines. Celle de derrière avait vue sur une cour plantée de vigne, celle de devant sur un marché animé, avec une fontaine. Elles étaient meublées sobrement, et pas vraiment propres. Les murs portaient les traces de la mort subite de toutes sortes d'insectes. Les moustiques avaient laissé de petites flaques de sang, et des cancrelats morts reposaient sous le lit.

— Allez donc profiter de la vie à proximité du peuple, proposa Geraude à sa maîtresse. Je vais préparer votre chambre. Nous utiliserons nos propres draps.

— Commencez par enfumer les matelas! (Yeza n'était pas disposée à se laisser gâter sa bonne humeur par la vermine.) Je suis certaine que des cohortes de punaises et au moins une légion de puces y sont tapies dans l'ombre, attendant joyeusement l'instant où elles pourront déguster notre tendre peau!

Elle descendit la ruelle et rencontra Jordi, qui paraissait tout amusé. C'est elle qui lui demanda un récit :

— Comment avez-vous échappé à la grotte de l'effroyable murène — je veux parler du cardinal? Venez, mon troubadour, accompagnez-moi dans le tourbillon de la plèbe romaine!

> *« De don plus m'es bon e bel*
> *non vei mesager ni sagel,*
> *per que mos cors non dormi ni ri,*
> *ni no m'aus traire adenan,*
> *tro que eu sacha ben de fi*
> *s'el' es aissi co eu deman. »*

Le nain hésita et regarda vers le haut de l'auberge, avec méfiance.

— Geraude a-t-elle pris mon luth? s'enquit-il, inquiet. On entendait depuis la chambre de doux accords et la belle voix de la suivante. Elle entonnait un chant d'amour à sa patrie occitane.

> *« La nostr'amor vai enaissi*
> *com la branca de l'albespi*
> *qu'esta sobre l'arbre tremblan,*
> *la nuoit, a la ploia ez al gel,*
> *tro l'endeman, que-l sols s'espan*
> *per la fueilla vert e'l ramel. »*

Ils écoutèrent tous les deux un instant au pied de l'escalier, puis Jordi se reprit et se mit à raconter.

— J'ai entendu tout ce que le cardinal et le vicaire de l'empire se sont jeté à la tête comme si je m'étais tenu à côté d'eux, chuchota le nain tandis qu'ils se frayaient un chemin vers la rue, par un couloir obscur. Ensuite, ils sont passés à table, et mon ventre a émis de tels gargouillements que j'ai craint qu'ils ne l'entendent.

— Je vous achèterai un œuf dur, ou même deux ! lui promit Yeza en apercevant les stands et les bancs pleins de poules et de corbeilles grouillant de poussins qui pépiaient.

— Je ne m'en serais pas sorti indemne en passant devant la garde de la porte. Je me suis assis dans un coin, sous l'escalier. Lorsque l'un d'entre eux est passé près de moi, je me suis mis à ronfler bruyamment, à plusieurs reprises. Ils m'ont entendu, m'ont réveillé et j'ai joué l'ahuri : je leur ai demandé où était ma maîtresse, partie un instant plus tôt pour le lieu du grand besoin. Ils m'ont alors éclaté de rire au visage : elle avait filé depuis longtemps ! Je me suis mis à geindre, et ils ont eu pitié de moi. Ils m'ont fichu dans la barge suivante, celle qui remontait le fleuve avec un chargement d'herbes fraîches, de tubercules et de betteraves.

— Ce qui explique votre odeur ! Les légumes ne devaient pas être de première fraîcheur.

— Ça n'est pas moi ! protesta le nain. Cette ville pue par tous les trous, les Romains...

— Apprenez-moi plutôt ce que préparent avec une telle harmonie ces deux seigneurs qui, d'ordinaire, se combattent férocement !

— Le cardinal Octavien et le borgne Oberto ne sont pas aussi ennemis que cela, répondit Jordi d'une voix sérieuse, en regardant discrètement autour de lui. Nous devons être sur nos gardes. Le lieu ne se prête guère à vous révéler ces intrigues.

Yeza ne s'en souciait guère.

— Puisque aucun danger ne nous menace pour l'instant, commençons par aller chercher des œufs, du pain et du jambon.

Sigbert transmit à Yeza l'invitation du Capitole. Le commandeur, accompagné par son escorte, ne précisa pas si c'était lui qui était allé la demander ou si les mouchards de Brancaleone l'avaient déjà averti de l'arrivée de la jeune femme. En ces temps d'hostilité au pape, les Allemands, fidèles à l'empire, étaient en tout cas les seuls à être bien vus sur la colline du Sénat. Les Romains n'avaient jamais apprécié la tutelle laïque que les papes exerçaient sur leur ville. Le peuple aurait sans doute porté Yeza dans les rues comme une reine, si l'on avait su qui elle était. Mais Sigbert considérait qu'une telle manifestation n'était pas conseillée : il existait dans l'enceinte de la ville un parti du pape. Une classe noble influente qui devait en bonne part ses titres, ses privilèges et ses palais à l'État religieux, le Patrimonium Petri, auquel on était aussi fréquemment lié par la famille et les alliances. Ces dignitaires se donnaient le nom de *Camerlinghi*, les chambellans du pape. Le peuple, lui, les appelait « *Cammellieri leccazampe* », les chameliers lécheurs de sabots. Mais ils avaient du pouvoir, et le moyen de faire poignarder en pleine rue ou disparaître dans les égouts quiconque le menaçait trop.

Yeza choisit Kefir Alhakim pour l'accompagner. Elle lui acheta une robe noire garnie de fourrure et un chapeau semblable à celui des professeurs. Elle lui fit mettre autour du cou une lourde chaîne d'or qui retenait, au lieu de la croix, une *khamsa*, la main porte-bonheur arabe. Il avait l'air très digne.

Le chevalier teutonique avait fait transporter la litière et attendait devant l'auberge. Elle dut s'y installer avec le vizir.

Le chemin du Capitole passait devant la plus grande aire théâtrale que Rome ait jamais possédée, celle du Pompeius.

— C'est ici que César a été assassiné, expliqua Yeza au vizir, d'un air grave. Un homme qui détenait le pouvoir sur de gigantesques royaumes. Mais il a échoué en tentant de s'emparer du pouvoir à Rome.

Ils étaient déjà arrivés sur la colline du Capitole. Les Chevaliers teutoniques mirent pied à terre. Et l'on dirigea directement la litière vers le palais du Podestà, juste à côté du Sénat.

Sigbert von Öxfeld fut le seul à suivre. Yeza s'était imaginé le fameux Brancaleone comme un noble romain de haute stature ; elle fut déçue lorsqu'un petit chauve grassouillet lui adressa un salut amical, mais distrait, au moment où elle sauta de la litière. Le Podestà avait pourtant quelque chose de chaleureux dans le regard. Cela inspira aussitôt confiance à la jeune fille, tout comme le fait qu'il était en train d'arroser avec amour quelques cactées et un aloès en fleur, installés dans des pots de terre cuite sur le rebord de la fenêtre. Cela donnait à la vue majestueuse que l'on avait sur le Forum et le Palatin une dimension humaine.

— Et qu'est-ce qui vous mène, ma reine, en ce lieu réservé aux bergers qui font paître leurs troupeaux entre les ruines d'une grandeur passée, aux agneaux qui se font tondre par des pâtres inutiles ? Voulez-vous donc qu'on vous enlève la fourrure entre les oreilles ?

Il observa en détail, avec une franchise désarmante, la chevelure blonde de Yeza, après avoir posé son arrosoir au long bec.

— Vous avez une bien belle laine dorée !

— Je ne suis pas une brebis, et je ne me laisse pas tondre ! le tranquillisa Yeza en rejetant sa crinière vers l'arrière, d'un mouvement de tête énergique. Et Rome n'est pas non plus pour moi une idylle pastorale, je n'ai pas l'intention d'y mener une vie oisive et paresseuse. Rome est le point de départ d'une entreprise à laquelle je vais me consacrer avec une discipline rigoureuse.

Brancaleone l'observa, amusé.

— Vous voulez partir pour Bologne, auprès du roi Enzio ?

— Oui, acquiesça Yeza. Comme tout le monde ici en sait manifestement déjà plus que moi, je ne le nierai pas. Le pape doit me laisser accéder à la ville.

Jusqu'ici, Sigbert avait suivi la conversation en silence, presque absent. Mais, à cet instant, il prit la parole et demanda :

— Cette volonté de rendre visite au roi emprisonné est-elle votre vœu personnel ? Ou bien quelqu'un vous l'a-t-il habilement suggéré ?

Le commandeur paraissait sincèrement inquiet, et Yeza perdit tout d'un coup sa certitude. Elle se dit que Rinat Le Pulcin avait effectivement pu lui donner cette idée-là, et dans ce cas, les scrupules de Sigbert étaient justifiés. Ils changèrent de sujet.

— Qu'ont trouvé, au juste, les Romains à Jérusalem, et qu'ont-ils emporté lorsqu'ils ont détruit le Temple après l'insurrection des juifs ?

Brancaleone la regarda, moins étonné que le Chevalier teutonique, qui voyait ses craintes confirmées et trouvait extrêmement étrange cette diversion audacieuse vers la Terre sainte.

Brancaleone n'avait guère envie de répondre à cette question ; approfondir le débat précédent lui aurait aussi été désagréable, car le vieux commandeur avait touché une réalité du doigt. Mais dissuader Yeza de se lancer à la poursuite d'Enzio n'était pas son affaire. Lui, Brancaleone degli Andalò, dont les ancêtres venaient du sud de l'Espagne (d'aucuns avaient combattu dans les rangs des Templiers) savait bien pourquoi certains milieux voulaient écarter le couple royal de Jérusalem. Cela tenait justement à cette question que Yeza avait très habilement soulevée. Il joua les ignorants.

— Le trésor des Templiers ? demanda-t-il, moqueur et incrédule. J'ignore, ma belle reine aux cheveux blonds, en quoi il consistait. Et puis les Goths l'on enlevé, jadis, à Rome, et l'ont emporté dans le sud de la France. On prétend qu'il est conservé dans leur ancienne capitale, Rhedae.

Et in Arcadia ego, songea Yeza. Mais elle dit d'une voix ferme :

— Il n'y est plus. Nul ne sait où il est passé !

— Aucun peuple, confirma le Podestà, n'a

emporté autant de secrets dans son déclin et sa mort que les Goths.

— Et aucun, ajouta Yeza, qui bouillait au fond d'elle-même mais gardait extérieurement une parfaite froideur, n'est resté jusqu'à ce jour aussi auréolé de mystère. Tous les mouvements occultes de l'Occident se réclament, au bout du compte, de ce peuple mystérieux. Savez-vous donc dans quel lieu de Rome on conservait, jadis, le trésor des Templiers, ou plutôt du Temple ? corrigea-t-elle aussitôt.

— Certainement ici, sur le Capitole ! répondit le Podestà en riant. Mais vous n'en retrouverez plus la moindre coupe en or ! Non pas parce que les conquérants ont opéré avec minutie : mais les Romains auraient gratté depuis longtemps la moindre pierre noire qui aurait encore eu le parfum de ce beau métal ! Quand il s'agit de piller des trésors, c'est le peuple le plus travailleur de cette terre !

Yeza avait regardé autour d'elle. Si Roç avait été là, il aurait trouvé, même ici, sur le Capitole, l'entrée dans le monde souterrain — car cela ne faisait aucun doute, la colline tout entière était certainement creuse, percée de galeries et de salles secrètes, comme le château Saint-Ange ! Mais elle aussi estimait qu'ici, à Rome, on ne découvrirait rien. Ni la Pierre noire, ni le calice n'auraient choisi ce lieu où l'on ne respirait pas cet air dont on fait les vrais grands mystères. Un lieu pour les bergers et les moutons, pour de jolies journées de pâturages entre les ruines recouvertes d'herbes folles : Brancaleone avait bien raison. Il n'existait sans doute que deux ou trois points sur cette terre qui se situaient dans un champ de force magique. Par ordre d'ancienneté, c'étaient les pyramides, le Temple, et non point Rome, mais Montségur !

— Je vous crois, Brancaleone ! déclara Yeza tandis que ses pensées l'entraînaient déjà ailleurs. Bologne n'a rien à faire du mystère du Temple. C'est simplement un défi, un examen auquel je me soumets moi-même.

« C'est un piège, mon enfant ! » songea le Podestà, mais il ne le dit pas. Peut-être cette jeune reine était-elle aussi appelée à franchir ce genre d'épreuves.

Le couple royal devait vraisemblablement s'exposer aux risques du monde féodal. Un processus de purification ? Lui, le Podestà, n'avait pas mission d'anticiper sur le grand projet, il n'était qu'un vicaire du Prieuré ; les décisions étaient prises en plus haut lieu. Si l'on affirmait à Yeza qu'elle devait s'adresser au pape pour régler cette affaire, elle n'hésiterait pas à se rendre chez lui. Ce qui l'inquiétait, c'est qu'elle paraissait fermement persuadée que Rome, et non, par exemple, Viterbe, serait le lieu de cette rencontre. Alexandre devrait donc revenir dans sa ville. Or ce n'était guère compatible avec sa présence à lui, Brancaleone, dans ses fonctions et sa dignité de Podestà républicain. Si Yeza ne s'était pas trompée, alors Brancaleone devait être sur ses gardes. Mais le petit chauve grassouillet n'avait aucune envie d'aborder ce sujet.

— Je vais vous montrer un portrait de moi, annonça-t-il à brûle-pourpoint. Un artiste vénitien l'a réalisé voici peu de temps. J'ai là bien meilleure allure qu'*in natura*.

Il fouilla dans les tiroirs de son bureau et finit par en sortir fièrement un petit tableau de bois grand comme la paume d'une main.

— Et il ne m'a rien coûté !

Yeza reconnut aussitôt le coup de crayon : c'était Rinat. Elle regarda attentivement le portrait du sénateur Brancaleone. Il paraissait effectivement beaucoup plus jeune, aussi éthéré qu'un ange imberbe ! Elle tressaillit. C'était de toute évidence le portrait d'un mort ! Elle voulut parler, se demanda comment elle devait formuler sa mise en garde. Mais au même instant, à la porte du bureau, les gardes annoncèrent qu'un certain messire Kefir Alhakim souhaitait s'adresser d'urgence à la dame Esclarmonde ou au chevalier Sigbert. Voyant que celui-ci hochait la tête, le Podestà ordonna qu'on le fasse entrer.

Kefir paraissait surexcité. Il ne perdit pas de temps
à saluer Brancaleone et annonça en toute hâte :

— Jordi vous fait demander de rentrer au plus vite
dans vos quartiers.

— Dommage, s'écria le Podestà, il est rare qu'une
personne aussi agréable que vous s'égare auprès de
moi. (Il jeta son petit tableau dans le tiroir.) Je suis
heureux de vous avoir parlé, ma reine. Je vous souhaite du fond du cœur beaucoup de chance dans
votre entreprise auprès d'Enzio, et sur tous vos
autres chemins !

Il embrassa galamment la main de la jeune
femme. Kefir était resté immobile à la porte et attendait Yeza avec une impatience qui frôlait l'impo-
litesse. Brancaleone accompagna ses hôtes à l'extérieur. Et, tout d'un coup, le vizir s'adressa à lui :

— De faux amis font peser sur vous le risque d'un
malheur imminent, commença-t-il en hésitant, mais
Sigbert l'empêcha de continuer. Il secoua sa tête gri-
sonnante et désigna Kefir avec un sourire, comme
pour montrer qu'il n'avait pas tous ses esprits.
Cependant le Podestà s'était immobilisé, les ailes de
son nez étaient devenues livides. Il poussa ses visiteurs vers l'escalier et rentra sur-le-champ dans sa
chambre, dont il referma la porte à clef.

C'est au moment où ils rejoignirent la grande cour
du Capitole qu'ils constatèrent que tout était plongé
dans l'obscurité. La nuit venait si tôt, en cette fin
d'automne, qu'ils purent voir les derniers voiles de
nuages illuminés, un finale splendide en orange,
cyclamen et violet : le soleil prenait congé de Rome.

Lorsqu'ils eurent fini de descendre l'interminable
escalier extérieur, la nuit romaine était déjà tombée.
Les premiers braseros allumés par les pauvres crépi-
taient sur les chemins menant aux portes de la ville ;
les riches, eux, faisaient planter des torches dans les
supports de fer, devant leurs palais. Yeza insista
pour que l'on emprunte à pied le chemin sinueux
menant au centre ville, d'autant plus que Kefir
n'avait pu lui expliquer pourquoi Jordi avait

demandé qu'elle rentre aussi vite dans ses quartiers. Le Chevalier teutonique, inquiet pour sa sécurité, ordonna cependant à leur escorte de les suivre de près. Ils marchaient à peine depuis un quart d'heure dans les ruelles étroites, progressant constamment au centre, moins par crainte des attaques que pour éviter que l'on ne déverse sur leur tête, depuis les fenêtres, des immondices ou des excréments, lorsqu'ils remarquèrent une certaine agitation. On apercevait des hommes qui couraient, si l'on en croyait leurs torches vacillantes, et l'on entendait un bruit qui rappelait celui des armes. Sigbert, à son tour, ordonna qu'on presse le pas et resserra encore son escorte armée autour de Yeza. Mais lorsqu'ils aperçurent le château de l'Ordre, lorsqu'ils se retrouvèrent devant la miteuse auberge « *del Paradiso* », tout était paisible sur la place. Des enfants jouaient entre les étals du marché, et les anciens étaient assis devant les porches de leur maison.

C'est alors, d'un seul coup, que le silence de la nuit tombante fut déchiré par le son des cloches. Au premier coup sur le bronze, tous ceux qui dressèrent le cou sentirent que quelque chose s'était passé. Puis d'autres cloches rejoignirent la première, elles tonnaient toutes, comme pour appeler à l'insurrection.

— Ce n'est pas un *memento mori*, comme il est courant de le sonner lors du décès d'un pape, expliquait le commandeur au moment précis où Jordi les rejoignit en courant.

— Brancaleone ! cria-t-il, hors d'haleine. Ils ont assassiné Brancaleone !

— Ce ne sont donc pas les cloches du deuil, constata Yeza, mais celles annonçant le délice vaniteux de l'*Ecclesia* !

Sigbert ne prit pas le temps de lui répondre : il avait plus important à faire.

— Ce sera une nuit sanglante, prédit le vieux chevalier, qui parlait d'expérience. Les guelfes ont affûté leurs armes. Et toi, Yeza, à leurs yeux, tu comptes au nombre des gibelins !

— Je peux défendre toute seule ma...

— Rien du tout ! tonna le commandeur. J'exige que, cette nuit, vous dormiez tous dans notre maison fortifiée ! Pas de discussion !

Yeza le trouva émouvant, avec son air de patriarche de l'Ancien Testament. Elle se conforma à son ordre. Ils ne s'arrêtèrent donc pas au « Paradis » et continuèrent leur marche jusqu'à ce que la lourde porte garnie de pointes de fer se referme derrière eux dans la maison des Allemands, et qu'on l'ait verrouillée. On avait déjà renforcé la garde, et les chevaliers passaient leur armure.

— Je le pressentais, confia Yeza à Sigbert.

— Lui aussi, répondit sobrement le commandeur.

— Kefir l'avait deviné également, ajouta Yeza à l'intention de son petit troubadour, et toi, tu as entendu le coup venir ?

— Non, répondit Jordi à son grand étonnement. Je pensais que le coup serait dirigé contre vous, *ma damna* !

LA FAVEUR DE SA SAINTETÉ

Le lendemain matin, Rome s'éveilla affairée, et ne paraissait pas déplorer le Podestà assassiné. L'odeur des incendies que l'on avait allumés çà et là la nuit passée flottait encore, mais le marché était ouvert. Les prix avaient un peu augmenté, si l'on en croyait les cris des commerçants. Vers midi, un nouveau son de cloche s'éleva, d'abord timide, puis de plus en plus énergique. Le vent le propagea comme une tempête de cloches qui aurait balayé la ville.

Jordi, qui avait des oreilles dans la populace, surgit en courant aussi vite que ses petits pieds pouvaient le porter.

— Le pape est arrivé !

— Ah ! s'exclama Yeza avec mauvaise humeur : elle n'avait encore jamais ressenti la moindre sympathie pour les porteurs de la tiare. Voilà donc le clergé qui se réjouit et qui tire de toutes ses forces sur les cordes, afin de souhaiter la bienvenue au Saint-Père !

— Au contraire ! expliqua le troubadour. Ce sont des cloches de protestation ! Le peuple de Rome déteste l'idée de revenir sous le joug de la curie, il préférerait envoyer au diable tous ces porteurs de pourpre avec leurs manières de courtisans, et placer le Saint-Siège du pape devant les portes de la ville — devant la « Porta Flaminia », par exemple, depuis laquelle le pontife pourra se rendre par le chemin le plus court à Viterbe... ou en enfer !

Dès le lendemain, ils se retrouvèrent au château Saint-Ange, la tombe monumentale de l'empereur Adrien, transformée en forteresse pontificale.

Après l'accueil qu'ils lui avaient réservé, Sa Sainteté Alexandre IV préféra ne pas aller à la rencontre des Romains, surtout sur le long parcours qui, depuis le palais du Latran, menait de San Giovanni à l'église Saint-Pierre, à l'extérieur des Murs. Du château Saint-Ange, en revanche, il pouvait utiliser les murailles de Borgo, le chemin de fuite fortifié dont s'étaient servis tous ses prédécesseurs. Il arriva ainsi le pied sec et le pas ferme à sa basilique. Si le successeur de saint Pierre était menacé, il reviendrait en courant, tunique relevée, dans la rotonde qui se dressait juste sur la rive du Tibre. Comme le Cardinal gris, qui y résidait en permanence, tenait particulièrement à ce que l'accès et les entrailles de la forteresse ne se transforment pas en lieu public, on bandait les yeux des visiteurs dès la traversée du fleuve. Cette fois, Yeza ne se fit accompagner que par Sigbert. L'invitation à l'audience privée ne concernait de toute façon personne d'autre. On les fit monter et descendre par des couloirs interminables. Yeza se rappela les récits de Guillaume sur ces barrages de castors trempés dont les galeries souterraines se trouvaient sous les eaux, bien au sec. Elle fut d'autant plus étonnée lorsqu'on lui ôta enfin son bandeau et qu'ils se retrouvèrent dans une salle claire et chaude dont les fenêtres offraient une vision unique sur la ville, de l'autre rive.

Au moins au premier regard, le pape n'avait pas l'air d'un monstre ou d'une créature sournoise et manichéenne. Il n'était pas assis sur son trône, mais sur le rebord d'une couche. Il fit signe à Yeza de s'approcher de lui. Elle prit place auprès du Saint-Père, mais le cardinal Octavien l'invita aimablement à se relever. Non parce qu'elle avait oublié de baiser la main et la bague du pape, mais parce qu'il voulait la voir encore marcher un peu, sûre d'elle et pourtant si gracile, et même gracieuse.

Yeza bondit sur ses jambes et dit, très courtoisement elle aussi :

— Notre pauvre messire le pape, qui est manifestement muet, mais, je l'espère, n'est tout de même pas aveugle et sourd, peut à présent regarder en toute quiétude mon dos et son gracieux prolongement, car je vais quitter cette pièce sur-le-champ.

Le pape éclata de rire, la prit par la main et la tira vers lui.

— Ces Florentins, lui chuchota-t-il avec un clin d'œil, n'ont d'yeux que pour les lignes des femmes. Quant au baiser sur la bague, ils ne l'ont mis en vigueur que dans un seul dessein : celui qui l'embrasse doit admirer chaque jour un nouveau joyau. Dis-moi, veux-tu épouser Manfred ?

— Dieu me garde ! s'exclama Yeza. Jusqu'ici, le cardinal Octavien n'a pas réussi à empoisonner le roi de Sicile. À présent, il aimerait sans doute s'essayer à l'inceste ? (Elle éclata de rire.) Depuis mon enfance, hors du baptême, je vis dans une liaison incestueuse et sans la bénédiction de l'Église, comme il se doit pour une hérétique. Je ne vais pas faire une chose pareille à Manfred. D'ailleurs, je suis déjà promise !

— Dieu seul peut pardonner tant de péchés, dit le cardinal, en s'efforçant de ne pas passer devant Alexandre pour un bigot repoussant. Il aimait le courage de cette jeune femme. Elle avait quelque chose de royal. Même s'il n'avait encore jamais vu aucune reine faire aussi peu de cas de l'étiquette.

— Laissez donc le Saint-Père décider lui-même, Excellence, si l'on peut me pardonner! demanda-t-elle, mutine, au cardinal. Mais Alexandre ne prononça que quelques mots :

— Je suis bouleversé!

Était-ce feint ou sincère? En tout cas, il se sentit obligé d'ajouter :

— Je comprends seulement aujourd'hui la grandeur humaine de Notre Seigneur, qui a fait asseoir à ses pieds une pécheresse comme Madeleine et a élevé cette femme déchue en lui demandant, avec des essences précieuses...

Yeza lui coupa la parole.

— Il y a une différence entre moi et Marie-Madeleine : l'*Ecclesia* des patriarches a pu, ultérieurement, faire passer cette femme sans défense pour une putain, ce qui constitue une sinistre falsification historique, comme vous le savez certainement! Car cette femme — et en cela, elle m'était tout à fait semblable! — était la reine, l'épouse du roi Jésus! (Yeza était en rage.) Cela n'a pas plu aux pères de l'Église, ces misogynes, et cela ne vous convient toujours pas. C'est la raison pour laquelle on l'a transformée en « Madeleine la pécheresse » en niant le rôle considérable qu'elle avait joué. Vous ne réussirez pas à faire la même chose avec moi.

Les deux hommes éclatèrent de rire.

— Je vous propose, ô ma reine, dit spontanément le cardinal, que vous restiez notre hôte dans cette ville. Et si, au bout d'une lune, vous pouvez toujours en dire autant, alors nous paierons la rançon du roi Enzio pour le faire sortir des geôles de Bologne.

— Et si elle perd sa vertu? s'enquit le pape, intéressé par le jeu dont son ami était en train d'imaginer les règles. Mais Yeza ne le laissa pas répondre.

— Je n'ai pas l'habitude de perdre mes paris. Mais je n'en accepte jamais aucun dont les règles soient fixées par une personne susceptible d'en influencer l'issue. (Elle lança au cardinal un regard incendiaire.) Toutefois je veux vous faire une contre-pro-

position : donnez-moi un laissez-passer qui me permettra de me rendre jusqu'à Bologne. Si j'atteins la
ville sans perdre ma vertu, comme vous aimez à vous
exprimer, alors vous me garantirez la libération du
roi Enzio. Je peux verser sa rançon toute seule.

— Cela peut te coûter cher, objecta le pape. Ils
pourraient demander plus que ce que l'empereur
Henri a arraché à l'Angleterre, en son temps, pour
libérer Cœur de Lion !

— C'était tout le trésor du royaume anglais !
ajouta le cardinal, malicieux.

— Alors prononcez l'*interdictum* contre Bologne !
suggéra Yeza.

Son sérieux amusa encore plus le pape que son
conseiller.

— L'ancien empereur Frédéric a déjà offert des
sommes monstrueuses à la ville, sans succès. Nous
allons vous établir le papier que vous nous avez
demandé. Nous ne voulons et nous ne pouvons en
revanche vous donner aucune garantie de succès.
Profitez donc de Rome, mais veillez à adopter de
meilleures mœurs !

Yeza se leva et baisa la main qu'on lui tendait.
Lorsque Octavien à son tour lui offrit la sienne, elle
regarda l'anneau en fronçant les sourcils.

— À Ostia, Excellence, je vous ai déjà dit que vous
devriez changer de pierre. C'est toujours la même, et
à l'époque, déjà, elle témoignait d'un certain mauvais
goût.

Sigbert, qui avait somnolé tout ce temps dans le
fauteuil qu'on lui avait désigné, et qui n'avait
entendu que la fin de la discussion, se dressa tout
d'un coup sur ses jambes.

— Moi aussi, j'ai besoin d'un sauf-conduit pour
notre Ordre. À Rimini, les fûts hivernaux de bière
bavarois sont arrivés, ceux que les pieux frères du
monastère d'Andechs nous adressent chaque année
pour Noël. Nous n'avons qu'à aller les chercher. Je
vous en enverrai volontiers quelques cruches pour
faire la fête, car elle est excellente en bouche !

— Vous aurez votre document, mon cher Öxfeld, mais la bière ne me réussit guère. Quant au Saint-Père, cette boisson amère de Bohême lui fait pousser des jurons !

— Je vous remercie, Excellence. Et pardonnez à cette jeune dame ses propos inconvenants. Elle a grandi comme une sauvage.

— Je suis la fille préférée du diable ! s'écria Yeza, qui crut avoir compris le plan de Sigbert.

— Mais on peut l'exorciser ! suggéra le pape avec bienveillance. Nous en aurons abondamment l'occasion dans les semaines qui viennent ! assura-t-il à Yeza. Voilà un cas qui promet d'être extrêmement intéressant, dit-il ensuite à Sigbert, notre exorciste pourrait bien s'y casser les dents !

Le cardinal accompagna Sigbert à la porte.

— Je vais aujourd'hui même vous envoyer le laissez-passer pour votre hydromel. Vous pouvez me faire confiance.

Sigbert hocha la tête. Yeza le suivit docilement. Lorsqu'ils eurent quitté la pièce, on leur banda de nouveau les yeux, à tous les deux.

— Ils veulent absolument que je parte pour Bologne, constata Yeza lorsqu'ils eurent quitté la barge, sur l'autre rive, où personne ne pouvait plus les épier.

— Pourquoi t'es-tu comportée d'une manière aussi invraisemblable ? demanda le vieil homme, chagriné.

— Parce qu'ils voulaient jouer au chat et à la souris avec moi.

— Je crois plutôt qu'ils ne veulent pas te laisser partir, ils te garderont ici et t'y laisseront pourrir !

— Ils n'y réussiront pas ! s'exclama Yeza.

— Mais si, répondit le commandeur. Tu connais mal Rome, et surtout tu sous-estimes les possibilités et les pratiques de la curie lorsqu'il s'agit de se débarrasser de quelqu'un. C'est beaucoup plus efficace que la corde ! Ils ont suffisamment d'expérience avec les martyrs pour éviter d'en créer de nouveaux. Mais en

te faisant passer pour une putain, puis en te laissant
filer, ils auront détruit l'aura, la *reputatio* du couple
royal, d'une manière plus radicale que s'ils vous
avaient fait abattre comme des chiens enragés ! Tu
dois quitter cette ville immédiatement !

Aux premières heures de la matinée, avant même
le lever du soleil, dans la légère brume qui montait
du Tibre, flottait sur le champ de Mars et planait au-
dessus de la Porta Flaminia, trois lourds chariots
sortirent l'un après l'autre, tirés par des attelages de
quatre bêtes. Les cochers étaient des sergents de
l'Ordre teutonique, on les reconnaissait à leurs manteaux blancs ornés d'une croix en glaive noir, des
tenues qui brillaient dans ce bouillon gris lorsque les
roues ferrées des charrettes passèrent en grinçant
dans les rigoles du chemin menant vers le nord.
L'escorte du convoi était dirigée par un commandeur de l'Ordre aux cheveux blancs, qu'un document
pontifical autorisait à transporter des tonneaux vers
et depuis la ville portuaire de Rimini. Les gardes ne
remarquèrent pas les caisses et les bahuts chargés à
côté des fûts vides, ni la litière qui suivit le convoi.
En revanche, ils notèrent la présence de deux jeunes
dames de rang.

« Voilà que même les Allemands, avec leurs
mœurs rigoureuses, se mettent à avoir des concubines », pensa l'officier de garde en ouvrant le rideau
pour voir de ses yeux ces jolies femmes. La première
aurait tout à fait pu passer pour une Romaine : ses
cheveux bruns et épais, son nez droit rappelait ce
type racé que l'*urbs* produisait en abondance. Mais
quelle taille ! Mafalda le dépassait d'une bonne tête.
L'officier s'abstint donc de lui lancer un clin d'œil
familier.

Geraude, avec sa poitrine épanouie, sa peau claire
et ses nattes blondes, lui parut en revanche susceptible d'apprécier un bref sifflement de reconnaissance. Mais elle baissa les paupières et rougit ver-

tueusement. Elle lui fit cependant assez forte impression pour qu'il se dise qu'il faudrait l'inscrire dans ses tablettes. Lorsqu'il s'avisa du fait qu'il aurait surtout dû consigner le nom du commandeur, le cortège avait déjà disparu.

Jordi, assis sur le coffre au trésor de Yeza, et prêt à tout pour le défendre, sortit de la paille et s'installa à côté du cocher. Kefir dormait sur la dernière charrette, entre les tonneaux vides. Sigbert avait sorti la « cour » de ses sacs de paille, en pleine nuit, et Yeza, les yeux alourdis par la fatigue, les avait tous placés sous la direction de Jordi : il leur trouverait à Rimini un lieu où ils pourraient attendre leur maîtresse en toute sécurité. Elle-même ne voyagerait pas avec sa suite, mais elle souhaitait qu'on en ait l'impression, que la rumeur s'en propage et dure aussi longtemps que possible. Ce fut le bref adieu avant un long voyage.

Lorsque les chariots eurent traversé le Ponte Milvio, derrière lequel la Via Cassia se séparait bientôt de la Via Flaminia, le commandeur s'arrêta à son tour et transmit le commandement à Roderich, un jeune chevalier de l'Ordre qui plut aussitôt beaucoup à Mafalda. Elle apprécia désormais ce voyage inconfortable sur des voitures branlantes, dans cette froideur d'automne que l'on ressentait même en plein jour (sur les cols de l'Apennin, la première neige avait déjà dû tomber) : la nuit, il faudrait bien se couvrir. À peine le commandeur avait-il été englouti par la brume que déjà, le petit troubadour sortait son luth.

> *Ar em al freg temps vengut*
> *quel gels el neus e la faingna.*
> *E l'aucellet estan mut,*
> *c'us de chantar non s'afraingna ;*
> *e son sec li ram pels plais —*
> *que flors ni foilla noi nais,*
> *ni rossignols no i crida,*
> *que l'am e mai me reissida.* »

Le soleil matinal ne perçait que çà et là la brume du petit jour, mais le pignon de la Porta Flaminia baignait dans un halo rose. La troupe des Chevaliers teutoniques traversa au galop le champ de Mars, le souffle chaud des animaux leur sortait du naseau comme de la vapeur. Le sergent de l'escorte connaissait le chef de garde. Celui-ci se permit donc de demander le nom du commandeur aux cheveux blancs qui, aux premières heures du jour, avait accompagné à Rimini un convoi de tonneaux qui paraissait de la plus haute importance.

— C'était Sigbert von Öxfeld, expliqua le chevalier de bon cœur. Commandeur de Starkenberg, escorte spéciale pour la dame Yeza Esclarmonde, vous savez bien, le couple royal ! Une mission secrète ! ajouta le Templier : après tout, on était entre connaissances.

— Je l'ai vue ! répondit le garde, exalté. Une jeune femme, et si blonde !

— Et cela partout ! s'exclama l'Allemand, avec une familiarité balourde.

— Et vous-mêmes, où allez-vous si vite ?

— À Viterbe ! répliqua-t-il tandis que les chevaliers, après avoir formé deux rangées régulières, franchissaient la porte au trot, en faisant résonner le basalte sous leurs sabots.

— Mais le Saint-Père est déjà...

— Certainement ! confirma l'Allemand. C'est précisément pour cette raison que tous les autres seigneurs doivent désormais être conduits à Rome aussi vite que possible !

— Je comprends ! s'exclama encore le gardien à l'attention du chevalier. Mais le roulement des fers à cheval s'éloignait déjà. L'officier crut avoir tout saisi, et prépara son rapport de garde. La relève pouvait arriver d'un instant à l'autre.

À bonne distance, Yeza leva un instant la visière de son heaume cylindrique pour respirer un peu d'air frais.

— Magnifique ! s'écria-t-elle. Voilà les papistes envoyés sur la bonne voie !

— Je vous en prie, ma reine, fermez votre visière, que la garde du pont ne vous reconnaisse pas !

Yeza, obéissante, suivit le conseil du chevalier. On étouffait, sous ce heaume pesant dont les seuls orifices étaient deux fentes pour les yeux et quelques petits trous devant les lèvres et les oreilles. Une fois passé le Ponte Milvio, elle fut la première à apercevoir le commandeur, qui les attendait à la fourche des chemins. Elle se détacha de la troupe de ses accompagnateurs, qui avaient pour instruction de s'infiltrer de nouveau dans la ville, pour les uns par la Salaria, pour les autres par la Porta Aurelia, au-dessus de Trastevere.

Elle remonta à côté de Sigbert la Cassia, vers le nord, qui la mènerait effectivement à Viterbe, la première ville notable sur ce chemin.

— C'est à l'ombre de la cathédrale, dit-elle pour encourager le vieil homme, que le diable bâtit son nid le plus sûr !

Cela arracha un sourire colérique au commandeur.

— La fille préférée du démon ne devrait pas y séjourner plus longtemps que le strict nécessaire. (Il retrouva son sérieux.) Ensuite, vous devrez vous imposer toute seule, car je resterai à Viterbe et je disperserai vos poursuivants aux quatre vents.

— Dommage, murmura Yeza, j'aurais volontiers fait le chemin avec vous !

— La prochaine fois, ma reine. Lorsque la tempête se sera apaisée, je me rendrai auprès de vous, à Bologne.

AU SERVICE FORCÉ DE LA COURONNE

Dans les profondeurs de la Kalsa, les lémures s'agitaient. C'était l'heure de la fermeture vespérale. Les détenus auxquels ils réservaient la faveur de manger sans chaînes leur dîner frugal revenaient dans leurs geôles, on entendait les clefs tinter contre

les barreaux, et ils se retrouvaient pour la nuit semblables à des prisonniers ordinaires. Le cliquetis du
métal cessa bientôt.

D'habitude, c'était l'heure à laquelle les lémures
pouvaient eux aussi aller se reposer. Mais depuis que
l'ambassadeur Nikephoros Alyattes, de Nicée, s'était
installé dans les lieux, on avait rompu avec cette routine. Son Excellence aimait à tenir table ouverte
encore aux environs de minuit, à réclamer des plats
choisis et à se faire servir du vin résineux de sa patrie
grecque. Alekos, le patron de l'« *Oleum atque
Vinum* », jouait les fournisseurs de la cour, et cette
situation satisfaisait tellement les lémures qu'ils
devançaient le moindre désir de messire Nikephoros. Ce jour-là, il avait organisé pour lui-même et ses
trois invités, les pauvres chevaliers du Languedoc,
un repas aux huîtres et aux homards. Le résiné blanc
coulait à flot et les besants d'or volaient au-dessus
des épaules du noble donateur : les lémures n'avaient
plus qu'à se baisser. Les bougies plantées sur des
chandeliers d'argent illuminaient la table revêtue
d'une nappe en lin blanc sur laquelle s'amassaient
les coquilles vides. À présent, on ne mangeait
presque plus, on se contentait de boire.

— Voilà une vie de prisonnier qui me plaît bien !
grommela Raoul, qui était assis devant l'ambassadeur et arrachait les derniers restes de chair blanche
dans les pinces.

— Si seulement on savait pour combien de temps,
soupira Mas en observant fixement la montagne de
coquilles, avec laquelle il avait édifié un château,
avec des murs et des tours. Et comment cela
s'achèvera-t-il ?

Il détruisit son ouvrage d'un mouvement brutal de
la main. Les coquilles d'huître, les carapaces de
homard, les antennes et les pattes brisées s'envolèrent dans tous les sens.

— Comment cela ? geignit Pons, mortellement
effrayé. Qu'est-ce qu'ils peuvent bien faire de nous ?

— Les hommes droits seront menés à l'échafaud.

Les serpillières comme toi seront pendues, lui répondit Mas. Et ce au petit matin !

— Aujourd'hui ? Pons avait la voix coupée par l'effroi. Il se mit à s'étrangler.

— Mes seigneurs ! les tança leur hôte. Dans cette maison, on ne plaisante pas sur les vétilles. Je voudrais lever mon verre au voyage qui attend mes trois compagnons de table : je souhaite à ces seigneurs qu'ils n'y arrivent jamais !

— Qu'est-ce que cela signifie ? (Raoul avait été le premier à reprendre ses esprits.) Expliquez-vous, je vous prie, ou je quitte cette table sur-le-champ.

Mais il resta sur son siège. Mas demanda :

— Un voyage... et où donc ?

Nikephoros commença par vider sa coupe jusqu'à la dernière goutte.

— Je sais que vous serez embarqués au sein d'un contingent de quatre cents chevaliers, dont vous arrondirez le nombre. Vous partirez pour la Grèce, où vous devez aller vous battre contre mon empereur, pour le compte du despote d'Épire.

— Hourra, Hellade ! s'exclama Pons. Voilà qui me plaît. Là-bas, les femmes...

— Vous ne verrez même pas le dos des Grecques aux yeux de braise, parce que, après une traversée faite de privations, vous débarquerez dans une vulgaire crique inhospitalière. Taraudés par la faim, à demi morts de soif, vous rencontrerez, au bout de quelques jours de marche dans le désert rocheux, l'armée bien nourrie de Michel Paléologue. Ou bien elle vous anéantira, ou bien elle vous fera prisonniers. Vous regretterez notre bonne vieille Kalsa, ou bien vous vous plaindrez amèrement de ne pas être tombés au combat — ce qui serait de toute façon le plus raisonnable !

— Et si l'issue du combat est favorable à notre bannière ? s'enquit Raoul, parfaitement éveillé : son ivresse s'était dissipée.

— Vous resterez des étrangers au pays, même pour ceux qui feront appel à votre aide. Si la coalition, constituée au petit bonheur entre le beau-père et ses vassaux inégaux, devait remporter la victoire, on ne vous remerciera pas, on vous chassera. Mais oubliez cette possibilité ! Le Sebastocrator Jean, qui n'est vraiment pas un foudre de guerre, vient d'écraser le Despotikos près de Kastoria, avec une poignée de mercenaires. C'est la raison pour laquelle on lève à présent, pour un combat décisif, le dernier contingent, dont vous avez l'honneur de faire partie !

— Voulez-vous insinuer par là que l'on se moque totalement de ce que nous allons devenir ? s'insurgea Mas.

— L'armée impériale de Nicée est restée une machine de combat sur le chemin duquel personne n'ose se placer, où que ce soit autour de la Corne d'Or. Et le seul objectif de cette aventure est la reconquête de Constantinople ! Pourquoi iriez-vous y risquer votre peau ? C'est tout de même, au bout du compte, une affaire purement byzantine. Je vous le dis, faites en sorte de ne jamais voir le Péloponnèse, Épire ou Thessalie ! Mieux vaut sauter du bateau qui doit vous y mener !

Au même instant, les lémures arrivèrent devant leur table, très énervés.

— Voilà Maletta ! annoncèrent-ils, le souffle court. Allez, filez dans vos cellules !

Quelques gardiens attrapèrent la nappe, la tirèrent de la table avec les déchets, les cruches de vin et les coupes, en firent un ballot et la traînèrent dans la pièce obscure la plus proche. D'autres défirent les tréteaux et éloignèrent les sièges. Les détenus furent repoussés sans ménagement dans leurs cachots et on leur remit aussitôt leurs chaînes. On entendait déjà des pas s'approcher, des torches éclairaient la galerie souterraine qui, du port, menait directement dans les geôles de la Kalsa.

Le chambellan était entouré d'un nombre considérable de sbires en armes. Il paraissait grognon, ne dit pas grand-chose et commença par faire sortir Raoul de Belgrave de sa cellule. Le ton glacial sur lequel il le fit leur inspira les pires craintes, d'autant plus que les sbires, par habitude, échangeaient des plaisanteries comme « As-tu pris les mesures de son cou ? » ou bien « Tu as une femme, bientôt une veuve ? ».

Raoul fut conduit dans une pièce reculée où on lui défit ses liens. Deux sbires le tenaient, portant dans leur main libre un poignard court à la lame nue. Deux autres surveillaient la porte. Le chambellan prit place sur l'unique siège de la pièce et joua avec sa cravache.

— Le prix de votre liberté, Raoul de Belgrave, c'est le silence et l'obéissance. Transgressez un seul de ces commandements, et vous êtes un homme mort. Demain, vous serez conduit sur un navire avec vos compagnons. Au bout de deux jours de traversée, vous verrez une île qui semble ne pas avoir de port. Arrivé devant ce promontoire rocheux inhospitalier, le navire coulera. Veillez, l'arme à la main, à ce que personne, ni le capitaine, ni vos compagnons, ni qui que ce soit à bord, n'empêche ce naufrage. Alors, vous serez sauvé.

— Et mes compagnons ?

— Leur vie dépend de votre bon comportement — tout comme la vôtre, d'ailleurs.

Raoul se permit une dernière question sur son avenir.

— Et dans le cas où nous sortirons effectivement indemnes de cet accident, que se passera-t-il ensuite ?

Au lieu de lui répondre, Maletta lui décocha un coup de cravache en pleine face.

— Ne me montrez pas dès à présent que vous êtes incapable de respecter une instruction claire : obéissance et silence.

Raoul hocha la tête et lécha le sang qui coulait de ses lèvres éclatées. Sur un signe du chambellan, il fut emmené dans une salle de la Kalsa qu'il ne connaissait pas encore, et où se trouvait un véritable lit. Il était sec.

Le capitaine grec de la *Nikè*, le voilier à bord
duquel l'ambassadeur de l'empereur de Nicée était
arrivé à Palerme, était toujours assis, à une heure
tardive, dans l'« *Oleum atque Vinum* » d'Alekos. Il se
soûlait. Pour être précis, il était déjà ivre au moment
où il était entré en titubant dans l'auberge. Il était à
présent le dernier client, mais il continuait à boire.
Que lui restait-il d'autre à faire ? Son maître,
l'ambassadeur, était dans les geôles, son navire était
enchaîné. C'était cela son plus grand souci, et un
seul verre ne suffisait pas à le dissiper. Lorsqu'il se
mit à pleurer, Alekos lui prit sa coupe et enleva aussi
la cruche encore pleine.

— Oh ! protesta le capitaine. Qu'est-ce qui te
prend ?

Alekos s'assit face à lui et posa ses coudes sur la
table, la tête cachée derrière ses pattes.

— Écoute-moi, murmura-t-il. Demain, tu pourras
lever les voiles avec ton rafiot pour rentrer dans ta
patrie. Chez toi ! Tu as compris ?

— Non ! dit l'homme ! Tu ne peux pas me faire ça !

— Si ! chuchota Alekos. Tu devras embarquer
quelques hommes, des chevaliers avec leurs chevaux
et leurs écuyers. En chemin, tu te dirigeras vers une
île et tu les y déposeras.

— J'y vais tout de suite ! (Le capitaine avait repris
ses esprits.) Où sont ces nobles sires ?

Il tenta de se relever.

— Demain, j'ai dit !

Alekos réprima sa soif d'agir et le força à se rasseoir.

— Mais c'est un secret absolu, nul n'est au courant, et tu ne dois en parler à personne. Sans cela, tu
ne reverras jamais Hellade, parce qu'on te jettera en
pâture aux poissons. Cela, je peux te le promettre !

— Je me tairai comme si j'étais ma propre tombe !

Le capitaine se demandait tout de même si Alekos
n'était pas en train de lui jouer un de ses tours. Il prit
les choses sur le ton de la plaisanterie.

— Alors, les chevaliers n'en savent rien, c'est une surprise ! Et comment s'appelle l'île ?

— Tu auras à ton bord un chevalier qui te le fera savoir en temps utile — et un autre qui te tuera si tu ne te conformes pas à l'ordre que tu as reçu !

— Ça s'arrose, Alekos ! s'exclama le capitaine, mais l'aubergiste le prit par les épaules et le souleva au-dessus de son siège.

— Pour ce qui me concerne, tu auras droit à un coup de pied aux fesses si tu ne disparais pas immédiatement d'ici !

Et il lui désigna la sortie. Le capitaine s'exécuta et franchit en titubant la porte de la gargote, qu'Alekos referma aussitôt derrière lui.

La nuit, toutes les geôles de la Kalsa bruissaient comme une forêt ténébreuse. Chaque goutte qui tombait du plafond tambourinait sur la tête du détenu. Les rats rongeaient et grattaient la peau tendue de ses mains et de ses pieds, dénudaient ses os, et leurs sifflements lui traversaient la moelle et les membres jusqu'à ce qu'il entende le cliquetis discret des chaînes de ses codétenus invisibles, comme si les lémures s'approchaient. Ils viennent te chercher ! Mas de Morency savait qu'il serait le prochain. Il grinça des dents et apprécia tout d'un coup la danse de Saint-Guy à laquelle se livraient les barreaux à la lueur des torches qui s'approchaient, le battement monotone des clefs contre les grilles de fer, le grincement dans la serrure. Lorsqu'ils arrivèrent enfin, il était empli d'une satisfaction courroucée. Il fallait bien que cela se produise un jour !

Mas fut jeté dans la pièce où l'attendait Maletta.

Le chambellan avait l'intention de le toiser en silence avant de prononcer ses menaces à voix basse pour s'assurer de la docilité du garçon. Mais, quand il vit Mas courbé devant lui, il eut l'impression de regarder un miroir éloigné. Ce lascar, c'était lui, Maletta, lorsqu'il était encore jeune et affamé comme un loup. Inutile d'essayer l'intimidation avec celui-là, il n'en aurait d'ailleurs pas besoin : Mas ferait tout ce qu'il lui demanderait, sans le contredire, sans hésiter, avec une ferveur maligne.

Maletta lui offrit le seul siège de la pièce, mais Mas résista :

— Que voulez-vous de moi ?

— Bien, dit le chambellan. Tu vas embarquer sur un bateau. Au bout d'un jour et d'une nuit, le capitaine se dirigera vers une île qui n'a pas de port. Tu attendras jusqu'au moment où tu verras la première personne sur l'île. Ensuite, tu descendras dans la quille et tu compteras, depuis le mât, quatre haubans en direction de la poupe. Là, tu trouveras des deux côtés, à hauteur de tes genoux, un bouchon dans la paroi, pas plus gros qu'un doigt. Tu l'enfonceras avec le pommeau de ton épée. Lorsque tu te seras assuré que l'eau entre par les deux trous, tu te rendras de nouveau sur le pont et tu attendras le canot qui vous recueillera avant que le navire ne se mette à couler.

— Dois-je attendre que tous les autres soient sauvés, ou bien la barque n'est-elle destinée qu'à moi ?

— Cela, c'est le pilote du canot qui en décidera ! Il n'est pas prévu de noyer qui que ce soit.

— Mais on dirait que vous souhaitez que nul ne survive !

— Ne te préoccupe pas de choses qui ne te concernent pas !

Contre toutes ses résolutions, Maletta avait laissé sonner une note presque bienveillante dans sa mise en garde, ce que Mas lui revalut aussitôt.

— Je ne fais pas partie de ceux qui coulent !

— Si tu n'accomplis pas ta mission exactement comme je te l'ai décrite, c'est-à-dire si le navire ne se met pas à sombrer au moment précis où il doit le faire, on s'emparera de toi. Tu feras alors partie de ceux qui seront pendus sur-le-champ.

— Il me reste un choix ?

— Un seul : trop d'eau ou pas assez d'air !

— J'aime les situations claires, déclara Mas en souriant au chambellan. Faites en sorte que je récupère mon épée.

— Je vois que vous êtes l'homme qu'il me fallait ! le félicita le chambellan, fier comme un voleur peut l'être de son fils dégénéré, l'essentiel étant qu'il reste dans la tradition familiale.

« À présent, reposez-vous. Au matin, vous obtiendrez ce que vous avez demandé, et vous entreprendrez cette traversée au cours de laquelle vous me revaudrez ma bonté !

Sur ces mots, le chambellan quitta la pièce.

L'APPEL DE L'AVENTURE

Derrière les hautes fenêtres du Palazzo Arcivescovile, on apercevait encore partout des rayons de lumière. Les ombres qui glissaient sur les murs et sur les escaliers témoignaient de la vive activité qui régnait dans les offices, au rez-de-chaussée, mais aussi dans les chancelleries et salles d'apparat des étages supérieurs.

L'archevêque était-il revenu de Rome pendant la nuit ? Nullement ! Jean de Procida avait rassemblé dans le bâtiment tous les participants à l'expédition d'Épire qui quitteraient la ville au petit matin, sous le commandement de Roç. Et il leur distribuait des déguisements de marchands arabes, le temps du voyage.

Roç lui-même était absent. Il avait été invité à un repas d'adieux par le roi Manfred, au Palazzo dei Normanni. C'était vraisemblablement à l'instigation du chancelier, qui souhaitait avoir les mains libres. Les rapports entre le jeune Trencavel et le roi s'étaient entre-temps tellement tendus que ce repas avait dû leur coûter à tous les deux. S'ils se comprenaient aussi mal, c'est que Roç n'avait cessé de repousser son départ ; l'enthousiasme que lui inspirait son aventure en Grèce ne s'était certes pas éteint, mais il voulait entendre de Manfred, avant de s'embarquer, une déclaration sans ambiguïté à propos de ses prétentions sur Jérusalem, une promesse qu'il devrait tenir immédiatement après son engagement contre Nicée.

Mais le roi refusait de se prononcer, prenait comme prétexte les droits de son neveu Conradin, pour lequel il avait du reste un mépris absolu. Cela rendait Roç de plus en plus méfiant et hésitant.

Le chancelier avait pour finir instamment conseillé à Manfred de faire toutes les déclarations souhaitées en faveur du couple royal. Depuis quand sa Majesté se souciait-elle donc de tenir des promesses non écrites?

Le repas de réconciliation fut pour Jean de Procida une occasion bienvenue de s'approcher du conseiller du couple royal, monsignore Gosset. Le chancelier avait lui aussi organisé un dîner, car il avait préparé une tout autre soupe et cherchait des convives susceptibles de l'apprécier. Le léger repas de mollusques et d'huîtres, de palourdes épicées et marinées dans le vin blanc et les échalotes fraîches baignant dans le jus de petits mollusques, était passé depuis longtemps.

— Je vous fais confiance, Gosset, déclara le chancelier à son invité. Vous êtes aussi un ami de Taxiarchos, cet homme que je vénère et que vous allez même pouvoir bientôt serrer dans vos bras amicaux.

— Comment cela? s'inquiéta Gosset, suspicieux. Vous ne l'avez certainement pas dirigé vers la Grèce?

Jean prit l'air mystérieux.

— Vous le rencontrerez d'ici deux jours et deux nuits, le *Mare Nostrum* n'est pas si large que vous puissiez vous y perdre.

— Bien, fit docilement Gosset. Taxiarchos nous guettera donc quelque part.

— Exact, reconnut le chancelier, et vous devrez ensuite vous décider. Je poserai la question en ces termes: si vous avez le choix entre la trirème d'Otrante et *L'Atalante,* quel navire préféreriez-vous?

La question alarma Gosset au plus haut point.

— Je pensais que nous voyagerions sur la *Nikè.*

Jean secoua la tête.

— Pour que notre précieux Trencavel tombe aux mains des Nicéens et soit accusé de piraterie ? Oh non ! Vous pouvez oublier tout de suite la *Nikè*, elle n'a qu'une seule mission : vous mener au point de rendez-vous avec notre ami Taxiarchos.

— Et à ce moment-là, nous aurons le choix entre la *Contessa di Otranto,* dont vous revendiquez la possession en tant qu'ancien navire de l'amiral de la flotte sicilienne, compléta Gosset, et le navire amiral des Templiers ? Je serais étonné que vous l'ayez reçu en cadeau. C'est la prunelle des yeux du grand maître, et il refuserait même de le prêter !

— Cela, c'est mon affaire, répliqua le chancelier. Ce que je veux connaître, c'est votre préférence, instinctivement.

— Alors je plaide pour cette bonne vieille trirème, je n'ai aucune envie que les Templiers viennent me chasser de *L'Atalante.*

— Ne faites donc pas dans vos chausses !

— Si, involontairement, répondit Gosset en ricanant. Ça vous arrive lorsque vous avez une corde autour du cou et plus rien sous les pieds.

Le chancelier se leva brusquement et parcourut la salle à grands pas. Il ouvrit la porte et regarda dans l'escalier, vers le bas. Des serviteurs traînaient des ballots et des caisses, les chevaliers grimés en riches marchands musulmans paradaient avant d'être menés un par un vers le port où l'on chargeait la *Nikè.*

Gosset l'avait rejoint.

— Vous n'avez pas laissé beaucoup d'hommes au Trencavel, pour les mener sous ses ordres contre Paléologue.

— Nous avons... j'ai envoyé la plupart d'entre eux à l'avance, parce que j'ai de meilleurs projets pour votre jeune seigneur. (Le chancelier fit revenir Gosset dans la chambre.) Le voyage vers la Grèce est pour Roç aussi absurde que dangereux. Si l'entreprise est couronnée de succès, ce dont je doute, personne ne lui en sera reconnaissant, surtout pas Manfred. Si l'aventure échoue, il risque de mourir sur le champ de bataille ou d'aller pourrir dans les cachots de Nicée.

— Ah! dit Gosset. Et lequel de ces deux destins est lié à *L'Atalante*?

Le chancelier révéla fièrement le fond de l'affaire.

— Elle accomplira exactement la mission pour laquelle elle a été conçue! Un passage en force et une traversée pour aller chercher un butin sur les « Îles lointaines »!

— Et les Templiers?

— Avant qu'ils n'aient compris qui file vers l'Ouest, les voiles gonflées, muni d'ordre secret, ce navire admirable aura déjà franchi les « Colonnes d'Hercule » et sera entré dans l'océan de l'Atlas. Taxiarchos connaît le chemin, et je lui donne le navire.

— Il ne manque qu'un équipage efficace! se moqua Gosset. Roç doit aller chercher pour votre compte l'or des « Îles lointaines » dans la lave incandescente de volcans crachant le feu, dans des forêts sauvages et détrempées, dans les glaces éternelles de glaciers montant jusqu'au ciel. Et, pour le saluer, des gens aimables déverseront sur lui des nuages de flèches empoisonnées, leurs prêtres feront tout pour lui arracher tout vif le cœur de la poitrine, et leurs chefs de guerre se disputeront sa crinière et son cuir chevelu, sinon ses testicules et ce qui va avec.

— Vous connaissez aussi bien que moi les récits de Taxiarchos, Gosset, dit le chancelier. Réfléchissons donc franchement. Que peut-on gagner à Épire, hormis l'honneur? La prise de Jérusalem coûtera de l'argent. La garde de la ville, encore plus — des sommes colossales!

— Exact! répliqua Gosset. Malheureusement, aucune voie maritime ne mène à Jérusalem. Le Trencavel, avec l'or qu'il aura rapporté, devra d'abord franchir les barrages des Templiers qui, cette fois, ne seront pas surpris, mais vigilants et hostiles. À supposer que Roç parvienne à les duper une deuxième fois, c'est la Sicile qui l'attendra, car le roi Manfred a besoin de cet argent pour financer ses ambitions débordantes : de nouvelles conquêtes en Méditerranée, celle de la Grèce par exemple, ou des batailles défensives contre les envieux et les concurrents, comme l'Anjou.

— Je promettrai par écrit au Trencavel qu'il peut conserver la moitié du butin et que nous n'émettrons aucune prétention sur Jérusalem.

— Sur le chemin du retour, il faudrait contourner l'Afrique par la mer, réfléchissait Gosset et, depuis le sud, entrer d'une manière ou d'une autre dans la mer Rouge. Avec une flotte gigantesque et quelques milliers d'hommes. On pourrait ainsi conquérir Jérusalem sans vous payer de droits de passage, ni à vous, ni aux Templiers. Vous pourriez aussi venir y prendre votre part. Qu'en pensez-vous ?

— Pas autant de mal que vous le pensez, Gosset, dit Jean de Procida. Puis-je en déduire que je vous ai convaincu ? Je verserai volontiers le prix pour venir à Jérusalem.

Gosset ne se laissa pas enserrer dans les filets du chancelier.

— Je vais essayer de gagner Roç Trencavel à votre cause. Je ne peux vous garantir le résultat !

— C'est une parole ! répondit le chancelier, satisfait. Vous pouvez allez vous reposer ici tranquillement avant qu'au petit matin, en dernier...

Il s'arrêta : son interlocuteur s'était endormi dans son siège. Et le chancelier se dirigea vers son pupitre.

Voyant que ni Raoul, ni Mas ne revenaient, le gros Pons songea que sa dernière heure était imminente. Le temps passait avec une infinie lenteur : on n'entendait pas le moindre son de cloche en bas, dans la Kalsa. Pons pleura beaucoup, d'abord sur le triste sort de ses compagnons, puis par autocompassion. Il se voyait déjà mené à l'échafaud. Le pilori était tendu de tissu noir. Un prêtre s'avançait — c'était ce Grec, Demetrios. Il lui tendait un crucifix d'argent pour qu'il l'embrasse. Pons de Levis espérait que son père, le comte de Mirepoix, le voyait à l'instant où il repoussait d'un geste impérieux le *signum* de cette Église abhorrée. Mon âme ne trouvera jamais le repos sous ce symbole ! C'était dans la meilleure tradition cathare. L'idée du Paraclet fit lentement remonter le cœur de Pons des profondeurs de son pantalon, où il semblait être tombé, jusqu'à son estomac, qui se fit particulièrement bruyant. Pons serra les fesses et commença fièrement à monter les marches recouvertes de drap.

Il y eut alors du mouvement parmi les badauds. Le guépard perça les premiers rangs, traînant derrière lui la femme-enfant rondelette. La belle princesse Constance cria : « Arrêtez ! le roi l'a gracié ! » et lui tendit la main. Pons vit les visages hébétés des lémures qui détachaient ses chaînes du mur ! Voilà, l'heure était venue ! Ils ne lui ôtèrent pas les chaînes qu'il portait aux pieds, et il ne pouvait faire que de petits pas, chacun lui valant un coup douloureux sur les chevilles. Les lémures ne le pressaient pas : chaque fois qu'il s'arrêtait, ils lui éclairaient précautionneusement le chemin. Il était peut-être déjà mort, sans même l'avoir remarqué.

Une porte s'ouvrit, et dans la lueur claire que diffusaient quelques torches sur les murs, le chambellan Maletta lui adressait un sourire encourageant.

— Je vous prie d'ôter ses chaînes au comte de Levis ! ordonna-t-il avec un sourire, avant d'ajouter, comme pour s'excuser : Les gardiens de la Kalsa sont trop abrutis pour pouvoir faire la différence entre un seigneur de haute lignée et un bandit de grand chemin. À leurs yeux enflés par la pénombre, tous sont semblables, puisqu'ils connaissent tous la même fin.

— Je suis prêt, déclara Pons, à peine libéré de ses liens de fer.

— Asseyez-vous, dit Maletta en désignant l'unique chaise de la pièce.

— Un Levis attend la mort debout et de face, répondit Pons d'une voix ferme, tout heureux de faire preuve d'une telle dignité.

Le chambellan, qui tenait à garder la plus grande distance possible, sourit et sortit un parchemin.

— Vous aurez la vie sauve si, demain, en haute mer, vous remettez cette lettre au capitaine du navire qui vous mènera d'ici jusqu'en Grèce, vous-mêmes et vos amis.

— S'il n'y a rien de plus à faire..., s'exclama Pons en tendant la main pour attraper le rouleau, mais le chambellan tint à le conserver encore un peu.

— Pour votre survie, il est extrêmement important que nul ne vous voie le donner. Car nous avons aussi à bord des Assassins lancés contre vous, sur lesquels nous n'avons pas réussi à mettre la main. Ils vous poignarderaient de sang-froid, vous et le capitaine, pour entrer en possession de ce parchemin qui les dénonce. Vous devez avoir transmis cette lettre au capitaine en toute discrétion, et avant que ne retentisse la cloche de midi.

— Pourquoi les Assassins en voudraient-ils à ma vie ? demanda Pons d'une petite voix.

Et pourquoi pas ? songea le chambellan. De la même manière que je peux te la laisser ou te la prendre ! Mais Jean de Procida se contenta de donner ce renseignement ambigu :

— Cela a un rapport avec le serment que vous avez prêté devant le couple royal !

Pons s'insurgea.

— Je ne suis pas un vassal de Trencavel, et je ne le serai jamais !

— Vous l'êtes, Pons de Levis, si vous quittez ce lieu en vie. Votre maître a intercédé en votre faveur, il a prié qu'on vous laisse encore un sursis. Votre seule chance, c'est de remettre la lettre. Si vous en parlez à quiconque, y compris à vos amis ou au Trencavel, vous perdrez tout de même votre jeune vie. Sans même évoquer le fait que vous pourrez récolter à Hellade la gloire et la richesse !

Cela non plus, je n'y tiens pas! se dit Pons, mais il répliqua à voix haute :

— Donnez-moi la lettre. Je vous obéirai!

— On vous la confiera au petit matin, lorsque vous serez conduit à bord. Ensuite, craignez le coup de poignard dans le dos!

— Dans ce cas, pour les heures qui me restent, je vais bien manger et dormir, comme on l'accorde à un condamné.

Le chambellan sourit.

Le matin pointait, d'un gris qui n'était guère avenant, lorsque Gosset s'approcha de la couche de son maître pour le réveiller. Il regrettait le jeune garçon Roç, que son entourage avait forcé depuis longtemps à devenir un homme, sans que ni ses ennemis, ni ses protecteurs lui aient laissé beaucoup de temps, ni l'occasion de vivre tranquillement sa jeunesse. Son visage brûlé par le soleil, entouré de courtes boucles brunes, montrait encore une tendresse qui, pour tous ceux qui connaissaient Roç, contrastait vivement avec la résolution implacable que la vie avait exigée de lui. La tête d'un Trencavel! pensa le prêtre. Gosset faisait partie de ceux qui ne pouvaient plus s'imaginer en dehors de l'aura qui entourait le couple royal. Cela durait depuis le début de la funeste croisade du roi Louis. Gosset avait tout vécu, en tant que confesseur du roi de France, puis en tant qu'ambassadeur. Il était ensuite sorti du droit chemin et avait mis ses multiples compétences au service de Roç et de Yeza. Gosset, avec son pragmatisme inné qui le poussait à résoudre les problèmes aussi simplement que possible, n'approuvait pas cette tendance qu'avaient les deux enfants à chercher constamment le défi, pour le seul plaisir de le relever. Mais il admirait le couple royal, et tout particulièrement la ferme assurance avec laquelle il se consacrait à sa mission.

À l'extérieur, une fine pluie tombait. Une brise froide fouettait le visage.

Gosset contempla le dormeur avec affection.

— Roç, il est l'heure...

D'un seul coup, comme s'il avait fait semblant de dormir, Roç sortit des oreillers. Gosset désigna les splendides vêtements d'apparat qu'avait fait préparer le grand chambellan de la cour, et appela Beni et Potkaxl, qui servaient de serviteur et de suivante depuis la perte de Philippe, et étaient à ce titre chargés de l'habillement de Roç.

— Pourquoi, au juste, devons-nous voyager vers Hellade en tenue de musulmans ? Expliquez-moi cela, mon cher prêtre !

Gosset, qui avait lui-même échangé son habit noir contre une djellaba (en tissu sombre, elle aussi), répondit en souriant.

— Le vœu du chancelier est que nous puissions traverser la mer sans être inquiétés. Notre route grouille de pirates sarrasins payés par le Caire pour empêcher l'arrivée de nouveaux pèlerins. Actuellement, seuls passent les convois des navires de guerre de l'Ordre, car les Vénitiens et les Génois se livrent devant les côtes de la Palestine une bataille navale après l'autre. Même Pise est impliquée dans cette guerre pour les monopoles commerciaux dans les villes portuaires chrétiennes.

— Je comprends, dit Roç en attrapant le *shiroual ahmar*. Mais lorsque nous aurons franchi le cap d'Otrante, je veux redevenir un chevalier de l'Occident. Avec ce déguisement à la Ali Baba, nous nous ridiculiserons aux yeux des Grecs dès notre arrivée.

Potkaxl arriva enfin, suivie par Beni.

— Sais-tu nouer un turban ? demanda Gosset au secrétaire, qui s'inclina et répondit :

— Je suis expert en la matière. Car mon maître, le grand et sage vizir Kefir Alhakim, me l'a enseigné !

— Dans ce cas, je peux prendre les devants, conclut Gosset. Je vous attendrai sur le port !

II

LA CAVERNE DE *L'ATALANTE*

Les bergers

Le jeune chevalier de l'Ordre teutonique avançait seul sur les cols enneigés de l'Apennin. De temps en temps, lorsque son cheval descendait de l'une des collines vers la plus proche vallée, le blanc de l'hiver semblait engloutir cette mince silhouette enveloppée d'un clams. Seuls la croix noire en forme d'épée sur la poitrine et sur le dos, ainsi que son casque, se détachaient encore comme un signe cabalistique tracé sur la neige, où les traces de sabots étaient rapidement balayées par le vent. Malgré ces circonstances peu favorables, le cavalier maintenait son cheval à une allure rapide, ce qui soulignait encore la légèreté de cette silhouette fugitive aux yeux d'un observateur éloigné. Celui qui l'aurait suivie du plus près aurait ressenti combien ce combat avec la nature hostile était épuisant.

Les sabots de l'étalon glissaient souvent, cherchaient à prendre appui sur la roche, en dessous de ce manteau trompeur. Les naseaux du cheval fumaient, et le chevalier, lui aussi, paraissait haleter sous son lourd heaume cylindrique. Son corps mince ressentait chacun des coups provoqués par cette chevauchée incertaine. Yeza n'aurait que trop volontiers ôté son casque, pour se rafraîchir le visage trempé de sueur dans l'air froid, mais ses cheveux humides lui auraient aussitôt fait attraper la mort. En outre, cette région, qui paraissait tellement isolée, était loin d'être inhabitée. Des forêts, elle pouvait voir monter la fumée bleue des fours à charbon de bois, et sur les hauts plateaux, elle rencontrait constamment des cabanes de berger. Les sons des cloches de troupeaux invisibles lui parvenaient, parfois entrecoupés d'aboiements : des moutons se trouvaient près d'elle, quelque part dans la neige. Dans les vallées, elle rencontrait de temps à autre des fours à charbon de bois. Des bûcherons et des chasseurs étaient assis entre les arbres, loin du chemin, des femmes armées de verges en paille de riz et de grandes hottes la saluaient. Si elle n'avait pas porté son heaume, la chevelure blonde de Yeza l'aurait aussitôt trahie, et la nouvelle se serait répandue comme le feu sur une amorce : c'était une femme qui se cachait sous le manteau du chevalier teutonique. On aurait annoncé, de toutes parts, la progression d'une créature sans défense, toutes les cavernes de brigands, les plus sordides repaires de bandits auraient su qu'une proie facile avançait en rase campagne : on y gagnerait au moins un bon cheval, et certainement quelques autres objets utiles. Yeza se contentait donc, les dents serrées, de lever un bref instant sa visière lorsqu'elle se trouvait sur les crêtes des collines, en plein vent, pour avaler une gorgée du vin que contenait son outre. Elle pouvait aussi mâcher quelques fruits secs et des noisettes quand la visière de fer s'était refermée.

Elle remercia en silence le vieux Sigbert de ne pas l'avoir laissée partir de Viterbe sans habits appropriés pour cette chevauchée dans le froid. Il se serait sans doute mieux senti (et elle aussi) s'ils avaient pu poursuivre ensemble ce voyage. Mais la première patrouille lancée à sa recherche par le vicaire de l'empire était déjà apparue. On disait que, si Oberto Pallavicini était borgne, il n'était pas aveugle, et qu'il avait déjà réussi à savoir que la fugitive ne se dirigeait pas vers la côte de l'Adriatique. Comme l'avait prévu Sigbert, le vieil ours, il faudrait bientôt inventer une nouvelle ruse pour que Yeza puisse poursuivre son voyage — seule, sans doute, mais sans être inquiétée. Elle devrait désormais éviter toutes les routes principales, ne demander son chemin à personne, ni permettre que l'on puisse deviner la direction de sa chevauchée solitaire. Elle dormait donc dans la paille, dans des fermes isolées. Elle lançait une pièce aux paysans de ces contrées solitaires, grognait le mot « Dormir ! » d'une voix rauque et s'enroulait dans sa couverture avec son épée, en s'arrangeant toujours que l'on ne vit pas sa longue chevelure blonde. Yeza faisait son choix, lorsqu'elle l'avait, avant que la nuit tombe. Le plus souvent, elle devait s'accommoder de granges ou de bergeries. Et elle repartait avant que le soleil ne se lève, le ventre tiraillé par une faim de loup. Puis elle fourrait sa crinière sous une capeline de laine, la nouait fermement, tirait sa capuche dessus et cherchait une cabane d'où sortaient les lueurs d'un feu. On y trouvait toujours quelque chose à manger, et dans la plupart des cas, on ne la laissait même pas payer sa part. Dans les montagnes, les plus pauvres d'entre les pauvres considéraient l'hospitalité comme un devoir sacré, et toute tentative de les dédommager avec de l'or aurait attenté à l'honneur de ces gens simples. Yeza rompait donc le pain, le bénissait en silence, comme avait appris à le faire cette fille d'hérétique, et mangeait ce qu'on lui donnait en suffisance, une nourriture qui venait du fond du cœur. Souvent, on répondait au salut des cathares, car beaucoup de membres de la « pure doctrine » vivaient encore dans les vallées inaccessibles et les hauts plateaux de l'Apennin. Les inquisiteurs ne se hasardaient pas dans les régions situées en deçà des routes des cols, surtout pas sans escorte fortement armée. On ne posait jamais de questions à cet hôte silencieux. La croix noire sur le manteau blanc, l'épée étincelante et ce casque monstrueux n'y étaient pas étrangers.

Pour Yeza, cette chevauchée était une sorte de

purification, une manière d'effacer les pensées insignifiantes, les réflexions vaniteuses et les intrigues. Elle se sentait de nouveau liée à sa mère défunte, la « pure » entrée par le feu dans un autre monde, meilleur. La faim, la soif et la fatigue donnaient aussi à Yeza le sentiment d'être détachée du physique, une étrange légèreté. Elle ressentait les privations comme un plaisir enivrant. Yeza rêvait sur le dos du cheval aubère qui la portait sûrement sur les sentiers abrupts, les passerelles étroites et branlantes, ou les montagnes d'éboulis. Elle voyait de plus en plus souvent apparaître Arslan, le sage de l'Altaï dont elle avait tant appris pour mettre son corps en harmonie avec la nature.

Elle savait que le chaman était capable de transporter son apparence corporelle sur des distances fantastiques. Elle n'avait donc pas été étonnée de revoir Arslan sur les coteaux des Pyrénées. Yeza était sûre que lui aussi, cette fois, trouverait le chemin qui mènerait à elle si elle avait besoin de sa force. Elle sentit les yeux clairs du chaman qui reposaient sur elle. Cela lui donna du courage et de l'énergie. La jeune reine à la couronne invisible chevauchait ainsi incognito dans l'hiver, certaine d'être protégée par cette puissance secrète qui avait décidé de sa vie et la guidait à travers tous les obstacles pour qu'elle y mûrisse. Une puissance qui ne lui épargnait rien, mais qui intervenait toujours pour lui éviter la mort. Yeza finissait par être persuadée de se trouver entre les mains d'une divinité toute-puissante, qui l'aimait. Elle se demandait cependant parfois pourquoi ce dieu souverain lui portait, justement à elle, autant d'amour et d'attention.

Entre la transe et le rêve, la somnolence et l'ivresse des sommets, Yeza remarqua trop tard qu'elle était suivie. Assez souvent, des cavaliers étaient apparus sur les hauteurs des montagnes. Mais à présent, ils avançaient dans la haute vallée. Ils poussaient des chevaux sauvages avec de longues perches et des cordes enroulées qu'ils jetaient comme des nœuds coulants, séparant les mâles des juments, et celles-ci de leurs poulains. Mais surtout, ils approchaient de Yeza, et l'entouraient petit à petit. Lorsqu'elle comprit quel péril elle courait, l'anneau s'était déjà refermé.

Yeza n'avait aucune envie de se lancer dans une course-poursuite, ni de se servir de la lourde épée. D'ailleurs, en encerclant leur proie, les bergers n'avaient pas d'attitude menaçante : ils semblaient jouer, comme s'ils avaient pris par hasard un cheva-lier de l'Ordre teutonique dans leur filet, entre les chevaux sauvages. Ils restèrent à distance et pous-sèrent leur capture vers l'avant, empêchant toute tentative de fuite avec leurs longs et minces bâtons de berger pointés vers les flancs de l'animal. Comme Yeza fut bientôt entourée de près par les chevaux sauvages, elle se mit au galop rapide des animaux surexcités. La cavalcade continua jusqu'à ce que des barrières s'ouvrent devant elle. Derrière, des tentes et des cabanes en dur s'élevaient autour d'un feu de camp. Les chevaux entrèrent dans l'enclos, en renâ-clant et en hennissant.

Yeza attendit qu'une faille s'ouvre dans cette mêlée, éperonna sa monture et sauta au-dessus des barres de bois, au milieu des femmes et des anciens qui s'étaient réunis autour du feu. Elle atterrit devant les pieds d'un jeune homme qui attrapa d'un geste vif son cheval par la bride, comme s'il l'avait attendue. Elle l'entendit distinctement prononcer les mots « Bienvenue, reine ! » en souriant de toutes ses dents de fauve. Ses yeux brillaient.

Yeza comprit qu'il ne servait à rien de continuer à se cacher. Et puis elle voulait enfin se débarrasser de cet affreux casque cylindrique. Elle l'ôta de ses épaules à deux mains, enleva la capuche et le coussi-net qui protégeait son crâne du poids et des coups du casque en fer, et secoua sa chevelure blonde jusqu'à ce qu'elle lui tombe à nouveau jusqu'en bas du dos.

— Je suis Sutor, dit l'homme, qui était manifestement le chef de ce peuple de bergers. Vous êtes sous notre protection !

Yeza voulut sauter de sa selle, d'un geste souple et énergique. Mais ses forces l'abandonnèrent. Ses jambes cédèrent. Elle dut supporter qu'un bras d'homme puissant la prenne par la taille et la dépose en sécurité sur le sol. Ses genoux tremblaient tellement qu'elle dut s'adosser au cheval pour ne pas s'en remettre totalement au berger ou tomber au sol.

— Vous exigez trop de vous-même, ma reine ! s'exclama Sutor. Mais il relâcha sa prise avant que Yeza ne soit obligée de le lui demander.

— Je ne suis pas une faible femme, je n'ai aucun besoin de soutien ! se défendit-elle. Mais je préfère chevaucher avec moins de fer sur les épaules.

Elle dévisagea l'homme, qui éloigna sa main, mais ne détacha pas d'elle son regard enflammé.

— La force n'est pas affaire de témérité, mais de la juste évaluation de sa propre puissance, et de son emploi à bon escient ! répliqua-t-il, au grand étonnement de Yeza. Elle ne se serait pas attendue à de telles paroles, dans la bouche d'un chef de meneurs de chevaux. Elle se reprit donc, pour lui répondre comme il le fallait.

— Les engagements élevés réclament plus que la simple audace. La volonté de se sacrifier est elle aussi une condition pour atteindre son objectif.

— Prenez place dans la maison de mes parents, ma reine, vous êtes épuisée, proposa-t-il en désignant la porte ouverte de la bâtisse ronde, en bois, qui se trouvait derrière lui. Ce sera un honneur.

Yeza franchit le seuil en titubant, sans marcher dessus. Elle avait gardé en mémoire cette règle des Mongols. Beaucoup de choses ici lui rappelaient d'ailleurs une yourte, à commencer par le trou d'aspiration de la fumée au-dessus de l'âtre, au milieu de la pièce. Aux murs et sur les bancs, on avait aussi tendu des peaux de bêtes. Elle se laissa tomber sur l'une des couches, posa la tête en arrière et étendit les jambes aussi loin que possible.

— Vous êtes sans doute sur le chemin de Bologne ? demanda Sutor sur un ton qui ne devait pas révéler qu'il connaissait déjà la réponse. Mais seul le silence lui fit écho. Épuisée, Yeza s'était endormie sur-le-champ.

Il prit une fourrure garnie de duvet et observa la mince silhouette. Dans son blanc manteau des Chevaliers teutoniques, avec la longue chevelure blonde qui lui tombait sur les épaules, et la lourde épée en croix qui lui descendait de la poitrine jusqu'aux pieds, elle ressemblait à un ange harnaché pour la guerre. Son front haut, son nez droit renforçaient encore cette impression. Et pourtant, elle dégageait un grand charme féminin. Sutor était étrangement touché par ce mélange de virginité rude, presque repoussante, et l'attrait provocateur de son pubis gonflé et de sa poitrine bourgeonnante. En proie à des sentiments contradictoires, le berger musclé se tenait devant elle, la peau de bête à la main, captivé par la vue de cette pudeur parfaite mais déjà consumé par la passion. Le respect de son hôte finit par l'emporter, et il étala la peau sur la dormeuse, avec une tendresse maladroite.

Le soleil était au zénith lorsque Yeza s'éveilla. Par la porte ouverte, elle vit les bergers qui marquaient les poulains. Les plus vieux étaient sortis les uns après les autres de l'enclos, au bout d'une corde. Quant aux plus jeunes, les solides gaillards les soulevaient à la main et les portaient à proximité du feu où l'on préparait les fers rouges. Yeza pouvait voir leurs pattes tressaillir, ils hennissaient de douleur et, une fois le marquage achevé, revenaient en courant vers leur mère, qui léchait leurs blessures. Ils n'étaient plus nombreux à devoir supporter cette intervention brutale. Sur le feu dans lequel on avait déposé les fers rouges, une soupe épaisse bouillonnait dans une marmite de fer. Elle sentait les légumes frais, les oignons, les tubercules et les champignons. Yeza compléta par l'esprit ce repas tout simple avec une cuillerée d'huile, une pincée de sel et un morceau de pain en galette qui sortait du four. Elle eut faim et se leva.

On avait mis à sa disposition une cruche et une bassine d'eau fraîche. Elle tira le rideau et se lava. À l'extérieur, elle entendit les voix des hommes, mais ils parlaient un dialecte rocailleux qu'elle ne connaissait pas. Lorsque Yeza sortit de la cabane, Sutor vint à sa rencontre et la dirigea vers un siège surélevé, couvert de peaux de bêtes.

— Notre reine Yezabel! annonça-t-il à ses camarades assis tout autour du feu, qui mangeaient à la cuiller dans leur écuelle.

Yeza adressa un sourire rayonnant à la ronde et s'installa parmi eux. Elle ne comprenait pas vraiment pourquoi ce peuple de bergers lui réservait les honneurs d'un monarque, et elle comptait commencer par demander des explications avant de remercier en termes bien pesés. Tout en mangeant sa soupe, Sutor se mit à parler du roi Enzio, ce qui l'étonna encore plus.

— Nous sommes des Sardes, commença-t-il, bannis de notre île parce que nous restons fidèles à notre seigneur, Enzio, le Hohenstaufen, éternellement roi de Torre et Galura. Vous, Yezabel, vous êtes sa reine légitime et vous êtes en chemin pour vous unir à lui. Le fruit encore à naître de cette glorieuse union, nous le vénérons déjà et nous lui jurons fidélité. Nous sommes prêts à n'importe quel sacrifice.

Il s'agenouilla devant Yeza, et tous suivirent son exemple, dans un silence plein d'espoir.

Yeza était épouvantée. Elle n'avait pas l'intention de laisser cette erreur se perpétuer. Si elle se rendait à Bologne, c'était parce qu'elle voulait acquérir la certitude qu'Enzio était bien son père naturel. Elle n'avait aucune intention de se faire engrosser par lui, qui s'était déjà marié deux fois et avait eu de nombreux enfants. Elle se leva.

— Le roi Enzio, le souverain légitime de son peuple fidèle et de son royaume insulaire, est encore vivant. Ne le trahissons pas en faisant allégeance prématurément à ses descendants, qu'ils soient déjà nés ou encore à naître. Consacrons toute notre intelligence et toute notre force à le libérer des prisons infâmes des Bolonais ! Le roi Enzio est encore trop jeune pour que nous puissions l'abandonner à son destin !

Les Sardes applaudirent, et Yeza reprit, enflammée :

— J'ai juré de ne porter aucun enfant de lui tant que je n'aurais pas tout entrepris pour le libérer ! C'est notre mission, et vous devez m'aider à la remplir !

Yeza attendit de nouvelles marques d'approbation. Mais une certaine agitation s'était emparée du campement. Des bergers à cheval étaient arrivés au galop pour voir Sutor. Celui-ci se dirigea vers Yeza.

— Vous avez raison, ma reine, de donner la priorité à l'étape la plus proche. Pour l'heure, le plus urgent n'est cependant pas de libérer notre roi, mais de conserver votre vie ! Les troupes d'Oberto prennent notre camp en tenaille.

— Voilà ce qui se passe lorsque l'on ne voit que d'un œil ! dit Yeza en riant. Messire le vicaire de l'empire est tombé amoureux de moi, et il ne sait quoi faire.

— Je ne me fierais pas à cela, ma reine. Votre tête et sa chevelure blonde pourraient bien suffire à Pallavicini.

— Que proposez-vous, Sutor ?

— Vous vous transformerez en un pâtre mal lavé. Et moi en chevalier de l'Ordre teutonique !

Yeza comprit aussitôt.

— Dans ce cas, échangeons nos vêtements, ordonna-t-elle, et elle le fit passer avant elle dans la cabane, dont Yeza ferma le rideau derrière elle. Elle laissa tomber le manteau blanc et lui demanda de l'aider à sortir de sa cotte de mailles. Sutor défit les courroies d'une main agile. Lorsqu'il lui eut ôté ce poids des épaules, Yeza n'avait plus pour vêtement que son linge.

— Les bergers portent-ils une chemise de laine ? demanda-t-elle d'un air de défi, avant de répondre elle-même d'un « non » énergique. Lorsqu'elle la passa au-dessus de la tête, lorsque ses seins tout fermes en jaillirent, Sutor s'en empara. Yeza le laissa faire. Elle sentit sa langue brûlante tournoyer sur ses tétons comme un animal, les dents de l'homme la mordillaient, sa tête et ses bras étaient toujours prisonniers du vêtement de laine. L'homme finit par bredouiller :

— Non, gardez votre chemise !

Yeza fit alors redescendre le tissu sur sa poitrine, et le repoussa.

— Donnez-moi à présent votre tablier, fit-elle, le souffle court. Il ôta le lin de son corps et le lui lança. Et tandis qu'elle le passait en tremblant, il mettait son armure. Lorsqu'elle en noua les courroies, elle ne ressentait plus aucun désir, et Sutor, lui aussi, avait repris le contrôle de lui-même. Il rouvrit le rideau et laissa Yeza passer devant lui. Il saisit sur l'âtre une branche carbonisée, la broya entre ses mains et lui étala la suie sur le visage et à la naissance des cheveux. Il teignit en noir ses sourcils clairs, mêla un peu de soupe froide à la neige terreuse et lui enduisit cette pâte sur le moindre morceau de peau dénudée, depuis le cou jusqu'aux mains.

— Voilà qui devrait suffire à dissiper tout désir de vous embrasser ! chuchota Sutor en riant, et Yeza lui répondit par l'un de ses regards étoilés.

— Jamais plus ?

Elle ne lui laissa pas le temps de flancher, éclata de rire à son tour et fit volte-face.

Lorsque les cavaliers du vicaire approchèrent sur deux flancs du camp des bergers, on fit avancer vers eux un troupeau de juments sauvages accompagnant leurs poulains tout juste marqués. Les bergers sales, avec leurs bottes pleines de boue et leurs visages souillés, entouraient le troupeau avec leurs chiens,

qui empêchaient en aboyant toute tentative de fuite.
Les deux groupes se croisèrent sans prendre particulièrement garde l'un à l'autre. Les soldats de Pallavicini essaimèrent pour contourner les enclos pleins
de chevaux et entourer la place centrale, lorsque, des
cabanes situées à l'arrière, une troupe de bergers disparut au galop vers le nord. Des Sardes musclés,
voire trapus, entouraient un chevalier dont le clams
blanc tranchait nettement sur les vêtements de ses
accompagnateurs, qu'il dépassait en outre d'une
bonne tête.

D'un signe, le chef de l'escouade ordonna à ses
hommes de se lancer à la poursuite des fugitifs. Au
même instant, et d'un seul coup, les poutres avec lesquelles on avait refermé les enclos dès que les chevaux sauvages s'y étaient précipités, s'abattirent sur
le sol. Les chevaux écrasèrent tout ce qui leur barrait
le chemin, emportèrent les cavaliers ahuris et repar-
tirent, dans un bruit de tonnerre, vers la haute vallée
enneigée. Le chef chercha vainement à retenir ses
soldats. Lorsqu'ils se furent rassemblés autour de
lui, le chevalier blanc et son escorte avaient disparu
depuis longtemps. Les hommes de Pallavicini repar-
tirent au trot, de méchante humeur, et suivirent les
traces dans la neige, sans grand espoir de parvenir à
rattraper les fugitifs.

Le petit groupe qui entourait le plus jeune et le
plus sale de tous les bergers (Yeza se sentait très bien
dans ce déguisement) n'avait accompagné les chevaux que jusqu'au moment où, de toute évidence,
l'adversaire avait fixé toute son attention sur le faux
chevalier teutonique. Il s'était ensuite scindé : une
partie était restée auprès du troupeau, pour veiller à
ce que les poulains encore effrayés ne soient pas vic-
times des loups. Un autre groupe, composé d'une
bonne dizaine de guerriers désignés au préalable par
Sutor, accompagnait la jeune reine vers Bologne, par
des chemins de traverse.

Yeza se rappelait sa chevauchée solitaire dans le
désert blanc comme une aventure spirituelle boule-

versante. Mais ce voyage dans un paysage de montagne pratiquement immuable la paralysa. Il lui rongeait le moral, et lui était physiquement pénible ; elle ressentait comme une piqûre chaque pas de son cheval, la neige scintillante la faisait pleurer, et son nez coulait. Elle avait de la fièvre, et, étrangement, elle pensait à Roç. Il lui manquait. Yeza renifla d'une manière très peu royale, toussa et cracha comme un matelot avant de s'essuyer la bouche avec la manche de son tablier. Son Trencavel voguait sans doute depuis longtemps sur la mer. Et s'il n'était pas tombé dans une tempête d'hiver, il s'en sortait certainement mieux qu'elle, sur les rivages ensoleillés du sud.

Son escorte sarde fit tout pour lui épargner les fatigues du voyage. Yeza ne souffrit ni de la faim, ni de la soif, et lorsqu'elle ne put plus dissimuler son épuisement, on s'arrêta plus fréquemment. On lui servit du lait chaud avec de la menthe et du miel, et tous firent en sorte qu'elle puisse se reposer autant que nécessaire, enveloppée dans de chaudes fourrures. Ils durent quitter les contreforts de la montagne pour descendre dans la plaine. Ils couraient de plus grands risques d'être découverts : là, on aurait tôt fait de remarquer des bergers venus de la montagne, d'autant plus qu'ils n'avaient pas beaucoup de possibilités de se dissimuler. Ils pouvaient tomber à n'importe quel moment dans les bras d'une patrouille de Pallavicini, d'autant plus que la ville de Bologne ne devait plus être bien loin.

Le village était coincé entre les dernières collines, à la sortie de la vallée. On y salua les Sardes comme de vieux amis. Après avoir pris un bain brûlant, Yeza se retrouva dans un véritable lit couvert de gigantesques édredons de plumes. Elle s'endormit aussitôt, malgré la sueur qui la trempa aussitôt.

Yeza rêva qu'elle était couchée toute nue dans la neige. Mais elle n'avait pas froid, elle ne ressentait qu'un picotement chaud qui, depuis les fesses, lui remontait dans le dos, sur les omoplates et jusque

dans la nuque. Sa chevelure blonde était défaite, éta-
lée comme un soleil aux doigts dorés. Yeza jeta sa
tête d'un côté et de l'autre : elle ne pouvait pas la soulever. Un animal sauvage pesait sur elle, fouillait
entre ses cuisses, entourait son corps par la taille
avec de nombreuses serres. Une bouche lui suçait la
poitrine et la mordait au cou. La fourrure trempée
de sueur ne permettait pas à la jeune fille de voir le
visage de la bête et lui coupait le souffle, l'empêchant
de crier. Elle pensa d'abord que c'était Roç qui était
revenu dans cette tenue et qui lui faisait une plaisanterie, mais ce n'étaient pas ses membres doux,
solides et imberbes, ce n'étaient pas ses cheveux
bouclés. Et le plus effrayant était qu'elle ne se défendait pas contre l'animal inconnu, mais le laissait
faire. Elle jouissait de sa sauvagerie et n'éprouvait
pas le moindre soupçon de honte, uniquement de la
curiosité et du plaisir. Yeza ne voulait pas du tout
savoir qui se cachait derrière ce fauve ; mais sa tête
puissante avait de nombreux visages, et ils se démas-
quaient l'un après l'autre, sans qu'elle le veuille. Ce
fut d'abord Taxiarchos qui lui envoya au visage son
souffle brûlant, et lorsqu'elle l'eut éloigné d'un geste
violent, tambourinant contre sa poitrine velue avec
ses poings qui ne voulaient pas bouger, il laissa place
au visage du berger. Sutor ne souriait même pas, ses
griffes la tenaient encore plus solidement, lui entail-
laient la poitrine, et sa queue de lion fouettait son
bas-ventre. Yeza se cabra, désarçonna son cavalier,
le frappa à coups de pied, lui cria après sans produire le moindre bruit ; la bête disparut. Dans le
silence qui suivit, et le froid qui s'installait, un chevalier apparut, les cheveux et la barbe roux blond, le
visage rayonnant, le front altier et les yeux vert-gris
sous des sourcils épais. En haut, il portait sa cuirasse
ouverte sur une chemise courte ; en bas, il n'avait
rien. Avant que Yeza n'ait pu décider si elle devait
baisser les yeux ou adopter une attitude insolente
(car l'organe qui apparaissait sous la chemise méritait de toute façon la considération), elle comprit en

un éclair que le roi Enzio se trouvait devant elle. La
terreur ne lui laissait plus beaucoup de temps pour
songer à sa pudeur. Yeza s'éveilla, trempée de sueur,
mais son front était glacé, la fièvre avait quitté son
corps.

Des femmes entrèrent dans la chambre, la firent
sortir des couvertures humides et la déshabillèrent
comme si elle était l'une des leurs. Yeza comprit, par
bribes, que le grand marché aurait lieu à Bologne
d'ici quelques jours ; tous s'y rendraient pour vendre
l'excédent de leur récolte, et des tressages de toutes
sortes, de grandes corbeilles pleines de charbon de
bois fin et de grandes barres où l'on avait accroché
des jambons fumés ou séchés. Mais rien n'était aussi
précieux, pour les citadins, que « l'or blanc ». Les
femmes montrèrent à Yeza de charmantes corbeilles
où se trouvait une petite motte de terre anodine,
entourée d'un morceau de tissu. Cela sentait les
épices puissantes et la pourriture, un parfum que
Yeza n'avait encore jamais respiré.

— *Tartuffi !* lui chuchota une paysanne à l'oreille.
Cela transforme l'homme en porc.

Les femmes se mirent à rire, mais une autre répliqua :

— Que vaut un homme à côté d'un bon cochon à
truffes ! J'échange dix bûcherons contre une truie qui
connaît ses chênes !

Elles rirent encore plus fort et refermèrent rapidement le tissu sur ce petit tubercule fripé dont le parfum parut extraordinairement excitant à Yeza,
même si elle ne comprit rien à ce qui animait autant
les femmes. Il s'agissait certainement d'un aphrodi-
siaque, qui exerçait son effet aussi bien sur les
hommes que sur les porcs.

Le jour vint, où tous les villageois des bourgades
éparpillées de la Romagne se mirent en route pour
aller proposer leurs produits sur le grand marché

libre de la ville. C'était leur droit. Pendant une journée, chaque mois, leurs seigneurs, religieux ou profanes, ne pouvaient prélever la dîme, et les gardiens des ponts ne pouvaient percevoir de péage sur les routes qui menaient à la ville ; quant aux gardes, il leur était interdit d'exiger l'octroi aux portes de la cité. La foule était donc considérable. On aurait plus facilement trouvé une aiguille dans une botte de foin que Yeza parmi ces femmes innombrables, vieilles et jeunes.

Pour être certain que nul ne la reconnaîtrait d'ici là, on avait emprunté un détour, par la forêt, là où vivaient les charbonniers et leurs nombreux enfants. Leurs visages blêmes étaient recouverts par la suie des fours à bois. Yeza, elle aussi, fut teintée de noir, racines des cheveux comprises. On cacha sa chevelure blonde dans un foulard paysan, et on lui donna à porter un panier plein de charbon. Elle franchit ainsi la porte de la ville sans être inquiétée. L'étape suivante consistait à atteindre discrètement le palais dans lequel le roi Enzio, prisonnier du Conseil municipal de Bologne, résidait avec tous les honneurs, et à s'y frayer un chemin, sans se faire remarquer ni soupçonner. On ne pourrait y vendre du charbon de bois — mais on parviendrait sans doute à y négocier les précieuses truffes. On lava donc le visage de Cendrillon dans une fontaine, les femmes tressèrent la crinière de Yeza pour en faire des nattes et la déguisèrent en enfant du pays.

En toute hâte, avant que la troupe des fidèles du roi assemblée devant le palais n'attire l'attention, les femmes frappèrent à la porte et demandèrent à pouvoir porter au roi Enzio, en cadeau, une corbeille « d'or blanc ». Les femmes poussèrent en avant Yeza et son petit panier, avant de reculer respectueusement.

Les gardes semblaient encore délibérer sur l'attitude à adopter. Yeza attendait toute seule, le cœur battant, devant la grande et lourde porte de madriers derrière laquelle elle savait que se trouvait l'objet de son voyage, aussi long que fatigant. Elle tenait à peine sur ses jambes.

Un battant de la porte finit par s'ouvrir, dévoilant... Oberto Pallavicini ! Son unique œil lança à Yeza un regard triomphant et narquois. Il se retourna lentement pour ordonner, d'une voix sèche :

— Gardes !

Il n'alla pas plus loin : Yeza, en réprimant un cri de colère, avait lancé sa corbeille contre le vicaire et fait jaillir, dans son autre main, son joli poignard. Oberto rattrapa la corbeille et, impassible, renifla son contenu d'un air reconnaissant.

— Pas mal ! se moqua-t-il avec arrogance. Arrêtez cette renifleuse !

Yeza voulut se précipiter sur lui. Mais un bras, de derrière, poussa le vicaire sur le côté. Enzio se tenait devant elle.

— Aidez-moi, père ! s'exclama-t-elle d'une voix misérable. Cet homme veut me tuer !

— Gardes ! criait à présent le vicaire, en faisant un pas de côté pour laisser passer les soldats. Yeza lança alors son couteau. Il tournoya dans l'air avant d'aller se planter en tremblant dans le bois de la porte, à côté de la gorge de Pallavicini. Pour l'éviter, il avait dû, encore une fois, barrer le chemin aux gardes. Yeza profita de ce dernier délai et se jeta en avant pour serrer les genoux d'Enzio. Celui-ci la rattrapa, l'entoura de ses bras pour la protéger et éloigna le vicaire comme un cabot importun. Oberto se contenta de secouer la tête, désapprobateur, tira la lame du bois et la tendit à Yeza.

— Je serais inquiet si vous étiez ma fille, ô ma reine ! dit-il sans la moindre trace de raillerie.

Yeza rangea le poignard à sa place, dans son col, sous ses cheveux, tandis qu'elle lui répondait :

— Celui qui devrait vous inquiéter, Oberto Pallavicini, c'est l'homme qui ne voit que d'un œil, mais dont le regard est redouté par ses amis comme par ses ennemis.

Yeza entendit pour la première fois le rire franc d'Enzio.

— Je vois que vous vous portez un amour ardent et réciproque !

— Ce n'est peut-être pas si loin de la vérité du borgne, dit le vicaire. Celui qui ne voit qu'à moitié ressent le mensonge de l'existence plus fortement que ce genre de consolations.

Enzio posa son bras sur les épaules de Yeza et, en passant devant le vicaire, lui prit la corbeille des mains.

— Achetez toutes les truffes de ces bonnes dames, ordonna-t-il aimablement à Oberto, et ajoutez à la somme une pièce d'or. Elles l'ont bien mérité !

Il regarda Yeza, éclata encore de rire et la conduisit à l'intérieur du palais.

MUTINERIE SUR LA TRIRÈME

L'île se situait au milieu du *Mare Nostrum;* un amas de petit coraux blancs polis par le vent et l'eau lui donnait une allure de grande roche claire. Aucun arbre, aucun buisson n'avait pu s'y agripper. Seules quelques agaves laissaient leurs larges feuilles charnues pendre mollement sous la fournaise, et leurs tiges aux fleurs fanées commençaient à pourrir. Il y avait pourtant de la vie sur Linosa. Des cavernes taillées dans la roche trahissaient la présence humaine ; au-dessus de l'île trônait un castel de pierre dont les murs avaient été maintenus dans un état que seule permettait la présence permanente d'une garnison. Linosa, au premier regard, paraissait ne pas avoir de môle auquel les navires auraient pu s'amarrer ; mais lorsqu'un vaisseau trouvait le passage entre les écueils, dressés comme d'étranges tours, une grotte gigantesque s'ouvrait à lui derrière une muraille de pierre, un port couvert que l'on ne pouvait apercevoir de la mer. Il était surveillé depuis une multitude de cavernes. Au-dessus, on avait accroché le château, d'où toutes sortes de galeries creusées dans la pierre descendaient vers le port. Linosa avait été une île-prison. Jadis, elle avait appartenu à la Sicile et servi de point de chute et de cachette aux pirates sarra-sins. Puis l'ordre des Templiers avait affermé l'île et l'avait transformée en forteresse imprenable. Depuis, aucun navire étranger n'était autorisé à accoster sur l'île, même en cas de détresse. Les Templiers avaient déposé sur cette île solitaire un gigantesque voile de mystère ; on parlait donc beaucoup de ce tas de pierres inhospitalier dépourvu de tout rôle straté-gique. On parlait des installations souterraines du Temple, dans lesquelles on pratiquait des rites sacri-ficiels païens sur de jeunes garçons kidnappés, on évoquait la « tête de Baphomet » utilisée dans la pro-fondeur de la montagne pour transformer en or cer-tains minerais. L'Ordre avait soumis Linosa à des règles strictes. On avait attribué aux esclaves une quantité déterminée de femmes que l'on considérait cependant comme un patrimoine commun, et qu'il fallait indemniser. Ces femmes, qui ne jouissaient pas non plus de leur liberté, pouvaient établir des relations fixes, mais si elles tombaient enceintes, l'Ordre les chassait sur-le-champ. Pour des raisons évidentes, le port et la possession d'armes étaient interdits aux esclaves. Seuls les gardes, qui se relayaient toutes les quatre heures, étaient pourvus de lances légères lorsqu'ils étaient en poste sur le château. Dans leurs longues capes qui les dési-gnaient comme des turcopoles, ils contrôlaient sur leurs chemins de ronde non seulement le port dissi-mulé, mais l'île tout entière, et nul n'y posait le pied sans y avoir été autorisé. Les Templiers disposaient d'un moyen de pression extrêmement simple, mais bien suffisant : l'accès à l'unique source d'eau douce, qui jaillissait abondamment, tout en haut de l'île, derrière le mur du castel.

Même les pirates, qui grouillaient dans cette partie de la Méditerranée, évitaient cette île. Plus d'un navire qui s'en était simplement approché, ou avait même tenté d'y accoster secrètement pour lever le secret de Linosa, avait disparu corps et biens. On ne faisait manifestement pas de prisonniers : on les aurait, autrement, vus réapparaître sur un marché aux esclaves de la côte berbère toute proche.

Pour les gardes, l'apparition d'un navire à l'horizon était donc un événement. Celui-là faisait cap droit vers l'île. On constata bientôt qu'il ne s'agissait pas d'un voilier de l'Ordre, mais d'une trirème de Malte, de fabrication ancienne. Ce type de navires n'était plus courant depuis au moins un demi-siècle, et le superbe étendard qu'il avait hissé portait encore l'aigle noir de l'empire sur fond d'or, qui remontait à l'empereur Barberousse.

Les occupants du castel avaient certainement remarqué, eux aussi, ce navire aux trois rangées de rames brillantes : sur le mât du château, on hissait le fanion portant quatre croix rouges de saint André, signe annonçant aux visiteurs que le lieu était infesté par la maladie, mais ordonnant aussi aux équipes qui servaient les catapultes disposées autour du port de mettre celles-ci en position. Seul un œil suspicieux et très bien exercé pouvait, de la haute mer, apercevoir ces préparatifs; car toutes les voies de communication qui parcouraient l'île ressemblaient à des galeries de termites creusées dans le roc. Tout juste voyait-on pointer, çà et là, les montants de bois des catapultes et des balistes.

Sur la trirème, Taxiarchos avait prescrit de réduire les voiles. Le navire approchait donc lentement de l'île, et l'on y prenait également les dernières dispositions. Dès qu'ils furent à portée de vue du château, les marins engagèrent un combat spectaculaire entre deux partis dont les membres avaient été désignés à l'avance. Les « mutins » eurent très vite le dessus. Plusieurs des fidèles du capitaine furent jetés à l'eau. De l'île, nul ne pouvait les voir nager jusqu'à la poupe du navire, où ils étaient remontés à bord. Quelques marins restèrent aussi allongés sur les planches, comme s'ils étaient morts ou blessés. Et c'est ainsi que la trirème, apparemment dépourvue de capitaine, se rapprocha des rochers de Linosa. Chacun des gardes dissimulés près du port, derrière les catapultes ou dans les locaux de la garnison, en haut, derrière les murs du castel, fut alors témoin du procès expéditif que les mutins victorieux réservèrent à leur capitaine. On amena Taxiarchos sur une planche, on lui noua un nœud autour du cou et l'on accrocha la corde à la grande bôme. Un moine lui fit le signe de croix au bord du bastingage. Les matelots lâchèrent la planche, qui dévala aussitôt, emportant Taxiarchos dans le vide. La corde se tendit — et cassa. Le corps fut précipité dans la mer. Un cri de colère accompagna cette exécution ratée ; Taxiarchos réapparut rapidement, la corde au cou. Comme on lui avait attaché les mains dans le dos, mais pas les pieds, il put, en lançant puissamment ses jambes en arrière, s'éloigner de la trirème et se diriger vers la rive. Les rameurs du navire, dont les pales brillaient comme des faux métalliques, avaient certes d'abord essayé de le harponner, mais ils ne firent pas mine de se rapprocher de la côte. La trirème reprit sa course, passa devant Linosa et disparut bientôt aux yeux de ceux qui avaient assisté à tout l'épisode. Quelques-uns des gardiens sautèrent à l'eau et nagèrent vers l'homme qui risquait de se fracasser la tête contre les récifs. Ils le tirèrent de l'eau, le hissèrent sur un banc rocheux et lui libérèrent les mains. Taxiarchos dénoua la corde autour de son cou et resta un certain temps couché, le ventre sur les pierres, complètement épuisé. Les gardes le firent monter au château.

Le château de Linosa avait d'abord été un bastion de l'époque phénicienne. Ses quatre grosses tours de garde étaient posées sur la crête des montagnes, aux quatre points cardinaux, et reliées par de larges murs. Elles se rejoignaient sur un épais donjon central qui les dépassait et d'où l'on pouvait voir tout ce qui survenait aux alentours. Comme l'effectif de la garnison ne suffisait pas, et de loin, à occuper les forts extérieurs, l'ordre des Templiers les avait tout simplement rasés, et les murs s'achevaient désormais par des ponts-levis donnant sur le donjon central. Mais ceux-là non plus n'avaient jamais été utilisés, les chaînes étaient attaquées par la rouille. Les Templiers avaient toute confiance dans les patrouilles de leurs milices et dans leurs méthodes pour assurer la docilité de leurs serfs. Le castel était ainsi accroché aux roches comme un poulpe de pierre auquel on aurait coupé les tentacules. Ou comme un dragon aux multiples têtes montant la garde sur un trésor. Mais quel trésor ?

En montant au château, Taxiarchos ne put rien découvrir de ce qu'il cherchait. On veilla à le faire passer par des détours, le plus souvent par des sentiers en tunnel d'où l'on n'apercevait jamais la grotte portuaire, même si le Pénicrate avait l'impression de l'avoir sous les pieds. Des escaliers creusés dans la terre menaient vers les profondeurs, mais chaque fois que l'on en croisait un, on le tirait rapidement vers l'avant.

L'intérieur du château était sobre, son ameublement réduit au strict minimum. Les salles du commandant du lieu ne faisaient pas exception. Taxiarchos reconnut aussitôt le jeune officier. C'était Simon de Cadet : la dernière fois qu'ils s'étaient rencontrés, ils se trouvaient à Rhedae. Le jeune homme se rappela lui aussi immédiatement cet aventurier que Gavin Montbard de Béthune avait envoyé aux « Îles lointaines » et qui avait osé en ramener des enfants aux coutumes étrangères. Comme si l'Ordre n'avait pas prescrit, sous peine de mort, d'éviter tout ce qui pourrait mettre le secret en péril. Simon se donna du mal pour avoir l'air sévère.

— J'ai vu, Taxiarchos, se moqua Simon de Cadet, que l'équipage de votre propre navire, si c'était le vôtre, s'apprêtait à vous faire subir la peine que l'Ordre avait oublié de vous infliger.

Simon avait cependant prononcé ces mots sur un

ton plutôt interrogateur, si bien que Taxiarchos se sentit obligé de répondre.

— Vous pouvez, Simon de Cadet, ne pas trouver condamnable le fait que votre Ordre n'ait pas versé à son capitaine son salaire et sa part de la prise, et regretter que celui-ci ait dû prendre le navire en gage. Ce compte-là est encore ouvert, mais il n'a rien à voir avec le malheur qui m'arrive aujourd'hui. J'étais effectivement le capitaine régulièrement désigné de cette trirème au service de la Sicile !

— Et pourquoi l'équipage s'est-il mutiné contre vous ?

— Je pourrais vous renvoyer la question : pourquoi vous a-t-on, Simon de Cadet, relégué sur ce morceau de roche ? Avez-vous perdu la faveur de Guillaume de Gisors ?

Le jeune Templier rougit jusqu'aux oreilles.

— Ne gaspillez pas ma magnanimité par des allusions que je pourrais rapporter à mon honneur, Taxiarchos !

— Loin de moi cette idée ! répondit aussitôt celui-ci. Je suppose que vous ne supportez pas la moindre offense à votre honneur. C'est aussi mon cas ! L'équipage avait entendu dire qu'au cours des journées à venir un navire de marchands arabes, chargé à ras bord d'or et de joyaux, devait passer ici ; ils me pressaient de jeter l'ancre, d'attendre l'occasion favorable et de passer à l'abordage. Mais j'ai donné au roi Manfred ma parole de conduire à son beau-père, à Épire, une section de chevaliers chrétiens. C'est ainsi qu'est survenu cet incident qui m'a si épouvantablement déçu, et m'a causé bien plus de douleur que la mort à laquelle j'étais destiné ! La majorité de mes chevaliers s'était placée du côté des rebelles. Ils se sont battus pour les mutins ! J'ai tenté de gagner cette île. On m'a accusé de haute trahison : vous avez vu de vos yeux la suite, la cour martiale, le verdict et l'exécution.

— Mais comme toujours, la Sainte Vierge veillait ! plaisanta Simon.

— Dans leur hâte d'envoyer leur capitaine dans l'au-delà, ces messieurs se sont sans doute emparés d'une corde pourrie. Cela m'a sauvé la vie !

Simon de Cadet observa Taxiarchos, songeur.

— Ma mission n'est pas de corriger l'insondable jugement de Dieu et de vous pendre pour avoir volé un navire de l'Ordre, d'autant plus que notre grand maître aurait déjà pu s'en charger à Palerme. Soyez donc mon hôte jusqu'à ce que le prochain navire qui accostera ici vous emporte avec lui.

— Je vous remercie de votre hospitalité, répondit gracieusement Taxiarchos. Mais ne m'en veuillez pas, je vous prie, de vouloir partir d'ici aussi vite que possible pour reprendre possession de mon navire et mener à bien ma mission, puisque j'ai promis au roi de l'accomplir.

Simon sourit.

— Ne comptez pas sur l'aide de l'Ordre s'il s'agit de laver l'affront qu'on vous a fait. Sur cette île, nous ne disposons même pas d'une barque de pêcheur.

— Comment ? Vous n'avez pas de navire ici ? demanda Taxiarchos en feignant l'étonnement.

— Non ! confirma le Templier d'une voix forte. Et même si nous en avions un...

— La trirème ne doit pas être loin d'ici, ils ne renonceront pas à leur prise.

— C'est une affaire entre les marchands sarrasins et votre brave équipage. C'est peut-être encore aussi une affaire entre eux et vous (après tout, vous êtes un bon nageur !). Mais ce n'est en aucun cas le problème de l'Ordre.

— Mon souci n'est pas Mammon et ses affres, croyez-moi, Simon ! Je veux la justice et l'ordre. Les chevaliers, conformément à leur serment de vassal, doivent achever dans la gloire leur voyage à Épire. Quant aux mutins...

— Ne vous transformez pas en juge, Taxiarchos, vous qu'une accusation identique a manqué envoyer devant le trône du juge suprême !

— Je n'aimerais pas que pareille injustice soit récompensée, qu'elle soit même payée en or massif !

Taxiarchos jouait l'indignation avec brio, mais sans succès.

— Je n'ai pas le choix, l'informa Simon de Cadet en le faisant emmener par les gardes qui attendaient encore, à droite et à gauche de la porte, l'instant où ils pourraient montrer à Taxiarchos la pièce où il séjournerait.

— Mon hospitalité se limite à ces murs, lui cria encore le jeune Templier. Il ne vous est pas permis de quitter le château sans mon autorisation.

Le Pénicrate hocha la tête, et Simon regarda à l'extérieur, par-delà la coupole rocheuse du port dissimulé, sur le bleu uniforme de la mer. C'était l'une de ces journées d'hiver où le sirocco avait balayé le ciel.

LES LAMENTOS D'ENZIO

> « *Tempo uene ki sale e ki discende,*
> *tempo è da parlare e da taciere,*
> *tempo è d'ascoltare e da imprende,*
> *tempo da minaccie non temere.* »

La voix du roi emprisonné résonnait, claire et distincte, par les hautes fenêtres à trois pans. Si aucun Bolonais ne les entendait, c'est que la chambre du « Re Enzio » avait sagement été installée à l'étage le plus élevé du palais que la ville lui avait assigné comme domicile.

> « *Tempo d'ubbidir ki ti riprende,*
> *tempo di molte cose pruoedere,*
> *tempo di uegghiare ki t'offende,*
> *tempo d'infignere di non nedere.* »

Pourtant, ses sonnets étaient dans toutes les bouches, et les poètes de Bologne se rencontraient volontiers chez leur royal collègue. Le destin mélodramatique du jeune Hohenstaufen animait leurs esprits, donnait des ailes à leur imagination et les élevait au-dessus de leurs mièvres concitoyens qui, depuis la victoire de Fossalto, n'avaient rien trouvé de mieux ni de pire à faire avec leur célèbre prisonnier que de le maintenir en vie. Dix années, assez précisément, s'étaient écoulées depuis, et ils s'étaient habitués à leur rôle, à mi-chemin entre l'hôte et le geôlier. Ce n'était pas le cas du roi.

> *« Però lo tegno saggio e canosciente*
> *que 'ke i facti con ragione,*
> *e col tempo si sa comportare. »*

Yeza était assise aux pieds d'Enzio, entre les troubadours, les poètes, les ménestrels et de grotesques voleurs auxquels quelques heures passées dans l'aura de la tragédie historique et de la souffrance royale échauffaient suffisamment l'esprit pour le restant de la journée. Mais ils ne se souciaient pas une seule seconde du fait que ce noble donateur mesurait en lunes et en années le temps de sa détention.

> *« E mettesi in piacere de la gente*
> *ke non si troui nessuna cagione*
> *ke lo su'facto possa biasimare. »*

Parfois, le roi était accablé par l'absurdité de sa situation, et il devait faire un grand effort pour ne pas chasser tous ceux qui l'entouraient. Il se murait alors dans un sombre mutisme, ce qui donnait l'occasion à ses serviteurs de raccompagner poliment les visiteurs. C'est aussi ce qui se passa ce jour-là. Au bout du compte, Yeza se retrouva enfin seule avec Enzio, dans cette haute salle.

— Vous vouliez me parler de votre amour pour ma mère ? commença-t-elle aussitôt, sans beaucoup d'égards pour les sentiments d'Enzio. Celui-ci ne répondit pas. Yeza était obstinée :

— Esclarmonde, qui m'a ensuite mise au monde !

Il fallut du temps pour que le roi réagisse.

— Esclarmonde, finit-il par murmurer avec l'air absent d'un visionnaire. Esclarmonde, la lumière du monde !

— Oui ! s'exclama Yeza, heureuse d'avoir pu le mettre sur la piste souhaitée. Elle rayonnait, en effet, car Esclarmonde était la gardienne du Graal !

Enzio, ahuri, regarda la jeune fille qui se trouvait à ses pieds.

— Vous pouvez, comme beaucoup, prendre le rayon pour la lumière. Mais la source était la pierre, la *lapis ex coelis*, la pierre noire qui, envoyée par le ciel, doit illuminer l'humanité, pour autant qu'elle est prête à...

Yeza ne le laissa pas changer de conversation : elle était subjuguée par cette vision qu'elle pouvait partager avec cet homme, qui était forcément son père.

— Nous portons en nous ce précieux savoir ! lui révéla-t-elle avec fierté. Car, à moi aussi, il m'a été donné de la voir, mes yeux ont pu apercevoir la pierre noire !

Jusqu'ici, Enzio avait eu l'air plutôt rétif. Mais, à cet instant, il éclata d'un rire joyeux.

— La pierre noire qui vous est apparue ne peut être que ce sarcophage de marbre des Templiers, celui qu'après des années de fouilles, ils ne sont même pas parvenus à mettre en pleine lumière, après l'avoir sorti des profondeurs de la montagne où se trouvait le temple des juifs et ses secrets. Oh non ! Entourée, dissimulée par le sombre Mysterium Hierosolymitanum Salomonis, la pierre a été traînée dans les abîmes païens de Rhedae ! (Il cessa de rire.) Je vous le dis, *ma damna*, c'est une tombe ! Les Templiers ont apporté leur propre pierre tombale en France, où ils veulent manifestement être enterrés !

— Comment savez-vous ces choses, Enzio ? demanda Yeza d'une petite voix : quelque chose, dans le ton du roi, ébranlait ses convictions.

— Parce que, ces dix dernières années, j'ai eu le temps de réfléchir au cours du monde. Que ce soit en me fondant sur le grand rouage des idées dans lequel nous sommes pris aujourd'hui, *religiones et politica*, les esprits que nous avons invoqués... (Le roi Enzio paraissait songeur, à présent.) Ou bien en plongeant dans la mémoire de l'humanité. Je suis en quête, non pas tant du « comment » que du savoir secret sur le « pourquoi » de la création. En quête du Graal.

Les yeux de Yeza se mirent à briller d'espoir.

— Il existe donc tout de même, le Graal ?

Enzio baissa le regard vers elle, amusé.

— Pour toute personne qui a été appelée et qui est animée par la volonté, c'est-à-dire qui a la force et le talent nécessaires pour écouter le battement du cœur du cosmos, il devrait être évident que le Graal n'est pas un objet physique, ni une pierre, ni un calice. L'un comme l'autre sont sans doute le symbole de l'idée, du mystère. Nous autres êtres humains, nous courons toujours le risque de confondre le symbole et sa teneur intellectuelle, parce que nous vouons un culte au premier, qui mène ensuite sa propre vie et nous fait oublier son sens.

— Comment des gens aussi intelligents que les chevaliers du Temple ont-ils pu commettre une telle erreur ? interrogea Yeza, incrédule, et Enzio lui répondit en souriant doucement.

— Parce que ce qui les intéressait dans la pierre noire, ce n'était pas l'origine, mais le calice noir manquant !

— Oui, dit Yeza en réfléchissant, mais elle se garda, cette fois, de lui révéler ce qu'elle savait. Ils en ont totalement perdu la trace. Donne-t-il un pouvoir ? ajouta-t-elle, l'air aussi détaché que possible.

— Un pouvoir éphémère, certainement, mais il n'est pas le dernier maillon dans la chaîne du savoir. Il s'agit plutôt du symbole d'une union, et donc aussi de la mort. Car il faut franchir cette porte avant que l'homme en quête du Graal ne puisse puiser et boire à la source de la connaissance pure.

— Le destin du couple royal est-il de trouver et de garder le Graal ?

— Je vais vous donner trois réponses en une seule : beaucoup se sentent appelés à mener la quête dans ce monde, mais peu sont choisis pour y participer.

Yeza ressentit la profonde amertume de cet homme, parvenu si tard à une telle connaissance, et qui n'avait pas la liberté de la mettre en application. Comment n'aurait-il pas été aigri de voir d'autres que lui, plus jeunes, avoir la possibilité de consacrer leur vie au Graal et la gaspiller, ou encore de passer devant lui sans rien voir ? Enzio ne pouvait pas les aider, Roç et elle-même, Yeza le savait à présent. Mais leur mission pouvait-elle être de changer le destin du roi ? Yeza, qui était jusque-là restée sagement assise aux pieds du vénéré roi Enzio, étendit ses longues jambes et se releva. Elle ne se retourna pas vers lui, mais traversa la salle d'un pas souple, ce qui inquiéta le roi.

Yeza voulait remettre ses idées en ordre avant de prendre une décision. Libérer le roi Enzio des lieux peu glorieux où il était détenu à Bologne constituait-il une épreuve qu'elle devait réussir ? Cela n'avait de sens que si les liens du sang entre elle et le Hohenstaufen ne relevaient pas uniquement de son imagination. Il lui fallait regarder la réalité en face, Yeza s'arrêta, mais ne se retourna pas vers le roi.

— Êtes-vous mon père, Enzio ?

La question avait traversé la pièce comme une flèche, et le roi avait tressailli, Enzio leva son regard vers les hautes fenêtres, comme si quelqu'un l'avait épié de l'autre côté, au Palazzo del Podestà ou même dans la Torre dell'Arengo. Puis il descendit de son siège en forme de trône et marcha lentement vers la mince silhouette qui lui tournait toujours le dos, comme pétrifiée. Il posa précautionneusement une main sur son épaule.

— Allons nous promener un peu dans les rues, j'étouffe, ici.

Yeza, qui avait redouté que le roi ne réagisse brutalement, ne repousse toute possibilité de paternité ou ne nie purement et simplement sa relation avec sa mère, se sentit soulagée. Mais elle comprit que, s'il voulait bien parler de lui et d'Esclarmonde, il s'apprêtait en revanche à nier la conséquence « naturelle » de leur relation. Elle éprouva une certaine tristesse, et elle regretta presque d'avoir posé cette question. Sa mère, elle, avait fait preuve de plus de courage, pour la vie comme pour la mort.

Yeza tenta de changer le cours de la conversation.

— Lorsque je me suis jetée à vos pieds, comment saviez-vous au juste qui j'étais, pour me prendre sous votre protection contre Pallavicini ?

— Contre Oberto, je prendrais même parti pour la grand-mère du diable. Mais j'ai su immédiatement qui j'avais devant moi.

Enzio sourit, se dirigea vers une armoire et fit signe à la jeune fille de le rejoindre. Un portrait de Yeza était accroché derrière la porte. C'était l'un de ces portraits en miniature que Rinat Le Pulcin avait réalisé d'elle à Quéribus.

— C'est bien vous, n'est-ce pas ?

Yeza hocha la tête. Il n'y avait pas d'échappatoire. Enzio semblait avoir été entraîné, par ses pensées, très loin de la salle.

Il se demandait en réalité s'il devait aussi faire voir à Yeza l'autre image, celle que le peintre vénitien avait exécutée de lui. Elle le montrait dans un tonneau : c'est ainsi qu'un jour, il pourrait s'enfuir de la ville, lui avait dit Rinat en plaisantant. Aucun garde des portes ne trouverait sa cachette si des paysans revenant du marché passaient devant eux avec ce fût. Enzio l'observait souvent, cette peinture où il était représenté assis dans le fût, la chevelure blonde dépassant à l'extérieur. L'idée n'était pas mauvaise, mais il préféra ne pas en parler à Yeza. Du moins pas tout de suite.

Yeza laissa l'homme la mener hors de la salle aux hautes fenêtres. Devant la porte, les gardes se rallièrent même à eux, et ils descendirent tous deux le large escalier. Entourés par la garde personnelle que le conseil de la ville de Bologne mettait jour et nuit à la disposition de son hôte prééminent afin que rien ne lui arrive dans les murs (on trouvait partout des fanatiques du couteau, des papistes excités), ce couple étrange arriva sur la Piazza Maggiore. Sur cette place centrale, la commune lui avait spéciale- ment bâti une cage dorée entre l'hôtel de ville, la bourse aux grains et l'arsenal. Ils gardaient ainsi tou- jours un œil sur Re Enzio, que l'on présentait aux visiteurs étrangers comme un animal exotique.

Cette fois encore, des centaines de paires d'yeux cachées derrière les rideaux des fenêtres regardaient le roi blond. Des passants lui faisaient signe des che- mins obscurs qui menaient aux portes de la ville, certains mettaient bonnet bas, mais beaucoup se contentaient de s'arrêter et d'observer. Enzio les saluait distraitement, tirant Yeza par le bras. Il obli- qua rapidement dans le Pavaglione, le chemin de treille qui séparait San Petronio, la basilique du patron de la ville, et le Gymnasion, le plus ancien bâtiment universitaire. Sous ses arcades, Enzio re- trouva sa gaieté.

— Seul le Prieuré peut vous avoir convaincue de voir en moi votre père. Et il l'a fait en toute connais- sance de cause.

Il tenta de communiquer sa gaieté à Yeza, sans songer un seul instant qu'elle voyait forcément les choses sous un tout autre jour. Elle rétorqua sèche- ment :

— Si c'est tout ce que vous avez à me dire, je pré- fère ne pas vous écouter !

Enzio se reprit.

— Bien, déclara-t-il, magnanime. Laissons la société secrète en dehors de tout cela, même si elle n'y est nullement étrangère et même si c'est à cause d'elle que je ne puis vous serrer aujourd'hui dans mes bras et vous appeler ma fille — ce que j'aurais vraiment fait de bon cœur.

— Vous devriez avoir honte de continuer à jouer avec moi. Adieu !

Yeza fit mine de revenir sur ses pas.

— Attendez, chuchota Enzio. Il faut que vous sachiez la vérité. Votre mère accompagnait son père, le vénéré Ramon de Perelha, lors d'une mission extrêmement secrète en Apulie. L'empereur y séjournait pour l'inauguration de son nouveau château de chasse, qu'il s'était fait édifier dans les forêts, près de sa résidence de Foggia, Castel del Monte. Moi aussi, j'étais allé présenter mes hommages à mon seigneur et géniteur, Frédéric. Esclarmonde n'était pas seulement charmante : parmi les participants à la chasse, elle passait pour un gibier à prendre. Si vous ne pouvez supporter l'histoire telle qu'elle s'est réellement déroulée, Yeza, je peux peut-être vous en faire grâce ?

Yeza lui lança un regard glacial et étincelant.

— Je connais certainement mieux le monde des hommes que ma mère, qui avait grandi protégée sur le Montségur. Plus rien ne peut m'effrayer. Seulement je n'aime pas avoir la nausée !

— Tous les hommes ne sont pas des porcs !

— Non, vous avez raison. En disant le contraire, on commet une cruelle injustice envers ces animaux soyeux. Bien, continuez, et racontez-moi vos hauts faits masculins, auxquels Esclarmonde était livrée sans défense parce qu'elle était, comme son père, adepte de la foi cathare et qu'elle avait vraisemblablement entrepris cette mission secrète afin de trouver de l'aide pour ses compatriotes oppressés dans le Languedoc. C'était bien cela ?

— Exact, dit Enzio, mais avant qu'il ne puisse continuer, Yeza avait déjà repris la parole.

— Les hommes rassemblés autour de l'empereur, y compris ses bâtards et ses courtisans, pouvaient donc la considérer comme une personne cherchant assistance et disposée à en payer le prix. Faux ?

— Non, murmura Enzio. Mais dur. Vous ne prenez pas de gants...

— Comme vous le savez, et le saviez déjà à l'époque, il n'y avait pas la moindre chance que l'empereur vienne au secours des cathares. En revanche, on pouvait encaisser le prix de cette aide, « prendre le gibier »...

— L'empereur détestait les hérétiques ! C'était une idée absurde de venir lui demander de l'aide, justement à lui. Il a même fallu cacher à Frédéric la raison pour laquelle les Perelha étaient venus. Sans cela, ils auraient couru un extrême danger physique, car les hérétiques étaient tous livrés aux flammes, sans exception. J'ignore vraiment qui leur avait conseillé d'entreprendre ce voyage.

— Des rêveurs, répondit Yeza. Des rêveurs irresponsables ; mais vous, Enzio, vous connaissiez la piètre situation de la charmante Esclarmonde et de son père.

— Pas du tout ! s'écria le roi, indigné. On ne m'a rien révélé du fond de l'affaire, même sous forme d'allusion. Ne m'accusez donc pas d'avoir abusé honteusement de la situation !

— C'est vous qui l'avez dit, riposta froidement Yeza. À l'époque, vous étiez déjà roi de Sardaigne... et parfaitement ingénu ? Je suis censée vous croire ? demanda-t-elle, moqueuse.

— Vous devez me croire ! On a joué avec moi un jeu si malveillant que j'ai honte de vous le raconter.

Enzio se tut un instant et regarda autour de lui. Tous ces gens qui l'épiaient lui devenaient pénibles.

— Dans mon dos, on a convaincu Esclarmonde de m'accorder un rendez-vous. Je ne sais pas comment, qui, j'ignore si l'on a fait pression sur elle pour qu'elle me reçoive la nuit dans ses appartements, en toute clandestinité, naturellement...

— Elle était peut-être effectivement tombée amoureuse de vous ? fit Yeza, moqueuse. Vous deviez être un sacré gaillard, aucune femme ne vous résistait.

— Moquez-vous donc de moi ! Il y a bien pire. Évidemment, à cette époque, je me serais imaginé qu'Esclarmonde n'aurait pas résisté aux doux yeux que je lui faisais depuis le premier jour. Mais je ne savais rien de ce rendez-vous! La nuit dite, la bien-aimée m'attendait, mais dans la pénombre, c'est messire mon père qui est entré dans sa chambre! Quelqu'un lui avait laissé entendre (en passant, certainement) qu'on lui avait préparé, comme on le faisait si souvent, une petite aventure. Après avoir copieusement bu, il est donc monté en titubant dans la tour qu'on lui avait indiquée. Je n'ose pas imaginer la suite, je connaissais bien la bête en Frédéric! Combien je l'ai haï pour cela!

— Continuez, dit Yeza d'une voix atone, allez jusqu'au bout!

— Et puis ce n'était pas mon affaire. Le lendemain matin, on a annoncé à messire Ramon de Perelha que le mieux pour lui serait de prendre immédiatement le large avec sa fille. Ils sont partis sans que je puisse revoir Esclarmonde. Plus tard, j'ai établi que le vieux John Turnbull, un individu extrêmement douteux venu du Languedoc et que Frédéric envoyait parfois comme ambassadeur auprès du sultan, avait fait en sorte que l'empereur prenne ma place. Je ne l'ai pas interrogé sur ce point, par une pudeur compréhensible, et je n'ai jamais pu m'emparer de lui pour lui faire avaler ses couilles d'intrigant. Mais j'ai appris qu'il était un membre haut placé du Prieuré.

— Oui, confirma Yeza. Il l'était jusqu'à sa mort.

— Vous savez à présent qui est votre père, soupira Enzio comme si on lui avait ôté un poids sur le cœur. Et vous comprendrez aussi pourquoi je ne suis pas précisément bien intentionné à l'égard de cet ordre secret du Prieuré de Sion. Même s'il a tenté à plusieurs reprises, par la suite, de me faire entrer dans ses rangs.

— Il est vraisemblable, mon cher frère, dit Yeza en souriant, que vous en êtes membre depuis très longtemps, et sans le savoir.

Enzio la dévisagea, étonné.

— Pourquoi donc, chère sœur? Comment pourrais-je encore leur être utile? Ici, à Bologne, ils ne

vont certainement pas faire représenter leurs intérêts par un emmuré vivant...

— Le Prieuré réfléchit autrement qu'on ne le
pense, et lorsqu'un homme est mort, c'est lui qui le
décide !

Ils étaient arrivés, en marchant, devant San Domenico, le splendide sépulcre de l'inventeur sanctifié de
l'Inquisition.

— Quoi qu'il arrive, expliqua Enzio en passant
son bras autour des épaules de Yeza, s'il m'est enfin
donné de quitter cette vallée de larmes, c'est ici que
je veux prendre mon dernier repos.

Yeza contempla la puissante basilique, son regard
glissa sur la façade et se perdit dans le gris du ciel
hivernal.

— Voulez-vous voir mon sarcophage ?

Elle secoua énergiquement la tête. Yeza songeait à
Roç. Ils marchaient à présent vers les appartements
du roi emprisonné. Roç n'agirait certainement pas
autrement s'il se trouvait à sa place. Enzio était son
frère. Le laisser agoniser ici, à Bologne, sans tenter
de le libérer, était inconcevable. Elle, qui représentait le couple royal, ne pouvait se permettre de quitter la ville sans autre forme de procès. Elle était la
fille du Graal, elle devait faire une tentative. Enzio
pouvait bien penser ce qu'il voulait du Prieuré,
l'échec ou la réussite de cette entreprise montrerait
ce qu'avait décidé la puissance secrète. Mais elle ne
dit rien de ce qui lui passait par la tête.

— N'avez-vous jamais eu envie, mon frère, de
trouver le calice noir et de le vider jusqu'à la lie ?

Enzio la dévisagea, éberlué.

— Je ne le toucherai pas, je n'en boirai pas une
goutte, et je ne peux que vous conseiller de m'imiter,
Yeza

Elle savait ce qu'il fallait faire, mais aussi comment cela finirait. Celui qui craignait la vie portait
déjà la mort en lui, sans aucun espoir en l'au-delà.

Yeza se serait mieux sentie si son chevalier avait
été à ses côtés à cet instant. Mais messire Trencavel

voguait vers une quelconque aventure, vraisemblablement en compagnie des trois jeunes Occitans, ces
bons à rien. La nuit, il s'occupait de Potkaxl, elle n'y
voyait aucun inconvénient, Beni le Matou se rattra-
pait certainement pendant la journée. Et monseigneur Gosset ? À lui, on pouvait se fier. Yeza se força
à penser à ce bon vieux Sigbert, l'ami fidèle, le seul à
l'attendre ici, à Bologne. Pouvait-elle faire appel à
lui ? Elle devait prouver qu'elle était capable, même
sans Roç, d'accomplir un grand acte. Mieux, c'est
avant tout au Trencavel qu'elle devait montrer
qu'elle n'était pas seulement sa moitié, mais qu'elle
valait bien un homme. Elle le leur prouverait, à tous !

— Vous rêvez, ma sœur, cria Enzio par-dessus
son épaule en constatant qu'elle s'était attardée. Je
me demande ce qui peut bien se passer dans votre
jolie petite tête... (Il rit, comme pour l'encourager.)
Comment se sent la fille de l'empereur dans cette
ville qui peut devenir un piège pour n'importe quel
rejeton des Hohenstaufen ?

— Si vous ne voulez pas faire mon malheur, dit
entre ses dents Yeza, effrayée, ne vous conduisez
pas, je vous prie, comme un héraut impérial. Je ne
sais pas ce qui vous prend de me désigner ainsi à
tue-tête !

— Je ne pourrai plus jamais refuser votre charmante compagnie.

— Vous vous trompez, Enzio ! Mon destin n'est
certainement pas de séjourner longtemps ici, à
Bologne !

— Ne rejetez pas avec tant de mépris l'hospitalité
de cette ville intelligente et travailleuse. Si nous ne
disons rien à personne, nous pourrons nous marier,
avoir des enfants et...

— Cela non plus n'est pas mon destin ! répliqua
Yeza en riant pour couper court à cette belle idylle
familiale.

Elle lui prit le bras. Ils étaient revenus devant le
palais du roi Enzio.

LE NŒUD SE RESSERRE

La *Nikè*, le voilier de l'ambassadeur grec que les Siciliens avaient mis au service du Trencavel, avançait lentement. Les voiles semblaient prendre le vent à contrecœur, et même lorsqu'on faisait donner les rameurs dans une bonace, le navire n'avançait presque plus. Ce n'était pas un problème climatique. La réalité était que le capitaine et l'équipage étaient des Grecs de Nicée, alors que le transport forcé de Roç et de ses hommes devait servir au despote d'Épire. Le jeune chef de guerre avait beau menacer en silence et en serrant les dents le capitaine toujours prévenant, qui ne cessait de se lamenter sur le temps défavorable, cela n'améliorait pas la situation.

Roç avait eu quelques difficultés pour s'imposer à la tête de l'expédition. Comme on pouvait s'y attendre, les trois jeunes lascars du Languedoc refusèrent de collaborer dès le début du voyage. Raoul, leur chef, Mas le rusé et Pons, l'ahuri, se séparèrent du groupe et forgèrent à voix haute des plans incompatibles avec l'objectif de leur voyage. Ils firent savoir à tout le monde qu'ils jugeaient absurde d'intervenir dans les confrontations grecques, surtout du côté des perdants, car c'est au bout du compte l'empereur de Nicée qui emporterait le combat pour Constantinople. Ils auraient préféré partir avec Taxiarchos pour les « Îles lointaines » où l'on trouve, sur de joyeuses plages, le paradis sur terre, entre des femmes douces et dociles, des fruits délicieux que l'on n'a qu'à éplucher, et autant d'or que de sable au bord de la mer. Cela frôlait l'incitation à la mutinerie.

La plupart des Chevaliers teutoniques, prenant leur devoir au sérieux, pressés d'aller se battre au soleil de l'Hellade et, au moins, d'être dédommagés par l'octroi de leur île personnelle, ne les écoutaient pas. Beaucoup d'entre eux ne comprenaient d'ailleurs pas très bien la langue d'oc. Mais, chez certains d'entre eux, le grain de la sédition germa sur le sol fécond de la curiosité. Roç le constata sans rien pouvoir y faire. Il n'appréciait guère les manières grossières des chevaliers, et il demanda à Gosset de se charger des relations avec eux. Le prêtre maîtrisait apparemment plusieurs langues, même s'il restait le plus souvent silencieux. Un gaillard aux cheveux blond clair l'inquiétait particulièrement. Dietrich von Röpkenstein passait toutes ses journées à endurcir son corps musclé. Il détruisait à poing nu tout objet qui n'était pas indispensable sur le bateau, et ne se montrait guère sourcilleux dans son choix : il déchirait des cordages et des draps de voile, parfois avec la main, parfois avec les dents, défonçait des tonneaux pleins, se suspendait au gréement avant de sauter sur le pont, d'une hauteur vertigineuse. Les Allemands répondaient docilement à chaque signe laconique qu'il leur adressait.

Roç pensait qu'il lui faudrait affronter un jour ou l'autre cette machine de guerre humaine s'il voulait affirmer son autorité sur l'agrégat des chevaliers. Mais c'est de sa propre escorte que surgit le problème qui transforma totalement la situation. Il avait sagement renvoyé dans sa cahute, à la poupe, la seule créature féminine du bord, Potkaxl. C'était moins pour se réserver sa chair ferme que pour ne pas exciter les hommes. Mais la Toltèque n'accepta pas de rester cachée. Elle enflamma bientôt les trois Occitans qui avaient pris leurs quartiers au pont inférieur. Beni, qui n'avait jamais manifesté aucune jalousie envers Roç, réagit en revanche avec fureur aux avances que les trois hommes faisaient à sa compagne. D'autant plus que Pons laissait courir le bruit qu'il avait déjà pu abondamment bénéficier des délices que savait dispenser la jeune princesse. On en vint presque aux mains, et l'incident troubla les Allemands, qui avaient jusqu'ici considéré l'abstinence comme une obligation liée à leur campagne militaire. Roç ne savait plus quoi faire, et se retrouva particulièrement désemparé lorsque Dietrich prit la parole (ce qui lui arrivait rarement) et s'adressa à lui d'une voix tonitruante :

— Trencavel, pourquoi ne jetez-vous pas tout simplement cette femelle par-dessus bord ?

Gosset intervint : c'était le doyen du navire, et si l'on ne pouvait pas encore considérer qu'il n'était plus concerné par les désirs charnels, il dégageait tout de même une autorité toute naturelle. Le prêtre avait consigné Potkaxl dans sa cabine, située en face de celle de Roç. Et celui-ci n'avait rien dit. S'il n'avait pas perdu son pouvoir de commandement, le Trencavel avait en revanche ainsi cédé une bonne part de son prestige au *monsignore*. Cela ne gênait pas Roç, même s'il était agacé par le fait que Gosset ne s'était pas entendu avec lui auparavant. Il n'eut pas d'autre affront à subir : une flotte entière apparut soudain à l'horizon.

— Roç ! conseilla le prêtre à son protégé lorsqu'un navire se détacha de l'armada et mit le cap sur la *Nikè*. Mieux vaut ne pas vous faire voir avant que nous ne sachions qui se dirige vers nous, ami ou ennemi.

— À en juger par la voile, le gréement et la hauteur de la proue, suggéra Dietrich, il s'agit d'un Marseillais. (Les yeux bleu acier de l'Allemand cherchaient à percer la brume qui recouvrait la mer.) Mais le voilà qui hisse le pavillon de l'empereur latin.

— C'est certainement le seigneur Baudouin qui revient d'une tournée de mendicité dans les cours européennes ! se moqua Roç, furieux de devoir se cacher pendant que Dietrich jouait les chefs de guerre expérimentés.

— Escorté par une flotte de guerre ?

L'Allemand savoura le plaisir de répondre aussi ironiquement au Trencavel. Gosset sentit la rivalité s'installer entre les deux hommes.

— Vous aussi, Dietrich von Röpkenstein, passez sous le pont, je vous prie !

Le prêtre chercha le regard du chevalier, et lui imposa sa volonté.

— Aucun déguisement ne me permettra de vous faire passer pour un commerçant musulman. D'ailleurs, nous devrions hisser à notre tour le pavillon grec !

L'Allemand parut disposé à obéir à l'ordre. Roç jugea donc qu'il valait mieux respecter l'invitation raisonnable de son mentor. Il entendit encore Gosset demander aux chevaliers qui l'entouraient, tous habillés en Arabes, de ne plus prononcer le moindre mot à partir de cet instant.

— Nous sommes une délégation commerciale maghrébine, des Berbères invités par l'empereur de Nicée ! rappela-t-il aux chevaliers allemands. Voilà ce qui explique votre teint clair. Ne me faites pas honte !

— Je devrais rester à votre portée, proposa alors Dietrich, car je parle couramment l'idiome des Tuari.

Roç ne voulut pas être en reste. Il se retourna aussitôt.

— Certainement pas mieux que moi ! grogna-t-il, et Gosset, résigné, haussa les épaules.

Le grand voilier était arrivé à leur hauteur. Comme la mer était calme, il mit un canot à la mer. On y fit embarquer un chevalier, qui fut conduit jusqu'à la *Nikè*. Il ressemblait à un noble de province, et ne fit pas mystère de son origine :

— Robert de Les Beaux, se présenta-t-il lorsqu'il fut monté sur le pont. En route pour Constantinople avec des amis grecs.

C'était un homme jeune au visage amène. Gosset se chargea de lui répondre :

— Nous venons du royaume de l'illustre *amir al mumin,* qui domine toute la terre à l'ouest du Nil, le désert et la montagne de l'Atlas, jusqu'à l'océan qui porte son nom. L'empereur grec de Byzance nous a envoyé son navire pour que nous fassions un bon voyage.

Ce renseignement parut réjouir messire de Les Beaux. La présence d'un prêtre romain ne le déconcerta pas du tout.

— Dans ces eaux, Monsignore, vous n'avez à

craindre que les perfides Siciliens du bâtard Manfred, qui est l'ennemi de tous, de l'Église comme de
Michel Paléologue de Nicée.

Le capitaine grec l'interrompit alors en battant des
bras :

— Mensonge et trahison! s'exclama-t-il. Je suis
capitaine de l'empereur, ces hommes-là m'ont forcé
à...

Il n'alla pas plus loin : le coude replié de Dietrich
l'atteignit sous le nez. On entendit ses dents craquer
avant qu'il ne tombe comme un sac sur le visage,
inconscient, la lèvre supérieure éclatée.

— Qu'est-ce que c'est? laissa échapper messire
Robert, effaré. À quel jeu joue-t-on ici?

Et il revint vers le bastingage, pour se placer sous
la protection de ses soldats.

— Ce brave homme n'a pas une juste vision des
choses, répondit tranquillement Gosset en sortant de
son vêtement un parchemin qu'il tendit au chevalier
inquiet, de sorte que celui-ci put lire le mot *ambassadeur* souligné, la signature et le sceau du roi Louis.

— La Couronne de France tient beaucoup à la
réussite de cette mission, ajouta-t-il avant de faire
avancer les trois Occitans, d'un mouvement noncha-
lant de la main. Messires Raoul de Belgrave, Mas de
Morency et le comte de Levis font escorte à la délégation du sultan de Marrakech, car sa Majesté, le
commandeur de tous les croyants, a ici ses neveux...
(Il désigna Roç et Dietrich, qui, depuis l'incident
avec le capitaine, discutaient bruyamment en arabe
et jouaient les indignés.)

Raoul de Belgrave vint alors à l'aide du prêtre :

— L'intervention indigne de ce misérable Grec a
offensé nos hôtes musulmans.

Messire Robert se mit à rire.

— On ne devrait jamais se fier aux Grecs! Nous
aussi, nous sommes français, admit-il, des Provençaux du comte Charles d'Anjou. Le frère du roi nous
a envoyés en mission secrète.

Il ne voulut pas en dire plus : il fit un signe d'adieu
à l'équipage et s'inclina légèrement vers Gosset.

— Je vous souhaite beaucoup de chance pour la suite de votre traversée !

Puis il descendit en s'aidant d'une corde à nœuds, et ses soldats le raccompagnèrent en canot jusqu'à son navire. Dès qu'il y fut remonté, ses hommes lancèrent un signal au reste de la flotte, qui s'éloigna vers le nord-est, les voiles gonflées par le vent.

— Potkaxl, s'écria Roç avec un sourire de soulagement, verse-nous donc du bon vin de Manfred, et rafraîchis la gueule de ce capitaine trop bavard ! Nous en avons encore besoin. Qui d'autre pourrait diriger le navire ? demanda-t-il en se tournant vers Dietrich.

L'Allemand voulut répondre quelque chose, sans doute qu'il maîtrisait aussi parfaitement la navigation en haute mer, mais le regard de Gosset le força à tenir sa langue.

— L'Anjou est donc sur le sentier de la guerre, constata Gosset.

— Je donnerais beaucoup, murmura Roç, pour savoir ce qu'il nous mitonne.

— Un coup d'éclat contre notre Sicile, celle des Hohenstaufen ! grogna Dietrich. J'aimerais que nous soyons assez nombreux pour lui gâter sa soupe.

Potkaxl servit le vin, et le capitaine fut pansé par ses propres hommes. Il avait la mâchoire brisée, mais cela ne l'empêcha pas de reprendre le gouvernail.

Dietrich le garda discrètement à l'œil. Il vit Pons profiter de l'occasion pour s'approcher du capitaine en simulant la compassion. Il remit au Grec une lettre scellée que celui-ci cacha, agacé, tandis que Pons revenait en toute hâte auprès de ses jeunes compagnons.

Gosset leva sa coupe.

— Je suis fier de vous tous ! s'exclama-t-il. Il est bien dommage que nous ne mettions pas le cap sur l'outremer. Avec une pareille équipe, nous pourrions conquérir Jérusalem, pour le compte du Trencavel, pour le couple royal !

Les Allemands lancèrent des *vivat* à Roç. Les trois garçons du Languedoc continuaient à faire des messes basses et montraient que cette proposition-là ne les intéressait pas non plus. Roç se mordit les lèvres, mais feignit d'approuver cet objectif auquel le prêtre avait fait une allusion parfaitement inutile : cela ne pourrait que créer de nouveaux troubles. Lorsque les autres furent occupés à boire, il prit son mentor en tête à tête.

— Qu'est-ce qui vous prend ? questionna-t-il entre ses dents, furieux.

Gosset ne se laissa pas intimider.

— Rien ne m'a « pris ». C'est ma ferme conviction !

— Il n'en est pas question ! rétorqua Roç. Nous n'avons pas mis le cap sur la Terre sainte, mais sur Épire ! Je tiens la parole que j'ai donnée à Manfred, et tous ceux qui font cette traversée avec moi ne doivent plus jamais en douter, s'exclama-t-il en haussant le ton.

La *Nikè* avait repris sa route et s'enfonçait doucement dans la pénombre du soir. Peut-être le capitaine maltraité n'avait-il pas envie d'en demander plus à son navire, maintenant qu'il avait corrigé le cap conformément aux instructions. Peut-être le marin devinait-il le destin qui l'attendait. En tout cas, les haubans gémissaient et la *Nikè* faisait du surplace. Les voiles mal tendues claquaient au vent. À l'ouest, le soleil s'apprêtait à disparaître dans la mer, comme un disque incandescent.

La flotte de l'Anjou s'était depuis longtemps rassemblée pour le repos nocturne. Les navires avaient jeté l'ancre à l'abri d'une baie apparemment inhabitée.

— Elle s'appelle Linosa, expliqua Robert de Les Beaux à son étrange passager, un homme qui ne l'inquiétait pas, mais lui paraissait extrêmement peu sympathique. Il se donna cependant la peine de l'accompagner courtoisement : après tout, il faut bien avoir quelques égards pour les infirmes.

L'homme n'avait qu'un bras. Aujourd'hui, alors qu'on l'avait envoyé contrôler le navire grec, il avait subitement été pris d'une telle terreur qu'il était tombé dans une trappe de fond de cale. Mais, après l'incident, il ne laissa pas échapper la moindre explication sur sa crainte manifeste d'être reconnu.

On avait nommé Rinat Le Pulcin à la tête de cette petite escadre. Il paraissait être le seul, hormis les commandants, à savoir où et contre qui était dirigé ce voyage. Mais il n'en parlait pas. Comme l'homme, disait-on, était protégé par l'Anjou, Robert était disposé à ne pas en demander plus. Désignant l'île rocheuse qui leur faisait face, il ajouta simplement :

— Elle appartient aux Templiers, et ils n'aiment guère que l'on y accoste. Nous reprendrons donc la mer demain matin sans renouveler nos réserves d'eau potable.

Rinat était resté longtemps immobile, à scruter la nuit noire.

— La mise en œuvre de notre entreprise, déclara-t-il lentement, en détachant ses mots, ne s'est pas simplifiée. Savez-vous qui était à bord du navire grec ?

Le jeune seigneur Robert secoua la tête, attendant la réponse.

— Non seulement Roç Trencavel et son conseiller dévoué, Gosset, qui continue à se promener avec une lettre de créance du roi Louis alors qu'il a honteusement floué Sa Majesté il y a des années. À l'époque, il avait été envoyé comme ambassadeur auprès du grand khan des Mongols. Loin d'assumer sa mission, il a vidé sa caisse.

— Bien, ou plutôt : très mal, l'interrompit le jeune de Les Beaux. Mais qui avez-vous encore vu pour être aussi impressionné ?

— Dietrich von Röpkenstein, le bourreau de l'empire, un homme d'Oberto Pallavicini, vicaire des Hohenstaufen ! Ceux qui tombent entre ses pattes entendent chacun de leurs os se briser jusqu'aux vertèbres cervicales. Ensuite, ils n'entendent plus rien.

C'est une machine à tuer. La dernière fois, je l'ai vu au travail à Rome. La victime était Brancaleone.

— Et quel rapport avec notre entreprise ?

— Si je le savais, je me sentirais mieux, répondit Rinat avec un sourire. Pour l'instant, je sais seulement que Roç Trencavel est dans les parages. Et chaque fois qu'on le croise, les choses prennent un cours différent de celui que l'on avait imaginé. C'est une sorte de malédiction !

Lorsque l'aube se leva sur Linosa, on ne voyait plus aucun navire étranger à l'horizon. Taxiarchos se tenait à la fenêtre de la tour où on lui avait attribué un appartement, et regardait fixement la mer, vers l'ouest, où il attendait l'arrivée de la *Nikè*.

— Alors, se moqua l'un des deux turcopoles qui se relayaient vingt-quatre heures sur vingt-quatre devant sa chambre, le trésor flottant n'est toujours pas arrivé ?

— Les Mongols ont mis depuis longtemps l'or du calife entre leurs petits doigts jaunes ! répondit son camarade, moqueur.

Cela n'empêcha pas les deux hommes de lancer eux aussi un regard scrutateur sur l'étendue scintillante qui, à la première lueur du soleil, se transforma en un tapis doré. À la même heure, des centaines de paires d'yeux observaient l'horizon. La garnison de la forteresse des Templiers était, pour sa plus grande part, composée de troupes auxiliaires sarrasines. Tous connaissaient l'histoire du capitaine dont l'équipage s'était mutiné parce qu'il ne voulait pas lui permettre d'attaquer et de piller le navire plein de trésors des riches marchands musulmans. Les Sarrasins avaient tous assisté à la scène : ils avaient voulu pendre Taxiarchos.

Mais leur propre commandeur ne les autoriserait pas non plus à quitter le port pour s'emparer du butin, même s'il passait à portée de main de Linosa. C'était une vétille, mais Simon de Cadet, le jeune commandant de l'île, était un têtu, et il aurait préféré se faire couper la langue plutôt que d'autoriser ses hommes à améliorer ainsi leur solde. Il était le seul à détenir la clef de la chaîne à laquelle ce navire inutile était accroché dans le bassin couvert.

Depuis longtemps, les esclaves rameurs qui logeaient dans les cavernes de pierre, au-dessus de la grotte artificielle, avaient entendu parler du navire plein d'or et de joyaux qu'attendait ce capitaine étranger qu'ils avaient sauvé. Malgré la quarantaine qu'on lui imposait, Taxiarchos avait fait en sorte que la rumeur se propage, et rien ne pouvait plus l'arrêter. Au commencement, on avait pu entretenir quelques doutes sur la véracité des descriptions du capitaine. Mais son récit fut confirmé plus tard par ses propres hommes, ceux qui avaient voulu l'envoyer au diable.

Comment on capture un rhinocéros

Depuis des jours, la trirème, le navire où l'on avait apparemment voulu exécuter Taxiarchos, tournait autour de l'île. Elle décrivait ses cercles comme un loup qui n'attend que l'instant où le mouton se séparera du troupeau pour s'abattre sur lui. La trirème croisait devant la baie du port pour pousser sa victime contre les rochers; on pouvait voir ses armes briller comme des dents, prêtes à se planter dans le cou de sa proie et à lui arracher l'or de ses entrailles. Mais que pesait ce loup des mers face au monstre marin que les Templiers conservaient dans leur port caché de Linosa?

— Aucun navire, sur toute la Méditerranée, ne pourrait faire quoi que ce soit contre notre *Atalante!* affirma le jeune gardien du Taxiarchos. Il se frappa la bouche, car il était rigoureusement interdit de laisser échapper ne serait-ce qu'un seul mot sur le navire amiral de l'Ordre, surtout devant cet invité étranger que l'on traitait comme un prisonnier.

— Ne craignez rien! le rassura Taxiarchos. *L'Ata-*

lante, je la connais très bien. Elle était ancrée à côté de nous, à Palerme, lorsque le grand maître Thomas Bérard y était invité.

C'était un mensonge : à cette époque, les Templiers avaient préservé leur précieux navire des regards en le recouvrant de bâches, et un double cordon de sécurité avait fait en sorte que nul ne s'approche de trop près de *L'Atalante.* Taxiarchos avait cependant aperçu quelques raffinements nautiques de la construction, et surtout admiré la technique militaire achevée du voilier rapide. *L'Atalante* était une machine de guerre de haute lignée, certainement supérieure à tous les navires qu'il avait l'habitude de voir.

— Dommage, murmura-t-il accessoirement, que messire Simon ne me la laisse pas pour mener une brève expédition punitive. Avec son équipage de rameurs expérimentés, ce serait un jeu d'enfant de donner une leçon à ces gredins avides d'or, sur la trirème, et de vous remplir les poches à tous !

— De toute notre vie, jamais une chance pareille ne s'est offerte à nous ! s'indigna le plus jeune. C'est inhumain, de la part du commandant, de nous priver de ce bonheur.

— Vous devriez le convaincre, avec des arguments frappants, qu'il ferait bien d'aller y jeter un coup d'œil, suggéra Taxiarchos.

— Messire Simon est un parfait commandant, rétorqua le plus ancien, je serais navré de le...

— Même en se contentant d'une douce violence, répliqua Taxiarchos pour atténuer leurs scrupules, mais en intervenant ensemble et fermement, vous devriez pouvoir inciter Simon à sortir la clef. Nul ne lui veut du mal...

— Qu'il ne se mette pas en travers de notre chemin ! s'exclama le plus jeune, furieux. Nous ne demandons pas plus !

Son camarade l'apaisa.

— Il n'aura pas vraiment le choix, assura-t-il. Les gardes du château sont unanimes, et la colère monte

chez les esclaves rameurs. Ne serait-ce que pour éviter le pire, messire Simon devra accepter l'inéluctable.

— Regardez, s'exclama alors le jeune turcopole en
désignant la mer : un navire solitaire !

Taxiarchos observa le point noir à l'horizon. Il sentit l'excitation le gagner : c'était peut-être bien la
Nikè.

— C'est elle ? le pressa le jeune, et sans attendre la
réponse de Taxiarchos, il s'exclama : Je préviens tout
le monde ! et se précipita hors de la pièce.

— Je crois que c'est le voilier ! dit Taxiarchos, qui
en était à présent convaincu. Il se pencha, loin de la
fenêtre, et ses yeux scrutèrent cette fois l'horizon
vers l'est. À contre-jour du soleil levant, il crut discerner la silhouette bien connue de la trirème. Ses *lancelotti*, les braves gaillards, devaient eux aussi avoir
repéré la *Nikè*, car la trirème se mit aussitôt à glisser
sur la mer enflammée comme un dangereux insecte.

Taxiarchos hocha la tête et s'adressa au garde qui
était resté près de lui :

— Allez-y et faites en sorte que tout se passe sans
effusion de sang. Je ne bougerai pas d'ici.

L'homme accepta cette offre amicale et suivit d'un
pas rapide son jeune compagnon. Taxiarchos s'installa sur son lit et fit comme s'il dormait. Mieux
valait qu'il ne soit au courant de rien au cas où
Simon viendrait lui rendre visite.

L'apparition des rochers de Linosa, qui sortirent
tout d'un coup de la brume et de la pénombre, fut la
première chose que virent Roç et ses chevaliers
lorsque la nuit céda la place au jour. En quelques
gestes, sans dire un mot, le capitaine grec donna à
son équipage l'ordre de hisser de nouveau les voiles.
Sa tête était entourée d'un bandage serré, qui lui
tenait la mâchoire. Il ne pouvait pas parler, mais il se
rappelait certainement qu'il serait plus supportable
pour lui d'obéir sans résistance aux instructions. Il
savait que la blonde brute allemande avait vu Pons,

ce balourd, lui transmettre l'ordre écrit sous le sceau d'un secret bien mal gardé. Le document lui ordonnait de faire route sur Linosa. Il garda donc le cap sur l'île dont les contours se détachaient désormais clairement sur le soleil levant. Pour la plupart de ceux qui se trouvaient à bord et qui se frottaient les yeux éblouis par le soleil, c'était un spectacle émouvant. Mais pour Roç, cette île, avec son château qui trônait sur les rochers découpés à la hache, rappelait ces terres enchantées où de vieux dragons tiennent captive une merveilleuse princesse. Et c'était lui, le courageux chevalier Trencavel, qui arrivait à présent après avoir traversé la mer, afin de se battre contre le monstre et de libérer sa bien-aimée. Il avait mal dormi cette nuit-là, et rêvé de Yeza, qui ne cessait de se précipiter dans des situations où elle mettait en péril son corps et sa vie, et terminait chaque fois derrière des barreaux de fer. Beni lui apporta un baquet d'eau froide, et il se frappa le visage des deux mains, pour qu'au moins, cette image disparaisse avec la lumière du jour. Yeza l'attendait sur cette île, tout en haut, dans la tour ! Roç s'était même surpris à surveiller le donjon pour vérifier qu'elle ne lui faisait pas signe des créneaux. Beni lui tendit un drap pour qu'il se sèche le visage.

Gosset sortit de sa cabine et s'approcha de Roç sans dire un mot. Ensemble ils contemplèrent d'abord l'île, puis le pont qui se trouvait à leurs pieds et où régnait une intense activité. Les chevaliers s'occupaient de leurs chevaux, logés en bas, dans la cale ; ils leur lançaient de la nourriture par les trappes.

Dans ce tohu-bohu, personne ne remarqua que Mas de Morency descendait dans la partie réservée aux animaux — personne, sauf Dietrich, qui ne le lâchait guère des yeux. Mais l'Allemand ne broncha pas, sauf à considérer le frémissement de son menton comme un signe de satisfaction.

Mas passa devant les corps chauds des chevaux jusqu'à ce qu'il trouve, à la poupe, l'endroit des haubans qu'on lui avait indiqué. Comme on le lui avait décrit, deux chevilles aussi épaisses que des doigts dépassaient des poutres grossières de la coque. L'Occitan prit le pommeau de son épée, visa, enfonça l'extrémité émoussée contre le bouchon et le poussa d'un coup. Un trou apparut alors dans la paroi. L'eau de mer jaillit à toute vitesse dans la cale. Les premiers chevaux commencèrent à hennir, devinant le danger. Mas dégagea aussi l'orifice situé de l'autre côté, si bien que l'eau se mit à couler par les ouvertures. Il revint en courant à l'échelle, tandis que les animaux se mettaient à battre du sabot et hennissaient de plus belle. Mais les valets prirent cela pour de la simple impatience et continuèrent à les nourrir.

Mas revint discrètement auprès de ses compagnons, qui, à l'instar de Dietrich, s'étaient regroupés en haut, à la poupe, autour de Roç et de Gosset.

— Notre capitaine s'apprête-t-il à éperonner cette île? plaisanta Roç en désignant le Grec qui, imperturbable, avait mis le cap droit sur les rochers.

— Je ne vois aucune entrée de port, constata Gosset, qui s'inquiétait de plus en plus, mais un bon nombre d'écueils. Cet homme devrait baisser les voiles.

— Je vais aller lui taper sur les doigts! ânonna Dietrich, ce qui incita Raoul à intervenir.

— Laissez-moi me charger de ce pauvre type. Avec les mains brisées, il ne pourra certainement pas...

Il n'alla pas jusqu'au bout de sa phrase. Sur le pont, on entendait des cris : « Un trou! Voie d'eau dans la cale! La coque est percée, nous coulons! »

Les cris devenaient de plus en plus forts, l'équipage ouvrit les trappes et se laissa descendre le long de cordes, auprès des chevaux qui tiraient furieusement sur leurs longes et trépignaient. On pouvait déjà voir l'eau qui s'engouffrait dans le navire, même à la poupe.

— Il faut sauver les chevaux! geignit Beni, et per-

sonne ne le contredit. Les animaux avaient été
conduits dans le navire par des trappes latérales,
sous le pont, que l'on avait ensuite refermées et calfatées, avant le départ.

— Nous aurons peut-être encore le temps
d'atteindre la terre ferme, affirma Roç, comme pour
se donner du courage. Puis il ordonna à Raoul : Dis
au capitaine qu'il garde le cap sur les rochers, et qu'il
cherche au moins une baie, si l'on ne peut trouver un
port !

Raoul sauta vers le gouvernail, l'épée sortie de son
fourreau. Le navire s'enfonçait lentement.

— La clef ! donnez-nous la clef ! hurlaient, dans la
cour du château, les esclaves qui avaient fait irruption par le portail ouvert. Ils étaient sortis des trous
qu'ils habitaient dans la roche, s'étaient rassemblés
dans les galeries avant de monter vers le château.
Les gardes ne leur avaient opposé aucune résistance.
Impassibles, les turcopoles se tenaient devant l'escalier qui menait au donjon, aux appartements des
chevaliers du Temple et de leur jeune commandant,
Simon de Cadet.

Celui-ci apparut à la fenêtre et regarda courageusement la foule en colère qui s'était assemblée en
dessous de lui. Ses turcopoles l'avaient trahi. Ils lui
laissaient encore un peu de temps : ensuite, ils ouvri-
raient aussi le dernier passage, et il serait livré aux
mutins. Le regard de Simon ne s'éloigna d'eux qu'un
bref instant, glissa sur les murs et, de là, sur la coupole de roche qui abritait le précieux navire placé
sous sa garde. Dehors, à portée d'un archer, le voilier
condamné luttait pour sa survie. Quelques pieds
encore séparaient son bastingage des flots qui prenaient peu à peu possession de leur proie. Déjà, les
premiers passagers sautaient à l'eau pour gagner la
terre ferme à la nage. C'étaient certainement les
marchands musulmans, qui transportaient avec eux
de grandes quantités d'or et de joyaux. C'est du
moins ce qu'avait affirmé ce Taxiarchos — et, mal-

heureusement, d'autres que lui l'avaient entendu.
« Le trésor du calife », puisque c'est ce nom que la
rumeur lui avait donné, n'avait depuis cessé d'enfler,
toujours plus gigantesque, toujours plus lourd. Comment le navire n'aurait-il pas coulé avec un poids
pareil ? Simon eut un rire amer. Mais pourquoi justement devant sa porte ? Aux yeux de tous ces
hommes qui, depuis des jours, n'avaient plus rien
d'autre en tête ? Taxiarchos, en bavardant inconsidérément, avait d'ailleurs fait en sorte que tout se passe
ainsi. Si cette oie d'or était simplement passée en
nageant devant l'île, elle aurait tout au plus attiré
contre elle des poings levés et quelques malédictions ; on l'aurait ensuite oubliée, aussi vite qu'elle
avait disparu à l'horizon. Mais son agonie en direct
était un défi pour tous ceux qui assistaient au spectacle : il fallait s'emparer du trésor avant que la mer
ne le ravisse. Simon serra le poing et hurla aux
gardes :

— Amenez-moi Taxiarchos !

Le jeune commandant savait que, s'il abandonnait
sa place à la fenêtre, la meute passerait à l'assaut.
Tous ses chevaliers se tenaient sur l'escalier de fer,
l'arme au poing, prêts à sacrifier leur vie pour
l'Ordre en respectant l'instruction du grand maître :
il était interdit de remettre à quiconque la clef de la
chaîne en fer à laquelle était amarrée *L'Atalante,* sauf
si cette personne était porteuse d'une lettre de délégation. Ses frères d'Ordre se battraient jusqu'à ce
que la mort les étrangle. Si cette horde arrivait
jusqu'à lui, elle leur aurait d'abord passé sur le corps.
Et il ne lui resterait plus alors qu'à se battre à son
tour jusqu'à ses dernières forces.

Taxiarchos entra dans la salle et s'adressa à voix
basse à Simon :

— Voulez-vous verser le sang ?

S'il avait parlé à Simon en criant, le jeune
commandant serait resté pétrifié dans son attitude
inflexible ; mais face au calme de son interlocuteur,
il demeura abattu, profondément blessé dans son
orgueil. Taxiarchos enfonça le coin :

— Le meurtre et l'assassinat ? Uniquement parce que vos hommes veulent aider un navire en détresse ?

— Mon honneur de chevalier du Temple...

— Votre raison de commandant ! rétorqua Taxiarchos en lui coupant la parole. Je ne vous demanderai pas de faire appel à votre expérience ; mais votre simple entendement devrait vous dire qu'en l'espèce, céder est la seule possibilité d'empêcher une tragédie, une tragédie inutile, qui plus est, car vous risquez tout, ici, y compris votre précieuse *Atalante*, que vous n'allez de toute façon pas pouvoir protéger du viol !

Simon, qui avait regardé par la fenêtre pendant tout ce temps, se retourna.

— Si je vous confiais le commandement de *L'Atalante*, pourriez-vous faire sortir le navire sans dommage, remorquer ce bateau qui sombre, puis revenir dans le port, immédiatement et sans dégâts ?

Taxiarchos hocha la tête.

— Si cela peut vous satisfaire, je m'en sens capable !

Simon lui fit signe d'approcher et sortit la grande clef qu'il avait cachée sous sa cuirasse. Taxiarchos la montra à la foule. Celle-ci commença par pousser un cri de joie sauvage, puis des bravos. Taxiarchos lui fit signe de se taire, et elle obéit immédiatement. Les esclaves rameurs étaient habitués à obéir.

— Chacun à sa place ! hurla-t-il dans la cour. Tous à mes ordres !

Roç, entouré par ses chevaliers déguisés en marchands arabes, se tenait sur la partie surélevée de la poupe. Les chevaux avaient de l'eau jusqu'à la naissance du cou. Dietrich avait veillé à ce qu'on les détache et qu'on arrache les planches au-dessus de leur tête, afin qu'ils aient une chance d'en réchapper lorsque le navire sombrerait. Les animaux étaient calmes, à présent, comme s'ils avaient instinctivement compris, plus vite que les humains, que le moindre mouvement de balancement ne pourrait que diminuer leurs chances de survie. Mais la peur se lisait dans leurs yeux.

De l'équipage grec, il ne restait plus à bord que le capitaine et ceux qui ne savaient pas nager. Ils regardèrent l'île, de l'autre côté, attendant un miracle qui pourrait encore les sauver au tout dernier moment. Sans cela, ils mourraient en hommes ou tenteraient de rejoindre les roches du rivage, agrippé à un morceau du navire. Dans le ventre du bateau, l'eau continuait à monter.

— Accrochez-vous aux chevaux ou aux caisses vides, ordonna Roç à ses hommes, et ôtez tout ce qui pourrait vous rendre plus lourds dans l'eau.

Potkaxl fut la première à suivre cet ordre ; elle était déjà toute nue lorsque, de l'autre côté, la proue d'un navire jaillit du corps de pierre de l'île, comme la gueule ouverte d'une murène. Un bélier en sortit, suivi par la cuirasse écaillée d'un lézard aux flancs étincelants, et animé par de longues courroies superposées, le tout si admirablement coordonné que les chevaliers, sur la *Nikè*, oublièrent pour un instant qu'ils étaient en train de couler et observèrent, fascinés, cette apparition irréelle.

— *L'Atalante* ! laissa échapper Roç, et Pons eut un sanglot.

— Les Templiers vont nous sauver !

— Ce dragon ne ressemble guère à un saint Christophe ! murmura son compagnon, Mas, qui regrettait depuis longtemps d'avoir exécuté si minutieusement l'ordre qu'on lui avait donné : il faisait en effet partie des non-nageurs. La proue tranchante de *L'Atalante* poussait son dard, comme un espadon, dans l'entrelacs des écueils qui protégeaient l'île. À présent, les rames battaient l'eau toutes au même rythme ; le monstre se cabra et fonça vers sa victime, pointe en avant.

— Ils vont nous embrocher ! hurla Pons, mais Raoul le rassura :

— Que veux-tu qu'ils fassent d'autre, s'ils veulent nous empêcher de couler ?

— Ce sont nos caisses qui les intéressent! murmura Pons.

— Attention au moment du choc, s'écria Roç. Ne tombez pas à l'eau.

Effectivement, l'éperon s'approchait du flanc de la *Nikè*, mais les rameurs de *L'Atalante* freinèrent leur navire pour amortir le choc. L'éperon s'enfonça juste sous le bourrelet formé par les poutres du pont, dans le bois de la cale, on entendit un bruit grinçant, un couinement qui les fit tous frissonner. Malgré l'avertissement de Roç, quelques hommes tombèrent à l'eau. L'éperon pénétra à l'intérieur de la *Nikè*. Les chevaux l'évitèrent agilement. *L'Atalante* avait embroché la *Nikè* comme un héron pique un poisson doré. Alors qu'un soupir de soulagement parcourait les rangs des naufragés, regroupés à la poupe de la *Nikè*, un cri sauvage et furieux retentit sur *L'Atalante*. Les esclaves laissèrent les rames, les turcopoles quittaient les lieux où ils servaient les trébuchets et les catapultes, sautaient par-dessus les bancs des rameurs et se dirigeaient vers la *Nikè*, en passant par la proue étroite et le bélier. Beaucoup se retrouvèrent à l'eau, poussés par cette foule éperdue.

— Où sont les trésors du calife? criaient-ils, excités.

Les caisses étaient tout simplement alignées devant eux. Les premiers à être passés à l'abordage se jetèrent à mains nues sur les bahuts fermés.

Roç regarda au-dessus de lui, vers la passerelle de commandement de *L'Atalante*. Taxiarchos s'y tenait debout et lui faisait signe en riant. C'est du moins ce que croyait Roç. En réalité, ces signes de la main étaient destinés à un autre navire. Sans que nul la remarque, la trirème les avait abordés sur le flanc.

Même sans ordres, les *lancelotti* savaient exécuter n'importe quelle manœuvre à la rame. En un éclair, à bâbord, ils enfoncèrent leurs faux, et la trirème glissa, presque sans à-coups, le long de *L'Atalante* abandonnée par son équipage. L'abordage eut lieu pratiquement sans bruit. Le joyau des Templiers était déjà passé sans combat aux mains des hommes du Taxiarchos lorsque les premières caisses furent portées sur la *Nikè* et ouvertes. Elles n'étaient pas pleines d'or, mais des cuirasses en fer de ces faux Arabes. Lorsque les esclaves furieux commencèrent à exprimer leur déception, les chevaliers descendirent de la passerelle de poupe, épée à la main. Ils étaient dirigés par le blond Dietrich, dont le buste nu leur causa plus d'effroi que les lames des autres hommes, dirigées vers eux. Dietrich attrapa le premier qu'il put capturer, le souleva au-dessus de sa tête et le lança contre le mur de ses compagnons, qui hésitaient encore. En tombant, l'homme fit une brèche dans ce front, et tous reculèrent, terrifiés. Mais ils virent alors les éclairs lancés par les faux : un mur de lames acérées. Quelques-uns se couchèrent au sol en signe de reddition. Ceux de l'arrière se jetèrent à l'eau.

Passant entre les *lancelotti*, Taxiarchos se fraya un chemin vers l'avant.

— Halte ! cria-t-il aux esclaves sarrasins de *L'Atalante*, éberlués et désespérés. Ne craignez pas pour votre vie ! *L'Atalante* reste sous mes ordres. Elle a besoin de la force de vos bras et de votre expérience. Mais avec moi, elle vous mènera vers la liberté. Qui vaut bien plus que de l'or !

À cet instant seulement, Roç comprit à quoi on les avait utilisés, lui et la *Nikè*. Ils avaient servi d'appât pour attirer *L'Atalante* hors de son repaire imprenable. Taxiarchos avait pris sa revanche, aussi bien sur les Templiers que sur le Trencavel. « Mes félicitations ! » songea Roç.

Tandis que les *lancelotti* triaient les esclaves rameurs utilisables parmi les Sarrasins (les plus forts et les plus habiles pouvaient repasser sur *L'Atalante* par la proue, les autres étaient jetés à l'eau), Raoul et Dietrich se rencontrèrent au gouvernail de la *Nikè*. Le capitaine grec y était agrippé comme s'il ne voulait pas se séparer de son navire détruit.

C'est aussi l'impression qu'il donna à Dietrich.

— Un capitaine coule avec son navire, déclara-t-il sèchement. Et son poing, qui avait déjà brisé le menton du capitaine, lui fracassa aussi le crâne. Sa calotte éclata comme une noix. Raoul réprima son haut-le-cœur et se détourna.

LA FIERTÉ ET LA HONTE DE L'ORDRE

L'éperon de *L'Atalante* avait préservé la *Nikè* du naufrage. Mais on ne pouvait plus la sauver. Gosset fit aussitôt transporter les caisses sur la trirème. Taxiarchos répartirait les hommes sur *L'Atalante* selon son bon plaisir. On trouverait certainement aussi parmi eux certains des *lancelotti*, car la perspective d'un voyage aventureux sur le plus beau des navires, vers les légendaires « Îles lointaines », était plus séduisante que celle de servir à bord de la trirème d'Otrante. Celle-ci serait laissée à Roç, qui pourrait la faire voguer avec un personnel de deuxième choix. Tous les autres hommes resteraient sur l'île, qu'ils le veuillent ou non.

Mais on commença par faire disparaître la *Nikè*. Taxiarchos la tira aussi près que possible de la terre, pour que les chevaux (mais aussi les hommes) puissent nager jusqu'aux roches. Le corps puissant de *L'Atalante* recula, et l'éperon sortit peu à peu, avec un bruit qui rappelait une amphore de vin que l'on débouchonne. Un grand trou hideux béait dans la paroi de la *Nikè*. L'eau s'engouffra dans le malheureux navire, il coula rapidement, les chevaux perdirent pied et se mirent à donner de furieux coups de sabot. Dietrich avait choisi quelques hommes pour s'occuper des chevaux. Mais lui-même fut le premier à les rejoindre dans l'eau écumante. Il attrapa son étalon, le tranquillisa en le caressant et le dirigea vers un banc de sable qu'il avait aperçu entre les écueils. Les autres suivirent.

Roç s'adressa à Taxiarchos.

— Je suppose que vous tenez à ce que vos trois Occitans reviennent à votre service ?

Le Pénicrate éclata de rire.

— Bien au contraire, mon cher Trencavel. Désormais, c'est vous qui les aurez entre les pattes !

Roç se mordit les lèvres, tant la moquerie était visible.

— Et Potkaxl ? demanda Roç. Le jeune homme se serait volontiers débarrassé de cette charmante femelle, qui ne pourrait que semer le trouble parmi ses hommes.

— Je ne pense pas que la Toltèque ait envie de revoir les « Îles lointaines ». Je ne tiens pas à faire cela à la petite princesse, répondit-il. Traitez bien cette enfant. Potkaxl a un grand cœur !

Roç déglutit, mais il se reprit et fouilla dans ses poches. Il garda la boussole serrée dans son poing.

— Vous aurez certainement besoin de cet indicateur, pour votre difficile périple sur l'Océan !

Et il posa la petite capsule dans la main du Pénicrate.

Le marin comprit aussitôt qu'il s'agissait de sa boussole. Même si Roç se l'était appropriée dans des conditions discutables, Taxiarchos fut ému par le geste du Trencavel. Il lui aurait presque donné l'accolade, mais Roç fit un pas en arrière et lui dit d'une voix guindée :

— Puisse-t-elle vous mener en sûreté au bout de votre route, Taxiarchos !

— Cette fois, répliqua le Pénicrate, nos chemins se séparent pour longtemps, peut-être pour toujours. Souhaitons-nous bonne chance. Vous avez en la personne de Gosset un conseiller que vous devriez écouter, et un ami, ce qui vaut plus que tout l'or de cette terre ! Saluez aussi Yeza de ma part, elle est le plus grand trésor que l'on puisse conquérir...

Il s'arrêta, ému, et serra Roç dans ses bras. Étrangement, cet accès de sentimentalisme donna du courage au jeune chevalier.

La plupart des chevaux étaient parvenus à atteindre la terre et se tenaient désormais sur le rivage, tremblants. Taxiarchos rendit un dernier ser-

vice à Roç ; il pilota la trirème dans le canal sinueux
qui donnait accès au port caché sous la roche. Les
lancelotti restés avec Roç jetèrent des passerelles, et
les chevaux furent conduits à bord les uns après les
autres. Au dernier appel. Roç avait perdu plus de la
moitié de ses chevaliers. Gosset réclama un départ
immédiat.

— Une flotte des Templiers peut apparaître ici à
n'importe quel moment. Je ne veux pas être pris
pour avoir piraté *L'Atalante*.

Roç vit Raoul debout entre les rochers, avec ses
compagnons, auprès de Dietrich. Ils avaient de l'eau
jusqu'aux genoux.

— Si vous ne voulez pas rester sur cette île, revenez à mon service !

— Nous partons pour « La Merica », déclara Mas
d'un air mutin.

Mais c'est Gosset qui lui répondit :

— Je vais vous causer une amère déception. Vous
n'êtes pas les bienvenus sur *L'Atalante*. Et vous ne
serez acceptés sur notre navire que si vous jurez sur-
le-champ de servir désormais fidèlement votre seigneur, Roç Trencavel.

Les trois garçons se dévisagèrent. Puis Raoul se
décida.

— Nous le jurons.

— Agenouillez-vous ! ordonna Gosset, implacable.
Levez la main et jurez-le : fidélité jusqu'à la mort.

Et ils s'agenouillèrent, suivant l'exemple de leur
meneur.

— Et l'obéissance inconditionnelle ! réclama Gosset. Ils jurèrent.

— Si vous m'emmenez, s'exclama alors Dietrich,
je me rallierai à ce serment. Chacun d'entre nous est
prêt à engager sa vie pour la vôtre. Aucun d'entre
nous ne survivra à votre mort !

Il s'agenouilla dans l'eau et leva les yeux vers Roç.
Celui-ci se sentit étrangement touché par ce sombre
serment. Il répondit pourtant :

— Qu'il en soit ainsi. Vous serez autour de moi

chaque fois que je serai dans le bonheur et dans la détresse. Quant à moi, je m'occuperai de vous comme un bon pasteur !

Gosset les fit monter à bord et leur ordonna d'effectuer un dernier contrôle. Il ne manquait que Beni, serviteur de Roç et préféré de Potkaxl.

— Il a dû tomber à l'eau, suggéra froidement Dietrich. Mais Roç en doutait.

— Nous ne devrions pas perdre de temps, murmura Gosset. Il nous faut encore désigner le capitaine.

Roç avait une réponse toute prête :

— Mais c'est vous, mon cher Gosset ! Vous avez toute l'autorité nécessaire.

— Mais pas les connaissances nautiques. Ma place est à votre côté, pas au gouvernail. Je propose Dietrich von Röpkenstein !

Roç toisa le jeune homme blond. Il hocha la tête sans prononcer un mot et se rendit à la place qui venait de lui être attribuée. Il montra aussitôt ce qu'il savait faire en pilotant la trirème dans l'étroit goulet, sans effleurer une seule fois les rochers.

Sur *L'Atalante,* qui avait ancré au large de l'île, se trouvaient tous ceux qui voulaient tenter avec Taxiarchos ce long voyage vers l'inconnu. La plupart des *lancelotti* entrés à son service s'étaient séparés, le cœur lourd, de leurs chères rames à faux. Mais Taxiarchos y avait tenu, et Roç lui en était reconnaissant. Ces armes effrayantes étaient indispensables pour assurer la force de combat de la trirème, nettement plus petite que *L'Atalante*. Ils se firent signe les uns les autres lorsqu'ils glissèrent en dessous du haut navire et gagnèrent la haute mer. Seule Potkaxl avait les larmes aux yeux.

Sur *L'Atalante,* on préparait tout pour la grande traversée : le voyage qui menait aux « Îles lointaines » pouvait durer plusieurs lunes. Les esclaves rameurs installés à Linosa se pressèrent sur les bancs pour accomplir leur corvée habituelle : aucun ne voulait rester sur l'île et être livré au tribunal des Templiers, qui ne manquerait pas de les punir. Ils voulurent aussi emmener à bord leurs concubines, mais Taxiarchos s'y opposa aussitôt. *L'Atalante* aurait certes pu les accueillir, mais il savait ce qu'une seule femme est capable de déclencher au bout de quelques semaines de solitude sur la mer. Il s'apprêtait à donner l'ordre de lever l'ancre lorsqu'ils aperçurent un étrange cortège, qui se dirigeait vers le rivage rocheux. C'étaient les chevaliers du Temple, ceux qui avaient été chargés de défendre le château. Ils marchaient tête baissée, l'un derrière l'autre, tous liés les uns aux autres par une longue chaîne. Le premier avait déjà atteint la mer entre les rochers et avançait dans l'eau. Les autres le suivaient sans hésiter.

— Ils se suicident ! cria l'un des *lancelotti*. Ils préfèrent la mort à la honte !

« Si nous ne les prenons pas à notre bord... », se dit Taxiarchos en un éclair, avant d'ordonner :

— Un canot à la mer ! Mais faites bien attention à ce que ce ne soit pas une feinte, une ultime tentative désespérée pour reprendre *L'Atalante*.

Les *lancelotti* attrapèrent leurs armes et ramèrent vers les Templiers. Les premiers, qui avaient déjà de l'eau jusqu'à la poitrine, luttaient contre les vagues qui menaçaient de les renverser et d'emporter ceux qui les suivaient. Les Templiers ne prononçaient pas un mot, pas un appel au secours, ils ne les regardaient même pas. Les *lancelotti* prirent les plus avancés par les épaules et les tirèrent dans le bateau. Ils les hissèrent ainsi l'un après l'autre. Leurs liens n'étaient pas une plaisanterie : ces hommes s'étaient effectivement enchaînés les uns aux autres, prêts à mourir noyés. Et c'est avec la même passivité qu'ils se laissèrent sauver. Taxiarchos ordonna qu'on les transporte dans la cale, et qu'on vérifie encore une fois leurs liens. Aucun de ces arrogants ne lui avait accordé une réponse lorsqu'il avait demandé où se trouvait leur commandant Simon de Cadet. Il lui

faudrait se débarrasser d'eux à la première occasion.
Et Simon ? Il aurait tellement honte qu'il mettrait fin
à ses jours, si ce n'était déjà fait. Dommage pour ce
jeune lascar !

Il vit alors Beni qui descendait en courant depuis
le château. Sur le rivage, il brandissait une grande
épée et agitait furieusement les bras. Taxiarchos
n'avait pas l'intention de se mettre en retard pour
embarquer ce gamin. Mais il ordonna tout de même
que l'on place *L'Atalante* à portée de voix de la côte.

— Sur la tour ! cria Beni, hors d'haleine. Yeza en
danger !

— Quoi ? cria Taxiarchos.

— Son entreprise est condamnée à l'échec ! hurla
Beni sans répondre à la question. Elle risque le bourreau !

— Où ? s'enquit le Pénicrate.

— À Bologne !

— En Pologne ?

— Non, dans les Marches !

Taxiarchos comprit qu'il n'y parviendrait pas
ainsi.

— Je dois me rendre à terre, annonça-t-il aux *lancelotti* qui l'entouraient. Préparez un canot et
accompagnez-moi. Ce pourrait être un piège : ma vie
contre *L'Atalante*.

S'il ne se trompait pas, Simon ne disposait sans
doute plus d'un seul chevalier, et encore moins d'un
turcopole. Mais Taxiarchos était un vieux renard. Il
conserva suffisamment de gardes pour ne pas perdre
le commandement du navire et embarqua dans le
canot avec une troupe de volontaires. Lui et ses
hommes étaient armés jusqu'aux dents.

— Le commandeur est en haut, dans le donjon. Il
voulait sans doute se précipiter dans le vide,
lorsqu'un certain Guillaume a envoyé la nouvelle par
l'intermédiaire du miroir…, annonça Beni dès que
Taxiarchos eut mis un pied sur le rivage.

— Guillaume de Rubrouck !

Pour un instant, la tension se dissipa sur le visage
du Pénicrate. Il ne put s'empêcher de sourire.

— Et que fais-tu ici, à Linosa ? demanda-t-il au gamin. Tu vas manquer à Potkaxl !

— J'en doute, répondit Beni en s'efforçant de se montrer maître de la situation. La dame n'a pas besoin de chevalier à ses côtés, c'est la raison pour laquelle je me suis séparé d'elle !

— Tu es tombé à l'eau ! se moqua Taxiarchos tandis qu'ils couraient vers le château.

— C'était un signe du ciel, expliqua Beni. Une voix m'a chuchoté : « Je te sauverai, Benedictus, si tu sauves d'autres vies. » Alors, je suis allé au château et j'ai dit : « Vous êtes tous des prisonniers de guerre. Descendez jusqu'à *L'Atalante* avec vos chaînes et rendez-vous ! »

Taxiarchos éclata de rire.

— Tu n'as laissé filer que le commandant ?

Ils avaient atteint le château

— Je venais de le trouver sur le donjon et de lui ordonner : « Votre épée, commandeur », lorsque est arrivée la nouvelle de Yeza.

Ils montèrent en courant l'escalier qui menait à la tour, ce qui leur coupa le souffle à tous les deux. Derrière, leur escorte suivait en haletant. Arrivés en haut, ils virent Simon qui manipulait le miroir.

D'un geste rageur, Taxiarchos l'arracha du tabouret mobile.

— Vous avez informé l'Ordre ?

Simon éloigna la main du Pénicrate, qui avait enserré son clams. Ses traits étaient tirés.

— Tant qu'une goutte de sang coulera dans mes veines, je resterai un membre de mon Ordre ! Même si j'ai failli et si je mérite la peine la plus dure pour mon échec, je reste à mon poste.

— Je devrais vous tuer sur place, pour avoir révélé l'identité de l'homme qui a pris *L'Atalante*. La mort en héros vous irait très bien, ce serait le prix à payer pour avoir eu la bêtise de me sauver !

— Vous ne voulez pas savoir, auparavant, ce qu'un franciscain répondant au nom de Guillaume a à dire de tellement urgent à Roç Trencavel ?

— Je le sais : Yeza va échouer. Mais qu'est-ce que cela veut dire... et où se trouve-t-elle ?

— Dans la ville de Bologne. Prisonnière !

Cette information sobre et objective ne manqua pas son effet sur Taxiarchos, malgré ses airs supérieurs : il paraissait de plus en plus agité.

— Si vous ne venez pas avec moi de votre propre gré, Simon, il va me falloir... il va me falloir détruire cet admirable miroir, quelle que soit la peine que cela me fasse.

— Vous avez le choix, répondit froidement Simon : moi ou le miroir !

Au même instant, on aperçut de nouveau des signaux au loin, sur la mer. Simon se concentra aussitôt sur la nouvelle qui arrivait et n'attendait qu'une réponse.

— Permettez ? demanda-t-il d'une voix douce en poussant Taxiarchos sur le côté.

— D'où cela vient-il ? interrogea celui-ci, impressionné.

— D'Otrante, *via* Malte. Ne me dérangez pas ! murmura le Templier. Guillaume O.F.M. à Roç Trencavel. Le péril croît... le procès de Yeza est imminent... Il faut faire vite si l'on veut encore la sauver... Terminé !

— Ce message n'arrivera jamais jusqu'à Roç, gémit Taxiarchos. Et même s'il lui parvient, il sera trop tard.

— Nous devons la sauver ! déclara Simon. Je viens avec vous !

Tous deux se regardèrent un instant, le Templier étonné d'avoir vu Taxiarchos en un instant de faiblesse, le Pénicrate ahuri par le revirement subit de Simon de Cadet. Puis ils se rendirent tous deux à la trappe et commencèrent à descendre l'escalier en colimaçon. Beni les suivait, tout fier. Il était l'un des hommes désignés pour aller au secours de Yeza.

III

LE ROI PRISONNIER

À Bologne, il n'existait pas de maison des Allemands. La ville fortunée et arrogante avait interprété à sa manière très personnelle le principe de « l'autonomie à l'égard de l'empire » et se considérait comme totalement indépendante de l'Imperium Romanum. Le gage principal de son intangibilité était le roi Enzio, le bâtard bien-aimé de l'empereur Frédéric. La république, dirigée par des consuls, était certes située sur le territoire du Patrimonium Petri, mais elle était son propre maître. L'État religieux était déjà bienheureux qu'elle ne se rallie pas à ses adversaires gibelins, comme l'avait fait Ezzelino Romano, le tyran de Vérone, lequel avait épousé une autre fille naturelle de Frédéric. Les Bolonais n'avaient rien à voir avec les Hohenstaufen. Pourquoi auraient-ils autorisé l'ordre des Chevaliers teutoniques à tenir dans leurs murs leur propre concession ? Sigbert von Öxfeld dut donc prendre ses quartiers chez les Templiers. Cela n'empêcha pas le vieux guerrier de se promener sans crainte sous les treilles de la vieille ville, vêtu de sa cape blanche à croix noire, et de boire du vin dans l'une des nombreuses *osterias*. Les gens étaient extraordinairement chaleureux et aimables à son égard, car Bologne tenait beaucoup à sa tradition de tolérance. Le commandeur de Starkenberg, avec sa barbe blanche,

était une figure connue et appréciée, d'autant plus
qu'il était arrivé après que l'affaire du roi Enzio eut été
réglée. Bien sûr, certains disaient que le vieil homme
avait le crâne dur et que c'était lui qui, en sous-main,
avait manipulé les fils. Mais les consuls ne partageaient pas cette opinion.

Jordi avait rejoint la ville en toute hâte lorsqu'il
avait appris l'histoire dans laquelle Yeza paraissait
s'être bêtement empêtrée. Il n'eut aucun mal à trouver
Sigbert. Le vieil homme rayonnait d'un calme qui
commença par indigner Jordi, encore tout excité par
sa course, mais finit par l'apaiser.

— Racontez-moi ce qui s'est vraiment passé !
demanda le troubadour malformé, après avoir à peine
trempé les lèvres dans le verre que Sigbert lui avait
tendu.

— C'était le jour du marché, comme tous les mois.
Les paysans des environs avaient afflué dans la ville,
avec leurs femmes, leurs marchandises et leur bétail.
Yeza s'était sans doute fait des amis parmi eux ; en
tout cas, ils exécutaient aveuglément les ordres qu'elle
leur donnait. Un certain Sutor, chef d'une tribu de
bergers des Apennins, lui était particulièrement
dévoué. Ses femmes ont demandé le matin même à
pouvoir entrer dans le palais de notre pauvre roi, afin
de lui déposer une charrette pleine de vin, on m'a dit
qu'il y avait une dizaine de gros tonneaux...

— Re Enzio devait-il s'y baigner ? questionna Jordi,
qui avait retrouvé son humour glacial.

— Notre roi a beaucoup d'invités. Des poètes, des
chanteurs, tous de bons buveurs, pas des chipoteurs
comme vous ! Quant au bain, à ce moment-là, c'est
Yeza qui le prenait. Les gardes censés surveiller Enzio
jour et nuit avaient tous quitté leur poste pour aller
observer par les trous des parois de la buanderie. D'en
haut, on pouvait très bien voir le baquet où elle baignait son joli corps. Pendant ce temps-là, on déversait,
fût après fût, le vin nouveau dans le gigantesque tonneau de chêne où il devait vieillir.

Peu avant, Enzio s'était plaint d'un malaise et s'était

retiré dans son lit en recommandant expressément que personne ne le dérange. Il priait la dame Yeza de bien vouloir l'excuser et de se rendre sans lui à la messe de San Domenico afin de prier pour le salut de son âme dans ce lieu où il voulait un jour connaître son dernier repos. Les gardes pouvaient donc se rincer l'œil sans la moindre gêne.

— Je comprends cela, bêla Jordi. Quand elle est nue, Yeza a de quoi faire rêver n'importe qui, elle vous emmènerait au paradis.

— Oh là ! Troubadour ! tonna Sigbert. En vérité, ce genre de regards indécents suffirait à vous envoyer au diable ! (Mais le commandeur ne paraissait pas considérer cette descente aux enfers comme un véritable problème.) De quelque manière que ce soit, grommela-t-il en buvant, forçant aussi Jordi à vider son verre.

— Personne, hormis ses propres domestiques tout dévoués, ne prit garde au fait que le roi Enzio, uniquement vêtu d'un pourpoint de cuir, s'était faufilé dans la cave à vin par une porte dérobée. Ses hommes le soulevèrent et le firent glisser dans l'un des fûts, que l'on referma aussitôt avec un couvercle préparé à l'avance. On l'avait spécialement laissé vide, il était même tapissé de coussins — dans le cas contraire, la vapeur d'alcool aurait tué son occupant. Il pouvait respirer par la bonde. Ensuite (Yeza était sortie du bain, les servantes l'avaient séchée et commençaient à l'habiller), on put de nouveau installer les fûts sur la charrette, sous la surveillance des gardes. Il y en avait dix. La charrette quitta la cour.

— Et Yeza ? demanda Jordi.

— Quelques minutes plus tard, la princesse Yezabel Esclarmonde sortit à son tour, à cheval. Elle s'était choisi pour galant le joli chef des bergers, qui s'était rendu aussi élégant qu'un noble et faisait belle figure sur sa selle, il faut bien le reconnaître.

— Il me semble, messire Sigbert, que vous n'étiez pas là, l'interrompit Jordi, confus. Comment savez-vous tout cela ?

— Croyez-vous donc, troubadour, que je me contente de traîner ici sous les tonnelles et de faire remplir mon ventre affligé de vin rouge, du matin jusqu'au soir ? Non, je reconstitue les événements comme les fragments d'une mosaïque, car il me reste une difficile tâche à accomplir : faire ressortir Yeza d'ici. Ce qui sera un honneur, l'accomplissement de toute ma vie.

— Je ne voulais pas vous interrompre, murmura Jordi en buvant sans qu'on l'y ait invité. Mais je ne vois toujours pas de quoi Yeza s'est rendue coupable.

— Nous nous approchons du point crucial. Yeza va donc à San Domenico, où l'on donne la messe. Devant le portail principal, elle prend congé de Sutor, qui garde les chevaux, elle entre dans l'église, visible de tous, marche jusqu'à l'autel, se plonge dans la prière, puis se rend à la chapelle latérale, celle où se trouve le futur sarcophage de Re Enzio. Elle y disparaît. Peu après, un franciscain quitte l'église par la porte de derrière, la capuche tirée sur le visage.

— Raffiné ! s'exclama Jordi, admiratif.

— Complètement idiot ! répliqua le commandeur. Quelqu'un lui aura mis ces crétineries dans la tête !

Jordi n'avait jamais vu le vieux chevalier teutonique aussi furieux.

— Je sais malheureusement depuis qu'elle avait concocté cela toute seule. Le frère mineur qui lui a prêté sa bure ne pouvait pas deviner où celle-ci allait choisir de se changer. Eh bien, à San Domenico, tout simplement. Vous vous rendez compte ?

— Comment cela ? demanda Jordi, qui tentait de prendre la défense de sa maîtresse si vivement attaquée. L'heure, la *missa pro defunctis*, le lieu, la tombe, ça n'était pas si mal choisi ?

Sigbert le dévisagea, éberlué.

— Vous n'avez plus tous vos esprits ? La tombe ! Ha, ha ! justement l'église de Domingo Guzman, le saint fondateur de l'ordre des *Canes Domini*, les inventeurs de l'Inquisition ! Mais aucun franciscain ne mettrait le pied dans un lieu pareil !

— Vous avez raison sur ce point! admit Jordi d'une petite voix. Mais cela suffit-il à rendre son acte répréhensible?

— Jugez-en vous-même! grogna le commandeur. Si, jusque-là, tout s'était passé sans que quelqu'un y prête attention, les mouchards qui traînent dans toute la ville ont bien entendu aussitôt remarqué le « franciscain de San Domenico ». Et ils se sont mis à ses trousses.

— Oh mon Dieu! Mais Yeza les aura semés? chuchota d'une voix inquiète le petit troubadour.

Sigbert tonna :

— Pendant ce temps-là, tranquillement, sans se faire remarquer, la charrette portant les fûts descendait la Via San Stefano, en direction de la porte de la ville du même nom. Entre-temps, Yeza avait effectivement remarqué qu'elle était suivie. Elle ne savait pas pourquoi. Il était naturel de revenir au palais d'Enzio, mais ceux qui la poursuivaient en feraient autant. Elle aurait ainsi mis le roi en péril : on aurait découvert sa fuite prématurément. Elle n'avait pour le reste qu'un seul ami dans cette ville, le franciscain Laurent d'Orta, celui qui lui avait donné sa bure. Elle savait où le trouver, mais elle devait d'abord se débarrasser des hommes qui la traquaient, de plus en plus pressants. Ils gardaient certes leurs distances, mais ne se donnaient plus la peine de se dissimuler. Yeza se dirigeait déjà vers le mur de la ville lorsqu'elle remarqua une petite porte dérobée qu'elle avait découverte lors de ses promenades à travers la cité, non loin de la Porta Castiglione. Mais elle changea d'avis. De la crypte San Domenico, une galerie souterraine menait à un monastère en ruine qui débouchait dans des caves à vin désaffectées. Il était peu probable que cette entrée soit connue. Et elle pensait sans doute que, lorsque ses poursuivants trouveraient le passage, elle aurait filé depuis longtemps.

— Je ne supporte plus cette attente! gémit Jordi. A-t-elle donc été abandonnée par sa bonne étoile?

— On peut voir les choses ainsi! acquiesça Sigbert

en le laissant mijoter dans son jus. Ce n'est d'ailleurs pas de bonne étoile qu'il s'agit ici, mais de fantômes. Yeza, prenant les sbires par surprise, entra dans le calvaire de l'ancien monastère. Le jardin était certes revenu à l'état sauvage, mais le reste des lieux était encore bien conservé. Les poursuivants jubilaient, persuadés que le frère mineur était tombé dans un piège, et ils décidèrent de mettre un terme à leur partie. Ils se séparèrent et entrèrent dans le passage par la gauche et par la droite, certains d'être au bout de leur peine. Mais juste de l'autre côté, cachée aux yeux des poursuivants par les buissons qui avaient envahi le petit jardin, une porte pourrie qui pendait sur ses gonds donnait sur un escalier. Yeza l'ouvrit en s'efforçant d'éviter tout bruit suspect, et commença à descendre ces marches qu'elle connaissait bien. Des chauves-souris battaient des ailes autour d'elle. Yeza avait atteint la cave à vin depuis longtemps lorsque les sbires arrivèrent. Ils découvrirent sans doute aussitôt la porte, mais lorsqu'ils l'ouvrirent, les ombres noires montèrent vers eux comme un essaim. Cela les plongea dans un profond effroi. Le premier, horrifié, posa ses mains sur la nuque après qu'une aile l'eut effleurée. Son voisin se signa : le frère mineur avait sans aucun doute signé un pacte avec le diable ! Ils reculèrent et décidèrent, avec une belle unanimité, d'oublier cet épisode lugubre et de ne pas en faire état, car ils ne s'y étaient pas précisément couverts de gloire. Et puis les Services secrets ne prévoient pas que leurs membres aient peur des fantômes. Ils mirent donc un terme à leurs recherches et revinrent à San Domenico pour apaiser leur mauvaise conscience. Là, à leur grande colère, ils trouvèrent la bure brune du franciscain roulée derrière le sarcophage de marbre de Re Enzio. À cet instant seulement, ils décidèrent de sonner l'alarme : ils crurent que le roi Enzio en personne les avait bernés.

— Et lui, qu'était-il devenu ?

La tension était telle que Jordi oublia un instant l'inquiétude qu'il ressentait pour sa maîtresse déraisonnable. Sigbert, lui, ne perdait pas son calme.

— La charrette portant les fûts avait entre-temps atteint la Porta San Stefano, entourée des paysannes et des bergers qui revenaient du marché, une image bien connue des gardes. Elle roula dans la forêt où passait la route très fréquentée de Florence. La neige y était encore omniprésente, alors qu'en ville, elle s'était transformée en boue depuis longtemps.

— Et Yeza ? demanda Jordi.

— Notre reine secrète, reprit le commandeur à contrecœur, parce qu'il comptait poursuivre son récit sous un autre angle, eut une nouvelle fois de la chance dans son entreprise irréfléchie. Lorsqu'elle entra dans l'église par le portail principal, redevenue une dame, un noble seigneur arriva à cheval. Il voulait se confesser ou expier ses péchés d'une autre manière. Il attacha sa monture, un morceau tempétueux, et se précipita devant Yeza. Yeza ne réfléchit pas longtemps, sauta sur l'animal et fila au galop. Peu après, elle passa en trottant devant les sbires, qui la saluèrent courtoisement. Elle quitta la ville sans être inquiétée, en empruntant la porte voisine, celle du chemin fortifié qui menait à Castiglione. Elle attendit d'avoir atteint la forêt pour partir au grand galop. Les gardes firent aussitôt un rapport sur sa sortie sans escorte. Yeza obliqua peu après et se dirigea vers un lac de forêt, ou plutôt un étang au bord duquel elle avait donné rendez-vous à Sutor. Le chef des bergers énamouré lui avait... (Sigbert baissa la voix, car ce qu'il avait à dire à présent le ferait accuser de complicité si on les écoutait)... lui avait apporté le clams blanc que je lui avais déjà donné à Viterbe, pour fuir les espions de Pallavicini. Mais, dans ce déguisement, elle était connue comme le loup blanc. Elle échangea donc ses vêtements avec Sutor, au grand plaisir de celui-ci. Le plaisir fut bref, cela ne fait aucun doute !

— Avec ce froid !

Jordi ne pouvait pas non plus imaginer la passion de ces deux jeunes êtres qui s'étaient peut-être fait du lit blanc et glacial de la forêt une couche brûlante. Le vieux commandeur passa sur ce point.

— Elle portait encore les pantalons chauds et la tunique de son amant d'une heure. Ils sentaient certainement plus la chèvre que l'homme qui se tenait à présent devant lui, déguisé en chevalier teutonique.

— Allons, pas de jalousie masculine, mon cher Sigbert, releva Jordi avec une certaine audace.

Mais le commandeur n'avait en tête que l'uniforme de son Ordre :

— Un vulgaire berger! fit-il, d'abord, indigné. Mais il ne put s'empêcher d'en rire : Allons, pour Yeza, les chevaliers teutoniques accepteront même cet outrage! En tout cas, les deux fugitifs ne passèrent pas des heures à se poser la question et coupèrent à travers la forêt pour rejoindre la charrette portant les fûts. Les paysans que Sutor avait chargés de transporter ce précieux chargement avaient eux aussi quitté sans se faire remarquer la route principale. Ils avaient même réussi à ne pas laisser derrière eux de traces de roues reconnaissables. La joie et le soulagement furent considérables lorsqu'on se retrouva dans la clairière convenue, où attendaient aussi quelques bergers de Sutor.

Enzio, qui frappait énergiquement sur son tonneau, ne fut pas libéré. Mais on ouvrit le couvercle. Il put sortir la tête un instant pour respirer un peu d'air frais. Sutor proposa que le roi passe les vêtements de femmes de Yeza : avec ses longs cheveux blonds, cela lui irait parfaitement. Mais Re Enzio y vit une atteinte à sa dignité. Ils en discutaient encore lorsque les éclaireurs annoncèrent qu'une longue chaîne de cavaliers armés cernait la lisière de la forêt. Les hommes paraissaient attendre quelqu'un.

On remit en toute hâte Enzio dans son tonneau, et l'on referma le couvercle — sans remarquer qu'une boucle blonde s'y était coincée et pendait à l'extérieur.

Sutor demanda à Yeza de s'en aller au plus vite : sa présence éveillerait les soupçons. Yeza sauta donc à cheval et galopa vers la ville. Sutor prit les devants. Il fut le premier à sortir de la forêt, persuadé d'être protégé par sa tenue blanche à croix noire. Mais les cavaliers l'arrêtèrent immédiatement.

— Et Yeza ? demanda Jordi, qui avait bondi sur ses jambes. Pourquoi Enzio a-t-il...

— Pourquoi ? répéta Sigbert, narquois, qui s'était mis en rage à force de raconter son histoire. Et pourquoi notre vénérée Yeza devait-elle absolument s'unir, après avoir réussi à quitter la ville, avec ce gardien de chèvres en chaleur ?

— Un gardien de chevaux, et un chef de tribu libre ! corrigea Jordi.

— Si elle était partie en direction de Modène, elle aurait commencé par éloigner tous ses poursuivants de la charrette du roi ! Mais en procédant ainsi, les amoureux ne remarquèrent même pas que Yeza était de nouveau suivie, et depuis longtemps. Ils ont ainsi guidé à travers la forêt, vers la clairière cachée, une troupe de cavaliers qui avait alors atteint la taille d'un régiment. Yeza n'est pas allée loin. Elle s'est jetée droit dans les bras des hommes d'Oberto Pallavicini, qui concocte en ce moment avec les Bolonais je ne sais quelle cuisine et leur a donc rendu Enzio sur un plateau d'argent...

— Dans son tonneau ! remarqua Jordi, profondément déçu par l'issue de cette histoire. La boucle blonde l'avait trahi !

— Ils l'auraient retrouvé de toute façon, car ils savaient désormais qui ils recherchaient. On ramena donc le roi Enzio dans son palais, sans lui faire de reproches ni même limiter sa liberté de mouvement. En un mot, comme si rien ne s'était passé. On s'est rabattu sur ses complices. Yeza et Sutor ont été...

Le commandeur se tut : un vieux moine franciscain s'était approché de sa table à la dérobée, un charmant petit homme coiffé d'une maigre couronne de cheveux, et qui paraissait très agile malgré son grand âge. Jordi ne connaissait pas Laurent d'Orta.

— Voilà le criminel !

Sigbert éclata de rire et tendit sa couple pleine au petit moine.

— Je me suis permis de prévenir Guillaume, chuchota Laurent. Lui sait certainement où se trouve Roç à l'heure actuelle.

— Il n'y pourra pas grand-chose lui non plus, marmonna le commandeur.

— Mais qu'ont-ils donc fait à Yeza? demanda anxieusement Jordi. Tout le reste lui paraissait secondaire.

— La dame est enfermée à la prison pour femmes de la ville, parmi les faiseuses d'anges, les sorcières herboristes, les vieilles convaincues d'hérésie et les charmantes vierges qui vous cajolent les bourses en vous coupant la bourse. L'Inquisition de saint Dominique est déjà tout feu tout flamme à l'idée de pouvoir interroger « la fille du Graal ».

LE LOUP DES MERS ET LA FLOTTE DES MOUTONS

Taxiarchos faisait filer *L'Atalante* vers le nord-est, de jour et de nuit. Il ne connaissait certes pas ces parages, mais Corrado de Salente, l'un des plus vieux *lancelotti,* qui avait quitté la trirème pour partir avec lui, l'assura que l'on ne trouvait aucun récif jusqu'au cap de Lucques, devant lequel il leur faudrait se méfier. Ils manquèrent en revanche éperonner la trirème, qui surgit devant eux un jour, dans la pénombre du petit matin. Les *lancelotti* saluèrent leurs anciens camarades en faisant claquer leurs faux les unes contre les autres. Sur la trirème, la majeure partie de l'équipage dormait encore. Mais Roç était déjà éveillé et s'étonna de voir Taxiarchos en ces lieux. Et pourquoi se dépêchait-il tant?

Taxiarchos ne se demanda qu'un très bref instant s'il devait informer Roç du danger où se trouvait Yeza. Il s'en abstint. Ils passèrent ainsi, à l'aube du troisième jour, la péninsule qui avançait loin dans la mer, puis obliquèrent dans le vent, vers le nord. De la côte libyenne, un sirocco brûlant soufflait dans les voiles qui se gonflèrent, teintes de rouge par le sable du désert. *L'Atalante* filait, elle semblait voler presque au-dessus des crêtes des vagues. Ce rythme anéantit aussi les espoirs des Templiers, qui pensaient que ce fou de Taxiarchos les déposerait quelque part dans les parages. Ils avaient entendu les *lancelotti* dire qu'eux aussi débarqueraient volontiers à Otrante pour serrer au moins un instant leurs bien-aimées dans leurs bras, après une si longue absence. Mais lorsqu'ils eurent franchi le dernier cap rocheux, lorsqu'ils se trouvèrent devant le golfe qui abritait le puissant château d'Otrante, ils rencontrèrent un tout autre obstacle que la folie de leur capitaine, persuadé qu'il pourrait atteindre la Romagne à temps et bloquer le cours des événements dans la ville de Bologne. Pour sauver la jeune reine Yeza, vénérée de tous, ils étaient eux aussi disposés à n'importe quel sacrifice, y compris à oublier l'envie de revoir leurs femmes et leurs enfants. Mais, de toute façon, la question ne se posait plus : la flotte de l'Anjou était déployée sur toute la largeur de la baie. Les lourds navires de guerre avaient formé un demi-cercle menaçant autour du château, et les plus avancés livraient un violent duel avec les catapultes à longue portée de la forteresse. Et ce fut au beau milieu de cette puissance militaire amassée que *L'Atalante* arriva toutes voiles dehors.

Elle aurait pu se faufiler à travers l'anneau : à la vitesse qu'elle avait atteinte, nul n'aurait pu s'en emparer. Mais Taxiarchos ordonna :

— À la catapulte ! Sortez le bélier ! Parés au combat !

C'était tout à fait du goût des *lancelotti :* chacun d'entre eux avait un ami ou un parent dans le château de la comtesse. Beaucoup y avaient même leurs quartiers et leur femme. Taxiarchos, lui, se sentait lié au comte Hamo et à son épouse Shirat. Il brûlait en outre d'envie de voir *L'Atalante* mener un combat victorieux. Il fit mine de chercher un moyen de contourner la souricière. Mais, au dernier moment, Taxiarchos renversa le gouvernail et fila comme une flèche vers le premier obstacle.

— Pas de bélier ! cria-t-il à s'en casser la voix, et la pointe se souleva à la dernière seconde, tandis que la coque pointue perçait le navire ennemi en son milieu : *L'Atalante* l'avait proprement coupé en deux. Comme un dragon gigantesque, elle fonça sur les plates-formes où l'on avait ancré les mangonneaux, les balistes et les trébuchets. Les hommes qui les servaient n'en crurent pas leurs yeux : ils n'eurent pas le temps de retourner leurs armes et sautèrent à l'eau avant que leurs radeaux ne se mettent à craquer.

— Haut les faux ! ordonna Corrado à ses *lancelotti* : il avait compris à temps que cette fois, Taxiarchos cherchait à éviter le choc frontal, et voulait prendre ces gros bateaux par le côté. Cela lui plut. Baissez les faux ! hurla-t-il dans le fracas du bois, et les lames affûtées passèrent au-dessus du pont du navire ennemi. Après leur passage, on n'y trouvait plus personne sur ses deux jambes !

L'Atalante se fraya ainsi un chemin, laissant derrière elle une creusée sanglante à travers la fierté de l'Anjou. Lorsqu'elle fut parvenue de l'autre côté de cette mêlée et s'éloigna, intacte, des débris qui flottaient sur l'eau, les voiliers légers s'enfuirent en tous sens, pris de panique.

Pour son dessert, Taxiarchos choisit encore une dernière victime, celle qui le forçait à faire le plus petit détour. Il le traqua comme un lion poursuit la gazelle et lui coupa net la poupe : la proue se dressa peu après vers le ciel, et le navire disparut corps et biens. Mais *L'Atalante* s'était déjà précipitée vers le nord.

Ils étaient presque arrivés à la hauteur de Lucques lorsque Taxiarchos s'adressa, pour la première fois, à son invité Simon de Cadet.

— Ce voyage vous déplaît-il donc tellement ? Ou bien est-ce le mal de mer qui vous retourne l'estomac et vous rend aussi muet ?

Le jeune commandant des Templiers de Linosa était resté pendant tout la bataille immobile à côté du capitaine furibond, sans ciller ni se protéger. On aurait juré qu'il cherchait à être atteint par un projectile égaré. Mais à présent que tout était fini, il se sentait mal. Il fut forcé de vomir avant de se redresser pour répondre.

— C'est moi, au bout du compte, qui aurai à assumer la responsabilité des actes que vous commettez avec notre navire. N'attendez pas, en plus, que je les approuve. Votre comportement n'a pas seulement mis *L'Atalante* en péril : il attente à la réputation de l'Ordre. Cela, on ne vous le pardonnera pas.

— Ah! riposta Taxiarchos, agacé. Vous êtes un rat de terre, et un raffiné, par-dessus le marché. Beaucoup de Templiers seront très honorés que leur navire renommé ait pu sortir son éperon au lieu de gondoler gentiment en transportant messire le grand maître d'une visite d'État à l'autre!

— Il y a au moins une raison pour laquelle ce fier navire ne devait pas tomber entre les mains d'individus qui n'y étaient pas autorisés. Vous en êtes la preuve éclatante, Taxiarchos!

Tous deux se turent. Ils pensaient au voyage vers les « Îles lointaines », la véritable raison pour laquelle l'Ordre avait laissé sur cale un navire comme *L'Atalante*.

La flotte de l'Anjou se rassembla autour du navire de l'amiral, encore intact.

— Ce ne peut être que ce monstre des mers que les Templiers, paraît-il, cachent dans une île, à proximité de la côte africaine, supposa Robert de Les Beaux, qui avait lui aussi pu faire sortir son navire indemne de cette rencontre. Je me demande seulement ce qui s'est passé dans la tête des Templiers..., grogna l'amiral, un pansu incompétent, un marchand marseillais typique, qui n'occupait ce rang élevé que pour la richesse qu'il avait acquise en vendant des épices et des armes, et en faisant en sorte que les postulants plus compétents que lui aillent nourrir les poissons. C'est du moins ce que ce disait messire Robert. Mais il serra les lèvres pour ne pas engager cette conversation. Quant à Rinat Le Pulcin, ce misérable imposteur qui avait fait croire à l'Anjou, toujours avide de pouvoir, qu'il pourrait prendre Otrante en un tournemain et en faire une tête de pont appréciable, il commença par se taire. Puis il remarqua que l'amiral à la bouche de carpe le fixait d'un air qui n'avait rien d'amical. Il se sentit alors obligé de trouver lui aussi une excuse :

— Le capitaine doit être devenu fou ! En réalité, je ne connais qu'un seul homme capable de réaliser pareille diablerie, et qui a déjà été au service des Templiers...

— Et comment s'appelle ce porc, que je le fasse dépecer...

L'amiral était devenu cramoisi. Rinat se surprit à avoir peur.

— Taxiarchos, s'exclama-t-il, le tristement célèbre Pénicrate de Constantinople !

Mais l'amiral en colère avait cessé depuis long-temps de s'intéresser au peintre : Robert leur dési-gnait froidement la côte.

Après que toute la flotte, ou ce qu'il en restait, se fut éloignée du château d'Otrante et de ses cata-pultes pour panser ses blessures, se reformer ou se retirer complètement, la trirème, qui arrivait sans se douter de ce qui venait de survenir, eut la possibilité d'entrer sans coup férir dans le port fortifié. Roç et ses hommes avaient certes remarqué à l'extérieur, dans la baie, la flotte rassemblée de l'Anjou, mais ils ne purent comprendre ce qui s'était passé avant d'avoir accosté sous le château. L'entrée de ce petit port, qui permettait tout juste le passage de la tri-rème, fut aussitôt refermée avec une lourde chaîne de fer. Les serveurs des balistes, sur les remparts, firent certes un signe joyeux pour accueillir ce ren-fort inattendu, mais ils ne quittèrent pas des yeux un seul instant la flotte des assaillants, qui attendait au large.

On accompagna aussitôt le célèbre Trencavel et Gosset au château, où les attendait la comtesse d'Otrante.

Pour Roç, ce ne furent pas seulement des retrouvailles avec les lieux de son enfance (s'il se souvenait bien, nulle part il n'avait pu séjourner plus longtemps qu'ici, dans cet impressionnant bastion aux confins de l'Occident), mais aussi l'accomplissement d'un rêve de jeunesse. Combien de fois s'était-il imaginé, petit garçon, en grimpant avec Yeza tout autour des murs, à quel point il serait excité si, au bout du compte, un ennemi attaquait le château et si la puissante forteresse pouvait montrer sa force. Roç connaissait tous ses bras armés, les tours avec leurs catapultes à longue portée, leur baliste précise, il connaissait les artères du château et ses entrailles. Le gigantesque ventre d'Otrante, c'étaient des salles remplies de provisions jusqu'au plafond, des citernes, des dépôts de munitions pleins de balles et de grosses amphores emplies de feu grégeois et de poix liquide. Il allait voir à présent tout ce mécanisme en action. Ce serait l'heure de la vérité, du mouvement et de l'épreuve!

Roç était tout joyeux. Il se précipita dans l'escalier qui remontait la roche, jetant de temps en temps un regard sur la mer pour vérifier si la flotte ennemie se formait de nouveau afin d'attaquer. Monseigneur Gosset, qui montait derrière lui en gémissant, secouait la tête.

— Une telle oasis de paix et de recueillement! marmonna-t-il. Qui donc a pu mettre pareille idée dans la tête de l'Anjou?

— Un homme qui a confondu le bout du monde, là où la poule et l'autour se disent bonne nuit, avec un lieu de villégiature, répondit une voix féminine.

La comtesse Shirat avait tenté d'envoyer sa fille Alena Elaia auprès des femmes, à l'intérieur de la tour, mais cette enfant sauvage avait répondu à son inquiétude par un éclat de rire.

— La sécurité de ces gros murs est faite pour les vieilles femmes. Ma place est ici, en haut, derrière les créneaux, à côté de ma mère courageuse!

— Très bien! approuva Roç. Ce sont les dames qui ont fait la réputation combative d'Otrante, à com-

mencer par Laurence de Belgrave, la fameuse
« Abbesse ».

Roç plia le genou et prit la main de Shirat pour
l'embrasser. Il n'alla pas plus loin : la jolie femme le
souleva vers lui avec une énergie surprenante.

— Lorsque vous étiez encore un gamin, noble
Trencavel, vous me serriez dans vos bras pour me
saluer, même s'il vous était difficile de vous hisser
aussi haut. À présent, vous me dépassez d'une tête, et
vous voulez réserver vos bontés à la pointe de mes
doigts...

Plus étonné que honteux, Roç se releva, mais n'osa
pas l'embrasser sur la bouche. Il serra en revanche
son corps contre le sien, plus longtemps qu'il ne
l'aurait fallu, et c'est elle qui finit par se retirer.

— Ma mère est une voleuse de baisers, expliqua
Alena Elaia. Mais elle est gênée quand je suis là.

C'en était trop pour Shirat.

— C'est la raison pour laquelle tu vas disparaître
immédiatement ! Allez, au lit !

Elle chercha à attraper sa fille, mais celle-ci, d'un
bond audacieux, se jeta aux pieds de Gosset.

— Je me place sous la protection de l'Église ! cria-
t-elle. Mais le prêtre ne joua pas le jeu.

— Dans ce cas, obéis à ta mère ! Je vais aller dire
avec toi la prière du soir !

Il la prit par la nuque comme un jeune chiot et la
poussa vers les femmes de chambre, qui n'avaient
pas encore osé poser la main sur ce petit animal sauvage. À cet instant apparurent dans la trappe du donjon deux jeunes personnes, un garçon qui devait
avoir dix-sept ans, et une fille dont l'âge était difficile
à évaluer. Tous deux avaient manifestement du sang
arabe dans les veines. Le garçon avait les yeux
sombres d'un fils du désert.

Alena Elaia se mit à crier.

— Salomé a tout juste la moitié de mon âge, et
personne ne la renvoie !

— Si tu vas te coucher, je vais avec toi, répondit la
petite, et Shirat s'attendrit.

— Allez, encore une heure, céda-t-elle, pour ajouter aussitôt : Que l'idée ne te prenne pas d'aller te promener en bas, vers la trirème ! L'ennemi est encore à la porte. (Puis, se tournant vers Roç et Gosset, elle expliqua :) Ils peuvent reprendre leurs attaques à n'importe quel moment et faire tomber sur le port une pluie de projectiles.

Les deux jeunes filles avaient disparu par la trappe. Seul le garçon hésitait encore.

— J'ai ordonné que l'on tende des filets sur la trirème, informa-t-il la comtesse à voix basse. Ce serait triste que votre navire, enfin rentré au port, soit endommagé !

— Merci, mon cher armurier ! le félicita-t-elle. Veillez seulement sur Otrante ; ensuite, nous pourrons tous aller nous coucher rassurés.

Le garçon au visage rond, qui ressemblait plus à un *studiosus* qu'à un héros guerrier, parut rayonner un instant. Il hocha la tête, l'air grave, et disparut.

— N'était-ce pas Mahmoud ? Le Diable du feu ! s'exclama Roç.

— Exact ! confirma Shirat. Mon neveu m'est très utile, maintenant que Hamo a dû partir pour Épire...

— C'est aussi ma direction ! expliqua fièrement Roç. Nous allons nous battre pour l'honneur du roi Manfred, contre cette Nicée qui a été prise de folie !

La comtesse le regarda, étonnée :

— Ce ne sera certainement pas avec ma trirème !

Roç ne put se contenir :

— Elle appartient au roi. Vous n'oserez pas y toucher !

Gosset finit par intervenir :

— L'heure n'est guère venue de s'en disputer la propriété, ni même l'usufruit. Pour l'instant, elle reste ancrée dans ce port tant que l'Anjou guettera au large.

Roç céda : il ne tenait certainement pas à affronter Shirat. Il savait bien comment il rendrait cette femme docile. Elle était privée de son époux depuis si longtemps...

— Comment messire Charles a-t-il eu l'idée de venir mordre les jarrets du roi ici, au bout du monde ?

Roç avait posé la question sur le mode de la plaisanterie, ne serait-ce que pour faire oublier sa sortie. Mais cela ne plut guère à la comtesse.

— Otrante, celle que vous appelez « *finis mundi* », mon grand stratège, est le poste du royaume de Sicile le plus avancé dans la mer. Elle domine l'Adriatique et contrôle la route de la Grèce. Pour l'Anjou, sa possession aurait une valeur inestimable. Car, même depuis la terre, la forteresse est à peu près imprenable, sauf à réussir une attaque surprise.

Roç rentra la tête après cette leçon. Mais il savait qu'il pouvait aussi se faire consoler par la comtesse en jouant l'escolier pris sur le fait, oreilles rouges et regard de chien. Cela menait souvent plus vite au succès qu'une attitude trop assurée.

— Nous étions prêts depuis quelque temps à essuyer une attaque de l'Anjou. Mais le roi Manfred nous a considérablement affaiblis en nous prenant la trirème, avec les *lancelotti* et les Maures, nos meilleurs chevaliers et nos soldats, qui manient avec précision les catapultes et les balistes à roue.

— C'est un miracle que vous ayez pu soutenir le siège face à une telle puissance, commenta Gosset.

— L'amiral de l'Anjou était tellement sûr de réussir en nous attaquant par la mer qu'il ne s'est même pas donné la peine de faire accoster des troupes dans notre dos et de nous couper des terres, répondit Shirat en souriant. J'aurais eu quelque peine à disposer suffisamment d'hommes sur les murs de ce côté-là. Mais il y a aussi eu quelques signes du ciel et quelques miracles. Le premier a été le fait que nous avons démasqué un agent secret de l'Anjou. Il nous a échappé, mais nous étions au moins prévenus. C'était un peintre...

— Manchot ? (Roç n'était même pas surpris.) C'était Rinat Le Pulcin !

La comtesse n'eut qu'un geste de mépris pour l'artiste.

— C'est sans doute sur les recommandations de ce maître espion que l'amiral ennemi a massé ses catapultes juste devant notre château. Il comptait sans doute le bombarder jusqu'à ce qu'il soit prenable. Mais nous lui avons nous-mêmes envoyé quelques œufs dans les voiles, manière de lui indiquer que nous étions tout à fait capables de répliquer. Il a engagé le duel, au lieu de concentrer ses forces et, quitte à subir quelques pertes, prendre le port d'assaut pour arriver sous les murs. (Shirat éclata de rire.) Cela aurait pu lui assurer la victoire, mais il n'a rien fait de tel. Il a préféré attendre un coup du sort, sachant qu'il avantage souvent les idiots. C'est à ce moment-là qu'est survenu le véritable miracle. Sorti du néant (ou plutôt du ciel nuageux) est apparu, envoyé par Allah, un ange exterminateur, un navire de combat comme je n'en avais encore jamais...

— *L'Atalante !* s'exclama Roç, enthousiaste.

Shirat ne se laissa pas atteindre par la joie du chevalier.

— Son capitaine doit être un admirateur caché. Ou bien il a pour l'Anjou une haine effroyable...

— C'est mon ami, ce fou de Taxiarchos, tel qu'en lui-même ! expliqua Gosset. C'est l'homme qui pilotait la trirème à la demande du roi...

— Ah ! s'exclama soudain Alena Elaia qui s'était de nouveau faufilée dans la tour, entraînant sa jeune amie dans son sillage. Un véritable aventurier qui m'a promis ma revanche lorsqu'il nous a pris la trirème. Vraiment, il a tenu sa parole !

— Et toi, maintenant, tu vas au lit ! répondit la comtesse.

Sa fille tenta une dernière fois d'éviter l'inéluctable (« Seulement si monsignore vient prier avec nous »). Gosset adressa un sourire à Shirat et poussa les deux jeunes filles vers l'escalier.

Pour la trirème d'Otrante

Lorsque la tête du prêtre eut disparu dans l'orifice, Roç osa prendre place à côté de la jolie femme, qui s'était installée sur un banc de marbre. Cette œuvre d'art, couverte d'incrustations et de décorations, était en réalité un siège pour deux personnes. Shirat aimait à s'étirer comme un chat sur son trône, comme elle l'appelait, ou s'y adosser et regarder la mer. Shirat ne sut pas comment prendre l'attitude de Roç. Comme si c'était tout naturel, celui-ci avait posé sa tête sur ses genoux. Pour éviter tout débordement érotique, elle fit ressortir son côté maternel.

— Vous brûlez certainement d'apprendre ce que font ici Mahmoud et la petite Salomé, commença-t-elle sur le ton d'une conteuse en jouant avec les cheveux ébouriffés de Roç. Vous étiez comme moi présent à Homs lorsque le petit Diable du feu a donné son spectacle pyrotechnique.

— Oh oui ! susurra Roç en serrant l'arrière de sa tête entre ses cuisses. Mahmoud, qui était encore à cette époque un gros garçon, avait fait sauter le grand chambellan du sultan ! ajouta-t-il.

— Son père Baibars, messire mon frère, l'Archer, ne s'attarda qu'un instant sur le don singulier de son rejeton, don qu'il jugea peu viril et guère honorable. Puis il l'envoya auprès de vieux savants du Cathai, à Alexandrie. Il y apprit l'enluminure et l'art littéraire oriental à l'université. Parallèlement, il menait des expériences de physique. Le sultan Saif ed-Din Qutuz encouragea ces études après une visite où il avait vu, à la place du feu d'artifice ordinaire, un château spécialement conçu pour l'occasion s'effondrer en quelques secondes dans un déluge de feu, d'éclairs et de tonnerre, jusqu'à ce qu'un arc de triomphe intact se dresse dans la fumée, une fois dissipée la tempête de feu. Le sultan put le franchir comme un conquérant glorieux. Mais le but de Mahmoud n'était pas de passer maître dans l'art de la destruction. Ce qui le préoccupait, c'était l'utilisation des forces volcaniques pour se déplacer, que ce soit dans l'eau, à terre ou dans les airs. Un art difficile, plein de revers et de déceptions, que les émirs mamelouks n'appréciaient guère, lorsqu'ils ne le méprisaient pas. Ce *studiosus* appliqué souffrait des reproches et des sarcasmes de l'armée, notamment de son père. On lui refusait obstinément la possibilité de s'adonner à ses « chimères ». Son vieux maître Ko Chor King avait beau s'efforcer de ne pas le décourager, tout cela le rendait mélancolique. Mahmoud est attiré par la cour du sage roi Alphonse de Castille. Et surtout, il veut faire la connaissance de Villard de Honnecourt.

— Qu'est donc devenu Nur ed-Din Ali, le fils d'Aibek, qui lui avait succédé au trône de sultan?

Roç n'était pas particulièrement intéressé par les souffrances spirituelles du jeune Mahmoud. S'il avait patiemment écouté le récit de Shirat, c'est parce qu'il se trouvait fort bien installé.

— Je l'ignore, lui répondit Shirat, heureuse que Roç se soit apparemment calmé. Il a été démis, m'a-t-on rapporté du Caire. Mais curieusement, ce n'est pas l'Archer, mon puissant frère, qui a accédé au trône. Il l'a laissé à son cadet et camarade, Qutuz...

— Et qui est Salomé?

— La fille du sultan de Damas, qu'il a procréée avec Clarion.

— Ah oui, je me rappelle, c'était sa favorite.

Shirat ne mentionna pas le fait qu'elle avait jadis partagé la vie de la comtesse de Salente au harem d'An-Nasir.

— Pour épargner à sa fille un destin identique, Clarion a mené Salomé à Alexandrie, espérant y trouver un navire qui conduirait son enfant sous bonne garde à Otrante, où elle serait en sécurité. Car elle disposait encore et toujours du titre et des revenus de Salente, elle se les était fait confirmer par son demi-frère Manfred. À cette date, Mahmoud s'était déjà adressé au Faucon rouge, même s'il savait que c'était plutôt une cible pour son père. Mais Mahmoud vénérait cet émir intelligent.

— Oui, dit Roç, Constance aime à jouer les intermédiaires entre l'Orient et l'Occident.

Il n'était pas difficile de sentir que Roç, quelle que fût son admiration, éprouvait aussi de la jalousie envers cet homme.

— L'intervention active de Faucon rouge est ensuite devenue extrêmement nécessaire. Car Aphrodite, l'imprévisible déesse de l'amour, avait percé d'une seule flèche les cœurs des deux *emigrantes in pectore* lorsqu'ils s'étaient rencontrés par hasard dans le port. Clarion, la vieille entremetteuse, avait certainement un peu aidé le sort. Mahmoud a dû lui apparaître comme un accompagnateur aussi fiable que bien éduqué pour Salomé : un don du ciel ! Comme les espions grouillent à Alexandrie, les plans de fuite des enfants ont été livrés au sultan, au Caire, tandis qu'à Damas son rival se disait que sa fille Salomé ferait une épouse exploitable. C'est seulement à ce moment-là que le sultan An-Nasir a regretté l'absence de sa mère et de sa fille. Il a immédiatement envoyé des sbires chargés de les capturer tous les deux chez l'ennemi, à Alexandrie. Le vieux sage de Cathai, le maître du jeune *magister catapultaris et ignea tormenta expertus*, connaissait un cuisinier qui servait sur un navire de commerce vénitien, lequel passait régulièrement dans ces parages. Il lui demanda de faire monter clandestinement les deux jeunes créatures à bord, moyennant beaucoup d'argent, et de les emmener avec lui à Otrante. Mais les gardiens du port sont intervenus. Ce qui, pour Mahmoud, n'aurait été qu'un retour auprès de son père rigoureux (mais aurait certainement valu la bastonnade, ou pis, à son maître), aurait été un enfer pour la vierge Salomé. Une seule journée en prison serait restée gravée à tout jamais dans l'esprit de cette enfant.

— Sans même parler de l'inévitable viol collectif ! ajouta Roç.

Shirat n'aimait pas qu'on lui coupe la parole, et appréciait encore moins que l'on corrige ses propos.

— Mais à cet instant précis, Faucon rouge est intervenu. Il a mis toute son autorité dans la balance, bien qu'il ait été sûr que son acte lui vaudrait de sévères représailles. Le fils du glorieux grand vizir a fait en sorte que le voilier de la Serenissima lève l'ancre aussitôt avec ses deux passagers.

Contrairement à ce qu'il s'était promis de faire, Roç avait écouté attentivement.

— Au bout du compte, et de toute façon, il s'est retrouvé dans une fâcheuse situation avec son sultan, nota-t-il à la fin de l'histoire. Et tel que je connais Faucon rouge, il aura certainement expliqué à son vieil adversaire Baibars qu'il allait placer Mahmoud à l'abri des sbires de Qutuz.

Shirat souleva énergiquement la tête de Roç de son giron et s'étira, ce dont Roç profita pour passer son bras autour d'elle et se rapprocher. Shirat comprit qu'il avait l'intention de l'embrasser et coinça en un éclair sa tête sous son menton : elle lui avait ainsi bloqué le passage sans qu'il puisse lui reprocher son manque de tendresse.

— Je suis heureuse de savoir que Salomé sert de compagne de jeu apaisante à ma petite chatte sauvage, et Mahmoud considère lui aussi qu'il s'agit d'une solution bienvenue. Il veut désormais faire des études à Bologne, apprendre l'algèbre de Fibonacci et l'action des forces physiques d'après Jordanus Nemorarius. Il veut réunir ces deux disciplines sous un chapeau de docteur en philosophie. Il placera son entreprise sous l'auspice d'esprits illustres, comme Albert le Grand et Roger Bacon, avec les savoirs secrets qu'ils détiennent en alchimie, sur les petites poudres et les décoctions de l'Extrême-Orient.

— Et c'est ensuite, chargé de savoir et d'années, qu'il ramènera sa jeune épouse fanée en Égypte ? demanda Roç d'un ton particulièrement moqueur, en tentant vainement de dégager sa tête.

— Mais bien sûr. Mahmoud s'est réconcilié, par lettre, avec son père. Il ne reviendra qu'au moment où Qutuz n'occupera plus les fonctions de sultan.

— Baibars compte renverser le sultan?

Shirat haussa les épaules.

— Clarion est de nouveau dans les grâces d'An-Nasir. Le maître de Damas voit aujourd'hui dans cette liaison le grand talent diplomatique de sa vieille amie.

Shirat s'éloigna de lui avec la rapidité d'un chat, si bien que la tête de Roç alla cogner contre la pierre.

— Et depuis, Otrante héberge un maître armurier envoyé par le ciel qui nous a jusqu'ici permis de défier les perfides attaques de l'Anjou.

— Et vous pensez sans doute vous être à présent emparé de moi-même et de la trirème, ô comtesse Circé? Vous vous trompez! Nous sommes en route pour Épire, nous ne sommes pas venus libérer Otrante.

Ces mots déplacés et peu chevaleresques plongèrent Shirat dans une colère légitime. Mais elle était plus maligne que Roç, et ne montra pas sa fureur.

— Vous êtes libre de partir à tout moment. Pour atteindre Épire, je ne connais que la voie terrestre, par Venise, Zara et Raguse. Elle est longue et fatigante, mais si je ne m'abuse, elle mène au but à un moment ou à un autre. Je vous laisserais volontiers la trirème, tous ses *lancelotti* et ses Maures, qui vous suivront avec enthousiasme. Malheureusement, elle ne peut pour l'instant quitter ce port protégé. Et vous non plus, mon cher Roç, vous ne devriez pas risquer votre jeune vie sans la moindre perspective de succès...

Elle désigna la baie, où la flotte de l'Anjou était toujours rassemblée, capable, à tout moment, d'essaimer et de verrouiller tout le golfe d'Otrante. Cela n'impressionna guère Roç. À la manière des conquérants, il prit Shirat sous le menton et leva son visage si près du sien que la femme eut tout juste assez de place pour détourner les lèvres.

— Que m'offrirez-vous, demanda-t-il d'une voix rauque, si je reste à vos côtés?

— De vous battre jusqu'à la dernière goutte de sang. Ensuite, la froideur glaciale de la mort !

Cette réponse cinglante, et le regard incendiaire qui l'avait accompagnée, n'empêchèrent pas Roç d'approcher encore ses lèvres du visage de la jeune femme. Mais il se retourna en entendant des pas.

— Nous ne voulions pas vous déranger, gémit Mas sur un ton qui révélait à quel point il appréciait d'avoir troublé cette conversation. Pons était sorti de la trappe après lui, et observait les lieux avec curiosité.

— Nous venions présenter nos hommages à la dame de la maison, annonça-t-il, et transmettre un message à Roç Trencavel.

— Je commencerai par me présenter, l'interrompit Mas avec sa voix moqueuse et tranchante, puisque notre général n'a pas jugé utile de le faire. Je suis Mas de Morency, un orphelin de sang hérétique. Et voici messire notre seigneur *in spe*, Pons de Levis, comte de Mirepoix !

Il désigna le gros Pons, qui s'était approché de la rambarde et, prudemment caché derrière un créneau, regardait la mer. Vue d'en haut, la situation paraissait encore plus menaçante. La trirème se berçait dans le port, toute petite et fragile. Vers la mer, elle n'était pas protégée par une quelconque muraille, mais par de simples brise-lames. Et derrière, dans le soleil couchant, l'ennemi avait déployé sa flotte de combat. On distinguait chacun de ses navires, et ils étaient nombreux !

— Soyez les bienvenus, nobles chevaliers ! répondit Shirat, manifestement heureuse de leur arrivée. Soyez chez vous à Otrante.

Elle se redressa et battit des mains. Roç n'attendit pas que les valets viennent servir à boire.

— Qu'avez-vous donc de si important à me transmettre pour justifier l'abandon de vos postes sur la trirème ?

Pons s'était recroquevillé. Mas, lui, cherchait la bagarre.

— Nous vous informons que nous, y compris Raoul de Belgrave, lequel vous fait transmettre ses salutations, comtesse, et assume pour l'heure la garde du port...

— Comment cela ? s'exclama Shirat. Belgrave ? Un parent de ma belle-mère, Laurence, un cousin ? Quel dommage que Hamo l'Estrange, mon cher époux, ne puisse être là pour l'accueillir. Mais vous allez retrouver le comte à Épire, et me le ramener sain et sauf à Otrante !

Ce déluge de paroles venu du fond du cœur ne plut guère à Mas.

— Je vais vous décevoir, noble dame, mais nous ne partons pas pour la Grèce. C'est aussi ce que nous venions annoncer à messire Trencavel...

— Je ne vous ai rien demandé ! aboya Roç, furieux. Et je n'ai rien entendu non plus. Sans cela, je serais obligé de considérer vos propos comme une mutinerie !

— Vous pouvez les considérer comme tels, répondit froidement Mas. Notre décision est irrévocable.

Roç regarda Pons, derrière Morency. Mais le garçon grassouillet baissa les yeux.

— Vous êtes en train de commettre un crime contre le droit martial, sur le territoire du roi. Et la désertion...

— À Otrante, la justice est rendue par le comte ! protesta Shirat, ce qui rendit Roç encore plus furibond.

— Je vous ferai jeter au cachot, lança-t-il à Mas. Nous verrons ensuite comment le roi Manfred décide de traiter votre cou d'insurgé.

— Vous n'avez pas non plus le pouvoir de remplir nos geôles, reprit Shirat. Je ferais mieux de vous y envoyer, pour que vous retrouviez vos esprits. Une fraîcheur agréable doit régner dans nos caves en été. Mais en cette saison, il vaudrait mieux vous habiller chaudement.

— Vous n'oserez pas ! Roç tremblait de colère. Il regarda du coin de l'œil sa ceinture et son épée, qu'il avait ôtées pour ne pas être gêné pendant sa conquête.

— Que m'offrez-vous, Trencavel, si je ne fais pas usage de mon droit ?

Pons se mit à rire, confus. Mas, lui, regardait la mer avec indifférence. Shirat répondit elle-même à sa question.

— Vous allez me jurer de me ramener le comte Hamo sain et sauf, afin que je puisse le serrer dans mes bras. C'est ma condition ! En contrepartie, je vous prêterai la trirème.

— Vous oubliez vos hôtes ! s'exclama Mas en désignant la mer. L'Anjou repart à l'attaque !

Effectivement, l'armada s'étirait à présent sur tout l'horizon, et les navires avançaient des deux côtés vers la côte. Gosset entra dans la pièce. Il avait déjà recueilli des informations précises.

— Ils débarquent des troupes et des armes pour nous attaquer aussi par les terres.

— *Ya' Allah !* s'exclama Shirat, désespérée. Je n'ai pas assez d'hommes pour défendre ces murs !

— Détachez-y l'équipage de la trirème, en ne laissant que quelques Maures pour éteindre les incendies, si l'on devait faire usage du feu grégeois, conseilla Mahmoud, qui venait de les rejoindre à son tour. De toute façon, nul ne pourra rien faire s'ils bombardent le port avec des boulets. Mais ici, sur les murs, nos catapultes peuvent empêcher les assaillants d'approcher du port. Renforcez donc de ce côté l'efficacité des machines, en les faisant servir par les Maures expérimentés, et placez les *lancelotti* ainsi libérés, sous la direction de leur blond capitaine, sur les murs donnant vers les Terres. Avec leurs faux, ils taperont sur les doigts des téméraires qui tenteront d'escalader les murailles !

— Je veux être avec ces découpeurs ! cria Mas. Viens, Pons ! Nous allons nous battre pour notre éminente hôtesse !

Et ils sortirent en courant, tous les deux, sans accorder à Roç le moindre regard supplémentaire.

Les serviteurs apportèrent le vin. Mahmoud refusa poliment.

— Je veux organiser notre départ du port à la faveur de la nuit, qui ne va pas tarder à tomber. Chargez la trirème avec autant de sable qu'elle pourra en porter. Contre le feu grégeois, l'eau ne sert à rien !

— Laissez-moi vous aider, Mahmoud. (Roç bondit, s'agenouilla devant Shirat et lui baisa la main.) Permettez-moi, maîtresse, de réparer en chassant vos ennemis tout ce que j'ai pu vous faire.

Il n'attendit pas sa réponse, et partit à grands pas pour rattraper Mahmoud.

— Puis-je, messire l'armurier, vous faire une proposition qui devrait plaire à celui qui s'appelait jadis le Diable du feu ?

— Mais bien sûr, Roç Trencavel, s'exclama joyeusement Mahmoud. Dites-moi d'abord comment va votre bien-aimée ? Où est Yeza ?

— Si je le savais, je me sentirais mieux, répondit Roç tandis qu'ils descendaient l'escalier en courant. Telle que je la connais, cette admirable dame se trouve en proie à des difficultés où elle se sera elle-même placée. Elle a toujours besoin de se lancer des défis, elle brûle du désir non seulement de m'égaler, mais aussi de me dépasser. (Roç haletait : parler en courant lui coupait le souffle.) Je ne vaux pas beaucoup mieux qu'elle. Moi aussi, je cherche les baquets dans lesquels je peux tomber, les murs contre lesquels je vais foncer tête la première, et les portes ouvertes avec lesquelles...

— Assez de louanges, l'interrompit Mahmoud. Que proposez-vous pour assurer notre défense ?

Roç avala sa salive.

— Que les femmes et les domestiques se déplacent sur tous les bastions, des torches à la main, pendant toute la première moitié de la nuit. Qu'ils descendent vers le port, qu'ils déplacent leurs torches sur les murs situés vers les terres, afin de faire croire que nous sommes très nombreux et prêts à nous défendre. Cela dissuadera l'ennemi de lancer une attaque surprise au petit matin.

— Nous devons en tout cas faire en sorte que l'ennemi ne sache pas à quel point nous sommes faibles, dit Mahmoud lorsqu'ils furent arrivés dans la cour du château. Votre proposition n'est valable que si vous la mettez parfaitement en œuvre et faites réellement croire que nous sommes supérieurs en nombre. (Il toisa Roç.) Ce n'est pas un jeu, ce n'est pas un défi que l'on peut relever avec indifférence ou face auquel on peut se contenter d'un échec héroïque. Si les torches paraissent peu nombreuses, nous aurons obtenu exactement le contraire de ce dont nous avons grand besoin : le respect de notre ennemi !

Roç chercha à garder contenance. Il aurait aimé donner l'impression de ne pas avoir été touché par ces mots. Mais il ne pouvait rien faire contre l'accablement qui s'emparait de lui.

— Je ne voulais pas me placer sur un terrain où vous êtes le maître.

Mahmoud ne lui répondit rien ; il le mena à l'extérieur, sur les murailles qui entouraient et protégeaient le château d'Otrante jusqu'à la mer. Elles étaient abondamment pourvues en tours, et d'une hauteur impressionnante.

— Cela pourra compenser à peu près la faiblesse de notre garnison, songea Roç à voix haute. Plus les échelles d'assaut devront être longues, plus la tâche des défenseurs sera facile.

Mais nul ne savait encore comment procéderaient les assaillants. Ils étaient en train de former un large cercle autour du château, comme l'indiquaient les nombreux feux qu'ils avaient allumés.

— Ils veulent peut-être seulement nous tromper, pour que nous retirions autant de troupes que possible du côté de la mer, afin de nous y affaiblir ?

— La balle est pour l'instant dans le camp de l'attaquant, constata Mahmoud. Nous n'avons qu'un seul atout à jouer : avoir une réaction surprenante.

Il regarda Roç, qui restait les yeux fixés sur la chaîne lumineuse, dans l'arrière-pays.

— N'avez-vous vraiment pas reçu la nouvelle concernant Yeza, Roç?

Cela ressemblait déjà beaucoup à des condoléances.

— De qui, je vous prie? Quand, et où?

— L'information est arrivée ici par le miroir, il y a quelques jours. Guillaume vous cherchait, et vous informait que Yeza est en danger.

— Il n'y a rien de neuf là-dedans!

— On l'a mise en prison à Bologne, et l'on veut lui faire un procès.

— Et pourquoi a-t-on attendu cet instant pour m'avertir?

— Ne me faites pas de reproches, je vous ai vu avec ma tante Shirat et j'ai pensé...

— Et comment Guillaume est-il au courant? Il était sur place?

— Elle se trouve avec Sigbert, le commandeur de l'ordre des Chevaliers teutoniques.

— Belle consolation! maugréa Roç.

— Je vous aiderai volontiers.

— Allons donc, riposta Roç, agacé. Elle se sortira bien toute seule de ce pétrin, sans l'aide de quiconque!

Il ne paraissait pas tout à fait convaincu. Roç était furieux contre tout et contre tous. Y compris contre sa dame, qui lui donnait mauvaise conscience.

Ils quittèrent les murs donnant sur les terres et descendirent vers la mer. Les marches étaient glissantes.

— La pénombre est peut-être une menace pour l'ennemi, mais on court le risque de se casser le cou.

Roç avançait à tâtons, derrière Mahmoud, sur ce sentier taillé dans la roche qui descendait, sinueux, jusqu'au port.

— Une torche ne serait effectivement pas de trop, dit Mahmoud d'un ton conciliant.

Après avoir emprunté deux virages profondément

creusés dans la montagne, ils aperçurent de vives
lueurs dans le port. Ils entendirent de la musique :
manifestement, on faisait la fête. On voyait même
monter des fusées dans le ciel nocturne. Elles illuminaient la mer comme en plein jour avant de
s'éteindre dans un sifflement.

— Est-ce votre manière de montrer vos forces à
l'ennemi ? demanda Roç, moqueur : il venait de voir,
d'en haut, le grand feu de camp et Potkaxl, qui dansait entre les flammes pour les *lancelotti* et les
Maures. Elle avait sorti des caisses l'une des tenues
scintillantes de sa lointaine patrie ; celle-ci montrait
plus de peau nue qu'elle n'en cachait, et les hommes
lui faisaient un triomphe. Une fois encore, une étoile
rayonnante s'éleva, éclata et redescendit en pluie
d'étincelles.

— Cela permet aux gardes de voir si des navires
ne s'approchent pas à la faveur de l'obscurité.

— Invitez donc tout de suite Robert de Les Beaux
et ses seigneurs à venir faire la fête, ils verront ainsi
quelle légion nous formons !

Ils étaient arrivés dans le port. Les Maures tam-
bourinaient sur tout ce qui pouvait produire un son
martial, et avant que Roç ne puisse donner le
moindre ordre aux joyeux noceurs qui, pour le
saluer, faisaient à présent claquer leurs faux les unes
contre les autres, Dietrich von Röpkenstein se présenta devant eux et s'exclama :

— *Agli ordini, commandante !*

Mais ces mots étaient de toute évidence destinés à
Mahmoud : pour Roç, il n'eut qu'un petit rot :

— Bienvenue, Roç Trencavel, dans notre légion
céleste, les dernières troupes de l'Abbesse !

Il était ivre. Roç voulut se mettre à hurler, mais
Mahmoud repoussa en souriant la coupe qu'on lui
offrait.

— Je suis encore un musulman pratiquant ! (Il
donna une bourrade reconnaissante sur l'épaule de
ce gaillard blond qui le dépassait d'une bonne tête.)
Envoyez les *lancelotti* renforcer la défense vers

l'arrière-pays, nous en avons besoin d'urgence, *capi-tano* !

Dietrich s'abstint de répondre et hocha la tête au jeune armurier. Mais il se tourna vers Roç et mugit, en riant comme un gladiateur dans l'arène : — *Ave Caesar, morituri te salutant* !

— La fête est finie ! hurla Roç, qui ne se maîtrisait plus.

— Éteignez le feu ! ordonna Mahmoud aux Maures. Et transportez toutes les catapultes sur les murs, sans vous faire remarquer !

Ils obéirent aussitôt. Roç n'avait même plus la possibilité de passer au moins sa mauvaise humeur sur ces hommes qu'il considérait comme « les siens ». Il se trouvait extrêmement inutile, ici, et s'apprêtait à disparaître lorsque Gosset le rejoignit.

— Je veux me préoccuper de mettre à l'abri votre caisse de guerre, confia-t-il à voix basse, mais aussi le coffre qui contient mon argent. Car si l'on abandonne le port, la cale de la trirème ne sera peut-être pas l'endroit le plus sûr !

— Mais si ! chuchota Roç. Laissez-les là-bas. Je vais trouver le moyen de sortir d'ici, et certainement pas à pied.

— Yeza ? demanda le prêtre, compréhensif, mais Roç ne lui répondit pas.

— Faites en sorte que nos précieuses caisses soient abritées sous le sable, qu'un pot de feu grégeois égaré n'aille pas en faire fondre le contenu !

Gosset comprit aussitôt.

— La comtesse vous attend ! annonça-t-il.

Roç dissimula son triomphe.

— Celle-là peut attendre ! murmura-t-il. Mais il se mit en chemin vers le château.

ANGE ÉTRANGLEUR ET DIABLE DU FEU

La nuit laissa tout d'un coup place à l'aube grise, dans l'étroite cour de la prison de Bologne. Les murs qui l'entouraient étaient sombres, et le peu de lumière qui filtrait par les grilles dans le cachot était trouble. Yeza avait eu un sommeil très agité sur sa couche de pierre, non pas parce qu'elle avait une cheville blessée par sa chaîne, mais parce qu'elle ressentait une obscure menace. Elle s'était toujours promis de ne pas craindre la mort. Mais il était bien plus difficile de regarder en face l'incertitude qui pesait sur son existence. Elle n'eut pas peur, elle eut plutôt un sentiment de soulagement euphorique, lorsqu'elle entendit des bruits et des pas qui se rapprochaient. La clef fit grincer la serrure. Elle décida de ne pas ouvrir les yeux. Des hommes (elle les sentait : mauvaise haleine, ail, urine et sueur) entouraient sa couche, déconcertés, incapables de savoir si elle dormait, si elle avait perdu connaissance ou si elle était morte. Ils finirent par détacher du mur la chaîne qui lui entourait les pieds et la tirèrent. Yeza leur lança un regard furieux et se releva. Ces sbires au visage couvert d'une cagoule, à peine fendue pour les yeux, étaient venus la chercher et la mener à la mort, s'ils ne la tuaient pas tout de suite en l'étranglant ou en lui enfonçant une pointe dans le cœur.

Mais les valets l'accompagnèrent, avec une bienveillance maladroite, devant la fenêtre grillagée qui donnait sur la cour, lui levèrent les bras et l'accrochèrent devant les barreaux, si bien qu'elle était forcée de se tenir debout et d'observer le spectacle qui perçait la brume du matin. On ne voyait pour l'instant qu'un billot de bois. Les hommes s'éloignèrent sans mot dire, comme ils étaient venus, mais ils ne refermèrent pas derrière eux la porte de la cellule. Une infamie, pensa Yeza : cela permettrait au bourreau de s'approcher d'elle par-derrière, à pas feutrés, et elle ne verrait pas venir le coup de hache. À moins qu'ils ne veuillent lui faire peur, la faire gémir, crier, implorer... Elle s'immobilisa. Dans la cour, sur le côté, une lourde porte s'était ouverte. Les valets du bourreau poussèrent à l'extérieur un homme dont on avait lié les mains dans le dos. Sutor ! Le cri de Yeza lui resta dans la gorge. Ils le menèrent au billot. Yeza

espéra qu'il lèverait les yeux vers elle, mais le roi des
bergers lui tourna le dos au moment où il s'agenouilla. Le dernier à franchir la porte fut le bourreau, reconnaissable à l'épée gigantesque que deux
de ses commis portaient sur une planche. Sous le
tissu noir qui la cachait encore aux regards du
condamné, l'arme paraissait à la fois menaçante et
étrangement irréelle. On banda les yeux de Sutor. Le
bourreau posa sa grosse main charnue sur l'arrière
de sa tête, un geste presque paternel, le poussa doucement contre le billot, tâta la naissance de la nuque
avant d'ôter sa main. Pendant ce temps-là, les valets
avaient soulevé le drap. Yeza ne vit le reflet éclatant
de la lame affûtée qu'au moment où son pommeau,
tenu à deux mains, était déjà levé. Elle se força à garder le regard fixé sur le cou de Sutor, sur sa tête
pressée de côté sur le bois. Mais, d'un seul coup, elle
disparut, la lame d'acier s'était abattue, et il ne restait plus qu'un tronc qui ne tressaillit même pas,
mais bascula mollement sur le côté. Elle ferma les
yeux, elle ne vit plus le sang jaillir des épaules ni les
valets brandir un instant la tête par les cheveux
avant de la lancer dans la corbeille.

Yeza s'était recroquevillée, le front posé contre la
grille froide. Elle ne sut plus, après coup, combien de
temps elle était restée ainsi, suspendue aux fers. À
un moment, les valets étaient venus la détacher, et
elle était tombée dans les bras de Sigbert, qui la
garda ainsi jusqu'à ce qu'elle ait cessé de trembler et
que son sanglot se soit transformé en pleurs. Alors
seulement, le vieux chevalier la ramena prudemment
à sa couche. Les sbires avaient quitté la pièce depuis
longtemps. Le commandeur aux cheveux blancs
s'installa auprès d'elle, au bord de sa couchette, et lui
tint la main.

— Avant de partir pour Ravenne, Oberto Pallavicini a obtenu que l'on ne touche pas un seul de vos
cheveux, Yeza, dit-il pour la tranquilliser. Mais cela
ne fit qu'attiser sa rage.

— Pas un cheveu ? se moqua-t-elle à voix haute.

Mais qu'est-ce que Bologne compte encore m'infliger ?

— La prison au palais... jusqu'à nouvel ordre, l'informa le chevalier teutonique. On a décidé de passer sous silence la tentative d'évasion ou de libération de Re Enzio, qui a bien failli réussir. C'est la raison pour laquelle vous commencerez par rester ici, bien visible, en invitée, comme si rien ne s'était passé. Lorsque les vagues se seront tassées, lorsque personne ne bavardera plus sur l'incident, vous pourrez quitter la ville en femme libre.

— Je ne veux ni revoir Re Enzio, ni passer une minute de plus dans ces murs ! s'exclama Yeza. Mieux vaut qu'ils me tuent tout de suite.

— Cela leur vaudrait justement un intérêt indésirable. « La fille du Graal assassinée à Bologne » : la ville ne tient pas du tout à cette réputation-là. Soyez donc raisonnable, efforcez-vous plutôt de diminuer le temps qu'il vous faudra passer ici en vous comportant bien !

— Je chie sur cette ville et sur sa tranquillité ! fit Yeza dans un souffle en se cabrant si fort que le commandeur, pourtant fort comme un ours, eut du mal à la retenir. Moi, la complice, et le bon roi Enzio, qui voulait s'enfuir, ils nous épargnent au nom de leur « réputation ». Mais Sutor, lui qui ne comptait pour rien, un berger, ils l'ont tué ! Ces gros porcs pourris !

Sigbert attrapa la jeune femme furieuse par les deux épaules et la força à se rasseoir sur sa couchette.

— Une reine ne pense pas ainsi ! l'implora-t-il. À quoi vous sert un Re Enzio mort, alors que vivant, il est votre meilleur protecteur ? Un tribunal qui déciderait de votre exécution serait tout aussi absurde, d'un point de vue politique. Dans le meilleur des cas, cela entraînerait une insurrection et ferait surgir des puissances vengeresses. Bref, cela ne ferait que compliquer la vie des citoyens.

— J'en ferai un enfer, de leur vie ! cria Yeza. (Mais

elle se laissa ensuite retomber sur sa paillasse, et des tressaillements parcoururent de nouveau son corps.) Faites-moi sortir d'ici ! demanda-t-elle enfin en sanglotant, et le vieux commandeur lui caressa le front et les cheveux jusqu'à ce qu'elle ait fermé les yeux et que son souffle se soit apaisé.

— Je ne vous abandonnerai pas, murmura-t-il, et il attendit auprès d'elle jusqu'à ce qu'elle soit endormie.

Le bombardement reprit avec le lever du soleil sur la mer ; mais on tirait cette fois-ci depuis l'arrière-pays, comme si l'amiral de l'Anjou voulait faire croire aux défenseurs d'Otrante que l'attaque serait lancée de ce côté. Les projectiles ennemis atteignaient cependant les murailles, même s'ils ne causaient pas beaucoup de dégâts aux pierres massives. Les catapultes embarquées sur les navires étaient trop légères pour pouvoir envoyer des boulets suffisamment lourds. Et il faudrait un certain temps pour que les assaillants parviennent à construire une machine de plus grande taille. Rien ne laissait penser non plus qu'ils avaient emmené avec eux un constructeur compétent. La comtesse Shirat avait envoyé des messagers dans la ville, pendant la nuit, et conseillé aux habitants de fermer les portes et de n'accorder aucune aide, d'aucune espèce que ce soit, si on la leur réclamait. Le conseil municipal avait fait répondre à Shirat que les murs étaient déjà surveillés et que la milice de la ville était prête, à n'importe quel moment, à prendre les assaillants par les flancs si cela se révélait nécessaire. Une nouvelle rassurante.

La comtesse et les seigneurs qui l'entouraient se rendirent du côté de la mer, où les falaises élevées et abruptes sur lesquelles on avait construit le château interdiraient un véritable bombardement tant que ses propres catapultes, bénéficiant de leur situation surélevée, tiendraient à distance les machines plus puissantes des assaillants. Il fallait seulement prendre garde aux projectiles des balistes, capables de tirer très loin des flèches grosses comme des bras, de véritables pieux qui atteignaient une telle vitesse qu'on les voyait à peine.

L'ennemi avait en outre changé de tactique. Ses gros navires, qui servaient de rampe de tir, ne se tenaient plus rassemblés, mais croisaient dans la baie, si bien qu'il était plus difficile de les atteindre. Les voiliers agiles prenaient part, eux aussi, au bombardement, en passant rapidement sous les murs et en faisant s'abattre sur les créneaux une grêle de flèches. Deux *lancelloti* tenaient leur bouclier au-dessus de Shirat lorsqu'elle observait la situation depuis sa terrasse.

— Il faut leur arracher le cœur ! dit Roç, qui s'était lui aussi réfugié sous un bouclier et, comme tous les autres, portait son casque. Le navire de l'amiral ! lança-t-il à Mahmoud. Si vous, éminent Diable du feu, remplissiez un canot avec vos friandises diaboliques, si nous l'acheminions avec la trirème jusqu'au bateau de l'amiral, à la faveur de la nuit, il se pourrait bien que les poissons le mangent en petits morceaux...

— Vous pouvez en choisir la taille vous-même ! répondit Mahmoud, tout heureux. Il est facile aussi de retarder l'instant où l'on nourrira les poissons jusqu'à ce que notre navire soit revenu à l'abri depuis longtemps.

— Cette entreprise n'a pas de sens, objecta Dietrich, si l'on ne peut, de nuit, identifier l'objectif sans le moindre doute.

Le guerrier blond était le seul à ne porter ni bouclier, ni casque, ce qui avait déjà agacé Roç. Il n'aurait plus manqué qu'il dénude son buste en acier, pour montrer qu'il était aussi invulnérable que Siegfried ! Était-ce Shirat qu'il voulait ainsi impressionner ? De toute façon, elle lançait des regards émerveillés dès que son capitaine teutonique ouvrait la bouche.

— Nous ne pouvons pas envoyer la trirème faire une pareille traversée. Pour que l'attaque réussisse, il faut que deux nageurs approchent du navire de l'amiral, accrochent vos explosifs et reviennent ensuite à la nage, dans l'eau froide. Je suis de la partie si vous êtes le second, messire.

— Absurde! grogna Gosset. Il n'y a encore aucune raison de risquer votre vie sans être même à peu près assuré du succès.

— Avec la trirème, je...

Roç s'arrêta net. Mais Shirat avait déjà réagi :

— Vous n'avez d'autre vœu, Roç Trencavel, que de décamper avec mon navire, de percer les lignes ennemies pendant la nuit pour rentrer en vitesse auprès de votre dame Yeza...

Ses mots claquaient comme des coups de fouet, et Roç lut pour la première fois la haine dans ses yeux.

— Vous vous êtes déjà assuré les services de mon capitaine, Shirat Bunduktari, pour m'empêcher de commettre cet acte. Mais s'il devait arriver quelque chose à Yeza, je vous garantis que Hamo l'Estrange n'aura plus jamais l'occasion, lui non plus, de serrer de nouveau dans ses bras son épouse aimante!

— Je vous prie de cesser cette querelle indigne, messire! intervint Gosset d'une voix forte. Nous sommes tous dans le même bateau, il n'y en a pas de deuxième, et il n'est pas question d'abandonner celui-là. Quant à vous, comtesse, vous ne devriez pas exprimer à l'égard de mon maître des soupçons qui ne peuvent que le vexer.

— Suis-je encore la maîtresse d'Otrante? répliqua Shirat d'une voix stridente. Mais un coup d'œil à Dietrich et à Mahmoud lui suffit pour comprendre qu'elle était allée trop loin. Tous deux évitèrent son regard. Shirat ne voulait pas passer pour une furie. Elle se dirigea vers Roç et le serra dans ses bras.

— Ne me maudissez pas, pardonnez-moi! chuchota-t-elle en lui offrant ses lèvres.

Roç l'embrassa, beaucoup plus longuement et différemment que ce qu'aurait imaginé Shirat, et ce au vu et au su de tous. Puis il la laissa sur place. Le conseil de guerre se dispersa. La comtesse rentra dans ses appartements et Mahmoud alla remplir ses obligations d'armurier.

— La proposition du Trencavel ne me paraît pas si absurde que l'on doive l'écarter comme une mouche morte.

Le prêtre se tenait à côté de l'Allemand, et Dietrich regarda Gosset droit dans les yeux.

— Au contraire, je suis tout à fait disposé à prêter mon bras à un tel coup. Mais j'aimerais que les perspectives de succès s'améliorent un peu.

— Laissez-moi y réfléchir.

Gosset et Dietrich se tenaient encore dans la cour du château lorsque Raoul marcha vers eux. On était déjà aux alentours de midi.

— Un parlementaire se dirige à cheval vers le portail principal, leur cria-t-il. Je pense que nous ne devrions pas le laisser entrer, il pourrait être venu pour nous espionner.

— C'est exact, répondit Gosset, mais ce serait la preuve d'une piètre moralité.

— Et cela pourrait aussi être interprété comme un aveu de faiblesse, ajouta Dietrich. Nous devrions lui bander les yeux et le conduire ici, dans la cour. Il n'y verrait que quelques filles de cuisine, et aurait l'impression d'une extrême décontraction.

— Laissez-moi la lui donner, décida le prêtre. Amenez-le comme vous l'avez proposé, mais ne l'effrayez pas !

Dietrich et Raoul descendirent en courant le chemin creusé qui donnait vers la grande porte.

Gosset se fit apporter, de la cuisine, une table et des chaises, un plateau de fromages, du pain et des noix. Puis il se plongea dans son bréviaire, un précieux évangéliaire. Il ne leva pas non plus les yeux en entendant approcher les voix. Même lorsqu'il perçut celle de Dietrich :

— Eh bien, valeureux sire de Les Beaux, nous nous retrouvons donc ! Vous connaissez déjà monsignore Gosset.

— À l'époque, rétorqua le parlementaire, le prêtre

voyageait en fidèle serviteur de la France. Sa pensée va donc certainement à notre roi Louis, et je suis persuadé qu'il prie pour notre victoire.

Il n'avait pas dissimulé son ironie, et Gosset préféra le faire un peu attendre avant de répondre d'un ton léger :

— J'ai servi le roi assez longtemps pour pouvoir fort bien faire la part entre les intérêts de la couronne et ceux du comte Charles d'Anjou. Je parierais même que messire Louis ne sait pas, et ne doit surtout pas savoir quelles sont vos intentions, Robert de Les Beaux, en cet instant précis.

Le parlementaire ne put s'empêcher de montrer un sourire de reconnaissance.

— Bien, laissons notre pieux souverain hors du jeu. Mais mon intention est de vous faire une proposition, et elle doit être prise au sérieux. C'est en tout cas ce que je vous conseille, prêtre. Où se trouve au juste madame la comtesse, la maîtresse de ces lieux ?

— La comtesse fait la sieste, répliqua Dietrich. Nous ne pouvons pas la déranger pour de telles broutilles.

Gosset reprit son cahier, referma soigneusement son bréviaire et dévisagea messire de Les Beaux.

— À moins que vous n'ayez autre chose à nous offrir qu'une reddition sans condition avec la possibilité de quitter les lieux en liberté ?

— En emportant tous vos biens personnels ! ajouta le parlementaire, agacé. Et avec un sauf-conduit. Nous vous laissons même votre trirème.

Gosset leva vers lui des yeux chagrinés.

— Je suppose que vous attendez des renforts considérables par voie maritime et terrestre, alors que nous sommes coupés de toute l'aide que pourrait nous apporter le roi Manfred. (Gosset laissa agir ses mots avant de reprendre.) Pourtant, le château, ses habitants, tous les biens mobiles et fixes qui s'y trouvent, sont sa propriété.

— Laissez-nous régler cette question-là, suggéra messire Robert, heureux d'avoir un peu progressé.

Nous sommes même en mesure de dédommager généreusement la comtesse. Notre caisse nous permet de payer une somme considérable en échange d'Otrante. Fixez un prix.

— Voilà de belles paroles ! s'exclama Dietrich sans qu'on lui ait rien demandé.

— Asseyez-vous et prenez donc une coupe de vin frais, offrit Gosset au parlementaire. Quant à vous, messire Dietrich, laissez-nous seuls.

L'Allemand prit l'air offensé, mais il s'éloigna. Il croyait avoir compris à quoi Gosset voulait en venir. Robert de Les Beaux prit place avec plaisir et se servit.

— Il me faut du temps, murmura Gosset entre deux gorgées qui lui servirent à faire descendre les noix qu'il mâchait jusque-là. Du temps pour convaincre la comtesse et le Trencavel, dont les chevaliers se battent à nos côtés.

Cette information inquiéta messire Robert : le Trencavel avait une réputation redoutable, notamment celle de réserver de mauvaises surprises. Il avait encore à l'esprit les paroles de Rinat Le Pulcin.

— Je propose un délai de réflexion de douze heures, dit Gosset avec assurance.

— Mais nous serons en pleine nuit ! objecta Robert.

— Peu importe ! le tranquillisa le prêtre. Votre amiral a sans doute à son bord un miroir à signaux.

— Bien sûr ! confirma de Les Beaux avec joie. Certainement ! Si vous nous faites savoir ainsi que nos conditions sont acceptées, nous vous laisserons jusqu'à demain midi pour quitter le cha...

— Nous vous transmettrons nos conditions, répondit Gosset en l'interrompant et votre amiral fera bien de répondre précisément et en détail à chacun des points. Si nous tombons d'accord pendant la nuit, rien ne s'opposera à une rencontre demain à midi. Nous fixerons notre arrangement dans le détail et par écrit, nous échangerons des otages, et surtout, nous ferons transiter les fonds dont nous avons parlé.

« Ah, songea Robert de Les Beaux, voilà donc l'hameçon auquel cette vieille carpe de Gosset compte mordre ! » Il eut du mal à réprimer sa joie.

— Qu'il en soit ainsi ! Je fais immédiatement lustrer le miroir de l'amiral. Pour l'heure, le soleil est dans la première maison du méridien.

Gosset hocha la tête, l'air ennuyé.

— Les nuits sont longues en hiver, déclara-t-il, ambigu, et son invité se releva.

Dietrich sortit alors de l'ombre de la porte de la cuisine, apporta le bandeau noir et messire de Les Beaux accepta de nouveau qu'on lui bande les yeux.

— J'attends de vos nouvelles ! dit-il à monseigneur Gosset, qui s'était déjà replongé dans son bréviaire.

— Vous allez en avoir, marmonna le prêtre en faisant signe à Dietrich qu'il était temps d'emmener le parlementaire.

L'Allemand sourit et proposa son bras à messire de Les Beaux.

Le vicaire dans le ventre du dragon

De mémoire d'homme, le port de Ravenne avait toujours été enfoui dans le sable abandonné par la mer, qui ne cessait de s'éloigner des murailles de la ville. Après l'époque animée et glorieuse de l'impératrice Gallia Placidia, qui gouvernait depuis la « deuxième Byzance » l'empire romain occidental, le puissant « corbeau » antique du légendaire Dietrich de Berne avait connu une chute inexorable dans l'insignifiance. La ville avait cédé son rang de centre commercial à Venise, et c'est Rome qui s'était affirmée comme capitale. Derrière les puissantes murailles construites des siècles plus tôt, la cité jadis tellement animée s'était figée. On n'y trouvait plus trace de ce mélange bigarré de Langobardes, de Syriens, d'Égyptiens et de Grecs ; la grande magicienne dormait. Partout, on ne voyait plus qu'une campagne aride, des marais, du sable et des lagunes.

Et quelque part, au loin, la mer infidèle. Les gardiens des murailles furent d'autant plus ahuris lorsqu'ils virent se diriger vers eux un puissant navire, qui paraissait glisser sur la friche déserte — à moins qu'il ne puisse voler ? Ils avaient oublié depuis longtemps le vieux canal envahi par les joncs : aucun voilier ne s'y était plus égaré depuis longtemps, et aucune galère n'avait encore osé remuer cette eau vaseuse couverte d'un tapis d'algues. Avec ses sombres ailes géantes relevées, comme, jadis, le légendaire griffon, *L'Atalante* approchait, toutes voiles dehors, poussée par le soleil de la fin de l'après-midi. Le battement de ses rames écartait les roseaux et fouettait l'eau noire. C'est seulement lorsque sa coque puissante fut arrivée sous les murs et que la lourde porte du port s'ouvrit en grinçant devant lui, que Taxiarchos fit donner les rames en sens inverse contre les flots troubles, et ramener les voiles. Les hauts gréements de *L'Atalante* se dressèrent devant la ville, comme un défi. Nul ne savait vraiment qui avait donné aux gardes l'idée que l'apparition de ce vaisseau d'apocalypse pourrait avoir un rapport avec les étranges hôtes qui avaient pris leurs quartiers depuis quelques jours dans l'auberge située derrière la porte. Chaque jour, l'un de ces étrangers apparaissait sur les murailles, regardait la campagne, songeur, et arrachait des notes mélancoliques à son luth. Dans son appel au secours, Jordi avait indiqué que le port le plus proche était celui de Ravenne. Il s'y était installé avec le reste de l'escorte de Yeza, espérant vaguement pouvoir encore faire quelque chose à Bologne, si quelqu'un avait capté le message désespéré du miroir et accourait pour sauver sa maîtresse.

Pour les habitants de la ville, le nain faisait partie de la cour d'un vieil homme bizarrement vêtu qui se faisait appeler « vizir » et que toute la cité observait en souriant lorsqu'il allait chercher des plantes rares au pas cadencé. Les deux dames de son harem restaient le plus souvent sous la garde du nain, ce qui

attisa la curiosité qu'inspiraient celles qu'on appelait
déjà « la douce » et « l'enflammée ». L'officier de
garde le fit prévenir dès que *L'Atalante* fut apparue
devant les murs : il s'était pris d'affection pour le
petit homme qui lui avait souvent adouci ses quarts
monotones en lui chantant des chansons.

Mais, depuis la veille, un autre invité séjournait
aussi à Ravenne. Il n'avait vu ni les deux belles voilées, ni messire le vizir et son troubadour. Et il s'était
encore moins attendu à voir surgir ici un navire
comme *L'Atalante*. Mais il avait posé son œil cupide
sur le bateau dès qu'il l'avait aperçu — et d'œil, il
n'en avait qu'un, Oberto Pallavicini, vicaire de
l'empire romain pour « l'Italie », c'est-à-dire pour le
territoire situé au sud des Alpes, à quelques excep-
tions territoriales près, avait rendu une visite surprise à la « Signoria da Polenta ». Moins parce qu'il
lui plaisait de séjourner dans l'une des villes provin-
ciales les plus ennuyeuses de la Romagne, mais
parce que Ravenne appartenait de droit aux terres
pontificales.

La véritable raison était en fait que le vieux corbeau, dans ses grandes heures, avait occupé maintes
glorieuses fonctions, dont celle d'« exarchate ». Cette
dignité, plus éminente que toutes, était pour lui
aussi belle qu'un titre royal. Et c'est elle que convoi-
tait le « représentant » d'un empereur qui n'existait
plus. Mais il lui fallait d'abord éliminer du jeu un
personnage dont les pouvoirs étaient tellement éten-
dus qu'il le gênait profondément : Ezzelino, le tyran
de Vérone. C'est pour préparer ce coup qu'Oberto
séjournait à Ravenne. Et ce navire fantôme venait à
point. Ce pourrait être le Dragon qu'il chevaucherait
sur le Pô afin d'aller cracher du feu sur le nid de son
rival, et l'en faire déguerpir. Oberto, qui ne croyait
rien d'autre que ce qu'il avait vu de ses propres yeux,
décida donc d'aller inspecter en personne sa future
passerelle de commandement, pour voir qui dirigeait
L'Atalante et comment il pourrait rendre le maître du
navire docile ou inoffensif. Ses sbires zélés lui

avaient déjà indiqué que le grand maître du Temple n'était pas à bord ; le navire hébergeait en revanche quelques Templiers que la lumière du jour rebutait, et toute une troupe bizarroïde. Oberto Pallavicini s'apprêtait à sortir.

— Vous ne parviendrez pas à extraire Yeza de Bologne en un tournemain ! affirma Jordi à Taxiarchos. Vous mettriez sa vie en danger, mieux, vous y mettriez un terme assuré, au lieu de la sauver !

Le troubadour avait couru avec une telle détermination par la porte ouverte que les gardes n'avaient même pas eu le temps de le retenir. Taxiarchos venait tout juste de débarquer, escorté par une troupe de *lancelloti* impressionnants et quelques Chevaliers teutoniques. Il avait laissé aux Templiers, dirigés par Simon de Cadet, la liberté de quitter le navire à Ravenne, mais cette ville ne paraissait pas plaire à Simon. Il s'était retiré sous le pont avec ses hommes : il ne tenait pas à ce que leur présence visible de tous légitime l'entreprise de corsaire à laquelle se livrait le Pénicrate.

S'il y avait une chose dont Taxiarchos se moquait totalement en cet instant précis, c'était bien sa réputation.

— Les Templiers ne peuvent-ils pas réclamer qu'on livre, sous leur juridiction, la dame Yeza Esclarmonde ? suggéra-t-il. Après tout, Simon lui avait proposé son aide active. Mais Jordi secoua la tête.

— Les Bolonais sont un peuple obstiné. Ils ne cèdent pas à la pression.

— Qui pourrait nous aider ?

Lui, le fameux navigateur, avait pris l'initiative de violer l'orgueil des Templiers, avait franchi le barrage formé par la flotte de l'Anjou pour traverser l'Adriatique, ce cul-de-sac périlleux que dominait la Serenissima (laquelle, on le savait, était la meilleure amie de l'ordre du Temple). Ce n'était tout de même pas pour rester planté ici, dans la vase de Ravenne !

— Allons, vous avez toujours une idée pour vous en sortir, d'habitude, maître Jordi...

Le troubadour n'écoutait que d'une oreille.

— Il existe un homme dont la parole vaut aussi à Bologne, chuchota-t-il sans détourner son regard de la porte de la ville où, à sa stupéfaction, venait de surgir Oberto Pallavicini accompagné d'une petite escorte.

— Éloignez-vous immédiatement avec vos faucheurs, chuchota le nain à Taxiarchos. Je vais tenter d'attirer à bord messire le vicaire. Nous allons le prendre en otage. Allez, disparaissez, et ne revenez qu'au moment où je brandirai mon chapeau !

Taxiarchos fit un signe à ses hommes, et ils se mirent en marche sur le côté. Le bord élevé de *L'Atalante* cacha ainsi les hommes au vicaire et à sa troupe, qui descendaient à présent le chemin. Ils étaient à peine armés : Pallavicini venait rendre une visite de courtoisie.

Jordi se demandait encore convulsivement s'il devait lui-même aller à la rencontre de ce haut fonctionnaire pour l'inviter à bord, ou laisser cette tâche à Kefir Alhakim. Mais, à cet instant, Simon de Cadet vint le rejoindre : la curiosité avait été la plus forte. Ils virent tous deux Oberto Pallavicini désigner le navire, l'air ravi et étonné. Il envoya un page, qui arriva hors d'haleine sous le bastingage et demanda, au nom de son maître, la faveur de pouvoir saluer l'illustre personne qui voyageait sur ce beau vaisseau.

Au grand étonnement de Simon, Jordi donna poliment son accord, et le page repartit en courant vers Oberto, qui ne s'était manifestement pas attendu à une autre réponse et s'était déjà considérablement approché. Le troubadour eut l'impression que les planches du navire brûlaient sous ses pieds. Mais le soleil était de la partie : il fit tomber un rayon sur le vizir, que l'on amenait justement dans une litière ouverte, entouré par ses femmes voilées. Les porteurs, au pas de course, doublèrent le vicaire et son escorte. Mais celui-ci ne voyait que le bateau, devant lui. Kefir avait mis pourtant le plus gros de ses turbans.

— Imaginez une raison, chuchota le nain au Templier, pour laquelle vous avez accosté ici en mission secrète. Mais pas un mot sur Yeza !

Jordi se cacha derrière la rambarde du pont de quart : le vicaire, son escorte et la litière de Kefir Alhakim venaient d'arriver, presque en même temps, au pied du navire. Si le vizir n'était pas depuis longtemps à bord, c'est que Kefir se refusait obstinément à franchir la passerelle à pied, bien que les porteurs lui aient dit et répété qu'il tomberait à l'eau à coup sûr s'il y passait dans sa litière. Jordi eut la présence d'esprit de lui crier, sans montrer son visage :

— Illustre Kefir Alhakim, je me suis permis d'inviter le vicaire de l'empire à visiter le navire.

Le vizir trouva immédiatement le ton qu'il fallait à son rôle de dignitaire grotesque.

— C'est pour moi un honneur de pouvoir vous saluer au nom du sultan, vous, Oberto Pallavicini, homme glorieux et respecté. Acceptez donc cette invitation, afin que le regard d'aigle de votre œil redouté et le pas de votre pied puissant transforment les misérables planches de mon modeste petit navire en un grenier humant le bois de rose et la myrrhe. Soyez ici chez vous, mais je vous en prie, ôtez d'abord vos bottes.

Quelle mouche l'avait piqué ! Simon blêmit, mais se pencha tout de même pour enlever ses bottes. Tous à bord suivirent son exemple, et se retrouvèrent nu-pieds avant que la tête du vicaire n'apparaisse en haut de la passerelle.

Oberto, éberlué, observa la litière qui reprenait la direction de la ville. Il se dit ensuite qu'il existait sûrement des planchers de navire en bois exotique, tellement sensibles qu'on ne pouvait y marcher que pieds nus. Il était aussi possible que messire l'ambassadeur y déroule régulièrement son tapis de prière, et considère donc le sol du navire comme sa mosquée. Oberto tendit en tout cas ses jambes au page et quitta ses bottes en jurant à voix basse. Son escorte l'imita. Souliers à la main, tous montèrent au pas de l'oie sur le pont du navire, qui était effectivement construit dans le meilleur des bois, et d'une propreté étincelante. Oberto salua Simon de Cadet.

— Vous devez avoir toute la confiance de Thomas Bérard, votre grand maître, pour qu'il vous ait abandonné la prunelle de ses yeux.

Ce n'était pas une question, mais il attendait une réponse.

— Tout chevalier de l'Ordre lui doit obéissance, répliqua Simon. J'ai reçu l'ordre de venir prendre ici Son Excellence l'ambassadeur du sultan et de le conduire au lieu qu'il m'indiquera. Vous pouvez considérer cela comme une marque de confiance. Quant à moi, je ne fais que mon devoir.

Oberto prit l'air conciliant.

— Je vois, chevalier, que le grand maître savait bien pourquoi il vous confiait cette mission, malgré votre jeunesse. Mais je visiterais volontiers votre admirable navire ! ajouta-t-il, jovial.

Simon profita de l'occasion pour s'esquiver.

— Nul ne pourra mieux vous guider que notre bouffon. Faites-lui confiance !

Et le Templier alla rejoindre ses hommes sous le pont avant même que le vicaire n'ait pu lui répondre. Le petit troubadour prit son courage à deux mains. Ou bien le poisson avait mordu à l'hameçon, ou bien Jordi connaîtrait le sort du ver qui sacrifie inutilement sa vie. Il passa sa tête au-dessus de la rambarde et sourit insolemment à Pallavicini.

— Mais je te connais, espèce de gnome ! s'exclama Oberto en voyant Jordi se lancer par-dessus le bastingage et atterrir devant lui. N'étais-tu pas le troubadour...

Il fut interrompu par un cri sourd et rauque :

— Ce misérable rimeur et couineur ? Qui ne sait ni chanter, ni jouer du luth ? C'est mon pauvre frère jumeau, un arriéré mental !

Le vicaire secoua la tête.

— J'aurais juré vous avoir rencontré en Sicile...

— Ça lui ressemble bien ! Mais si vous voulez me suivre...

Il monta devant son hôte l'escalier de bois qui menait au pont supérieur étroit. Celui-ci courait d'un mât à l'autre du navire, passant à la hauteur des têtes des rameurs les plus élevés. Les voiles avaient été amenées et dissimulaient les trébuchets orientables.

Devant les yeux étonnés de ses invités, Jordi ordonna aux Maures de dégager l'une des catapultes légères.

— Ce que vous voyez ici, expliqua fièrement le nain, le monde ne l'a encore jamais vu : des trépieds inclinables, capables de tourner à 360° et de tirer de tous les côtés sans gêner les manœuvres !

Oberto, intéressé, regarda dans les trappes rondes d'où dépassaient les têtes des catapultes. Elles étaient effectivement montées sur de gigantesques supports pivotants.

— J'irais volontiers voir cela d'en bas ! s'exclama Oberto, comme un *physicus* enthousiasmé par les jeux de la technique. (Il joua le curieux et chercha la provocation :) Mais vous cachez certainement aussi une arme plus puissante !

Il désigna d'un geste de propriétaire les constructions dissimulées par des voiles, sur le pont relevé. Jordi s'empressa de détourner son attention des mangonneaux et de l'attirer aussi vite que possible dans les profondeurs de la cale.

— Vous avez tout à fait raison ! fit le nain, flatteur. Les balistes à tension rotative sont installées sous le pont, derrière des trappes de bois. Leur apparition subite provoque l'effroi avant même que leur terrible puissance de feu ne répande effectivement la terreur.

— Le feu grégeois ?

Jordi eut un sourire ambigu et laissa son visiteur descendre sur l'escalier escarpé. Avant de le suivre, après avoir laissé passer l'escorte, il secoua son chapeau de velours comme pour s'éventer. Lorsqu'il eut constaté que Beni retransmettait le signal convenu, il descendit d'un pas léger. Le vicaire était déjà en train d'expliquer à son escorte, d'un ton de spécialiste admiratif, le fonctionnement des trébuchets inclinables. Les balistes sur roues lui avaient plu, elles aussi : cachées entre les rameurs, elles pouvaient tirer sans même qu'on les voie. Ce navire était une véritable merveille ! Il devait mettre la main sur cette machine de guerre.

— Si vous permettez, messire le Grand Armurier, fit-il en se tournant aimablement vers le nain et en glissant quelques pièces d'or au troubadour ahuri, je vais vous envoyer à bord mes meilleurs catapulteurs et arbalétriers, pour que vous leur appreniez le fonctionnement de tout cela. (Le vicaire réfléchit rapidement au nombre d'hommes qu'il lui faudrait pour prendre possession de *l'Atalante*.) Et je devrais moi-même venir suivre vos leçons !

Jordi s'était retiré sur la dernière marche de l'escalier : il avait vu la rangée supérieure des rameurs, celle des *lancelloti*, rentrer ses longues perches, puis les placer en hauteur, et pour finir diriger les pales en forme de faux vers l'intérieur du navire, prêtes à frapper des deux côtés.

— Vous n'allez pas en avoir le temps, Oberto Pallavicini !

La voix de Taxiarchos avait retenti au-dessus de leur tête. Un regard rapide à la ronde montra au vicaire qu'il était tombé dans un piège. Il n'était certes pas enchaîné, mais s'il tentait de fuir, les lames affûtées qui l'entouraient le découperaient, lui et son escorte, sans qu'il ait la moindre possibilité de se défendre. De l'escalier aussi, les faux descendaient à présent, menaçantes. Le nain s'était réfugié, derrière elles.

— Quelle est cette mauvaise plaisanterie ? lança Oberto Pallavicini au petit homme. Que pouvez-vous bien attendre de moi, pour oser vous exposer au jugement de mon tribunal ? (Il tremblait de colère, mais il se força à feindre la légèreté.) Laissez-moi sortir, et j'oublierai cette farce insolente !

— Je n'ai aucune envie de plaisanter, cria Taxiarchos en descendant quelques marches, pour rejoindre le troubadour. Vous resterez mon prisonnier tant que vous n'aurez pas fait en sorte que les Bolonais libèrent Yeza, notre maîtresse !

— Ce n'est pas en mon pouvoir ! répondit le vicaire. Mais Taxiarchos ne le laissa pas s'esquiver :

— Il est en revanche en mon pouvoir de vous livrer à Ezzelino, et c'est le sort qui vous attend si vous ne faites pas amener Yeza sur ce navire, sans délai et sans qu'on touche un seul de ses cheveux.

— Dans ce cas, libérez-moi, et je vous jure...

— Écrivez une lettre. Vous attendrez avec nous l'arrivée de la dame !

Oberto fit une dernière tentative pour se tirer par ses propres moyens de cette situation pénible.

— Si je n'y vais pas personnellement...

— Votre personne n'intéresse que le tyran de Vérone. Mais celui-là vous attend avec passion ! répondit Taxiarchos en éclatant de rire.

— Ezzelino va vous le couper en morceaux ! ajouta Jordi avec un malin plaisir. Le tyran va le passer au pressoir, jusqu'à ce que son unique œil lui sorte de l'orbite, juste avant que son crâne n'éclate comme une noix vide !

Taxiarchos fit en sorte que l'on donne au vicaire ce dont il avait besoin, et fit appeler Simon de Cadet.

— Vous vous êtes rallié à moi parce que vous souhaitiez sortir la princesse Yeza Esclarmonde du danger où elle se trouve. L'instant est venu où vous allez pouvoir tenir votre parole, chevalier. Vous allez partir pour Bologne avec la lettre du vicaire, et vous reviendrez avec notre reine !

— *Esclarmonde o la muerte !* s'exclama Simon.

— Vous pouvez emmener vos frères d'Ordre en escorte, je vous fais confiance !

— Je me fais confiance, répliqua Simon, j'irai seul. Donnez-moi seulement un deuxième cheval et une selle !

— Dix ! cria Taxiarchos au chevalier qui s'éloignait déjà, et il s'abstint de le mettre amicalement en garde au cas où il reviendrait avec la selle vide. Vous pouvez tous les épuiser !

LA COURSE ENAMOURÉE DU TIGRE

Tout était calme dans la baie d'Otrante. Le soleil vespéral transformait la flottille de l'Anjou, qui avait jeté l'ancre, en une marine picturale. Comme dans un dessin à l'encre d'Extrême-Orient, les coques noires et les fins gréements se détachaient sur le fond tantôt doré, tantôt vert-bleu et argent. Les mâts étaient encore nus, comme tracés d'un coup de plume rapide : les assaillants avaient ramené leurs voiles. Mais cela pouvait changer rapidement, à la faveur de l'obscurité.

— Nous ne pourrons pas les retenir une nuit de plus, expliquait Roç à son confident, le prêtre Gosset. Mais cette mise en garde était en réalité destinée au capitaine allemand qui, d'un geste de son menton proéminent, avait jusqu'ici repoussé tous ceux qui voulaient le presser.

— J'ai indiqué par signaux au navire amiral que nous pourrions, sur le principe, accepter l'idée de livrer Otrante sans combat, mais que nous devions encore régler toute une série de questions concernant notre départ en hommes libres, et surtout la possibilité d'emporter nos biens mobiles (y compris les catapultes et nos autres machines de guerre), expliqua Gosset. C'est la raison pour laquelle je viens de demander un nouveau délai de vingt-quatre heures.

— Et avec quel résultat ? s'enquit, narquois, Dietrich von Röpkenstein. Les Provençaux de messire Charles, ces corsaires marseillais, attaqueront de la mer, à la faveur de la nuit ! Ils se sont déjà tellement rapprochés de nos fortifications portuaires que seules les illuminations du Diable du feu nous ont permis de les découvrir et de les repousser avant qu'ils n'incendient la trirème...

— Vous tenez à ce navire comme si c'était le vôtre, capitaine! se moqua Roç.

— Pas le mien, mais celui de notre comtesse. Depuis que vous avez ordonné d'évacuer la trirème pour la rendre apte au combat, elle n'a plus les sacs de sable qui la protégeaient! ajouta Dietrich.

— Alors tentons enfin d'exécuter notre plan! rugit Roç. À moins que vous ne soyez trop lâche pour cela?

— Ne vous y fiez pas, Trencavel! Vous nous devez encore la preuve de votre légendaire témérité. Vous avez déjà donné plusieurs fois celle de votre irrésolution!

Gosset s'interposa entre les deux hommes avant que ne partent les premiers coups de poing.

— Dans ce cas, capitaine, fit Roç entre ses dents, épargnez-vous d'autres réponses et exécutez mes ordres. Dès que la nuit tombera, Gosset entamera avec son miroir la négociation annoncée avec le navire de l'amiral, qui révélera ainsi sa position. Et nous nous mettrons en route.

— Une sortie côté terre ferait diversion et faciliterait notre entreprise, suggéra Dietrich sans bouger de sa place.

Mais Gosset, auquel était adressée cette suggestion, regardait, captivé, le spectacle sublime que le soleil déclinant mettait en scène sur la mer. Du disque incandescent sortit un point noir qui prit rapidement des contours et se dirigea droit vers la flottille ancrée dans la baie, à l'endroit précis où les bateaux étaient le plus serrés. Le puissant navire avait levé toutes les voiles, ses rames étincelaient dans l'eau et la proue écumante montrait dans quelle direction se dirigeait la poupe surélevée.

— *L'Atalante*! s'exclama Roç, ébahi. Elle est revenue!

— Elle va donner une nouvelle leçon à l'Anjou, cette maîtresse des mers! s'exclama Dietrich, et ils mirent la main au-dessus de leurs yeux pour que le soleil rougeoyant qui se couchait face à eux ne leur fasse rien perdre du spectacle qui s'annonçait..

Robert de Les Beaux fut le premier à voir arriver le malheur. Le jeune commandant était monté par le flanc du navire pour mettre au point avec l'amiral l'opération nocturne qui lui permettrait de duper les défenseurs d'Otrante. Mais l'amiral n'avait rien voulu savoir, et de Les Beaux s'apprêtait à revenir sur son canot lorsqu'il vit *L'Atalante* qui se précipitait vers eux. Elle était encore trop éloignée pour qu'il puisse l'identifier avec précision. Mais il n'en avait pas besoin : cette vision lui fit l'effet d'un coup de poing au ventre.

— Oh non, la revoilà! gémit-il en comprenant qu'il ne pouvait rien y faire.

— Fichez le camp! hurla-t-il à ses hommes, qui calèrent aussitôt leurs rames contre le bord du navire amiral. Robert attrapa une corde qui pendait et se lança à bord de son propre navire comme un pirate à l'abordage. Ses hommes le récupérèrent à l'arrivée.

— Aux rames! cria-t-il. Fichons le camp d'ici!

Il n'eut pas besoin de donner d'autres ordres. On entendit des craquements, des éclats de bois volèrent : le navire de l'amiral avait la coque ouverte.

Taxiarchos avait fait sortir le bélier, mais ne l'avait pas enfoncé dans la coque de son adversaire, qui paraissait abasourdi. Une manœuvre fulgurante des voiles, soutenue par les *lancelotti*, lui avait permis de l'aborder par le flanc. Ils avaient coupé les rames du navire, lui avaient ouvert le ventre sur toute sa longueur et avaient balayé le pont avec leurs faux placées à l'horizontale. Des membres coupés tombaient de toutes parts, le sang giclait, et l'on entendait résonner des cris de terreur. *L'Atalante* était déjà repartie, non pas vers le large, mais au milieu de cet amas de navires incapables de manœuvrer. Cela coûta leur proue à deux nouvelles embarcations, qui se mirent aussitôt à couler. Robert de Les Beaux put remercier la sainte Vierge à genoux que cela n'ait pas eu lieu sur le côté où il s'était dirigé. Des deux navires touchés, on ne voyait plus que le mât oblique, la poupe dressée, puis une tache d'écume gargouillante. *L'Atalante* repartit à la charge. Cette fois, la plupart des matelots sautèrent par-dessus la rambarde avant le choc. Seul l'amiral resta dans son siège, sur la poupe, plus par stupéfaction que par sens du devoir. Taxiarchos avait fait rentrer le bélier, la proue massive de *L'Atalante*. Il heurta le navire amiral par l'arrière, dans un fracas terrifiant, broya le gouvernail et envoya en l'air l'amiral et son siège. Il eut encore le temps de voir son fier navire se coucher sur le flanc, puis il suivit son fauteuil vers les profondeurs. *L'Atalante* en resta là et fila au milieu de la flotte qui s'égaillait. Le navire du diable remit cap au sud et reprit sa croisière sauvage.

Messire de Les Beaux refusait de considérer que la perte du navire amiral avait sonné l'échec de toute l'entreprise. Il donna l'ordre de lever le siège. Mais il commença par s'occuper du gaillard qui leur avait mis toute cette opération en tête.

— Rinat Le Pulcin, annonça-t-il au peintre aux habits élégants, messire l'amiral souhaite vous voir auprès de lui, pour que vos conseils ne lui fassent pas défaut. Les poissons sont en effet incapables de lui indiquer comment on pourra prendre en un tournemain Otrante, cette bourgade sans défense. Il faut absolument que vous alliez le lui expliquer !

Sur un geste de Robert, des matelots attrapèrent le manchot sous les aisselles et par les chevilles, le balancèrent deux ou trois fois avant de le jeter par-dessus bord.

La nuit était tombée. De la passerelle de quart, Yeza avait suivi l'attaque lancée par Taxiarchos à côté de ce chevalier du Temple qu'elle regardait comme un sauveur. C'est tout de même Simon qui était venue la tirer des griffes de Bologne, alors qu'Enzio, qui se préoccupait surtout de son propre destin, avait lamentablement échoué ! Re Enzio

n'avait même pas trouvé de mots pour la consoler,
lorsqu'il lui avait enfin rendu visite dans son cachot,
plusieurs jours après son évasion manquée. Au
contraire, le bâtard trouvait parfaitement normal
qu'elle paie cette tentative de sa jeune vie :

— Vous vous êtes sacrifiée pour moi, dame Yezabel Esclarmonde, cela vous rendra la mort plus
légère, et je me souviendrai toujours de vous !

La réponse qu'elle lui avait faite n'était d'ailleurs
pas digne d'une dame :

— *Vaseme 'a vuallera !*

Le grand seigneur n'avait pas compris cette phrase
prononcée dans un napolitain très vulgaire, et s'en
était allé en grommelant quelques mots sur « la jeunesse actuelle ». À côté de cette serpillière, Sigbert
avait l'âme d'un jeune homme ! Yeza posa sa main
sur le bras de Simon de Cadet. Sa tranquillité lui
plaisait, elle avait déjà eu ce sentiment lors du tournoi de Montségur, mais aussi par la suite, lorsqu'elle
l'avait de nouveau rencontré à Rhedae. À cette date,
il portait déjà le clams des Templiers. Mais ce simple
contact fit tressaillir Simon. Et ce geste serra le cœur
d'un autre homme : Taxiarchos brûlait de jalousie
depuis que Yeza était revenue de Ravenne à côté de
Simon.

Taxiarchos n'avait pas voulu prendre le risque de
rendre la liberté à Oberto Pallavicini avant d'avoir
quitté Ravenne, où tous semblaient lui obéir, et où il
avait en tout cas au moins autant d'influence qu'à
Bologne. Jusque-là, le corsaire n'avait donc pas tenu
sa parole. Il repartit avec Oberto et son escorte, serrés dans sa cale comme des harengs. Il était bien
décidé à les déposer à terre dès qu'une occasion
favorable se présenterait. Et il en profiterait pour
débarquer le Templier ! Taxiarchos regarda d'un œil
torve Yeza et Simon debout l'un près de l'autre. S'il
avait risqué sa tête, plongé dans la gueule du loup, ce
n'était pas pour qu'un autre récolte les doux fruits de
ses batailles ! Taxiarchos ne pouvait quitter sa place
au gouvernail, l'obscurité exigeait une extrême atten-

tion, d'autant plus qu'il lui fallait trouver, avant d'atteindre le large de Santa Maria di Leuca, un endroit qui permettrait un accostage sans danger entre les roches de la côte.

Deux autres yeux brûlants dévoraient aussi secrètement le Templier et souhaitaient voir Yeza en enfer, ou du moins aussi loin que possible de cet ami de jeunesse. Mafalda était à portée de vue du couple et souffrait atrocement. Yeza s'en aperçut et en fut navrée. Elle offrit à Simon de laisser sa place à Mafalda, mais elle se montra ravie lorsqu'il lui demanda de ne pas l'abandonner à la lascivité notoire de la jeune femme. Yeza caressait l'idée de proposer à Simon de devenir son chevalier, une fois que le Templier aurait renoncé à ses vœux.

— Vous n'avez rien à attendre de votre Ordre, Simon de Cadet, en tout cas rien de bon, commença-t-elle prudemment. Mais le Templier se retourna, comme piqué par la tarentule.

— Que savez-vous, Yeza, de mon serment ? Pour nous, il n'y a que deux manières de sortir de l'Ordre : en être chassé conformément à la règle, ou être abattu pendant une tentative de fuite.

— La seconde ne vous concerne pas, répondit Yeza. Mais pourquoi ne pas tenter la première solution ? (Elle lui prit la main, ils se serraient presque dans les bras, à présent.) Dans ce cas, sachez que je serais heureuse de vous avoir à mon service.

Simon se rapprocha d'elle.

— Je ne puis me débarrasser du serment que j'ai prêté comme s'il s'agissait d'une chemise trouée, comprenez-moi !

Yeza fit comme si elle comprenait, ce qui ne signifiait pas, loin de là, qu'elle acceptait le primat de l'Ordre et de son vœu. Elle fut d'autant plus agacée de voir surgir Beni, suivi par Geraude. Mais lorsque celle-ci l'informa que le bain était prêt, elle ne se soucia plus de Simon et lui tourna le dos sans ajouter un mot. Rien, pas même un homme ou deux, ne faisait plus envie à Yeza qu'un bain brûlant : la puanteur du cachot s'était collée à elle comme à un rat musqué. Et elle constata avec une parfaite indifférence que Mafalda avait immédiatement profité de l'occasion pour prendre sa place à côté de Simon, près du bastingage.

— La dernière fois que je me suis lavée pour un homme, annonça-t-elle à sa Première dame de cour, je suis tombée dans la merde jusqu'au cou ! Et pourtant, je préfère n'importe quel bain dans le purin chaud à la confiance que nous plaçons souvent dans les mâles !

Yeza fit venir Jordi auprès d'elle.

— Joue-moi quelque chose, mon bon troubadour, s'exclama-t-elle, car plus encore que la cajolerie de l'eau chaude, mon corps a besoin de ton chant pour se sentir de nouveau heureux et libre !

Cela ne l'aurait pas dérangée de se montrer toute nue devant le petit homme. Jordi était à la fois son confident et son admirateur, elle aimait qu'il la caresse et la chatouille avec ses chansons souvent grivoises. Jordi prit son luth et suivit les dames dans leurs appartements, à la poupe.

Kefir Alhakim, le vizir, fut prié de sortir et s'installa devant la porte. Son turban trop haut se balançait au rythme de la charmante mélodie qui s'éleva bientôt dans la nuit.

> *« Por coi me bait mes maris ?*
> *Lassette !*
> *Je ne li ai rienz meffait ?*
> *Ne riens ne li ai mesdit*
> *Fors c'accoleir mon amin Soulete.*
> *Por coi me bait mes maris ?*
> *Lassette ! »*

Des rires stridents s'élevèrent de la tente des femmes, dressée à la poupe du navire. Peu après, Beni en sortit, trempé, le visage cramoisi. Yeza l'avait surpris en train de l'épier, Geraude l'avait puni en le plongeant dans le baquet, et l'avait chassé de la

tente. Son père fut ainsi témoin de sa déconvenue.
Les succès du Matou auprès des femmes étaient très
limités. Yeza, sa reine, le traitait comme un page
impubère, Mafalda comme son esclave personnel,
mais sans jamais faire appel à sa virilité, et si
Geraude le prenait bien dans son lit, c'était uniquement pour le bercer comme un bébé. Et voilà qu'elle
l'avait trahi à son tour! Beni le Matou rêvait de retrouver sa Potkaxl.

> *« Por coi me bait mes maris?*
> *Lassette!*
> *Et c'il ne mi lait dureir*
> *ne bone vie meneir,*
> *je lou ferai cous clamerir, a certes.*
> *Por coi me bait mes maris?*
> *Lassette! »*

Même les *lancelotti* cessèrent de polir et d'affûter
leurs armes en entendant ces notes gaillardes. Les
guerriers rameurs qui avaient quitté la trirème pour
partir avec Taxiarchos avaient tous rattaché leurs
faux à leurs rames. Ils ne voulaient pas renoncer à
l'effet dévastateur de leurs armes préférées.

Taxiarchos se tenait tout en haut, à la poupe, et
scrutait du regard la côte sombre. Juste après avoir
détruit le cœur de la flotte d'Anjou, il avait caressé
un instant l'idée d'apprendre à Yeza que son Roç
était bloqué dans le château d'Otrante, car il était
certain que la trirème n'avait pu quitter le port entre
ses deux passages. Mais comme il était tout aussi
persuadé que Yeza, si elle avait été informée, aurait
exigé d'accoster, il avait préféré s'abstenir. Quant à
Simon, qui savait quel message Guillaume avait
envoyé par le miroir, il n'avait rien dit lui non plus.
De la mer, on n'avait pu voir la trirème cachée dans
le port. C'était une bonne chose. Il voulait être seul
avec Yeza!

« *Por coi me bait mes maris ?*
Lassette !
Or sai bien que je ferai
Et coment m'an vangerai :
Avec mon amin gerai nüete.
Por coi me bait mes maris ?
Lassette ! »

COMME DEUX CERFS EN RUT

À Otrante, c'était l'enfer. Le Diable du feu se déchaînait ! Les fusées montaient à trois fois la hauteur des tours avant d'éclater dans le ciel. Entre deux départs, on entendait tonner des coups de canon : l'explosion de pots de terre que les catapultes envoyaient sur la mer. La flotte de l'Anjou, mise à mal, avait rassemblé en toute hâte les troupes envoyées à terre et avait pris le large.

— *Allah ya'allam !* Que personne ne se gêne, proclama Mahmoud, le jeune armurier, pour fêter une victoire que nous n'avons pas remportée nous-mêmes !

La comtesse avait autorisé Alena Elaia et Salomé à descendre avec leurs femmes et leurs suivantes jusqu'au port, afin de participer aux réjouissances des Maures et des *lancelotti*, des chevaliers étrangers et des troupes d'auxiliaires indigènes. Mais elle demanda à ses dames de cour de garder un œil sur sa fille indocile. Elle-même n'était apparue qu'un bref instant auprès de la trirème, avait savouré l'ovation que lui avaient réservée ses hommes et était convenue avec Dietrich de coordonner les tours de garde et les fêtes de telle sorte que tous en aient pour leur compte.

— Mais que la sécurité d'Otrante n'en souffre pas ! Faites-moi votre rapport à chaque heure, je vous prie, messire Dietrich. Quant à vous, mon cher Gosset, veillez à ce que ma fille regagne son lit à la fin. Elle vous écoute plus que sa mère !

— Vous ne priez vraisemblablement pas avec

cette enfant! lui répondit le prêtre en souriant. Le Coran connaît certainement aussi une supplique pour avoir un sommeil bien gardé?

Shirat l'avait suivi des yeux par-dessus l'épaule, étonnée, non sans jeter aussi à Dietrich un regard que Gosset et l'Allemand perçurent et jugèrent tous deux bien étrange.

— Voulez-vous dire, monseigneur, que le Prophète ne connaissait pas les délices du lit? Dans ce cas, nous autres musulmans, nous devrions passer toutes nos nuits sans joie!

Et, sur ces mots, la charmante créature avait disparu.

Roç avait sans doute remarqué ce regard qui ne lui était pas destiné.

— Que reste-t-il en effet à la femme qui n'a pas d'homme si elle ne trouve même pas le repos dans le sommeil, dit-il à Gosset, d'une voix assez forte pour que l'Allemand l'entende. Roç avait déjà beaucoup bu, et était fermement décidé à ne pas s'arrêter là. Sans tenir compte du froncement de sourcils de Gosset, il avait choisi les trois Occitans comme compagnons de beuverie. Il s'entendait de mieux en mieux avec Raoul, et cette amitié incita Mas à mettre un terme à sa résistance au Trencavel. Quant à Pons, il put ainsi laisser libre cours à l'admiration qu'il éprouvait pour Roç.

Potkaxl était elle aussi d'heureuse humeur. En buvant et en dansant, elle ôtait ses vêtements pièce après pièce, en chantant sa fureur en notes gutturales, grondant parfois comme un tremblement de terre dans la montagne, lançant un peu plus tard des hurlements stridents semblables à des éclairs. Les Maures et les *lancelotti*, ignorant les chagrins d'amour de Potkaxl, applaudissaient et l'encourageaient. Elle fut bientôt toute nue, au grand agacement de Dietrich von Röpkenstein, qui craignait pour la discipline de ses hommes. Il s'efforçait de ne pas jouer les prudes, mais il ne faisait pas bonne figure lorsqu'il se présenta devant les trois Occitans.

— Pour le prochain quart, je prie ces messieurs de se rendre à présent aux murs extérieurs.

Dietrich avait donné ses instructions très calmement, mais Roç bondit aussitôt sur ses jambes, indigné.

— Vous restez ici et vous me tenez compagnie !

Il foudroya l'Allemand du regard, mais celui-ci continua à s'adresser à Raoul.

— Libérez je vous prie, trois hommes de garde, et envoyez-les ici, qu'ils puissent faire la fête à leur tour.

— Allez-y vous-même ! lança Roç. Un Röpkenstein vaut bien trois soldats !

Un rire contenu parcourut ceux qui assistaient à la querelle. Dietrich se maîtrisa. Raoul intervint et s'adressa doucement à Roç :

— Nous y allons, annonça-t-il d'une voix aimable. Nul ne doit être privé de fête à cause de nous !

Il donna une bourrade à Mas, qui espérait déjà que cette confrontation s'envenimerait, puis se dirigea vers l'escalier creusé dans la roche. Pons soupira, haussa les épaules pour s'excuser et les suivit.

— Je prends le quart, moi aussi, dit Dietrich à Gosset. Six hommes pourront ainsi participer à vos réjouissances !

— Ils ne peuvent pas tous faire la fête avec nous, général ? demanda insolemment Potkaxl à Dietrich.

Gosset voulut répondre, mais commença par demander aux femmes de couvrir la Toltèque : elle avait déjà la chair de poule en cette nuit d'hiver.

— La disparition de l'ennemi, expliqua-t-il à tous ceux qui voulaient l'entendre, pourrait aussi être une feinte. Nous devons donc rester sur nos gardes.

— Dans ce cas, je veux moi aussi accomplir mon service pour Otrante ! grogna Roç en se levant lourdement. Mais, mon cher Gosset, demain matin, pour ce qui me concerne, la forteresse sera remise entre les mains de Dieu. Nous, en tout cas, nous levons l'ancre. Vous pouvez faire préparer la trirème.

Roç vida son gobelet et le jeta dans le port. Puis il monta les marches, en titubant un peu.

La fête avait atteint son apogée, mais Alena Elaia
bâillait. Elle ne protesta pas lorsque Mahmoud proposa de la raccompagner au château avec Salomé.
Les femmes les rejoignirent. Il ne restait plus devant
le feu que quelques irréductibles, occupés à finir les
fonds de vin dans les fûts. Gosset répartit les tâches à
accomplir si la trirème devait effectivement quitter
le port le lendemain.

— Que le bateau soit prêt au lever du soleil !
Puis il quitta le bord à son tour.

— Shirat ! Je sais que vous êtes à l'intérieur !
Roç commença par cogner avec le poignet, puis il
frappa du plat de la main contre le panneau.

— Allons, ouvrez-moi ! (Il tira sur le bouton de
bronze de la porte qui donnait sur les appartements
de la comtesse.) Assez de ce jeu cruel ! (Il baissa un
instant la voix, mais recommença presque aussitôt à
tempêter :) Vous ne pouvez pas me laisser comme
cela !

Shirat ne répondit pas. Rien ne bougeait dans la
chambre, même les deux gardiens armés d'une halle-
barde, de part et d'autre de la haute porte, ne bron-
chaient pas et faisaient comme si Roç n'existait pas.
Cela lui évitait la honte, pour autant qu'il fût capable
d'être honteux, ivre comme il l'était. En revanche, il
vit Dietrich von Röpkenstein surgir du néant dans le
sombre corridor, ce qui incita Roç à soupçonner
qu'il venait de sortir par une issue secrète de la
chambre de la comtesse, et qu'il cherchait à donner
l'impression de n'être là que par hasard, au retour
d'une patrouille sur la muraille.

— L'Anjou menace-t-il le lit de la comtesse, lança-
t-il, narquois, à l'Allemand, pour que vous veniez ici
aussi contrôler la vigilance d'Otrante ?

— Messire de Les Beaux, lui, a compris qu'un
siège est devenu absurde, dit-il en pesant chacun de
ses mots. D'autant plus que ce qu'il a dans ses pantalons n'y suffirait pas.

Avec un cri de fureur, Roç s'était jeté sur le guer-

rier blond, mais celui-ci l'évita habilement et le
poing du Trencavel donna dans le vide. Roç s'immobilisa et, constatant que son adversaire n'avait pas
d'arme, il attrapa sa ceinture et laissa sa rapière tomber par terre. Sans quitter Dietrich des yeux, il alla
auprès de l'un des gardes et lui ôta d'un coup sa hal-
lebarde. Le garde ne réagit pas. Roç brisa la lance
juste derrière le fer, sur le parapet en pierre de la
balustrade qui entourait le corridor. Le bois cassa
presque sans éclat, et le fer atterrit dans la cour. Faisant passer la barre nue d'une main à l'autre, il lança
à l'Allemand un regard de défi.

Dietrich avait pris l'arme du second garde. Celui-ci
ne l'avait pas encore lâchée lorsque le soldat blond,
d'un coup sec du tranchant de la main, sépara la partie métallique de la lance. Puis il se mit à son tour en
position. Ils s'épiaient, le bâton prêt à frapper. Ils se
toisaient, avançaient, reculaient d'un bond. Ensuite,
comme un orage de grêle après l'éclair, les coups
tombèrent, bois contre bois. Ce premier échange,
qui était encore conforme aux règles, n'avait donné
l'avantage à aucun des deux hommes lorsque Gosset
monta l'escalier, suivi par Potkaxl. Ils s'arrêtèrent,
mais ne dirent pas un mot : Gosset savait que, si l'on
veut purifier l'air, il faut laisser les nuages d'orage se
décharger.

Mais les coups devenaient de plus en plus perfides : ceux de Roç ne visaient plus le torse nu de
l'Allemand, mais se dirigeaient aussi vers les jambes
et les parties génitales de son adversaire. Dietrich,
lui, frappait comme un marteau, et Roç avait bien
du mal à parer ses attaques portées entre la tête et le
cou : si l'une d'elles l'avait atteint là, il se serait retrouvé aussitôt dans les bras de Morphée, voire un
étage plus bas. Entre les mains de ces deux hommes,
les barres de bois devenaient des armes meurtrières,
et seule leur maîtrise apparente donnait encore
l'impression qu'il s'agissait d'un jeu. C'était en fait
devenu depuis longtemps un combat à mort. Tous
deux profitaient de la moindre occasion pour

envoyer, en plus du reste, leur poing dans le visage de leur adversaire. Dans ce domaine, l'avantage revenait à l'Allemand. Ses coups étaient de plus en plus violents, le bois du Trencavel craquait déjà, près d'éclater. Roç simula une faille, Dietrich s'y engouffra aussitôt, les doigts pointés vers les yeux de Roç. Mais celui-ci recula agilement sur une jambe, tourna sur son axe et se retrouva le dos à l'adversaire avant de faire remonter sa jambe et d'atteindre Dietrich au menton, d'un coup de pied qui le fit tituber et lâcher son bâton. Le pied de Roç atteignit à plusieurs reprises la tête de son adversaire, jusqu'à ce que l'Allemand hurle de douleur, se précipite vers lui, attrape sa jambe et lui fasse perdre l'équilibre. Roç tomba, de dos, sur le sol de pierre. Le géant allemand se jeta de tout son poids dans sa direction pour achever le Trencavel au corps à corps. Mais il avait attendu un instant de trop. Avant que Dietrich von Röpkenstein ait pu écraser Roç, celui-ci s'était déjà jeté sur le côté, genoux pointés. Dietrich, atteint au plexus, en eut le souffle coupé. Il roula comme une colonne de marbre, alla s'échouer contre la balustrade et ne bougea plus. Roç leva les yeux. À cet instant seulement, il vit Shirat, qui souriait derrière la porte ouverte. Il se détourna, furieux.

Gosset s'agenouilla à côté de Dietrich et tenta de le ranimer en le frappant du plat de la main. Potkaxl arriva avec une coupe d'eau froide et la versa sur les cheveux blonds de l'Allemand, englués de sang. Dietrich ouvrit ses yeux gonflés. Gosset ordonna aux deux gardes de l'emporter.

— Vous aviez une chose urgente à me dire, mon cher Trencavel, susurra Shirat en désignant son lit, derrière elle. Roç franchit le seuil en titubant, sa tête résonnait comme une marmite à la forge. Il avait l'impression d'avoir perdu une oreille, et son nez n'était plus qu'une masse molle, sans doute cassée. Il alla jusqu'au lit et s'y laissa tomber sur le dos. Shirat l'avait suivi.

— Vous ne voulez pas fermer la porte ? (Roç avait

suffisamment retrouvé ses esprits pour être gêné par
la porte ouverte.)

— Vous ne supposez tout de même pas, mon cher
Roç, que je me considère à présent comme le lot du
vainqueur... Et puis vous saignez du nez !

Elle s'assit à côté de lui et lui nettoya le visage.
Avec une étrange substance.

— *Agrimonia eupatoria* mélangé à du boudin noir,
dit-elle en souriant. Cela brûle affreusement, mais
cela cicatrise le sang et fait désenfler.

Roç la laissa faire en gémissant. Lorsqu'elle se
pencha vers lui, il l'attrapa des deux mains.

— Dites-moi où vous brûlez, et j'éteindrai le feu,
chuchota-t-il. Apaisez mon désir ! (Il prit la main et
la posa sur ses parties génitales.) Faites-moi désenfler, Shirat, je ferai fleurir votre poitrine et votre
petit jardin.

Elle ne le laissa pas continuer, le regarda profondément, posa ses lèvres sur sa bouche et laissa sa
main là où Roç en avait besoin — un besoin tellement impérieux que l'on en oublia de fermer la
porte. Roç ne s'en souvenait déjà plus, mais Shirat
ne l'avait pas oublié. Cela ne l'empêcha pas de donner à Roç plus que ces premiers secours. Elle
conserva ses vêtements, et un œil ouvert en direction
de la porte. Lorsque Gosset revint, Roç s'était déjà
réconcilié avec le monde ; son nez était lui aussi en
train de désenfler, grâce à cette remarquable médecine. Elle avait déployé une couverture au-dessus de
lui. Il était plus proche du sommeil que d'une cavalcade dans les jardins et les buissons fleuris. Shirat
resserra sa chemise sur sa poitrine.

— Roç Trencavel va me faire la promesse qu'il ira
chercher et trouver mon époux bien-aimé à Épire et
me le ramènera sain et sauf. (Le prêtre était resté sur
le seuil.) En contrepartie, je le garde cette nuit dans
mon lit et je l'autoriserai demain matin à utiliser ma
trirème.

Elle éclata de rire. Mais Roç objecta d'une voix
ensommeillée :

— Récupérer Hamo sain et sauf, dit-il en bâillant, suppose qu'il ne se soit pas laissé entraîner dans une rixe avec des inconnus et qu'on ne l'ait pas arrangé aussi bien que moi.

— Il n'y a rien à craindre de ce côté-là avec mon Hamo. Alors jurez, noble Trencavel ! Quant à vous, Gosset, ne soyez pas le témoin de ce serment, mais son garant.

Roç se redressa en constatant qu'elle était sérieuse.

— Je jure sur votre corps, Shirat Bunduktari, que je vous ramènerai votre époux, même contre sa volonté, en surmontant toutes les résistances, cachots et blessures, maladies et faiblesses !

— Voilà qui me paraît correct, même si ce n'est pas spécialement prometteur, dit Shirat. Jurez-moi aussi que vous me ramènerez la trirème en bon état !

— On dirait que vous y tenez encore plus ! se moqua Roç, qui reprenait visiblement des forces. Quant à vous, Shirat, promettez-moi, cette fois, de fermer cette porte jusqu'au petit matin !

— Je m'en vais ! dit Gosset en tournant les talons. Profitez du crédit, puisque c'est sur moi que pèse la caution.

Il referma la porte derrière lui avec un sourire amusé. Shirat versa dans la coupe le liquide trouble d'une autre carafe, et acheva de la remplir avec du vin sombre.

— Buvez cela, ordonna-t-elle en laissant sa robe de chambre s'ouvrir, je veux un homme qui ait des forces.

Roç comprit. Il vida la coupe d'un seul trait et replongea dans les oreillers pour l'attendre. Shirat se pencha au-dessus de lui. Roç s'était endormi avant même qu'elle puisse le cajoler. Elle se contenta de lui déposer un baiser sur le front. Puis elle se glissa dans le lit, prit sa main ramollie et la serra entre ses cuisses. Elle se colla tendrement contre lui et se laissa elle aussi glisser dans le sommeil.

IV

LES FLÈCHES DE CUPIDON
ET QUELQUES AUTRES

Quand cela vous atteint...

— Dites-moi juste une chose, Jordi, demanda Yeza avec un soupir. Qu'est-ce qui est passé par la tête de Taxiarchos, pour qu'il maltraite à ce point la flotte de l'Anjou ? Ce n'est pas que j'aie des remords, mais il a foncé sur les Provençaux comme un possédé.

Le nain leva les yeux vers elle. La pénombre de la nuit empêcha Yeza de remarquer son sourire mutin.

— Pour moi, notre capitaine a seulement épanché ses humeurs. Il avait besoin de décharger sa colère sur des navires étrangers, parce qu'il n'a pas la possibilité, sur son propre bateau (disons les choses ainsi) de montrer ses états d'âme sans perdre son aura de maître des lieux. Sa fierté le lui interdit.

— Qu'est-ce qui ne lui va pas ? questionna sincèrement Yeza. Peut-être une discussion franche pourrait-elle régler les choses ?

— Ou bien elle pourrait encore les aggraver, si c'est *vous* qui discutez avec lui. Il est jaloux et a honte de l'être. Mais c'est le rude destin d'un amoureux.

— Jaloux de Simon ? (Yeza ne put s'empêcher de rire.) J'aimerais qu'il ait la moindre raison de l'être. Simon prend son serment de virginité plus au sérieux que ne le prescrit la règle de son Ordre.

Jordi sentait le vent de la nuit lui balayer les cheveux, ils se tenaient à la proue de *L'Atalante,* et sa
petite taille ne lui permettait pas de regarder par-
dessus le bastingage.

— Il n'est nul besoin de motif pour être jaloux, le
moindre prétexte suffit, marmonna-t-il. C'est la raison pour laquelle il va sans doute débarquer
aujourd'hui même Simon de Cadet et ses chevaliers...

— Mais c'est grotesque ! s'indigna Yeza. Je vais
aller parler à ce seigneur !

Elle s'apprêtait à intervenir sur-le-champ, mais
son troubadour la retint.

— Il me semble qu'il vaudrait mieux pour Simon
ne pas se trouver sur *L'Atalante* si celle-ci devait être
reprise par les Templiers. On pourrait l'accuser
d'avoir couvert les actes de Taxiarchos, sinon d'en
avoir été le complice !

Yeza le dévisagea.

— De nous, les femmes, on attend toujours que
nous renoncions à quelque chose.

Jordi se tut : Geraude et Mafalda venaient d'arriver
en courant.

— Pourquoi tolérez-vous..., s'enquit la Première
dame de cour en tentant de se maîtriser, mais sa voix
n'était qu'une vibrante accusation, pourquoi tolérez-
vous que Simon soit mis dehors comme un cabot
importun ?

Yeza fut agacée par ce manque de maîtrise.

— Parce que le « maître » de ce navire ne veut pas
jeter à l'eau la chienne après laquelle il court !

— De qui parlez-vous ? feula Mafalda d'une voix
stridente, prête à se précipiter sur Yeza.

— Mais de moi, bien entendu, ma chère ! répliqua
tranquillement Yeza. On eut un instant l'impression
que la Première dame allait tout de même en venir
aux mains, ce que Yeza attendait avec un mauvais
plaisir. Pourquoi n'apaiserait-elle pas ses
« humeurs », elle aussi ? Mais le petit Jordi s'était
interposé entre les deux femmes. Mafalda, le souffle

court, resta les yeux rivés sur sa maîtresse jusqu'à ce que Geraude se mette à sangloter bruyamment, ce dont la Première dame de cour profita pour tourner les talons, l'air offusqué.

— Viens, Jordi, dit Yeza, amusée, chante-nous donc une petite chanson sur les joies et les peines de l'amour, les disputes stupides des idiotes, qui ne sont qu'un passe-temps pour les femmes !

— Je vous mettrai tout cela en musique à la première occasion, promit Jordi avec un sourire, en dressant sa tête vers le ponant qui lui caressait agréablement le cuir chevelu. Pour cette fois, je préfère un *canzo* de Gaucelm Faidit, qui pourra aussi consoler notre Geraude, dont les larmes viennent si vite.

> « *Del gran golfe de mar*
> *e dels enois dels portz,*
> *e del perillos far*
> *soi, merce Dieu, estortz,*
> *don posc dir e comdar*
> *que mainta malananza*
> *i hai suffert'e maint turmen.* »

Sous le pont de *L'Atalante*, on n'entendait rien de la chanson de Jordi. L'agitation qui y régnait avait empli les otages d'espoir. Mais il s'avéra bientôt que seuls les Templiers allaient débarquer. Ce n'étaient certes pas des prisonniers, même si on les traitait comme tels, et Simon fut quelque peu étonné de la rudesse avec laquelle les *lancelotti* leur hurlèrent, à lui et à ses chevaliers, de se préparer pour un « passage à terre ». La déception des hommes du vicaire de l'empire s'exprima par des jurons. Oberto Pallavicini, en revanche, ne prit pas la peine d'émettre une protestation qui n'aurait eu aucun sens. Il était convenu depuis longtemps avec l'un des Templiers qu'il échangerait ses vêtements avec lui à la première occasion, afin de pouvoir s'enfuir. Il fit discrètement signe au chevalier Guy de la Roche pour qu'il le suive

dans un réduit où les autres chevaliers de l'Ordre ne
pourraient les voir. Et Guy connaissait son salaire : il
allait gagner un fief opulent dans la région de son
choix. Oberto n'avait pas été chiche de promesses, il
avait même l'intention de les tenir : il offrait régulièrement des fiefs aux chevaliers méritants. Guy
répondit donc à l'invitation et, quelques minutes
plus tard, il rejoignait les otages tandis que Pallavicini, portant le clams blanc d'un Templier, mais sans
la visière sur les yeux, prenait place sur l'escalier
avec les autres chevaliers du Temple. On allait leur
restituer leurs épées, qu'ils n'avaient pas été autorisés à emporter sous le pont — une sage mesure.
Corrado de Salente, le plus ancien des *lancelotti*,
avait fait déposer les armes en tas sur les planches
du navire. Chacun de ces seigneurs devait se pencher
pour aller ramasser sa lame. Oberto sut transformer
en avantage ce que la plupart d'entre eux considérèrent comme un affront de Taxiarchos, ce rustre ; il
put ainsi dissimuler son visage défiguré lorsqu'il
arriva en dernier pour prendre l'épée de sa doublure.
Puis, comme tous les autres avant lui, il dut se diriger vers le bastingage, en franchissant la haie silencieuse des porteurs de faux. Il constata que *L'Atalante* s'était approchée si près du bord que l'on avait
pied en en descendant — l'eau leur arrivait jusqu'aux
hanches. Oberto Pallavicini sauta vers la liberté. Il
n'avait pas l'intention de se faire identifier par
Simon, et se dirigea donc au plus vite vers les
rochers les plus proches. Il commença par s'y dissimuler aux regards des marins de *L'Atalante*, puis
s'accroupit dans l'eau froide de telle sorte que seule
sa tête en dépassât. Il entendit alors des cris : on
venait de remarquer l'absence de frère Guy. Quelques hommes en blanc revinrent sur leurs traces, et
cherchèrent un moment aux alentours. Puis on
annonça que frère Guy s'était noyé, et les voix des
Templiers s'éloignèrent en direction des terres. La
coque noire de *L'Atalante* se dressait encore devant
Oberto, découpant le ciel de la nuit. Il avait affreuse-

ment froid, mais n'osait pas bouger. Il entendit alors qu'on levait enfin l'ancre, et la silhouette menaçante s'éloigna. À cet instant, il crut voir une nouvelle silhouette blanche sauter par-dessus bord. Était-ce Guy qui l'avait suivi, contrairement à leurs accords ? Dans ce cas, sa fuite serait immédiatement éventée. Mais *L'Atalante* disparut. Oberto se leva, tout raide, et avança en vacillant jusqu'à la terre ferme.

Mafalda avait demandé à Geraude, qui tremblait de peur et que l'excitation empêchait de pleurer, de jeter derrière elle deux corbeilles : l'une remplie de bijoux (elle coula immédiatement, comme une pierre), une autre plus grande, avec ses plus beaux atours. Elle traîna celle-ci dans l'eau, jusqu'à la terre, en geignant de rage. Elle vit les clams blancs s'éloigner dans la pénombre. Elle voulut crier, mais une main se posa, par-derrière, sur sa bouche, et étouffa en un râle son « Simon, attends-moi ! ». Mafalda n'eut pas peur : lorsqu'elle vit le clams, elle fut parfaitement certaine que Simon l'avait attendue. Son effroi fut d'autant plus violent lorsqu'elle vit l'œil ravagé de Pallavicini. Elle tenta de nouveau d'ouvrir la bouche pour hurler, mais une gifle puissante l'en empêcha. Elle recommença donc à pleurer (elle n'avait pas de peine à le faire : il lui suffisait de penser à ses bijoux perdus). Mais cela ne servait à rien, le vicaire ne montrait aucune émotion. Elle se rappela donc bientôt sa position de Première dame de cour, née de Levis, comtesse de Mirepoix.

— Digne sire, dit-elle, j'espère que vous n'avez pas l'intention de profiter de la situation ?

— Si, répondit froidement Oberto. Puisque je vous ai à mes chausses, je vais en tirer le meilleur profit. En commençant par ce détail : ou bien vous tirez votre bahut toute seule, ou bien vous l'abandonnez sur place.

— Mais je n'ai rien à me mettre ! se lamenta Mafalda. Demain matin, il faudra que vous m'aidiez à trouver mes bijoux, qui sont tombés dans...

Le rustre éclata de rire.

— Je vais essayer d'atteindre dès cette nuit le château d'Otrante. Si vous êtes une bonne marcheuse et si vous cessez de me ralentir, libre à vous de me suivre.

Oberto vit les yeux de Mafalda s'emplir à nouveau de larmes — mais c'était cette fois par sincère désespoir. Il changea de ton et se fit aimable.

— Là-bas, on vous donnera des vêtements secs et puis...

Dans un accès de générosité, il ôta son anneau d'or du doigt.

— ... cela pourra vous consoler de cette terrible perte.

Et il le passa au doigt de Mafalda, ahurie. Il était trop large, ce que Pallavicini saisit comme prétexte pour reprendre aussitôt son cadeau, qu'il glissa à son annulaire.

— Je vous promets un bijou qui vous ira. (Dans son œil sain brillait une sorte de lueur de bonté.) La cassette de la comtesse Shirat est sans doute abondamment...

Il n'alla pas plus loin : Mafalda avait surmonté son dégoût et lui avait déposé, à sa grande surprise, un baiser sur la joue.

— À deux, nous y arriverons ! affirma-t-elle, pleine d'espoir. Je suppose que les Templiers ont eux aussi suivi la direction du château !

Oberto Pallavicini ne répliqua pas, et ils se mirent tous deux en chemin.

L'Atalante filait dans la nuit sous le ponant. On avait mis cap à l'ouest. La tente de Taxiarchos était dressée sur la poupe surélevée. Il avait laissé à Yeza et à sa suite les appartements qui lui revenaient sous le pont. Jordi et le vizir se partageaient la première pièce, le réduit situé derrière la salle d'eau et la buanderie de Yeza était occupé par la dame Mafalda et par Geraude, la servante. Le magnifique pavillon de tente de l'amiral était éclairé de l'intérieur, et sur

l'espèce de parvis qui s'étalait devant elle, recouvert
de cuivre, quelques Maures vaquaient à leurs offices
comme s'ils n'avaient jamais exercé d'autre profession que celle de maître queux. Le feu, protégé du
vent, montait entre les grosses pierres. Yeza avait
faim, elle renifla et se dirigea vers la porte refermée
de la tente. Les *lancelotti* lui sourirent. Beaucoup
d'entre eux avaient toujours de Yeza l'image d'une
petite fille insolente. Lorsque la blonde jeune fille
avait été, pour la première fois, mise en sécurité à
Otrante, ils l'avaient bercée sur leurs genoux. Ils
étaient tous prêts à franchir le feu et l'eau pour leur
princesse. À leurs yeux, la véritable héritière de la
légendaire Abbesse, la redoutée comtesse Laurence
de Belgrave, n'était ni Clarion, sa fille adoptive, ni
Hamo, son fils, et encore moins Shirat, l'épouse de
celui-ci. Non, c'était Yeza Esclarmonde, la fille du
Graal !

L'intérieur de la tente ne devait pas trahir les
efforts de l'homme pour séduire Yeza, mais son désir
était dans l'air et paraissait faire trembler les nombreuses bougies dans leurs chandeliers d'argent. La
table débordait. On aurait pu croire que cet amiral
des corsaires attendait la princesse et son escorte. Il
l'avait pourtant invitée toute seule.

Taxiarchos bondit sur ses jambes en voyant Yeza
apparaître à la porte. Il lui tomba presque dans les
bras et la dirigea ensuite, très guindé, vers la place
qu'il avait prévue pour elle, un gigantesque coussin
de soie dans lequel elle s'enfonça aussitôt.

— Échangeons nos places, proposa-t-elle en riant
lorsqu'elle eut réussi à s'en extraire. Laissez-moi
votre banquette dure. Moi, je me réjouirai de vous
voir vous enfoncer dans ce pouf !

Taxiarchos, qui avait déjà rempli deux coupes
pour boire à son invitée, était embarrassé. Yeza
trouva la solution.

— D'ailleurs, nous tiendrons bien à deux sur la
banquette. (Elle lui prit la coupe des mains, l'avala
d'un coup et s'assit à côté de lui.) J'ai une faim terrible !

Taxiarchos reposa en toute hâte la coupe qu'il s'apprêtait à porter à ses lèvres, et claqua des mains. Les Maures apportèrent des plateaux d'argent où l'on avait disposé toute sortes d'animaux marins, des crabes, des mollusques et des huîtres. Des citrons jaune-vert découpés et brillants étaient dispersés sur les plats.

Yeza plongea la main, ouvrit les mollusques, la chair tressaillit et Taxiarchos y saupoudra du poivre frais. Elle les aspira un à un, son hôte en fut tellement ravi qu'il ne mangea pas et ne s'en aperçut même pas. Lorsqu'elle en eut liquidé une bonne douzaine, avec trois coupes de ce vin clair et résineux, elle constata avec un rot charmant qu'elle se sentait mieux. Taxiarchos s'assit à côté d'elle en soupirant et passa timidement le bras autour de sa taille. Sa gaucherie incita Yeza à tolérer sa familiarité. Elle s'apprêtait à lui adresser un mot d'encouragement lorsque les *lancelotti* ouvrirent d'un seul coup le rideau et laissèrent entrer dans la tente Geraude, qui sanglotait.

— Mafalda, se lamenta-t-elle, Mafalda s'est jetée à la mer !

— Quelle idiote ! laissa échapper Yeza.

— Elle nous a quittés pour toujours ! geignit Geraude.

— Elle ne s'est peut-être pas noyée ! la tranquillisa Taxiarchos.

— Noyée ? (Geraude cessa de pleurnicher.) Elle a emporté tous ses bijoux et tous ses vêtements, l'eau de mer va tout lui esquinter, pauvre Mafalda !

— Allez, va te coucher, Geraude, ordonna Yeza, agacée. Et ne nous dérange plus !

La suivante se retira.

Les Maures apportèrent le plat de résistance, du homard tranché en deux, agrémenté de fenouil haché, d'ail, d'oignons et de gousses de poivre rôties à la braise. Ils voulurent présenter les plats, mais Taxiarchos les mit dehors et ferma ostensiblement le rideau. Yeza servit à boire, avant de s'attaquer au

...astacé. Taxiarchos cassait les pinces et les pattes ...our Yeza, qui n'avait plus qu'à en extraire la chair blanche du bout des dents. Elle le faisait avec délices : il ne quittait pas ses lèvres des yeux. Taxiarchos décida de rester prudent. Yeza commença à le nourrir à son tour, d'abord du bout des doigts, mais il évita de les toucher. Elle prit donc les morceaux de homard dans la bouche et lui tendit sa pitance entre les dents. Il faudrait bien qu'à un moment ou à un autre il se débarrasse de toutes ces carapaces, qu'il la prenne dans ses bras et l'embrasse. Bientôt, elle tiendrait l'appât si près d'elle qu'il n'aurait d'autre possibilité que de lui tomber dessus. Alors, elle se jetterait sur sa poitrine poilue, se courberait pour qu'il n'ait plus d'autre choix que de s'emparer de ses seins bien fermes, se laisserait tomber et ouvrirait les cuisses.

Mais il y eut du tumulte devant la tente. Cette fois, c'étaient les *lancelotti* qui, après un bref instant d'hésitation, tirèrent le rideau. Taxiarchos et Yeza s'étaient déjà éloignés l'un de l'autre lorsqu'ils entendirent crier « Oberto s'est échappé ! »

— Et merde ! s'exclama Yeza.

Taxiarchos, lui, s'était levé et s'était retrouvé à la porte d'un seul bond. Corrado de Salente, manifestement gêné par toute cette affaire (mais pas d'avoir dérangé le couple), fit son rapport :

— Il a certainement accosté avec les Templiers !

— Dans ce cas, celui qui l'a aidé à s'enfuir est encore à bord ! s'exclama Yeza de l'intérieur de la tente. Avez-vous vérifié ? demanda-t-elle au vieil homme, qui dut secouer la tête. Le reproche de la princesse lui était encore plus pénible que la perte du prisonnier. Plusieurs *lancelotti* descendirent aussitôt l'escalier et surgirent dans la cale, l'épée à la main. À leurs cris, on comprit que l'otage volontaire s'était immédiatement fait reconnaître : c'était le chevalier Guy de la Roche.

— Laissez-le croupir là-dessous ! hurla Taxiarchos, hors de lui. Mettez-le aux fers. Que ce traître ne me tombe pas sous les yeux, je pourrais me laisser aller !

Tout cela paraissait très martial, et cela n'aurait pas manqué d'impressionner une femme comme Mafalda. Mais pour Yeza, il était clair que cette soirée était définitivement gâchée. Elle se leva, quitta la tente sans dire au revoir et redescendit dans sa cabine.

MÉNAGE À TROIS

On lisait de nouveau les mots à la proue de la trirème : « Comtesse d'Otrante ». Quelqu'un avait soigneusement repeint les lettres blanches effacées par le temps. Roç regarda avec colère « son » navire : amarré au port, on y portait les dernières provisions, dans des caisses et des ballots. On installait aussi les fûts pour l'eau potable et la nourriture pour les chevaux, en bas, dans la cale. Malgré son âge, la trirème avait été construite avec tant d'intelligence que l'on pouvait conduire les chevaux sous le pont, sous les cabines, sans qu'il fût nécessaire d'ouvrir la paroi latérale, comme on le faisait sur la plupart des navires de combat, ce qui forçait les équipages à calfater l'orifice chaque fois. Les Maures avaient nettoyé le sable que l'on avait disposé sur les planchers pour les protéger contre le feu et les projectiles, et remis la catapulte à sa place normale. Roç observa avec intérêt le graissage des chaînes qui remontaient le bélier sans que l'on ait à ralentir la course du navire, et pouvaient tout aussi vite laisser s'abattre l'arme secrète de la trirème. Roç se rappela comment Guillaume, alors que Yeza et lui-même étaient encore enfants, avait demandé qui pouvait bien être ce messire « Cidi-cidi », dont la vieille comtesse de Belgrave ordonnait l'emploi meurtrier. Les Maures avaient ri : « Cidi, Cidi », avaient-ils expliqué, signifiait « *Il cazzo della contessa del Diavolo* ». Il vit que les *lancelotti* qui n'avaient pas embarqué sur *L'Atalante* à Linosa s'installaient à leur tour sur le navire. Ils avaient soigneusement poli les faux de leurs rames : elles brillaient au soleil du matin.

Roç était de bien méchante humeur. Son nez bleu enflé et quelques écorchures à peine cicatrisées aux deux mains lui rappelaient la nuit passée. Il s'était foulé un pied : depuis qu'il avait quitté les Mongols, il ne s'était plus exercé à ce type de combats. Son corps avait perdu de sa souplesse et, au-delà des coups reçus, lui faisait aussi payer ceux qu'il avait donnés. C'est vrai, il avait vaincu, mais cela ne le satisfaisait guère. Il s'était apparemment endormi dès qu'il s'était retrouvé dans le lit de Shirat. Cette chatte s'était une fois de plus moquée de lui! Roç n'avait plus qu'un désir, à présent : voir Otrante et sa maîtresse disparaître aussi vite que possible derrière l'horizon! Et Dietrich! Il espérait ne pas avoir si brutalement frappé son capitaine qu'il ne puisse reprendre son service. Dans son dos, Roç entendit le rire clair de Potkaxl, qui atterrit devant ses pieds, les fesses nues. Elle avait utilisé le toboggan de cuivre par lequel on faisait glisser les sacs, un plaisir auquel Yeza et lui-même, enfants, s'étaient adonnés avec joie, ne serait-ce que parce qu'il leur était interdit. Et, derrière Potkaxl, c'est Beni qui tomba du tuyau. Ne l'avait-on pas perdu à Linosa, celui-là, n'avait-il pas passé par-dessus bord, ne s'était-il pas noyé? Roç pressentit des surprises désagréables, qui ne pourraient qu'ajourner encore le départ de la trirème.

— D'où viens-tu donc? demanda-t-il d'une voix hargneuse à son serviteur.

— De la tour!

— Et de quelle tour, je te prie?

— Du donjon, là-haut, celui où se trouve le miroir!

— Et qu'est-ce que tu y faisais?

— J'ai appris comment on envoie les signaux : Toc - toc - pause - toc - toc - toc.

— Quoi? s'exclama Roç. Qui a révélé le chemin qu'a pris *L'Atalante*?

— Simon de Cadet a expliqué à madame la comtesse qu'en tant que chevalier, c'était son devoir sacré envers son Ordre, quels que soient les services rendus à Otrante par Taxiarchos !

— Et comment le Templier est-il arrivé à Otrante ?

— *Per pedes*, je l'ai guidé, parce qu'il m'a raconté comment, une nuit, Taxiarchos l'a déposé sur la côte, uniquement parce qu'il avait fait les yeux doux à dame Yeza...

— Qu'est-ce que tu racontes ? Yeza était à bord de *L'Atalante* ? Et elle est passée devant nous... sans me...

— Comment pouvait-elle savoir que vous étiez encore ici, et non à Épire ? Pour moi aussi, c'est une heureuse surprise...

— Beni le Matou a flairé sa Potkaxl à des lieues de distance, intervint Gosset, qui avait préféré ne pas emprunter le toboggan. Simon de Cadet et ses chevaliers prendront la mer avec nous dès que la prestation de serment aura eu lieu ici, dans le port, *coram publico*.

— Mais j'ai juré cette nuit même, s'insurgea Roç, que si Hamo l'Estrange croisait notre chemin, je le renverrais auprès de sa fidèle épouse.

— Shirat ne veut pas ouvrir la chaîne avant que nous ayons prononcé ce serment devant Dieu et le peuple tout entier.

— Faites-lui ce plaisir, intervint alors Raoul, qui s'était présenté sur le pont avec Mas et Pons, prêts à embarquer. Roç écouta son nouvel ami. Il sut à cet instant qu'il avait véritablement fait du tort à la comtesse et que la trirème compterait un passager de plus que ce que Shirat avait prévu. La veille, lorsqu'il avait ourdi son plan avec les trois Occitans ivres, il avait encore mauvaise conscience. Mais il se disait, depuis, qu'après tout, elle avait mérité ce qui lui arrivait. On pouvait donc se fier au trio. Cela l'encouragea, et il décida de ne pas se laisser gâter la joie du départ, même lorsqu'il vit la comtesse descendre l'escalier au bras de Dietrich. Simon et ses Templiers marchaient derrière elle. Elle guidait plus l'Allemand que l'inverse : la tête du chevalier était

enveloppée par une telle surface de bandages que
seuls ses yeux et sa chevelure blonde en émergeaient
encore. Tandis que Gosset se hâtait d'aller saluer
Shirat, Dietrich s'éloigna d'elle et se présenta devant
Roç.

— Bien que je craigne que vous n'ayez déjà confié
la place à quelqu'un d'autre, votre capitaine se présente à son poste, Roç Trencavel.

— Soyez remercié, messire Dietrich, je comptais
sur vous !

La situation était ainsi de nouveau clarifiée, au
moins provisoirement. Roç, suivi par ses hommes,
marcha vers la comtesse pour saluer Simon de Cadet
et expédier aussi vite que possible la prestation de
serment que l'on attendait de lui.

Oberto Pallavicini tirait Mafalda par le bras. Il la
traîna au bord du rivage : en avançant ainsi, ils
atteindraient forcément le château salvateur à un
moment ou à un autre. D'ailleurs, l'aube pointait
déjà. Il avait tout de même autorisé la dame à sortir
de sa caisse de linge quelques vêtements auxquels
elle tenait particulièrement ; elle portait à présent sur
la tête ce ballot imbibé d'eau.

— Je n'en peux plus ! geignait Mafalda.

Elle s'attendait à ce qu'Oberto, excédé, finisse par
la gifler. Mais s'il leva effectivement la main, ce fut
seulement pour la poser sur sa bouche, en désignant
la plage, sans dire un mot. Entre les roches noires,
une silhouette humaine rampait sur le rivage. Mais
elle ne parvenait pas à sortir de l'eau, d'où seul son
visage dépassait tant bien que mal. Il était impossible de dire de qui il s'agissait, on voyait seulement
qu'il était blessé. L'un de ses bras paraissait abîmé —
non, il était amputé ! En quelques bonds, Oberto, le
borgne, rejoignit le naufragé et, peu secourable, le
retourna sur le dos avec la pointe de sa botte. La
lumière blême du matin tomba ainsi sur le visage de
l'homme.

— Rinat Le Pulcin ! s'écria le vicaire, sans hostilité, juste un peu déçu de devoir une fois encore sauver la vie à cet individu. Qu'est-ce qui vous amène ici de si bonne heure ?

Le malheureux se contenta de tendre son bras valide à son sauveteur involontaire, et se fit hisser jusqu'à ce qu'il soit sur les genoux. Ensuite, il se releva en vacillant.

— J'ai pris un bain de mer, et j'ai été surpris par la pénombre.

— Au service de qui, cette fois ? demanda Oberto, acide. Mais la dame l'interrompit.

— Je suppose que ce pauvre hère était sur le navire que nous avons envoyé au diable.

— Si vous étiez à bord de *L'Atalante*, diablesse, je comprends mieux pourquoi mon ange gardien m'a laissé tomber !

— Il n'est pas question d'emmener cet individu auprès de la comtesse d'Otrante ! protesta Mafalda.

— Otrante ? Vous devenez folle ? Que voulez-vous faire là-bas ?

Ce n'était pas Pallavicini, mais Rinat, qui avait réagi aussi vivement.

— Tiens ! s'exclama le vicaire en s'adressant à sa compagne de route. Il a déjà été là-bas ! Terre brûlée ! Mieux vaut, reprit-il avec plaisir, que nous le laissions couché ici jusqu'à ce que les oiseaux arrivent et commencent par lui arracher les yeux avant de lui ronger l'autre bras jusqu'à l'os tandis que les fourmis, les vers et autre vermine...

— Ici, sur le rivage, il doit y avoir des crabes carnivores... Ils s'occuperont avec délices, ou plutôt avec écœurement, de ce qu'auront laissé les autres. Cela peut durer des jours, des semaines même.

— Et pourtant, ce n'est pas la moitié de ce qui vous attend, Oberto Pallavicini ! répliqua Rinat. À votre avis, messire le vicaire de l'empire, pour quelle raison est-ce que je veux éviter Otrante ?

— Vous voulez remettre la ville aux mains de Charles d'Anjou...

— Vous prenez les choses si légèrement, cela ne

m'étonne pas qu'on vous ait laissé l'un de vos yeux bleus...

— Je pourrais aussi mettre un terme subit à votre misérable existence d'estropié! (Le vicaire, toujours vêtu de son habit de Templier, posa la pointe de son épée sur la pomme d'Adam de Rinat.) Et rendre votre cadavre à la mer!

— Alors j'emporterai tout ce que je sais dans la tombe, un savoir que vous m'envierez bientôt, lorsque vous me suivrez, jeté aux poissons après avoir été découpé en petits morceaux.

— Ne tournez pas tant autour du pot, Rinat! s'exclama Mafalda, qui avait froid. Déchargez votre âme noire! J'ai quant à moi du mal à vous croire doté d'une conscience.

Rinat accepta cette proposition avec gratitude.

— Le fait que messire Manfred ait éloigné le comte d'Otrante de son château sans se soucier de placer l'un de ses représentants sur ce point stratégique a été une grave erreur. Ses étalons sont sortis comme s'il se trouvait sur l'île une jument de race.

— Vous ne connaissez pas la comtesse Shirat!

— Oh, si! grogna Rinat. Ce n'est pas que je l'aie montée... D'ailleurs ce n'est pas ma manière!

— Il vous manque sans doute pour cela les deux petites boules dans leur sac, et le marteau qui va avec! nota Mafalda, mais cela ne troubla pas le peintre.

— Michel Paléologue, empereur de Nicée, dont vous ne nierez sans doute pas la virilité, a vu toutes les raisons d'aller marcher sur les plates-bandes du roi de Sicile. Un beau jour, quelques marchands grecs en transit se sont ainsi présentés à Otrante, ils ont su transmettre gracieusement les salutations de l'époux, et la comtesse inquiète les a accueillis chaleureusement. Ils s'y sont si bien plu qu'ils n'ont pas voulu reprendre leur voyage. Désormais, Otrante a été plus byzantine que n'importe quelle autre ville d'Apulie. Les Grecs ont donc été de plus en plus nombreux à y entrer et à en sortir. Par hasard, une galère de guerre des Génois s'est retrouvée en détresse devant le château. Comme vous le savez, au contraire de la Serenissima...

— Dont vous êtes l'agent rémunéré!

— Mais oui, messire, je sers Venise de tout mon cœur!

— Votre cœur est loin, Rinat! N'exagérez pas votre loyauté!

Cette histoire paraissait amuser le vicaire. Mais elle ne l'intéressait pas plus que cela, du moins pour le moment.

— Ce n'est pas un hasard si les Génois ont fraternisé avec les Grecs. Ils n'ont pas tardé à jouer les maîtres de maison, avec une insolence croissante. C'est cette situation insupportable pour la comtesse que j'ai trouvée en arrivant...

— Haha! Oberto mugit de rire, mais Rinat alla fouiner dans sa tunique de cuir trempée, dont les poches cousues étaient remplies de petites plaques. Il en sortit une miniature et la tendit au vicaire d'un air triomphal.

— Shirat Bunduktari, annonça-t-il fièrement, s'était déjà adressée, dans sa détresse, à son frère, le puissant émir mamelouk d'Égypte. Celui-ci lui envoya immédiatement son fils Mahmoud, l'un des pyrotechniciens les plus doués qui soient, malgré son jeune âge. Elle demanda d'autre part de l'aide à Lucera, la ville des Sarrasins, que Frédéric avait fondée. Je n'avais voulu ni l'un, ni l'autre, et je n'en étais nullement responsable!

— Rinat Le Pulcin n'a encore jamais assumé la responsabilité des infamies qu'il avait ourdies.

— Pharisien! répondit l'espion en bombant le torse. Je pense et j'agis en chrétien occidental. Les Génois, reprit-il, ont senti le vent tourner et sont repartis sans dire merci ni prendre congé. Pour les Grecs, ce fut une nuit des longs couteaux. Ils ont été assassinés par les Maures — ceux-là aussi des Sarrasins! Les musulmans ont pris le pouvoir dans le château. Ils se sont attaqués à tous les hommes qui ne

pouvaient réciter les principales sourates du Coran,
leur ont infligé des tortures abominables, leur ont
coupé les testicules avant de les leur faire avaler, ont
fait sauter leurs yeux de leurs orbites, leur ont arraché la langue...

— Merci, cela me suffit! Pourquoi diable avez-
vous conservé la vôtre?

— J'ai pu m'enfuir à temps, après avoir secrètement prévenu la flotte de l'Anjou, avec le miroir.
Manifestement, vous avez vécu la suite. Si ce perfide
agent de Nicée, ce Taxiarchos...

— Dans ce cas, Otrante serait à présent la première tête de pont de Charles d'Anjou dans ce
royaume de Sicile très convoité. Et l'on vous aurait
vraisemblablement remercié en vous accordant le
château et le titre de comte.

— Mieux vaut cela que de voir Otrante tomber
aux mains des païens! répliqua Rinat, sans le
moindre remords.

— Un siège d'évêque, et même la mitre de cardinal ne vous iraient pas mal non plus. Rome vous
accueillerait à bras ouverts si vous vous mettiez à
son service.

— Vous ne me jugez peut-être pas particulièrement pieux, répondit Rinat en riant, mais l'*Ecclesia
catolica* a depuis longtemps abondamment recours à
mes services.

Mafalda frappa de nouveau. Cette fois, sans se
faire voir des deux hommes, elle était allée ramasser
quelques pierres dans l'eau. Le peintre tomba à
genoux au premier coup.

— Je sais à présent ce que ce porc, ce renégat était
venu renifler à Montségur: la piste des hérétiques!
Un espion minable pour cette truie qui siège sur le
trône de Saint-Pierre.

Passant devant le vicaire, elle frappa encore une
fois Rinat à la tête avec l'une de ses pierres. Le
peintre tomba en avant, le nez ensanglanté et la lèvre
ouverte. Oberto arracha son arme à la jeune femme.

— La seule chose qui m'intéresse à Otrante, c'est

le miroir, grogna-t-il, en tenant d'une main Mafalda
à distance de l'espion. Mais il le frappa lui-même à
coups de botte jusqu'à ce que Rinat se soit relevé.

— Je vous en implore, puissant Pallavicini, n'allez
pas à Otrante! (Il s'essuya le sang sur le visage et cracha sans doute une dent, car on entendit quelque
chose cliqueter sur les cailloux.) Je connais une tour
bien plus pratique, fit le peintre d'une voix plaintive.
Elle n'est pas très loin d'ici, et elle n'est pas habitée :
c'est le phare du cap de Lucques, sur la pointe la plus
méridionale de cette presqu'île.

— Eh bien soit, dit sèchement le vicaire. Si vous
n'avez pas dit la vérité, vous allez regretter les couteaux des Sarrasins à Otrante. Je vous remettrai à
dame Mafalda, elle vous déchirera avec ses griffes,
vous mettra en morceaux à mains nues.

— Donnez-moi juste un sauf-conduit pour m'y
rendre, gémit le peintre. Laissez le monstre vous pré-
céder!

— Non, décida le vicaire. Vous marcherez devant
nous. Un seul faux pas et...

Il laissa la menace planer sous le soleil du matin,
mais prit Mafalda par la main. Ils firent demi-tour et
revinrent sur leurs pas. À l'avant, Rinat avançait difficilement : il ne cessait de se retourner vers les deux
autres.

— N'ayez pas peur, chuchota Pallavicini à sa
complice. Lorsque nous serons arrivés et lorsque
nous aurons envoyé la nouvelle, cet ennemi des
Hohenstaufen n'appartiendra plus qu'à vous!

La trirème filait en écumant sur la mer, cap au
sud. La douce brise qui soufflait depuis l'Adriatique
gonflait les voiles, et les rameurs avaient pu s'étendre
sur leurs bancs. Roç méditait sur la passerelle de
quart. Il ne pouvait plus rattraper Taxiarchos, *L'Atalante* était trop rapide pour cela. Ce corsaire avait
enlevé Yeza sous ses yeux! Mais comme il connaissait sa compagne, elle réglerait son compte à ce lascar.

— Qu'est-ce qui vous a incité à partir avec moi ? demanda-t-il à Simon de Cadet. Vous n'espérez tout de même pas que je vais prendre d'assaut *L'Atalante* pour vous la restituer ?

— Vous auriez toutes les raisons de le faire, rétorqua sèchement le Templier. Car sans votre intervention, sans cette pitoyable comédie du naufrage de la *Nikè*, sans vos faux musulmans et leurs coffres pleins d'or, je n'aurais jamais commis cette faute...

— Vous comptez donc vraiment vous présenter les mains vides devant votre grand maître ? Mais il va vous les couper !

— Mon corps et tous ses membres appartiennent à l'Ordre. Je vais aller à Saint-Jean-d'Acre et je me rendrai.

— Qu'est-ce qui vous fait croire que je vais changer de route pour vous être agréable ?

— Vous ne renoncerez pas à votre reine !

Roç se tut. L'avertissement du Templier l'agaça.

— Qu'est devenu, au juste, Oberto Pallavicini ? s'enquit-il pour changer de sujet. N'a-t-il pas été autorisé à regagner la terre avec vous ?

— Taxiarchos lui en avait donné l'autorisation, mais dans la nuit, il a préféré éloigner le vicaire de sa zone d'influence et ne pas mettre en péril son propre départ à bord de *L'Atalante*. Il s'en débarrassera sur la première île venue, je suppose.

Beni intervint alors dans la conversation.

— Vous vous trompez, messire le vicaire a profité de la protection que lui offrait la nuit, et surtout du manque de vigilance qui s'est instauré sur *L'Atalante* lorsque vous avez été débarqué en toute hâte, messire Simon. Je l'ai vu sauter par-dessus bord, enveloppé dans le clams d'un Templier, et attendre sur le rivage.

— Ton imagination te joue des tours, Beni ! le gronda Roç, mais le jeune garçon n'en démordit pas.

— N'étiez-vous pas huit, lorsque nous avons quitté Linosa ? demanda-t-il au Templier sur le ton d'un petit inquisiteur.

— Certainement! acquiesça Simon. Malheureusement, un frère s'est noyé pendant le débarquement
nocturne.

— Vous me permettrez d'en douter. Je parierais
qu'il était mort avant cela, dans un coin sombre, et
avec un couteau dans le dos !

— Et pourquoi dis-tu cela seulement maintenant ?

— J'ai l'habitude de garder mes suppositions pour
moi jusqu'à ce que je puisse les prouver.

— *Si tacuisses !*

Roç mit ainsi un terme au débat et donna une
bourrade à Beni pour le faire disparaître.

Simon, indécis, haussa les épaules.

— Oberto Pallavicini en aurait bien été capable.

Raoul de Belgrave rejoignit les deux hommes.

— Nous pourrions à présent laisser notre hôte
involontaire prendre l'air, si vous l'ordonnez.

Roç hocha la tête, songeur, et Belgrave fit un signe
à ses compagnons. Ils ouvrirent la porte d'une
grande caisse renforcée par des ferronneries, sur
laquelle ils étaient restés assis pendant tout ce
temps. Le couvercle s'ouvrit, et le Diable du feu en
jaillit aussitôt. Il ne réfléchit pas longtemps, envoya
une gifle puissante, d'abord à Mas, puis à Pons,
avant de dévaler l'escalier et de se planter devant
Roç, furibond.

— Vous n'avez aucun droit de me ravir ma liberté,
Trencavel ! lança-t-il au commandant. (Puis, observant les visages interrogateurs de tous ceux qui
l'entouraient, il ajouta, furieux :) J'exige que vous me
rameniez immédiatement chez moi !

Raoul éclata de rire à la place de Roç, laissant
celui-ci proclamer à tous, au lieu de tranquilliser
Mahmoud :

— Un voyage long et pénible nous attend. Le
Diable du feu, avec son savoir-faire, va considérablement renforcer notre force de combat.

— Je ne me mettrai pas à votre service ! D'ailleurs,
je ne veux plus gâcher mon art à des fins guerrières,
je veux me consacrer à la science et à la paix !

Mahmoud avait prononcé ces mots sur un ton très résolu, après avoir constaté que ses idées n'intéressaient personne.

Dietrich fut le seul à répondre :

— Je me sentirais mieux dans ma peau si chaque participant à cette entreprise était volontaire pour le faire.

Gosset prit Roç à part.

— Vous auriez dû en discuter avec moi auparavant, je ne vous l'aurais pas conseillé, dit-il à voix basse.

— C'est exactement la raison pour laquelle je me suis dispensé de vous en parler, Gosset, rétorqua-t-il, piqué au vif. Vous vous prenez donc pour mon tuteur, pour le véritable chef sur ce navire, capable d'approuver ou de rejeter mes décisions ?

— Je suis votre conseiller, l'implora le prêtre en chuchotant, pour que l'équipage ne perçoive rien de leur dispute. Mais Roç voulait justement que tous y assistent.

— Écoutez-moi tous ! s'écria-t-il en poussant le prêtre sur le côté. Je vous réserve une autre surprise ! (Le silence était à présent complet sur la trirème, seul le vent chantait dans les gréements.) Nous ne partons pas pour Épire, ni vers aucun autre port de la Grèce. Nous mettons le cap sur la Terre sainte. Nous allons reconquérir Jérusalem ! Non pas pour le compte de la chrétienté, mais pour en faire le royaume du Graal, celui qui était promis au couple royal !

Les *lancelotti* frappèrent alors leurs faux les unes contre les autres, et lancèrent des vivats au Trencavel. Seul Gosset resta de marbre.

— Vous avez prêté serment, rappela-t-il d'une voix posée. Vous m'avez fait le garant de votre parole. (Sa voix devenait plus froide au fur et à mesure qu'augmentait le poids de son accusation.) Vous n'avez pas seulement trompé la comtesse d'Otrante, à laquelle vous devez ce navire, vous dupez aussi le roi Manfred, qui vous a équipé. Ce ne sont pas de bons auspices pour une entreprise...

Mais nul n'approuva Gosset, pas même les *lance-lotti*. Il y eut dans l'équipage un grognement de protestation, qui augmenta au fur et à mesure que Gosset enfonçait son coin.

— La manière dont vous mènerez votre existence de parjure sera votre affaire et celle de tous ceux qui vous suivront. Nos chemins se séparent ici !

Roç l'avait laissé terminer son discours et avait empêché par un geste énergique de la main toute tentative de le contraindre au silence.

— Vous êtes mon éminence grise, et j'aurais attendu de votre part que vous me libériez de ces engagements obtenus de moi par la force et le chantage. Dieu m'en est témoin ! s'exclama-t-il avec emphase, et l'équipage l'acclama. Mais il sera fait selon votre bon vouloir. Je vous débarquerai sur la première île que nous apercevrons, et avec vous tous ceux qu'affligent des scrupules identiques.

— Ce sera Corfou ! répliqua froidement Gosset, avant de poser la main sur l'épaule de Trencavel. Je serais aussi disposé à me précipiter dans le malheur à votre côté, mais pas dans une *constellatio malae fortunae* volontairement provoquée et dans laquelle on ne discerne pas la moindre bonne étoile.

— Vous avez donc bien oublié les temps anciens, pour ne même plus vous rappeler quelle est notre destin : la quête du Graal !

— Au bout du chemin que vous empruntez, vous ne trouverez que le calice, le calice noir !

— Et quand bien même ! répondit Roç, mais il avait la bouche sèche.

Gosset s'était détourné de lui.

Depuis, ils s'évitaient.

TOUT COMBAT LAISSE DES TRACES

Un soleil brûlant réchauffait la mer Ionique. *L'Ata-lante* avançait lentement, car le vent irrégulier crachait la chaleur du désert vers le navire. Le libeccio coupait le souffle à l'équipage, lui faisait couler des perles de sueur par ses pores. Yeza se rendit au gouvernail, que Taxiarchos gardait cap au sud-est pour se diriger droit vers Alexandrie en passant devant la Crète, si le temps le permettait. Ils avaient franchi Corfou ; sur les côtes découpées de l'île, ils avaient une dernière fois embarqué de l'eau potable, devant la Crète. Une fameuse source y jaillissait depuis une nappe riche en minéraux, un liquide précieux que l'on recueillait dans un puits. Une tour le protégeait.

Ils s'étaient débarrassés des autres otages. Les gardes du vicaire avaient quitté le bord en lançant des jurons. Ils maudissaient Oberto Pallavicini, estimant à juste titre qu'il les avait abandonnés, mais aussi tous les Grecs et les Templiers. Guy de la Roche dut leur courir après comme un vieux chien, il n'aurait pas fallu grand-chose pour qu'ils lui lancent des pierres.

Les seigneurs qui s'étaient portés caution pour la libération de Yeza avaient ainsi disparu dans les collines de Corfou. Cela leur épargna la fournaise qui régnait désormais sur les planches de *L'Atalante,* où l'on ne pouvait même plus marcher pieds nus. Taxiarchos sentit que sa chemise lui collait à la poitrine et au dos. Il ne jeta qu'un bref regard à Yeza avant d'observer de nouveau la mer scintillante, sans même lui adresser la parole.

Yeza rompit le silence à sa manière. Elle fit signe à deux Maures qui puisaient de l'eau de mer avec des seaux et de longues cordes, et la déversaient ensuite sur le pont pour rafraîchir les planches. Elle ne portait qu'une longue robe de mousseline blanche. Lorsque, sur son ordre, on eut vidé sur elle le contenu de deux seaux, sa mince silhouette apparut comme si elle était nue. Yeza savait l'effet que cela produisait : la pointe de ses seins était dressée, et son pubis transparaissait. Yeza monta d'un pas souple, lent et excitant, l'escalier qui menait au pont supérieur et à sa tente. Elle laissa les rideaux d'entrée ouverts, s'allongea dos au sol sur le tapis qui couvrait la dure couche de l'amiral et l'attendit. Elle vit l'ombre de l'homme avant même que celui-ci n'apparaisse par l'ouverture de la tente et ne la referme derrière lui.

Taxiarchos se précipita à ses pieds, à côté de sa couchette, et commença par lui couvrir le corps de baisers avant de soulever, puis de déchirer le tissu trempé. Yeza ne comprit pas comment il avait réussi à se débarrasser de ses chausses. Mais lorsqu'elle écarta les cuisses, elle vit le sexe imposant du Pénicrate dressé devant lui. Elle se cabra, tendit la vulve dans sa direction et sentit le pénis de Taxiarchos entrer en elle, brûlant, sans lui faire mal, l'emplir, la prendre et s'enfoncer. Elle oublia alors qu'elle s'était promis de rester indifférente. Elle se cabra de nouveau, serra ses talons sur les hanches du marin, s'agrippa à son dos, car l'étalon qui la chevauchait menaçait de la déchirer. Taxiarchos l'attrapa par les fesses pour pénétrer encore plus profondément. Yeza se mit à gémir, à rire, à se tortiller et finalement à crier de plaisir. Elle tressaillit. La tête de Taxiarchos tomba sur sa poitrine, ses lèvres cherchèrent celles de Yeza. Ce baiser hésitant avait le goût du sel. La sueur coulait en petites rigoles autour de leurs deux corps, emmêlés dans le tapis. Yeza avait le souffle court, elle se sentait détruite et ressuscitée. Elle avait retrouvé la force qui sommeillait dans son mince corps. Taxiarchos avait réveillé la femme en elle. Elle voulait le remercier, mais Yeza n'avait pas perdu la tête. C'était elle, la maîtresse, elle ne se soumettrait jamaïs à un homme.

— J'ai soif!

Taxiarchos la regarda, décontenancé. Il avait espéré un mot de tendresse ou des félicitations discrètes, pas ce retour aux besoins quotidiens!

Yeza sentit qu'il était déçu. Elle posa les deux mains sur sa poitrine.

— Savourons donc ensemble un rafraîchissement, mon cher.

Elle se donna beaucoup de mal pour faire sonner

dans le dernier mot de l'affection et du charme, et elle y parvint. Avec un sourire de reconnaissance, il se releva en laissant sortir son membre des quartiers hospitaliers qu'elle lui avait offerts. Yeza accompagna ce retrait d'un soupir bienheureux.

Taxiarchos sortit remplir une cruche d'eau fraîche de Corfou. Yeza ne bougea pas. Ou bien il déversait sur elle, immédiatement, un seau d'eau de mer froide, ou bien ils continuaient. Elle était encore indécise lorsque l'homme revint.

— La cuisine vous propose des oursins frais, dit-il fièrement en désignant une corbeille.

Yeza ne regarda pas les fruits de mer épineux, mais le drap que Taxiarchos s'était noué autour des reins. En dessous se dressait un animal qui lui faisait beaucoup plus envie.

— Buvons à notre plaisir !

— Que nos corps apaisent leur faim ! chuchotat-elle en tirant le drap, qui glissa sur le sol. Venez à moi ! gémit-elle en se retournant sur le ventre.

Taxiarchos posa en soupirant la cruche vide sur la corbeille.

Lorsque Corfou fut en vue, Roç mit immédiatement ses promesses à exécution. Il demanda à Dietrich de mettre le cap sur la première baie dans laquelle on pourrait accoster et donna sans mot dire son accord pour qu'on laisse Gosset quitter le navire. Les deux hommes n'avaient plus échangé un mot. Les Maures avaient de l'affection pour l'expulsé, et lui offrirent l'un des ânes qu'ils utilisaient pour transporter des provisions. Ils l'aidèrent aussi à charger son coffre au trésor, et Gosset partit. Il disparut rapidement dans les collines.

Au-dessus de la baie, sur une falaise abrupte, s'élevait une tour bien conservée. Quelques-uns des hommes y étaient montés. À leur retour, ils annoncèrent qu'un puits bien protégé y menait vers les profondeurs, et contenait de l'eau au très bon goût.

Roç ne vit aucune objection à ce que l'on remplisse

encore les réserves avant d'entamer ce long voyage.
Il alla à terre lui aussi, suivi par Simon et les trois
Occitans. Sur le flanc de la chaîne de collines qui lui
faisait face se trouvait un village, une petite ville. Sur
les façades qui s'alignaient vers la vallée, ses maisons
ne montraient que des meurtrières et des archères.
Elles se resserraient au sommet pour former une
citadelle. Tout paraissait étrangement mort, bien
qu'aucun signe de ruine ne fût visible. Le puits situé
en dessous, dans la tour, était manifestement
l'unique source d'eau douce pour les habitants du
village. Un chemin bien damé sinuait entre les
contreforts de la vallée et s'achevait de l'autre côté,
sur une entrée creusée dans la rangée de maisons, en
dessous de la citadelle. De là, on ne discernait
aucune porte de la ville.

Roç entra dans la tour. Il ne jeta qu'un bref regard
en bas, dans le puits où une source paraissait effectivement jaillir, tout au fond : l'eau claire était agitée
par des vagues. Il tenait d'ailleurs moins à savoir
dans quelle direction coulait la source qu'à connaître
l'endroit où se dissimulait l'accès vers le sommet de
la tour. De l'extérieur, on apercevait certes quelques
fenêtres étroites tout en haut, dans la muraille, mais
aucune porte à laquelle on aurait pu accéder à l'aide
d'une échelle. Roç revint, songeur, à la margelle de
pierre qui entourait le puits. L'installation de pui-
sage était constituée d'une solide poulie, et le seau
était en chêne épais.

— Faites-moi descendre lentement dans le seau,
demanda Roç à Raoul.

Simon l'aida à monter sur le rebord. De là, il se
hissa dans le récipient en bois. En actionnant lentement la manivelle, Raoul et Mas firent descendre le
Trencavel au bout de la chaîne.

— Si nous le laissions filer à présent, plaisanta
Morency, nous serions libérés du joug de notre seigneur !

— Comme du gibier, mon cher Mas, trois bêtes à
abattre ! répondit Belgrave à ses compagnons, mais

Roç n'y attacha pas la moindre importance. Ses yeux scrutaient le mur de pierre le long duquel il descendait. Il n'y décelait pas la plus petite ouverture. Le fond du seau touchait presque la surface de l'eau lorsque la paroi du puits recula d'un seul coup. Sous le col de pierre apparut un passage qui mesurait à peu près la hauteur d'un homme et que l'on ne pouvait voir d'en haut. Juste derrière, dans la lumière crépusculaire, Roç aperçut le début d'un escalier de pierre. Lorsqu'il se retourna, il discerna, de l'autre côté, une porte défendue par des barreaux de fer massif. L'une des deux issues débouchait vraisemblablement en haut de la tour, par un escalier en colimaçon. Mais où l'autre pouvait-elle bien mener?

Roç secoua la grille. Elle était fermée. Mais elle descendait jusqu'à l'eau : c'est là qu'elle suivait son cours souterrain. Roç comprit que le village situé sur le coteau était sans doute mieux approvisionné qu'il ne l'avait pensé, et disposait manifestement de chemins de fuite. Il se fit tirer vers le haut, et bondit hors de son seau.

— L'escalier qui mène dans la tour prend sa naissance en bas du puits, expliqua-t-il avant d'ordonner, dans le même souffle : Nous allons nous séparer! Vous, lança-t-il à Belgrave, vous aller explorer les moindres recoins de cette tour...

— Un miroir à signaux se trouve vraisemblablement en haut! répondit Simon. C'est pour cette raison que l'on a dissimulé l'entrée.

Roç hocha la tête.

— Mais, à présent, je suis impatient d'aller visiter ce village, en face, sur le coteau. Voulez-vous m'accompagner, Simon?

Lorsqu'ils arrivèrent devant la tour, ils constatèrent que messire Dietrich et les Chevaliers teutoniques n'avaient pu, eux non plus, résister à la tentation d'approcher de plus près cette ville sinistre.

— L'attrait du butin facile donne des jambes aux Teutons! plaisanta Simon en voyant les chevaliers grimper la colline dans leurs lourdes armures.

— C'est la première fois qu'ils partent au combat, répondit Roç, comme s'il voulait excuser les seigneurs qui l'avaient accompagné pour se battre en Hellade, pour le compte du roi Manfred.

Tandis que Roç descendait habilement sur les roches avec le Templier, il se rappela que Corfou faisait partie de la dot qu'Elena d'Épire, la jeune épouse, devait apporter au seigneur de la Sicile, la première pierre d'un empire qui engloberait toute la Méditerranée.

Mais de l'autre côté du vallon, tout d'un coup, alors qu'ils n'avaient pas même atteint les murailles de la petite cité, les chevaliers partirent en courant comme si une grêle de coups s'était abattue sur eux. On ne voyait plus que la crinière blonde de Dietrich à l'endroit où se situait certainement l'entrée de la ville.

Roç et Simon pressèrent le pas et arrivèrent sous les murs, devant les chevaliers qui se repliaient. Ils obliquèrent, se retrouvèrent face à des pieux acérés plantés de biais dans le sol, qui devaient sans doute protéger la brèche creusée dans le mur, derrière eux. Une tête était plantée sur chacun de ces pieux. Le sang avait à peine coulé des orbites. Un essaim d'oiseaux noirs s'éleva en craillant. Roç resta un instant tétanisé par l'idée qu'il allait trouver les traits de Hamo parmi ces visages suppliciés. Mais Simon le libéra de son cauchemar.

— Mon frère d'Ordre, Guy de la Roche murmura-t-il d'une voix atone. Il ne s'est donc pas noyé !

— Il a eu bien de la chance ! remarqua, sarcastique, Dietrich, qui les avait rejoints.

Roç, d'un regard rapide, avait constaté qu'il ne connaissait pas les autres crânes. Simon, lui, avait identifié les têtes.

— Toute l'escorte de Pallavicini est rassemblée ici...

— Il ne manque que le vicaire de l'empire, constata Dietrich. Beni avait raison. Taxiarchos a attendu d'être arrivé ici pour les débarquer, et cela ne leur a guère réussi.

— Quels monstres ont donc séjourné ici ?

— Si monstre il y a, il a sûrement installé sa tanière dans ces lieux, répondit Dietrich en désignant quelques crânes qui avaient déjà été rongés jusqu'à l'os.

Il fit signe aux Allemands effarouchés de le rejoindre.

— Nous allons maintenant entrer dans ce lieu, si vous le permettez, messire Trencavel.

Roç hocha la tête, perdu dans ses pensées. Lui aussi voulait savoir où ils étaient tombés. Ils resserrèrent leurs jugulaires, levèrent leurs boucliers et se frayèrent un chemin dans la brèche pour entrer dans les rues désertes. Ils tenaient depuis longtemps leur épée à la main. Tout indiquait que les habitants avaient quitté leurs maisons en toute hâte, ou qu'une épidémie les avait tous emportés : il n'y avait plus âme qui vive dans les étroites ruelles. Les chevaliers montèrent vers la citadelle en rangs serrés.

— Un combat a dû avoir lieu ici, songea Roç à voix haute. Les conquérants ont ouvert une brèche et organisé une cour martiale.

— Cela pourrait aussi être l'œuvre de défenseurs désirant effrayer d'autres agresseurs avec les têtes, objecta Simon. Les morts sont peut-être tombés au combat. Dans ce cas, c'est seulement après coup qu'on leur aurait ôté leur tête.

— Selon moi, expliqua Dietrich, il s'agit d'un message de bienvenue adressé par les Grecs à tous ceux qui viennent de la Rome occidentale pour prendre Byzance. Je ne serais pas étonné si la totalité des quatre cents chevaliers envoyés par Manfred avaient connu cette fin !

Pauvre Hamo ! se dit d'abord Roç. Mais après tout, le comte d'Otrante, qui ne tenait absolument pas à partir en guerre, était peut-être en train de moisir dans une geôle, ou bien était parvenu dans un tout autre lieu.

La porte de la citadelle, grande ouverte, donnait sur une cour intérieure soigneusement pavée et délimitée par un carré de murs qu'on aurait cru dressés par les Cyclopes. Des cabanes au toit de paille se pressaient contre les parois de pierre. Au milieu se trouvait un accès protégé à la citerne. Face au portail se dressait la tour proprement dite, un billot rectangulaire. Un escalier extérieur menait à sa porte, située en hauteur.

— Même si personne ne se montre, chuchota Roç à ses compagnons, je ne parviens pas à me défaire de l'impression que l'on nous observe.

— Laissez-moi monter, proposa Dietrich. Couvrez-moi ! cria-t-il aux Allemands, parmi lesquels on voyait quelques arbalétriers.

Comme un fauve, le géant blond grimpa les marches branlantes, posa son oreille contre la porte fermée, et l'ouvrit d'un coup de pied. La salle obscure était vide. Mais en faisant craquer le bois, Dietrich avait entendu des cris sourds et effrayés. Il n'eut aucun mal à découvrir le passage. Le réduit à ses pieds était rempli d'hommes et de femmes serrés les uns contre les autres, qui le regardaient avec terreur : des vieux, des enfants, pas un seul homme jeune. L'Allemand blond leur indiqua d'un signe qu'ils pouvaient sortir en confiance. Dans le coin de la cour, une plaque de pierre se souleva, hissée par plusieurs bras. Les habitants sortirent à la file indienne de leur refuge souterrain.

Roç fit venir auprès de lui leur doyen, qui se présenta sous le nom de Zaprota et lui apprit enfin que le village s'appelait « Pantokratos ».

Roç renvoya ces gens dans leurs maisons et ordonna aux Allemands de se poster sur les murs et d'y monter la garde. Ce nid montagnard ne lui disait rien qui vaille, et il voulait éviter les mauvaises surprises.

— Vous ne devriez pas rester ici ! l'implora le vieux lorsqu'il constata que ces étrangers n'étaient pas pressés de quitter cette citadelle. Ce n'est pas un lieu sûr.

— Nous nous en doutions un peu, s'écria Dietrich,

depuis que nous avons découvert les épouvantails que vous avez installés pour nous accueillir...

— Mais nous n'y sommes pour rien! protesta Zaprota, indigné.

C'était un très vieil homme, si l'on en jugeait à ses rides et à ses cheveux blancs comme neige, mais il se tenait droit. Roç se l'imaginait tout à fait une hache à la main, séparant une tête de son tronc.

— Qui était-ce, alors? demanda Roç d'une voix ferme.

— Ugo, le Despotikos!

Zaprota tentait de rester auprès de Simon, sans doute parce que le clams des Templiers lui était familier. Mais Simon ne comprenait pas le grec.

— Ugo d'Arcady! ajouta Zaprota lorsque Dietrich posa la pointe de son épée sur son pied nu. Il vit au castel Maugriffe, à l'autre bout de la baie, à quelques heures seulement d'ici. Et il vous déteste, vous, les étrangers!

— Cela se voit! constata Dietrich. Mais pourquoi avez-vous peur de lui?

Roç souleva la lame de Dietrich du pied du vieil homme, ce qui ne lui arracha qu'un sourire fatigué.

— Ugo punit Pantokratos chaque fois que la ville admet dans ses murs des étrangers venus de la mer. Il n'a pas seulement forcé nos jeunes hommes à se mettre à son service : il décapite un vieux dès qu'il vient « nettoyer la plage » et qu'il y trouve aussi des « immondices en provenance de Sicile ».

— Cet homme me paraît être un ardent patriote, même si son nom ne fait guère penser à celui d'un Grec! Mais c'est souvent le cas avec les renégats.

Dietrich semblait ne prendre ni la situation, ni cet interrogatoire particulièrement au sérieux.

— Ugo est un bâtard du Villehardouin, le duc d'Achaïe. Et il affirme que Corfou lui a été promise...

— Ah! s'exclama Roç. Et voilà que son beau-père ou son oncle par alliance, je ne trouve pas le mot juste pour désigner les relations familiales compli-quées des Grecs, enfin, messire Michel d'Épire, a cédé l'île de Corfou à son beau-frère Manfred. Alors qu'elle ne lui appartient pas.

— C'est à nous qu'elle appartient! répondit fièrement Zaprota.

— Fort bien, reprit Dietrich. Mais je ne comprends toujours pas pourquoi vous laissez les étrangers entrer dans vos murs, puisque vous savez que cela ne leur réussit pas plus qu'à vous.

— Les troupes venues de Sicile ne nous demandent pas longtemps le droit d'entrer. Chaque fois, elles prennent Pantokratos d'assaut et occupent la ville.

— Si les chevaliers étrangers sont aussi puissants et aussi nombreux, pourquoi ne peuvent-ils pas se défendre contre un coupeur de têtes comme Ugo?

La question était visiblement désagréable au vieil homme, ou bien il n'en connaissait pas la réponse. Il resta muet.

— Et si nous vous aidions à vous libérer de ce despote?

Cette offre ne parut pas particulièrement réjouir Zaprota.

— Il vaudrait mieux que vous remontiez dans votre bateau et que vous vous en alliez!

— C'est ce que nous allons voir! éclata Roç, mais cette fois, le vieux lui coupa la parole.

— C'est exactement la phrase qu'ont prononcée tous ceux qui ont débarqué ici. Le lendemain, ils étaient morts ou en prison!

— Est-ce votre intérêt, de voir nos têtes rejoindre celles qui se trouvent déjà en bas? (Cette fois, Dietrich enfonça la lame de son épée dans le pied du vieil homme, jusqu'à en faire jaillir le sang), ou bien allez-vous nous aider à contrer cet Ugo d'Arcady?

Zaprota ressentit une telle douleur qu'il ne prit pas le temps de réfléchir :

— Ce sera comme vous voudrez, messire, gémit-il, mais je vous aurai prévenu!

Roç ordonna aux Chevaliers teutoniques d'évacuer les murs de la citadelle. Seuls les arbalétriers devaient rester. Il leur confia le vieux.

— Ne le quittez pas des yeux, ordonna-t-il. S'il tente de s'échapper, abattez-le.

Il avait crié ces mots en grec. Les Allemands n'y avaient rien compris, mais le vieux avait très bien entendu le message. Puis il quitta la citadelle avec Dietrich, Simon et la plupart des chevaliers. Ils ressortirent par la brèche et se rendirent à la tour du puits.

— Si vous voulez vous battre ici, Trencavel, avertit Simon, ne comptez pas sur nous, les Templiers. Nous n'avons aucune raison d'affronter les hommes d'un bâtard pour défendre la cause de l'autre. Ce sont des chrétiens, même s'ils sont grecs !

Roç ravala sa colère.

— Je vais vous proposer un rôle dans lequel vous ne vous salirez pas les mains !

— Mais votre âme si pure ! se moqua Dietrich.

— La conscience des Templiers est assez large pour accepter de jouer les appâts, proposa Roç. Ainsi, vous n'aurez pas été totalement inutiles, et vous n'aurez pas eu à prendre vos épées.

— Sauf si le Despotikos en décide autrement et s'en prend à vos nobles têtes, ajouta Dietrich, qui ne pouvait s'empêcher d'exciter Simon.

Roç sourit discrètement.

BATTUS ! MAIS NI VAINCUS, NI CONVERTIS

La fournaise qui régnait, à midi, devant le cap de Lucques dépassait tout ce que l'on pouvait imaginer en Occident. On aurait dit que la tour avait été transformée en autel et que son phare était maintenu en état d'incandescence permanente par les rayons du dieu soleil. L'édifice, qui s'affinait vers le haut, ne pouvait rivaliser avec son célèbre modèle, le fameux phare d'Alexandrie, qui se situait à plusieurs milliers de lieues de là. Mais ses feux portaient loin, la nuit, sur la mer Ionique, et annonçaient à temps aux navires l'unique entrée dans l'Adriatique. Tradition-

nellement, le service était assuré par des vétérans,
car on pouvait aussi utiliser le miroir réfléchissant
du phare pour recevoir et envoyer des signaux. Il servait donc à protéger une partie de la côte contre les
pirates, des Sarrasins le plus souvent, mais aussi,
parfois, des Grecs. Les deux vieux hommes étaient
assis et pêchaient entre des rochers, au-dessus de la
mer, lorsqu'ils virent trois personnages en haillons
se traîner jusqu'à eux et utiliser leurs dernières
forces pour leur demander de l'eau potable et un
accès au miroir. Leur porte-parole, un Templier
déchu, l'œil protégé par un bandeau noir, prétendit
être le vicaire de l'empire, Oberto Pallavicini, ce que
les deux gardiens considérèrent comme une
suprême impudence. Ils n'avaient certes encore
jamais entendu parler du plus haut fonctionnaire de
l'empire, mais n'étaient pas disposés à croire qu'un si
puissant seigneur avait fait naufrage ici, au bout du
monde, avec une créature féminine (charmante au
demeurant) et un manchot.

Les nerfs d'Oberto étaient aussi à vif que son cuir
chevelu sous le soleil brûlant. Lorsqu'ils atteignirent
la tour, il ôta le drap trempé de sueur qu'il avait noué
à son cou, supposant qu'il allait à présent pouvoir
savourer tous les rafraîchissements dont il avait rêvé
pendant ces heures de marche entre les cactus et les
rochers pointus. Sans un mot, il prit son épée et
frappa du plat de la lame l'épaule du vieil homme
rétif, qui s'agenouilla. Son camarade avait déjà
attrapé un morceau de roche pour se défendre.
Oberto posa donc la pointe de sa lame sur la gorge
de l'homme à terre et ordonna à l'autre :

— Apporte-moi immédiatement de l'eau, ou bien
ton ami n'aura plus jamais soif !

Le vieux gardien laissa tomber sa pierre et courut
chercher ce qu'on lui réclamait, aussi vite que ses
jambes pouvaient le porter.

— Quant à vous, madame, vous devez à présent
me suivre jusqu'en haut de cet escalier tournant, qui
est certainement très raide, dit Oberto à Mafalda

sans relâcher le gardien du phare. Car si je vous lais-
sais courir en bas, je me ferais du souci pour les yeux
de Rinat.

Le peintre s'était installé sur le socle du mur, mais
le soleil était à la verticale, et même là, il n'y avait
pas d'ombre. Il ne quittait pas la dame des yeux.

L'autre gardien revint avec une cruche et un gobelet. Oberto but lentement avant de lever son épée et
de tendre le gobelet à Mafalda.

— Emmener Rinat, réfléchit le vicaire à voix
haute, ce serait éventer le secret de notre code.

Mafalda éclata de rire, et Rinat eut un sourire douloureux.

— Vous ne croyez tout de même pas sérieusement, messire le vicaire de l'empire, qu'il existe un
seul secret que ce rat ne connaisse pas ?

— Je connais au moins le code « *Uno Regni ad
imperium* », fit-il.

— Vos mains habiles sont peut-être même mieux
exercées que les miennes à envoyer des signaux, grogna Oberto. Venez donc avec moi ! Mais malheur à
vous si vous faites venir un navire vénitien !

— Ou byzantin, ou angevin, ou même...

Rinat comprit que son insolence dépassait les
bornes et rengorgea le « véronais », car l'épée du
vicaire était pointée sur son cou.

— Je préfère l'aide de Tarente ou de Lecce, les
gouverneurs de ces deux lieux sont mes amis. Et ils
se trouvent tout près de nous !

Oberto laissa le peintre passer devant lui ; son épée
était toujours pointée sur le dos de Rinat.

Mafalda le suivit dans la tour, jusqu'aux premières
marches de l'escalier. Elle s'y assit, heureuse de pouvoir reposer ses pieds. Les gardiens avaient pris la
fuite.

— Avant toute chose, prenez une cuillerée de cela,
proposa Kefir Alhakim à sa maîtresse en brandissant
une carafe en verre pleine d'un liquide sombre et
huileux. Et si vous ne parvenez pas, dans l'action, au

sommet de votre plaisir, prenez-en trois pleines après !

Yeza, irritée, regarda le vizir plutôt que le brouet malodorant qu'il lui tendait.

— Tant qu'il ne contient pas l'ergot, le charbon ou l'asaret, contre lesquels Hildegard von Bingen met déjà en garde...

— Je ne sais pas avec quelle vigueur votre amie fait cela, répondit Kefir Alhakim en balançant la tête. Vous pouvez aussi manger le fruit de la grenade.

— Avant ou après ?

— À la place, ô dame soucieuse de précision, répondit le vizir. Autrement, il n'y a plus que le rhinocéros...

— Vous êtes parfaitement clair, maître Tue-Mouches. Mais dites-moi donc avec quelle quantité d'eau je dois avaler votre médecine, elle a un parfum un peu agressif...

Le vizir éclata de rire, pour la première fois depuis qu'il s'était mis à son service, modeste et discret.

— Lorsque vous sentez la colère vous monter au nez, madame, vous posez-vous l'huile curative de la rose et de l'ail sur le grand orteil ?

Yeza eut l'impression qu'il la menait en bateau. Mais Kefir Alhakim était dans son élément, et continua son exposé sans tenir compte de la honte de Yeza.

— Versez-le donc là où le sperme de l'homme fait craindre la fécondité !

Il paraissait se repaître des angoisses de la jeune femme, même si son ton demeurait paternel.

— Pour le mal de cou, j'ai à votre disposition un autre moyen, le jus de la pomme de paradis, dont le prophète dit déjà : « Il nettoie le corps de la haine et de la jalousie. »

Yeza lui arracha la carafe de la main.

— Je suppose que vous n'allez pas m'aider à l'appliquer, vizir ! lui lança-t-elle. Laissez-moi donc à présent, mais acceptez tous mes remerciements, mon bon Kefir Alhakim! ajouta-t-elle alors que le vieil homme s'éloignait déjà, offensé.

Yeza se jeta sur le lit. Par la petite fenêtre de sa cahute, à la poupe, elle pouvait voir la mer qui scintillait sous la chaleur, jusqu'au lointain horizon. Elle se sentait très seule. Roç lui manquait, curieusement, même si elle savait qu'elle coucherait avec l'homme qui tenait fermement le gouvernail, au-dessus d'elle, aussi souvent que le temps et les circonstances le leur permettraient, et jusqu'à ce qu'ils aient atteint le but de leur voyage, Yeza prit la fiole dans la main, puis elle réfléchit et appela Jordi, qui dormait à l'ombre, devant sa porte. Le nain fut aussitôt sur ses jambes.

— Je t'en prie, mon bon ami, dit Yeza d'une voix plaintive, appelle-moi Geraude, je dois prendre une médecine amère. Affaire de femmes! ajouta-t-elle en souriant. Installe-toi à l'extérieur et joue pour moi, je suis tellement mélancolique!

Le troubadour avait à peine attaqué les premières notes lorsque Geraude arriva discrètement et passa dans la chambre de sa maîtresse.

> « *E pos a Dieu platz q'eu torn m'en*
> *en Lemozi ab cor jauzen,*
> *don parti ab pesanza,*
> *lo tornar et l'onoranza*
> *li grazisc, pos el m'o cossen.* »

Kefir Alhakim s'assit à côté de Jordi.

— Le capitaine dit que nous atteindrons bientôt l'île du Minotaure, où nous referons le plein de nos réservoirs d'eau.

Jordi hocha la tête sans s'arrêter de chanter.

> « *Ar hai derg de chantar,*
> *pos vei joi e deportz,*
> *solatz e domnejar,*
> *qar zo es vostr'acortz.* »

Geraude referma doucement derrière elle la porte donnant sur la chambre de Yeza.

— Elle veut parler à Taxiarchos, chuchota-t-elle, livide, comme si tout le chagrin du monde reposait sur ses épaules.

Il n'aurait pas fallu beaucoup pour qu'elle se mette à pleurer. Mais elle n'eut pas à aller jusqu'au gouvernail : Taxiarchos apparut, trempé de sueur, mais de bonne humeur. Il secoua la tête en découvrant l'atmosphère mélancolique qui régnait parmi ses voyageurs, frappa d'un coup sec à la porte et entra.

> *« E las fontz e l'riu clar*
> *fan m'al cor alegranza,*
> *prat e vergier, qar tot m'es gen. »*

— Monsieur notre amiral, déclara aussitôt Yeza à Taxiarchos, étonné, la Crète est devant nous, et je souhaite vous y quitter !

Le marin ne prit pas cette annonce pour argent comptant.

— Avez-vous, par hasard, déjà préparé Geraude à l'idée de rencontrer le taureau crétois, à demi homme, à demi bête...

— Comme vous, Taxiarchos ! plaisanta Yeza, mais le Pénicrate fit mine de ne pas entendre.

— ... et de lui être sacrifiée comme une victime, pour qu'il la...

— Je vous demande pardon ? demanda Yeza.

— ... prenne sur ses cornes, acheva Taxiarchos. Car elle est au bord des larmes, et votre Jordi, lui aussi, joue d'une manière qui irait mieux à la déposition de croix sur le Golgotha qu'à une halte destinée à recueillir de l'eau fraîche sur une île joyeuse.

— Vous oubliez le destin d'Ariane ! objecta Yeza.

— Je n'ai pas l'intention de vous abandonner sur une quelconque île grecque, ma princesse !

— Et tel ne sera pas le cas, répliqua Yeza d'une voix ferme. Je vous libère de mon service si vous le voulez. Faites-moi quant à vous le plaisir de corriger

le cap de *L'Atalante* du tiers d'un cercle, de cent vingt
degrés précisément, et en déployant toutes vos
voiles, si vous voulez offrir à mon cœur une image
qui le réjouira.

— Et comment comptez-vous arriver à Alexandrie, puis en Palestine ?

— Laissez-moi m'en soucier, je vous prie. Pré-
occupez-vous pour votre part de mettre le cap à
l'ouest jusqu'à ce que vous ayez l'Océan sous votre
quille.

— Vous êtes un navigateur-né ! répondit l'amiral
en souriant et en se penchant tendrement sur cette
jeune femme qui ne lui avait jamais paru aussi dési-
rable. Je vous propose de me piloter jusqu'aux « Îles
lointaines ».

Yeza tenta en vain de le repousser en parlant. Mais
elle passait déjà ses bras autour de son cou.

— Je ne vous ai jamais caché, Taxiarchos, que
mon objectif est Jérusalem, parvint-elle encore à dire
en gémissant, car l'homme se pressait déjà contre
elle. Elle n'avait plus aucune envie de se disputer
avec lui, en tout cas pas à propos des parcours qu'ils
allaient devoir accomplir à présent, chacun de son
côté. Elle remonta les genoux et lança, dans un
souffle, un ordre qui n'avait plus aucun sens :

— Je vous ordonne de me quitter !

Il la souleva, et elle alla vers lui, répondant à son
assaut.

— Et je vous interdis de m'obéir ! ajouta Taxiarchos.

Yeza, dans sa rage, dans son plaisir, tendit la
langue vers lui et ferma les yeux. C'était trop lui
demander, certainement ! Yeza se donnait, et
l'homme la prenait comme s'il ne voulait plus jamais
l'abandonner.

> « Q'era no dopti mar ni ven
> arbi, maistre ni ponen,
> ni ma naus no m balanza,
> ni no m fai doptansa
> galea ni corsier corren. »

Le Trencavel faisait ses préparatifs pour une nuit qu'il attendait ardemment. Après tous les complots, intrigues, jeux de dupe et occasions manquées qu'il avait dû traverser, après avoir dû vivre tant de situations humiliantes, il brûlait de pouvoir faire enfin ses preuves, seul, avec ses capacités et son courage. Il se rappela qu'il devait aussi, désormais, montrer l'habileté et la perspicacité d'un général. Il se surprit à regretter l'absence de Gosset.

Ils étaient arrivés devant la tour du puits. C'est de là qu'on avait la meilleure vue sur la situation. Raoul et ses deux compagnons n'avaient rien découvert de neuf sur son accès caché, si ce n'est que l'escalier en colimaçon ne menait pas seulement à son sommet, où l'on avait effectivement installé un miroir, mais aussi vers le bas, à travers les rochers, jusqu'à la mer, où les marches s'arrêtaient dans une grotte — les dernières d'entre elles baignaient du reste dans l'eau. Le miroir avait été utilisé peu de temps auparavant : il était reluisant, quelqu'un l'avait soigneusement nettoyé. Et puis ils avaient trouvé des restes de nourriture qui ne dataient pas de plus d'une journée.

Roç comprit qu'il fallait se presser. Il envoya Simon et ses Templiers à la citadelle. Mais il leur ordonna de ne pas demeurer dans la cour, même pour repousser une attaque contre la porte : ils devraient rester en haut, sur les murs et dans la tour. Roç éprouvait la plus grande méfiance à l'égard du réseau de galeries souterraines de Pantokratos. Les Templiers partirent. Il leur adjoignit Mahmoud, qui était tout feu tout flamme à l'idée d'utiliser son savoir-faire dans le combat qui s'annonçait. On lui apporta une corbeille pleine d'amphores ventrues, d'os creusés et de coquillages qu'il avait ramassés sur le sable.

Roç laissa la trirème aux mains des Maures. Comme Beni insistait pour qu'on lui confie, à lui aussi, une mission guerrière, il l'envoya en haut de la tour. Potkaxl l'accompagna. Roç plaça les *lancelotti*, comme tous les autres fantassins, sous les ordres de Dietrich et leur demanda de se tenir cachés au-dessus du village, derrière les murailles qui donnaient sur la montagne, jusqu'à ce que l'attaque de l'ennemi dans la cour de la citadelle échoue et que les assaillants prennent la fuite.

Entre-temps, on avait préparé les montures des cavaliers. Roç se mit à leur tête. Il ne laissa pas les Allemands entrer dans la vallée ouverte située entre la tour et Pantokratos : il les fit descendre et mener leurs animaux par les rênes derrière la tour, si bien qu'on ne pouvait plus les voir de derrière la plaine. Raoul, Mas et Pons se trouvaient à côté de lui dans les falaises. L'attente commença. C'est de la tour que l'on voyait le plus loin, mais Roç voulait éviter d'attirer prématurément l'attention sur lui, afin que les cavaliers puissent attaquer par surprise. Il avait donc prié Beni et Potkaxl de ne pas se montrer et de ne pas faire signe s'ils remarquaient quelque chose de suspect, mais de lancer de petites pierres près de lui. Il avait été convenu avec la citadelle qu'on ne hisserait le drapeau, la bannière du royaume de Sicile, qu'au moment où l'on verrait l'ennemi s'approcher.

Roç avait progressé en rampant jusqu'à ce qu'il eût lui aussi la citadelle dans sa ligne de mire. Mais tout était calme. Le Trencavel était accroché aux rochers. Il avait la mer au-dessus de lui. Il se demandait encore s'il avait envisagé tout ce qui pouvait se produire lorsqu'il entendit le claquement de petits cailloux sur les casques des trois Occitans. La citadelle dormait-elle ? Aucun drapeau n'annonçait l'arrivée de l'ennemi. Roç entendit alors en bas, sur la plage, un bruit d'armes et d'armures. Il regarda derrière lui. Il vit à ses pieds une petite troupe de douze ou quinze hommes qui mettait pied à terre. Et Roç comprit d'un seul coup comment, chaque fois, les occupants de la citadelle avaient été pris par surprise. C'est ici, devant la tour, que les chevaliers montaient avant de s'abattre de l'autre côté sur les

défenseurs ahuris, comme un renard faisant irruption dans le poulailler. Roç recula sans le moindre
bruit. Ses hommes avaient eux aussi remarqué les
intrus et s'étaient mis à couvert. Il ne s'était pas
attendu à une attaque venant de ce côté, et l'on ne
pouvait pas faire intervenir les chevaux entre les
rochers. Ils devaient laisser approcher l'ennemi et
tenter de l'affronter ici, sur le plateau où se dressait
la tour du puits. Dans un premier temps, Roç ne
demanda à personne de monter en selle, hormis les
trois hommes qu'il envoya derrière la tour. Tous les
autres se préparèrent au corps à corps. Roç fit passer
la consigne à voix basse : ne pas se laisser entraîner
entre les rochers à la faveur du combat. Il venait de
remarquer que les assaillants avaient laissé sur les
chevaux leurs cuirasses et leurs boucliers. Ils
n'étaient que légèrement protégés par des tabliers de
cuir, ce qui leur assurait une grande agilité. Ils portaient tous, en plus de leurs épées, des poignards
courts et puissants. Roç sentit que le bloc rocheux
derrière lequel il se tenait caché n'était pas stable. Il
sursauta, craignant de dévoiler leur présence par sa
maladresse. Il retint son souffle : sous la pierre, le
substrat de terre et de cailloux commençait à s'effri-
ter. Les hommes, en dessous de lui, montèrent les
uns après les autres sur le sentier qui menait à la
tour par les rochers. En entendant que le premier
arrivé en haut criait « Trahison ! » et que les armes
commençaient à tinter, le dernier s'arrêta tout en
bas. Roç donna une poussée à la pierre et se lança en
arrière pour ne pas être emporté avec elle. Le cri de
l'homme retentit dans le fracas des blocs rocheux
qui dévalaient à présent le chemin creux, à l'endroit
précis où il se trouvait. Roç bondit, cria à Raoul : « À
la plage ! Chassez les chevaux ! », puis se jeta dans la
mêlée en brandissant son épée.

Les ennemis, surpris par cet éboulement subit,
commirent l'erreur de se précipiter en haut, sur le
plateau, où ils n'avaient rien à opposer aux coups des
lourdes épées allemandes. S'ils étaient touchés, la

lame traverserait leur cuir et les découperait jusqu'à
l'os. Roç s'occupa de leur chef, un si bon combattant
qu'il avait jusqu'alors pu parer tous les coups,
abattre deux des Allemands et déchiqueter le bouclier d'un troisième. Roç lança son bouclier vers
l'homme qui se défendait désespérément et attira sur
lui la fureur du Grec, espérant avoir devant lui le seigneur d'Arcady. Mais lorsque l'inconnu, dès les premiers coups de Roç, comprit que celui-ci lui était
supérieur, il lança son arme contre le Trencavel et
bondit en arrière, entre les roches. Il dévala la pente
d'éboulis et roula hors de portée de Roç. Il parvint à
sauter sur l'un des chevaux et à partir au galop, juste
avant que les trois Occitans ne surgissent et
n'envoient les autres animaux en direction de la trirème.

Roç ne put que saluer leur perspicacité : ils avaient
ainsi augmenté leurs réserves de chevaux. Il transperça l'un des derniers ennemis encore vivants : les
Allemands avaient déjà réglé leur compte aux autres.
Roç leva les yeux vers la citadelle, où l'on était en
train de hisser le drapeau.

— À cheval ! ordonna-t-il aux Allemands, qui pensaient déjà avoir suffisamment participé aux
combats. Ils montèrent en selle, un peu grognons.
Roç les fit attendre.

De l'autre côté, une troupe de cavaliers avançait en
bon ordre sous les murs de la citadelle, et faisait
front à portée de tir. Un parlementaire se détacha de
leurs rangs et trotta, apparemment très sûr de lui,
jusque devant la brèche derrière laquelle s'étaient
rassemblés les habitants de Pantokratos, tremblant
de peur.

— Ugo d'Arcady, votre seigneur, qui gouverne sur
votre vie et votre mort, cria le héraut qui n'avait
même pas jugé nécessaire de brandir un drapeau
blanc, exige la livraison immédiate des étrangers !

La foule tassée derrière les têtes empalées se taisait. Ces gens avaient leur destin sous les yeux.

— Où est passé Zaprota ? hurla le héraut.

Les regards se dirigèrent vers la citadelle, où deux Templiers montrèrent le vieil homme sur le mur.

— Ah! s'exclama le négociateur avec mépris. Cette fois, ils sont déguisés en chevaliers du Temple! Sortez et rendez-vous au Despotikos. Sans cela, nous viendrons vous chercher et... (il désigna les pieux)... il en reste suffisamment de libres!

Simon apparut sur le mur.

— Aucun Templier n'accepte d'ordres de qui que ce soit dans ce monde, et surtout pas d'un chien fou comme ce bâtard d'Ugo.

Le parlementaire en resta bouche bée. Il fit signe aux cavaliers de le rejoindre. Les habitants, derrière la brèche, coururent se cacher dans leurs maisons. Les pieux acérés forcèrent les hommes à cheval à progresser prudemment. Ils tirèrent une grêle de flèches sur les fugitifs, mais personne ne se montrait plus sur les murs de la citadelle. Seule la bannière de Manfred flottait encore comme un défi, sur la plus haute tour. À peine les cavaliers ennemis eurent-ils franchi la brèche dans le mur, que les premiers d'entre eux montèrent au galop le chemin pavé qui menait à la citadelle. Ils mirent pied à terre. On apporta un bélier. Dès le premier coup, la porte vola en l'air avec fracas. Ils se ruèrent dans la cour étroite de la citadelle, la plupart d'entre eux ne jugèrent même pas nécessaire de descendre. Il régnait une certaine confusion, et ils n'avaient manifestement pas de chef. Les premiers tentèrent de gravir les marches qui menaient aux murs et à la tour centrale, mais elles cédèrent sous leurs pas et ils furent précipités sur ceux qui les suivaient. Alors, tout d'un coup, la porte se referma en claquant, et une pluie d'os, de pots de terre et même de coquillages bizarres se mit à tomber du haut de la tour. Avant même d'avoir atteint le sol, ces récipients explosaient, projetant une pluie d'éclats sur les assaillants. D'autres restaient par terre en fumant et ne sautaient qu'au moment où l'on n'y prenait plus garde. Les chevaux blessés se cabraient, presque tous les assail-

lants étaient déjà en sang, beaucoup reposaient sur
le sol et ne bougeaient plus, d'autres étaient piétinés
à mort par leurs montures. On ouvrit la porte de
l'extérieur, et un essaim de fuyards paniqués bous-
cula ceux qui tentaient d'approcher. Les amphores
continuaient à tomber dans la foule, répandant leur
contenu incandescent. Alors, les arbalétriers
entrèrent en action à leur tour. Ils commencèrent
par abattre les cavaliers sur leurs montures, et les
animaux débridés, pris de panique devant les
flammes, écrasèrent tout ce qui s'opposait à leur
course sur le sentier pavé de la tour. Au bout de la
route, ce fut alors Dietrich qui arriva avec les *lancelotti*. Leurs faux firent une effroyable récolte. Ils ne
furent pas nombreux, dans l'armée du Despotikos, à
survivre ce jour-là à l'enfer de Pantokratos, et aucun
de ceux qui en réchappèrent n'en ressortit indemne.
Devant les murs apparut alors un cavalier solitaire et
sans arme, le corps couvert d'écorchures, le pourpoint et les chausses en lambeaux. Fou de colère,
messire Ugo rassembla ses hommes, fit rattraper les
chevaux errants et ordonna à tous ceux qui le pouvaient encore de monter en selle. Il avait la ferme
intention de lancer une charge destructrice contre le
village. Mais une forêt de faux scintillantes se dressa
derrière la brèche, formant avec les pieux une phalange qu'aucun cavalier ne pouvait affronter. En tout
cas, ses hommes, ou leurs chevaux, reculèrent.
Lorsque Ugo se retourna, il était seul. De la hauteur
de la tour du puits, les Chevaliers teutoniques arrivèrent alors en courant, menés par ce jeune guerrier
qui avait déjà eu raison de lui au combat à pied. Ugo
prit la fuite.

Dans l'attente de l'épouse

La petite ville portuaire de Trani, au sud de la côte
de l'Adriatique, était accaparée par le grand événement qui s'annonçait lorsque Oberto Pallavicini, le

redouté vicaire de l'empire, y arriva par la mer à la surprise de tous. Trani avait été choisie par le roi Manfred pour recevoir l'épouse que l'on attendait d'Épire, et c'est dans sa cathédrale que devaient être célébrées les noces. Cette petite ville de pêcheurs insignifiante s'orna ainsi de portiques et d'arcs de triomphe entourés de guirlandes. Le trajet que le couple emprunterait pour atteindre, en haut, la porte de bronze de la cathédrale, était déjà orné des bannières de tous les princes et de leurs vassaux, de toutes les villes et communes du royaume. Celles des grands et des puissants flottaient sur des mâts spé-cialement dressés, celles des bourgeois sur les bal-cons des maisons, ou le long de cordons tendus au-dessus de la rue. On préparait des gerbes de fleurs. « Les époux marcheront sur un tapis de fleurs ! » s'exclama Mafalda, qui avançait à côté du vicaire et accueillait avec satisfaction les saluts respectueux qu'on adressait à cet homme important.

— C'est ainsi que je m'imagine mon propre mariage !

Oberto Pallavicini lui lança un regard en biais.

— Avec moi, vos pieds ravissants fouleraient de l'or massif, si vous vous décidiez à accepter mon offre !

Dame Mafalda tressaillit comme sous un coup de fouet. Elle évita ensuite de regarder le borgne. Le vicaire de l'empire était marié depuis longtemps, et même s'il n'avait plus que moquerie pour sa vieille épouse qui s'étiolait quelque part, dans un château du nord du pays, Mafalda savait fort bien que l'Église ne prononcerait jamais le divorce. Elle se retourna pour vérifier que Rinat Le Pulcin trottait toujours derrière eux. C'est alors qu'elle aperçut les cheveux blancs de Sigbert von Öxfeld, le comman-deur des Chevaliers teutoniques. Ne serait-ce que pour agacer Oberto, elle s'arrêta et cria :

— Quelle joie !

Elle connaissait le commandeur depuis Palerme, et savait que le vicaire n'avait guère d'estime pour le vieil homme : il était lié par une étroite amitié au couple royal, et avait certainement trempé dans la tentative de libération d'Enzio, à Bologne. Oberto décida de ne pas réagir au jeu de la dame, mais Sigbert le devança.

— Oh, messire le vicaire de l'empire, si j'avais su que vous vous promeniez vous aussi, nous aurions pu faire le voyage ensemble !

— Je ne vous le souhaite pas, messire Sigbert, le mien m'a mené en ce lieu par de fâcheux détours.

— Mais au bras d'une dame ravissante !

Il s'inclina gracieusement devant Mafalda et demanda, en répandant avec plaisir du sel dans les blessures du vicaire :

— Puis-je donc supposer que votre maîtresse Yeza Esclarmonde n'est pas loin, elle non plus ? Je la croyais depuis longtemps en *Terra sancta*, où je me sens moi aussi attiré, après toutes les expériences décevantes que j'ai faites dans un Occident qui nous a oubliés depuis longtemps, nous et Jérusalem.

— Cela ne tiendrait-il pas aussi au fait que messires les chevaliers de l'Ordre s'occupent de choses qui n'ont plus rien à voir avec leur destination originelle ?

— S'il est aujourd'hui donné aux seigneurs profanes de juger où et comment nous servons Dieu, au lieu de soutenir notre travail en nous envoyant les hommes et les moyens appropriés, vous pourriez avoir raison.

Oberto n'avait pas l'intention de céder.

— Dame Yeza est à bord de l'un de ces moyens regrettablement détourné de son objectif initial, sur le navire amiral du grand maître du Temple, un vaisseau volé, et elle s'apprête à sauver la sainte Jérusalem !

— Cela me réjouit et m'inquiète à la fois, dit Sigbert en tournant les talons. Effectivement, je ne dois pas séjourner plus longtemps ici dans le seul dessein de rendre hommage, au nom de l'ordre des Chevaliers teutoniques, au roi Manfred et à son épouse. Portez-vous bien !

Et le commandeur s'éloigna d'un pas énergique.

Oberto Pallavicini conduisit dame Mafalda dans un palais, à l'écart de la grand-rue. C'était un bâtiment modeste, mais un jardin plein de fleurs l'accueillit derrière le portail. Les chambres se trouvaient au rez-de-chaussée. Mafalda y découvrit un large lit à baldaquin. À côté, il n'y avait plus qu'une chambre sans fenêtre qui servait sans doute de garde-robe.

— Elle ira bien pour Rinat ! décida joyeusement le seigneur, qui y poussa le peintre, referma la porte derrière lui et fit un clin d'œil complice à Mafalda.

Ce lascar pensait-il pouvoir choisir pour maîtresse une comtesse Levis de Mirepoix ?

— Prenez vos aises, mon ange.

Ce parvenu qui s'était élevé d'un simple poste de chef de mercenaires jusqu'aux plus hautes fonctions de l'État n'avait pas de manières, mais rien ne semblait pouvoir troubler son arrogance.

— Je vais aller visiter les alentours. Nous avons aussi besoin de vêtements fins pour les festivités imminentes. Immédiatement après la cérémonie, la noce se rendra sur le Castel del Monte tout proche — trois jours de danse, de chasse et des repas sans fin, avec le meilleur vin !

Il lança à Mafalda la clef de la porte derrière laquelle il avait enfermé Rinat.

— Je fais confiance à la dame de cette maison, ajouta-t-il. Ne tuez pas ce gredin, et ne le laissez pas filer. J'ai encore quelques projets pour lui.

Il s'en alla. Mafalda ne réfléchit pas longtemps. Elle prit un gobelet, passa au jardin et souleva prudemment quelques pierres plates jusqu'à ce qu'elle ait trouvé ce qu'elle cherchait. En un éclair, elle renversa le gobelet sur le scorpion effrayé. Puis elle fit entrer l'arachnide venimeux dans le récipient, et le porta à l'intérieur. Elle tira couvertures et draps, et plaça l'animal à hauteur des pieds. Ensuite elle ouvrit la chambre et cria :

— Vous pouvez sortir, *pulcino mio* ! Je ne vous frapperai plus, et je ne vous écorcherai pas tout vif !

Rinat, méfiant, passa la tête par la porte. Il tenait, caché dans sa manche, un mince stylet qu'il avait tiré de sa botte. Mafalda lui tournait le dos.

— Pressez-vous, Maestro! babilla-t-elle d'une voix légèrement stridente. Je m'apprête à prendre congé en français du puissant vicaire de l'empire. (Elle riait.) Et je vous conseillerais de le faire avant d'être pendu comme espion de l'Anjou, pour célébrer cette journée.

Rinat sourit finement et s'inclina.

— Si vous voulez me prendre avec vous, dame Mafalda, j'accepterai volontiers de vous servir de galant, et je vous serai bien utile!

Ils s'emparèrent de toutes les pièces d'or qu'ils trouvèrent dans le double fond du sac de voyage qu'avait apporté Pallavicini, un cadeau que le bailli de Lucques avait fait à son seigneur. Mafalda les partagea en deux. Peu après, deux femmes très dissemblables quittèrent la maison. La plus laide portait une cape élégante, et nul ne remarqua qu'il lui manquait un bras.

Devant la cathédrale ornée de fleurs, Oberto Pallavicini courut se jeter dans les bras du maître des Templiers, Guillaume de Gisors, auquel il n'avait jamais pu résister. Son visage lisse, cette tendresse si peu virile lui inspiraient pourtant une étrange répugnance, sans qu'il en eût jamais vraiment connu la cause. Le vicaire de l'empire savait aussi que certains donnaient au Templier le surnom de « Face d'Ange ». On ne pouvait pas en dire autant de lui, Oberto... Mais il savait aussi que Guillaume se situait sur la plus haute passerelle de commandement de cette funeste puissance qui avait pris le nom de « Prieuré de Sion », et qu'il était le successeur désigné de la Grande Maîtresse. Mieux valait, en cas de besoin, être en bons termes avec pareille société secrète.

— Très précieux chevalier, le salua-t-il avec une amabilité teintée de malice, en admirant la fine broderie de soie qui composait la croix rouge griffue appliquée sur le clams immaculé, êtes-vous toujours en quête de la prunelle des yeux du grand maître ?

L'Ange n'appréciait pas ce genre de familiarités.

— Seriez-vous victime d'une confusion ? Messire Thomas Bérard les a encore toutes les deux et se réjouit de les détenir !

— Je parlais de *L'Atalante,* rétorqua le vicaire. Il a certainement dû la prêter, car je l'ai vue récemment, commandée par un homme auquel je ne tendrais pas la main, par peur de ne plus y retrouver quelques doigts !

— Taxiarchos est un corsaire qui, moyennant rémunération, accomplit certaines traversées, répondit froidement le Templier. L'Ordre sait que son navire est entre des mains expérimentées !

Le vicaire éclata de rire.

— Vous n'avez pas vu votre amiral utiliser *L'Atalante* pour trancher en rondelles la flotte de l'Anjou ! Une hache qui mord le bois ou enfonce des clous de fer mène à côté de cela une vie contemplative. Il traite votre barque comme un Mongol manie une femme prise au combat.

— Cela ne fait que plaider pour la *repugnantia viris stupri* du navire ! Qui donc vous a rapporté l'épisode ?

Gisors s'efforçait de ne pas laisser paraître son intérêt. Mais Oberto Pallavicini était un vieux renard, et percevait fort bien l'inquiétude du Templier.

— J'ai vu de mes propres yeux l'anéantissement des Provençaux dans le golfe d'Otrante. Vous n'y trouverez plus *L'Atalante.* Taxiarchos a levé les voiles et fait route sous son propre commandement, il a fait monter Yeza à son bord.

— Qui est en route pour Jérusalem...

— Il va l'accompagner à Alexandrie.

— Le service du couple royal a toujours été un devoir pour l'Ordre !

Le Templier décida de mettre fin à l'entretien. Il en savait assez, désormais, et salua sèchement le vicaire de l'empire :

— Nous nous reverrons sûrement aux noces!

Oberto était satisfait, lui aussi. Il se frotta les mains en s'éloignant. Taxiarchos recevrait la punition qu'il méritait, et lui-même allait à présent s'occuper de cette fille de comte languedocien mal dégrossie.

Une séparation à contrecœur

— Pourquoi ne m'avez-vous pas laissée partir?

Yeza lança un regard furibond à Taxiarchos dès son arrivée dans la cabine. Elle avait bondi comme une tigresse lorsqu'il avait demandé à entrer, au lieu de le recevoir, comme d'habitude, allongée sur son lit.

— C'était déjà la troisième île! Ne venez pas me raconter que la mer était trop agitée! Vous savez si bien manier le gouvernail, d'habitude, que vous n'auriez eu aucun mal à rapprocher suffisamment *L'Atalante* de la côte.

Le grand capitaine observa la jeune femme avec ce sourire supérieur qu'il avait coutume d'arborer lorsqu'il avait l'intention d'imposer sa volonté.

— Épargnez-vous ce maudit rictus! lui lança Yeza en faisant mine de lui foncer dessus. Est-ce que je ne mérite même pas une explication?

Elle laissa retomber ses poings dressés. Il aurait profité du mouvement de la jeune femme pour la tirer contre lui, et elle serait de nouveau tombée sur son lit, dans les bras de l'homme. Elle s'immobilisa et attendit, en bouillant intérieurement. Le capitaine s'installa sur le rebord du lit de la jeune femme comme si c'était le sien.

— Nous avions déjà mis le canot à la mer, se défendit Taxiarchos, sans beaucoup d'énergie. Mais il menaçait de chavirer, les vagues étaient trop puissantes.

Il avait de nouveau ce sourire insolent.

— Vous n'ignorez pas que je sais nager! Alors ne

me racontez pas d'histoires : vous ne *vouliez* pas me laisser partir.

En guise de réponse, Taxiarchos, muet, passa à la contre-attaque. Dans l'ardeur de leur discussion, Yeza s'était trop approchée de lui. La main du marin se posa sur sa hanche comme une serre, il la serra *gluteus* et commença à la tirer vers lui, dans un mouvement inexorable. Yeza parut d'abord céder, mais elle bondit ensuite sur le lit, le renversa et enfonça son genou dans ses parties tandis qu'elle lui attrapait la gorge des deux mains.

— Admettez au moins votre geste de canaille, Taxiarchos ! Vous êtes allé jusqu'à saboter le canot !

Taxiarchos se sentait pris au piège. Yeza avait-elle appris qu'ils étaient passés tout près de son Trencavel au moment où ils avaient rencontré la trirème ? Il aurait perdu cette femme sur-le-champ s'il le lui avait révélé. Face à l'aura gigantesque de Roç, il ne pouvait rien faire, et cela lui était particulièrement désagréable. Il n'aurait plus été qu'un amant usagé, et elle l'aurait sans doute rapidement oublié. Taxiarchos soupira. Il ne pouvait pas révéler non plus à Yeza que devant la Crète, sans qu'elle le remarque, il avait rencontré le voilier du Hafside, et qu'il avait alors couché Geraude endormie dans un canot qui avait dérivé sur les vagues jusqu'à la côte. Le Hafside avait réclamé la suivante parce que « son chaman en avait décidé ainsi », avait-il dit. Étrangement, le Pénicrate n'avait pas résisté. À Yeza, il avait ensuite raconté que Geraude était tombée à la mer, la pauvre, et que personne n'avait remarqué sa chute. Yeza avait montré une certaine tristesse, mais cela n'avait pas duré bien longtemps.

Il éloigna de son cou les mains de la jeune femme et la tira contre lui. Elle libéra son sexe et il laissa son tronc grandir en elle, ce qui n'était possible que lorsqu'elle y était disposée. Il lui laissa le soin de le chevaucher, et Yeza ne le déçut pas. Elle le fit avec une rage évidente, mais il ne s'en souciait plus. Il lui attrapa les hanches et régla lui-même leur rythme.

Yeza se laissa faire. Le cheval voulait suivre son chemin ? Qu'il le fasse ! De toute façon, il ne la jetterait pas au sol, c'est donc déjà à elle que revenait la victoire. Taxiarchos était un homme exceptionnel, il galopait comme le diable, et le péril mortel grandissait à chaque coup. Il défiait le plus puissant Ordre du monde, affrontait des royaumes pour le seul plaisir de la réjouir encore. L'aimait-il ? Taxiarchos inquiétait Yeza. Combien de barrages dressés par des Templiers avaient-ils déjà franchis sans même le remarquer, tant était grande leur ivresse ? Ni Oberto Pallavicini, ni Manfred, et moins encore le froid Gisors ne pardonneraient au Pénicrate tout ce qu'il avait entrepris pour sa princesse ! C'était un homme mort !

Yeza le comprit tout d'un coup. Elle tressaillit. Elle ne voulait plus regarder son amant dans les yeux. La peur lui coupa le souffle et son plaisir se figea au moment précis où la respiration de plus en plus lourde du Pénicrate se transformait en ce halètement qui annonçait l'éjaculation. Elle agita son bassin en gémissant pour simuler un orgasme, puis elle ferma les yeux. Elle tremblait, mais c'était de peur de voir mourir ce corps brûlant. Désespérée, elle lui caressa les cheveux, le cou, lui embrassa le visage en luttant contre les larmes. Elle se laissa tomber sur lui et posa la tête sur sa poitrine poilue pour écouter battre son cœur.

— Partez, partez ! fit-elle dans un souffle, presque atone.

— Je ne vous quitte pas ! murmura Taxiarchos, ému.

Après la glorieuse bataille de Pantokratos, le Trencavel victorieux passa ses troupes en revue. Il n'avait subi que des pertes minimes. Quelques-uns des Chevaliers teutoniques avaient perdu la vie lors de la mêlée devant la tour du puits ; l'un d'eux s'était cassé le cou en descendant à cheval. Deux arbalétriers avaient été tués sur les murs de la citadelle. Roç était en grande forme et s'apprêtait à aller rendre une visite secrète à messire Ugo dans son château de Maugriffe, ne serait-ce que pour ne pas mettre en péril les prisonniers qui y croupissaient. La seule chose qui le laissait ahuri était le fait que les habitants du village libéré ne manifestaient aucune joie, et encore moins de reconnaissance. Ils paraissaient toujours aussi hostiles, et semblaient à présent accablés. Roç fit venir Zaprota, qu'il comptait de toute façon interroger. Mas demanda à se charger de l'interrogatoire.

— Vous aimez cueillir les graines de tournesol et les olives fraîches ? lança aimablement Morency pour entamer la conversation, car le vieil homme n'avait pas dit un mot. C'est sans doute l'unique moyen possible pour avaler votre fromage immangeable...

L'homme de Corfou n'accepta pas que l'on attaque ainsi l'honneur de son île :

— Nos olives noires valent bien vos haricots verts ! Et avec des olives et des graines de tournesol, nos fromages sont délicieux !

— J'ai pu m'en apercevoir ! répondit joyeusement Mas. En haut, dans la tour, en lançant votre appel au Despotikos par le biais du miroir à signaux, vous avez craché un joli paquet de noyaux et de graines vides !

— Mais j'ignore totalement comment on envoie des messages ! protesta le vieil homme.

— Mais vous vous êtes certainement exercé, en une autre occasion, à couper au couteau un œuf d'oiseau cru et à le gober ?

— Ce n'était pas moi.

— Ça ne fait rien, le consola Morency. En tout cas, le message est parvenu à son destinataire, et il est arrivé à l'heure.

— Il n'a eu qu'un seul problème, l'interrompit le gros Pons : d'une manière totalement fortuite, nous avions fermé la galerie de taupe. Sans cela, les Templiers auraient connu dans la citadelle le même sort que leurs prédécesseurs, qui s'y croyaient en sécurité alors qu'ils étaient dans la nasse.

— Je ne sais pas de quoi vous parlez, jeune seigneur, répliqua nerveusement Zaprota. J'espère seulement que vous avez compris : vous n'êtes pas les bienvenus ici, remontez dans votre navire au plus vite et partez.

— Ah! s'exclama Dietrich. Est-ce ainsi que l'on nous remercie de nos efforts?

Le vieux ne répondit pas, et Roç décida de le renvoyer, mais sous la garde rigoureuse de la garnison.

— Je charge aussi messire Dietrich, à titre personnel, de veiller à ce que notre cher ami (il adressa à Zaprota un sourire aimable qui ne promettait rien de bon) ne trouve plus d'occasion de conspirer contre nous!

— Dans le cas contraire, confirma l'Allemand blond, il sait où il devra chercher sa tête. Nous, les Chevaliers teutoniques, nous occupons la citadelle.

Il fit emmener le vieux.

— Je vais entreprendre une petite expédition, annonça Roç. Je ne serai accompagné que par mes remarquables Occitans et par le Diable du feu. Où se trouve-t-il, au juste?

À cet instant seulement, tous remarquèrent qu'ils n'avaient plus vu Mahmoud depuis qu'il avait déclenché son feu d'artifice dans la citadelle.

— Il sera revenu sur le navire.

— Non, répondit Beni, il n'y est pas.

— Il est sans doute sous terre, comme une taupe, pour comprendre enfin ce qui se passe là-dessous entre Pantokratos et son petit puits. On y trouve peut-être un temple datant de la nuit des temps?

— Ou même la ville de Troie, ou un lieu de culte secret de la déesse Ishtar, assoiffée de sang. C'est à elle, en vérité, que l'on apporte ces têtes en sacrifice. Prends garde à toi, mon cher Pons : pour les sacrifices, on préfère les petits gros!

— Et Zaprota est son grand prêtre, conclut Dietrich. Nous aurions dû lui demander où est passé Mahmoud.

— À mon avis, intervint Simon, le vieux a toutes les raisons de vouloir se débarrasser de nous. Il est possible que nous soyons encore entourés de dangers dont il ne veut pas parler. Ugo pourrait revenir en secret et se venger.

— Je veux prendre les devants, confirma Roç. Je veux aller l'enfumer dans sa caverne, à Maugriffe.

— Comme toujours, une fois saisi par la folie, plus rien ne peut vous détourner de vos chimères, Trencavel !

Roç voulut lui répondre, mais le Templier ne le laissa pas reprendre la parole.

— Comme la trirème ne se lancera pas, au moins dans un délai prévisible, dans son périple à destination de Jérusalem, il ne me reste plus, à moi et à mes frères, qu'à prier la Vierge Marie pour qu'elle nous envoie un petit navire qui nous emmènera en Terre sainte !

— Comme c'est touchant ! répliqua Roç. Vous avez sans doute oublié ce qui vous attend : la Haute Cour de votre Ordre, qui vous punira pour avoir cédé face à un homme comme Taxiarchos. Et qui punira aussi le fait que vous êtes encore en vie, alors que votre Temple ordonne l'obéissance jusqu'à la mort !

— Je peux encore arranger cela, dit Simon d'une voix blanche.

— Tentez plutôt de récupérer *L'Atalante* conseilla Dietrich. Pour votre Ordre, elle vaut bien plus que votre vie.

— C'est la raison pour laquelle je vais monter la garde ici, devant la tour, avec mes frères, jusqu'à ce que nous ayons pu embarquer dans un navire.

— Je serai revenu depuis longtemps, répondit Roç. Ne me faites pas perdre plus de temps !

Il remarqua que ses trois Occitans se tenaient de côté et n'avaient pas du tout l'air de se réjouir de leur départ. Raoul fit un pas en avant.

— Lorsque nous avons quitté Otrante, vous avez, Trencavel, annoncé que vous comptiez vous abstenir de toute aventure en Grèce. Où nous trouvons-nous à présent? Sur la terre des Grecs! Pas au centre, sans doute, mais les marges me suffisent bien. Nous sommes déjà empêtrés jusqu'au cou dans vos affaires douteuses! Nous sommes intervenus, nous nous sommes bravement battus, nous avons vaincu. Ne serait-ce pas défier la déesse de la chance que de nous impliquer encore plus, à présent, dans les querelles familiales de cette tribu hellénique infidèle et trompeuse? Pourquoi voulez-vous aller vous promener dans le nid d'une araignée meurtrière?

Roç l'avait laissé parler tout son soûl. Il appréciait Raoul, auquel il enviait parfois ses manières de conquérant. Mais pour l'heure, c'était à lui, le Trencavel, de s'imposer! Il ne pouvait pas lui expliquer que l'important n'était pas à ses yeux d'atteindre son objectif, qu'il s'agissait seulement de suivre son chemin, un chemin, qui renaissait toujours de nouveau à partir de ses visions et des leçons données par ce pouvoir invisible qui veillait sur lui et tenter de forger son destin. Il n'y avait aucune bonne raison de s'engager dans l'aventure grecque. Il avait essayé d'y échapper. Mais il y était effectivement empêtré jusqu'au cou.

— Vous avez parfaitement raison, mes amis, répondit-il en s'adressant à tous. Il n'y a aucune raison valable d'agir ainsi. Mais c'est la manière dont je me représente une vie de chevalier. C'est elle qui me donne l'envie d'affronter les périls et de les vaincre. Ceux qui veulent me suivre doivent être animés par le même désir.

Raoul fit alors un pas de plus vers Roç, et se plaça sans un mot à côté de lui.

— Ah, qu'est-ce qu'on peut attendre de plus de la vie, grogna Mas en suivant son compagnon. Pons resta tout seul, mais finit par rejoindre les Occitans, en déclarant bravement :

— Que seriez-vous sans le fils de mon père?

— Il ne me déplairait pas de me joindre à vous! lança alors Dietrich. Mais Roç le rabroua.

— Vous savez combien j'estime la force de votre

main, le courage de votre cœur et la clarté de votre entendement, vous savez combien j'aimerais vous avoir avec moi. Mais l'un de nous deux doit rester ici et exercer le commandement. Comme messire Simon a déjà pris congé de nous, je ne vois personne qui soit mieux à même de le faire que vous, Dietrich von Röpkenstein.

Il prit l'Allemand dans ses bras et l'y garda plus longtemps que ne le requièrent, d'ordinaire, des adieux rapides entre amis.

— Savoir que vous m'épaulez ici, dit-il à voix basse, c'est presque comme si vous affrontiez l'aventure à mon côté !

— Et moi ? demanda Beni en se campant devant Trencavel.

— Vous, je vous charge de cette tour, où vous surveillerez le miroir, annonça Roç à son jeune *secretarius*. Votre mission sera aussi de garder le contact par signaux entre la trirème, en bas, et la citadelle, en haut. C'est très important !

Beni parut s'en contenter. Il regarda fièrement Potkaxl, puis il prit son courage à deux mains et entraîna le Trencavel à part.

— Maintenant que messire Gosset, votre conseiller, vous a quitté, je me permets de vous rappeler le coffre qu'il surveillait jusqu'ici et qui contient votre cassette de guerre. Puisque vous m'avez désigné comme gardien du miroir et que nous (il incluait donc Potkaxl dans ses plans) allons prendre nos quartiers ici, il me semblerait avisé d'y transporter aussi le coffre afin de le mettre sous ma protection.

Roç sourit.

— C'est exact, admit-il en chuchotant comme Beni. Faites-le porter par les Maures. S'il ne passe pas dans l'escalier en colimaçon, hissez-le au bout d'une corde. Et trouvez une idée pour barricader efficacement l'accès à la plate-forme, si jamais quelqu'un voulait s'emparer de vous et de la caisse !

Beni hocha la tête et fila. Roç fit signe à ses trois compagnons, et ils montèrent en selle.

— Le petit Diable du feu va nous manquer, constata Pons, qui tentait une dernière fois d'échapper à son destin, mais Roç ne l'écouta pas.

— Si nous ne sommes pas revenus d'ici six jours, dit-il au Templier, évacuez la citadelle et tentez, à l'aide du miroir, d'entrer en contact avec le Hafside ou de joindre Gosset. Pour le reste, saluez ma veuve Yeza. Ma dernière pensée sera pour elle !

— Veuillez pour cela nous laisser deux fois trois lunes, cher Trencavel. C'est le temps qu'il nous faudra pour vous chercher, moi-même et messire Dietrich !

Simon se hissa à son tour sur ses pieds et embrassa le chevalier qui s'en allait. Roç leur fit à tous un signe d'adieu, et la petite troupe se mit au trot.

Preuves d'amour et de pouvoir

Après tant de journées brûlantes et de nuits froides, de plus en plus courtes, le delta du Nil s'étendit devant eux comme une main ouverte, parcourue de veines et portant au doigt un anneau orné d'une perle, un bijou unique et précieux : Alexandrie.

Yeza trouva Taxiarchos dans sa tente. Il était courbé, la tête entre les mains. Elle lui posa doucement la main sur la nuque.

— Nous avons connu assez d'adieux, et tellement divers, pour que la séparation ne nous gâche pas la joie de vivre et nous donne un avant-goût de la mort. L'heure est venue, et nous allons interdire à la tristesse d'amoindrir les joies que nous avons connues l'un avec l'autre, mon cher ami.

Elle passa ses doigts dans ses cheveux emmêlés, quelques boucles crépues montraient les premiers reflets gris.

— Venez et aidez-moi à débarquer rapidement, les Maures doivent porter mes maigres biens sur le rivage. (Elle désigna la côte.) Là, où seul un tas de cubes cyclopéens rappelle encore la plus utile des sept merveilles du monde, le phare de plus de cent mètres de haut !

Taxiarchos s'était relevé en souriant.

— Je vois, princesse, que votre esprit si clair s'est déjà tourné vers de nouvelles contrées, qu'il a déjà plongé dans ce lieu unique où l'histoire glorieuse et la sagesse antique de l'Égypte se sont mêlées à la *sophia* des Grecs. Je vous envie, Yeza.

Il la garda longtemps au bout de ses bras tendus, comme s'il voulait conserver son image pour toujours. Puis il l'embrassa sur le front.

— Comme j'aimerais vous montrer la ville du grand Ptolémée !

— Vous suivez ses traces comme un digne fils ! répondit Yeza en lui souriant. Taxiarchos, le découvreur du Nouveau Monde ! (Elle se dégagea.) Soyez fier d'être grec, comme lui !

Pendant ce temps, *L'Atalante* s'était approchée si près de la plage désertique, à côté de la nouvelle Alexandrie, que les marins pouvaient déjà discerner les gigantesques blocs de pierre taillée et les colonnes de marbre éclatées qui dépassaient de la surface de l'eau. Taxiarchos fit jeter l'ancre et laissa les *lancelotti* former l'escorte de Yeza dans le canot, comme ils l'avaient demandé. Lorsque tous ses ballots, ses caisses et ses coffres eurent été chargés, Kefir et Jordi s'y laissèrent descendre au bout d'une corde. Yeza fut la dernière à quitter le bord. Elle ne se retourna pas. Les *lancelotti* s'installèrent aux rames, et le petit bateau trouva habilement son chemin entre les vagues. Yeza ne put s'empêcher de laisser son regard glisser vers *L'Atalante*. Taxiarchos, debout sur la proue, la suivait des yeux. « Dieu fasse qu'il atteigne les "Îles lointaines" et qu'il y soit heureux », murmura-t-elle. Elle se força à ne pas lui adresser un dernier adieu de la main. Elle était au désespoir. Comme elle aurait aimé pouvoir pleurer !

Le crissement du gravier sous le canot mit un terme à son doute et à sa détresse. Yeza fut la première à sauter dans l'eau et à rejoindre la terre. Derrière elle, Jordi s'occupa du déchargement. Des gamins serviables à la peau sombre proposèrent bruyamment leurs services de porteurs. Kefir fit tout empiler au pied d'un mur qui avait jadis servi de socle au gigantesque phare. Le claquement des faux contraignit Yeza à regarder en arrière. Les fidèles *lancelotti* avaient levé leurs rames, et le canot se balançait sur les vagues. *L'Atalante* avait mis toutes les voiles dehors, et s'éloignait d'eux à grande vitesse. Tel avait donc été le dernier salut de Taxiarchos : pour son bonheur et sa protection, il avait renoncé à ses *lancelotti*, il lui avait laissé ces soldats talentueux et expérimentés. La grand-voile gonflée rapetissait à vue d'œil, la coque élevée du navire avait déjà disparu derrière l'horizon, on ne distinguait plus que la pointe des mâts. Mais ils se dérobèrent à leur tour au regard de Yeza.

Faucon rouge, l'émir Fassr ed-Din Octay, fils de l'inoubliable grand vizir Fakr ed-Din, connaissait les moindres recoins du palais du sultan, au Caire, et tout particulièrement ce large couloir interminable qui traversait les halls et menait devant le trône du gouvernant. Le visiteur, autour duquel les escortes se relayaient, mesurait ainsi les différentes zones de pouvoir : on commençait par les services de garde et de messagerie, c'étaient ensuite ceux du grand chambellan, de la conciergerie, des différents secrétariats, du maître des cérémonies et de cette garde qui fouillait tous les visiteurs et constituait le dernier cercle, la protection directe du sultan. Faucon rouge était une personnalité connue, l'ami et le conseiller du jeune Nur ed-Din Ali, même s'il n'avait pas pris la relève de son père et n'avait pas accepté le titre, mais aussi le fardeau qui s'attachaient aux fonctions de vizir.

Il était donc habitué à parcourir les salles et à franchir sans obstacle les portes qui s'ouvraient et se fermaient à son passage. Mais, cette fois, il fut frappé par le vide des pièces dans lesquelles se bousculaient d'ordinaire courtisans et quémandeurs, où s'entassaient d'innombrables légats réclamant une audience et où se pavanaient les militaires, presque toujours des émirs mamelouks. Aujourd'hui, les contrôleurs semblaient totalement indifférents. On laissait l'émir passer comme si l'objet déclaré de sa visite n'était pas le commandeur de tous les croyants, mais un simple kadi de province, Fassr ed-Din Octay aurait pu sans difficulté cacher un poignard dans ses vêtements et se présenter ainsi armé devant Ali, ce garçon assis, solitaire et perdu dans le grand cadre formé par le trône du sultan.

Le fils d'Aibek n'a pas les épaules suffisantes pour occuper ce trône. Ce n'était pas la première fois que cette idée venait à l'esprit de l'émir, qui s'inclina seulement un bref instant. Il fit signe au souverain comme si c'était un écolier, afin qu'il descende vers lui et approche de la fenêtre. Ce n'était pas un signe de mépris. Mais Faucon rouge savait que ce siège coûteux à dossier haut, construit en marbre, en ébène, en or et en ivoire, renvoyait comme un écho le moindre mot, même chuchoté.

Ali ne songea d'ailleurs pas une seule minute à résister à cette invitation, tant il se réjouissait de la visite de l'émir. Faucon rouge ne prit pas beaucoup de temps :

— Un devoir qui n'a rien à voir avec les fonctions que j'exerce auprès de vous m'appelle à Alexandrie, Majesté.

— Ah, répondit Ali, les yeux brillants. Je parie que l'on réclame le gardien des enfants du Graal...

— Ce ne sont plus des enfants depuis longtemps, répliqua Faucon rouge, amusé, mais vous avez raison : Yeza Esclarmonde vient d'y arriver, sans prévenir et toute seule !

— Alors votre devoir est de courir la rejoindre. Non seulement je vous donne cette permission, mais je souhaite que vous transmettiez mes hommages à la princesse. Veillez seulement...

Tout d'un coup redevenu un petit bonhomme, sans la moindre trace de mauvaise humeur, le jeune sultan courut vers son trône, fouilla sous le coussin de velours et en fit sortir une tablette de bois qu'il porta aussi vite que possible à l'émir, en la pressant sur son cœur. La miniature était un portrait de Yeza. Faucon rouge ne la regarda pas longtemps.

— D'où tenez-vous cela ? s'enquit-il sèchement.

— Un cadeau officieux de la délégation commerciale vénitienne qui est passée récemment... Eh bien, quoi ? La princesse ne ressemble-t-elle pas à son portrait ? Vous l'avez bien aperçue à Palerme, non ?

Ali paraissait plus amoureux que soucieux, et l'émir songea aux bruits qui couraient sur les relations entre le jeune sultan et Madulain, l'épouse de Faucon rouge.

— Non, non, répondit-il pour tranquilliser le souverain. La fille du Graal est même sans doute devenue encore plus belle depuis que l'on a fait ce portrait.

— Dans ce cas, faites-la venir ici, je veux mettre Le Caire et toute l'Égypte à ses pieds !

L'émir posa la main sur ses épaules et le tira plus près de lui pour ne pas être forcé de parler à voix haute.

— Ma visite a un rapport avec l'Égypte et Le Caire. On ne peut déposer aux pieds de quelqu'un que ce que l'on ne tient pas en main. Je me fais du souci pour vous, je parle avec mauvaise conscience...

— Vous craignez que je ne puisse affronter l'orgueil de Saif ed-Din Qutuz ?

— Depuis que vous êtes assis sur ce trône, Ali, des amis de votre père vous ont protégé de toutes les difficultés, si bien que vous n'avez jamais eu à subir la froideur et la dureté des mamelouks. Mais les temps ont changé. Les Mongols, à l'est, constituent désormais pour nous un danger auquel nombre de vos émirs veulent répondre énergiquement. Ils pourraient juger que Qutuz ferait un meilleur souverain...

Ali était consterné par les mots de son ami.

— Le pensez-vous aussi ? demanda-t-il, méfiant et vexé.

— Si tel était le cas, vous ne vous trouveriez déjà plus ici. Mais aujourd'hui, Baibars est revenu, l'homme qui, pour fuir votre père, s'était réfugié à Damas. Ne nous racontons pas d'histoires ! Dans cette ville, c'est lui qui détient le pouvoir secret...

— Que dois-je faire ? demanda Ali d'une petite voix.

— Prouvez à l'Archer que vous savez utiliser vos prérogatives de souverain. Débarrassez-vous de Qutuz, cet homme avide de pouvoir, faites-le immédiatement. Dans le cas contraire, vous pourriez ne pas voir se lever le soleil demain matin !

— Sa tête ?

— Ou la vôtre, Ali ! répliqua Faucon rouge d'une voix basse et rauque. Faites appel aux Bédouins de mon père avant que votre adversaire ne fasse sortir ses bahrites des casernes du Nil, forcez Baibars et ses « chambellans », les gamdarites, à se placer à vos côtés. Faites lui savoir que son fils Mahmoud est en bonne santé auprès de Shirat, la comtesse d'Otrante, et sous la protection de mes amis du Prieuré.

— Qui est ce « Prieuré » ?

— Ce sont les gardiens du Graal expliqua Faucon rouge avec un regard encourageant. Il s'agit de la plus puissante société secrète de l'Occident. Les Templiers et les Assassins sont à ses ordres, et je lui obéis moi aussi. (Il prit le jeune sultan dans ses bras, l'embrassa sur les deux joues et sur la bouche.) C'est la raison pour laquelle il me faut vous quitter à présent. J'espère vous revoir ici !

Et, d'un pas énergique, l'émir quitta la salle du trône.

V

LE MAL SUR MAUGRIFFE

On en réchappe encore une fois

La petite troupe formée par Roç et par les trois Occitans trottait vers le point où, selon Zaprota, devait se trouver le château Maugriffe. Ils n'avaient emmené qu'un seul cheval bâté, si bien qu'ils avançaient rapidement. Mais Roç ne pouvait espérer y parvenir avant la tombée de la nuit. Il ne voulait en aucun cas atteindre le château à une heure tardive et réveiller les occupants. Pareille visite aurait étonné, et convenait donc tout aussi peu qu'une arrivée au petit matin, où l'invité inattendu aurait été toute la journée un sujet de curiosité et de discussions. Le mieux serait d'apparaître à l'instant où l'on aurait desservi le dîner et où le maître du château se serait déjà retiré pour se reposer. Cela éviterait à Roç de devoir le saluer : ils s'étaient affrontés les yeux dans les yeux pendant la bataille, et il n'était guère probable que messire Ugo ait oublié cette déconvenue.

Roç n'avait pas de véritable plan sur la manière dont il entrerait à Maugriffe. Fallait-il y pénétrer secrètement, ou s'y présenter comme si de rien n'était ? La seule chose qui comptait à ses yeux était de ne pas tomber entre les mains des gardiens de la porte, mais de se retrouver en tête à tête avec le bâtard lui-même pour le placer devant ses responsabilités. Au grand étonnement de ses compagnons,

Roç sortit du chemin et se dirigea vers une petite forêt.

— Nous nous déguisons, annonça-t-il laconiquement. En princes maures, on ne nous soupçonnera pas de faire partie des quatre cents hommes de Manfred.

— Un costume d'une discrétion absolue! remarqua Mas lorsqu'ils se tinrent à couvert des arbres. Quel nom comptez-vous prendre, Ali Baba ou Haroun al-Rachid le Jeune?

Roç avait déjà mis pied à terre et défaisait les bâts du cheval.

— Fassr ed-Din Octay! répondit-il après un bref instant de réflexion. Faucon rouge.

— J'ai déjà entendu ce nom-là, dit Pons, qui ne semblait guère convaincu. Et nous?

— Imagine quelque chose, proposa Raoul. Sindbad ou Aladin ne seraient pas mal.

— Plus c'est long et mieux c'est, assura Mas d'une voix tonitruante, et il éclata de rire en voyant le gros Pons se coiffer d'un turban. Pense à Beni, le *filius* de notre vizir, Kard ibn Kefir ed-Din Malik Alhakim!

— Je ne me rappellerai jamais un nom pareil, gémit Pons.

— Fais comme moi! lui conseilla Roç. Un tissu devant le visage, seuls les yeux doivent en dépasser!

Le castel Maugriffe se dressait dans la nuit, tout noir sur un rocher pointu. Il se trouvait bien audessus de la mer, ce qui expliquait pourquoi Ugo d'Arcady et ses cavaliers avaient remonté la plage à cheval: le chemin était certainement beaucoup plus court. Mais si Roç et ses compagnons distinguaient parfaitement le sombre château, avec toutes ses tours, ses murs et ses créneaux, ce n'était pas uniquement dû à la lune argentée, mais aux innombrables torches qu'on avait fixées partout dans des anneaux et qui, semblables à d'innombrables vers luisants plantés sur les murs, donnaient à Maugriffe une allure infernale. Une fête avait lieu ce soir-là, et

les invités continuaient à affluer par le portail ouvert.

— Nous sommes des envoyés du sultan! lança Raoul d'une voix posée lorsqu'ils avancèrent vers les gardiens en livrée.

— Bienvenue, noble seigneur! s'exclama le major-dome. Le comte Ugo, le puissant despote, vous attend déjà!

Les serviteurs attrapèrent les brides des chevaux, aidèrent les nouveaux venus à descendre et les guidèrent vers un escalier en plein air où la moitié d'une armée formait une haie d'honneur. On les fit aussitôt entrer dans la grande salle des fêtes, où l'on avait disposé les longues tables des convives. Au milieu, sur une estrade, trônait messire Ugo. Un gigantesque blason (une serre) était suspendu au-dessus de lui. On lisait sa devise sur un mur : « Tant mieux je griffe, tant pis. » Roç espérait pouvoir prendre place au bout de la table. Mais on avait laissé des sièges libres à côté du Despotikos, et c'est là qu'on les conduisit. Ugo se leva même pour le saluer. Le silence qui s'était fait dans la salle était tel que Roç put entendre quelqu'un chuchoter respectueusement « Faucon rouge! »

Raoul se reprit et annonça :

— L'émir Fassr ed-Din Octay...

Il n'alla pas plus loin : le Despotikos avait éclaté de rire.

— Votre arrivée est un honneur pour ma fête. Je l'attendais ardemment, Roç Trencavel du Haut-Ségur, fils et roi du Graal!

Il baissa la voix, ôta lentement ses deux mains des épaules de Roç et le pria de s'asseoir.

— Si bien que je ne ressens aucune honte à m'être dérobé devant votre épée! ajouta-t-il avant de se tourner vers Raoul et les autres et de crier, fier comme un héraut : De vrais fils de l'Occitanie savent comment on célèbre les fêtes! Bienvenue à Mau-griffe! Raoul de Belgrave, Mas de Morency, Pons de Levis, comte de Mirepoix!

Les trois jeunes gens, très honorés, prirent place. Mais Roç était resté debout. Il repoussa également la coupe qu'on lui tendait.

— Nous sommes venus, Ugo d'Arcady, pour demander la libération...

Le Despotikos l'interrompit aussitôt, sans perdre sa bonne humeur.

— Il n'y a pas de prisonniers à Maugriffe, juste de chers invités !

Il désigna les convives, qui saluèrent ses mots en applaudissant.

— Jugez-en vous-même !

— Comment cela ? cria Roç afin que chacun entende. Vous les avez tous...

Le mot « tués » fut couvert par les rires et les sifflements de la salle. Le Despotikos ne se laissa pas troubler, sa cruauté et son hilarité étaient indissociables.

— Tous ? répéta Roç, écœuré.

— Conformément à leur mission ils ont été envoyés au combat contre Nicée...

Cette fois, des applaudissements nourris l'empêchèrent de finir sa phrase. Mais Roç avait compris.

— Comment vous croire ?

— Commencez par boire avec moi ! (Ugo lui tendit lui-même la coupe.) Ensuite, sortez votre remarquable épée et posez-moi la pointe entre les omoplates, s'écria-t-il avec emphase. Livré à votre bon vouloir, je vous conduirai personnellement dans tous les cachots que vous souhaiterez voir !

Il leva son gobelet, et Roç dut boire avec lui.

— Et si vous flairez une trahison ou un mensonge, noble Trencavel, frappez !

Roç se tira de cette situation honteuse en plaisantant.

— Nous ferons demain cette promenade dans Maugriffe.

Il se donnait de la peine pour paraître détendu, et réussit à faire rire l'assistance en ajoutant :

— J'espère que vous ne me ferez pas trébucher !

— Demain, la grande fête débutera vraiment,

révéla Ugo à son invité. L'arrivée de l'épouse! Elena, cette beauté unique, ce frais bouton de rose d'Épire, partira pour la Sicile en compagnie et sous la garde du duc Lancia, prince de Salerne.

— Comment cela? demanda Roç. Vous avez donc vraiment mis un terme à vos querelles avec le roi Manfred?

— Nous sommes alliés! déclara le Despotikos en souriant. Messire mon père, le Villehardouin, prince d'Achaïe, s'est rallié à l'alliance contre Nicée!

— Buvons à cette alliance! s'exclama Pons, soulagé, qui avait suivi avec des frissons les premières passes d'armes verbales.

Le Despotikos fit remplir les verres, puis il mit un terme au repas.

— Vous avez eu une journée fatigante, Trencavel. Quant à moi, le devoir m'appelle!

Il sortit de la salle. Le majordome conduisit le Trencavel et ses compagnons dans une grande salle où se trouvait un lit royal à baldaquin, entouré par trois autres couches.

— Mon seigneur vous souhaite un agréable repos nocturne!

— Je ne me reposerai pas dans ce lit-là, pour ce qui me concerne.

Mas avait commencé par éclairer sous le lit avec sa torche. Puis il avait regardé le plafond, où un lustre en fer forgé était suspendu juste au-dessus du baldaquin.

— S'il tombe, votre chemin vers l'enfer sera certainement très bien illuminé, mais...

— Mais..., dit Roç, qui s'était agenouillé et observait le sol de bois, mais le diable tient-il vraiment à ce que ses invités arrivent en charpie?

Il sortit son épée et suivit une petite fissure que l'on avait cachée avec des incrustations. Elle courait en diagonale dans la pièce, de chacun de ses coins, comme le constata rapidement Mas.

— Ce n'est qu'une gigantesque trappe, elle donne directement sur le purgatoire.

— Dans ce cas, décida Roç, prenez les coussins et les couvertures. Raoul occupera le seuil de la porte en marbre, Mas le banc de la fenêtre et Pons... (Il ouvrit une porte minuscule dans la paroi)... Pons se couchera dans le petit coin secret. Le diable l'a épargné parce qu'il donne sur les fosses du château.

— Mais ça pue! protesta le gros garçon.

— Ça n'a encore jamais tué personne, le consola Mas.

— Et puis cet endroit est solidement encastré dans le mur, ajouta Roç.

— Et vous, Trencavel? demanda Raoul, inquiet.

— J'irai dans cette armoire. (Il écarta une paroi de bois.) Tiens, c'est aussi le chemin que nous prendrons si nous sommes encore en vie demain matin, et si la porte par laquelle nous sommes arrivés est verrouillée.

Il éclaira le trou noir qui s'était ouvert derrière le placard. Un souffle d'air fit vaciller la flamme de sa bougie.

— La porte est déjà fermée de l'extérieur! annonça Raoul, qui installait son lit sur le seuil.

Roç fut le dernier à éteindre sa torche.

Le siège opulent de l'ancien grand vizir se trouvait près de la ville de Gizeh, à portée de vue de la grande pyramide de Cheops. L'épouse du maître de maison avait pris l'habitude de doubler la garde chaque fois que son époux s'éloignait de la capitale toute proche. Elle donna aux Bédouins qui campaient aux environs l'ordre de disposer la moitié de leurs guerriers autour de la maison du seigneur, pour former un cordon de sécurité. Cette nuit-là, Madulain était restée longtemps éveillée. À la demande de Faucon rouge, elle avait envoyé la plupart des hommes au Caire pour protéger le sultan dans son palais. Princesse *Saratz*, Madulain ne connaissait pas la peur, mais elle savait très bien quels dangers peuvent faire courir en un instant les rébellions et les révoltes. Si l'on avait misé sur le mauvais cheval, la vengeance des vainqueurs s'exerçait sur les partisans du perdant. Faucon rouge n'avait jamais été du côté du pouvoir depuis que les mamelouks, sous les ordres de Baibars, avaient tenté leur coup d'État. Et le fait qu'il essaie aujourd'hui de maintenir Ali sur le trône était aux yeux de Madulain une manœuvre bien tardive. Depuis longtemps, Faucon rouge, en tant que vizir, aurait dû faire en sorte que le fils d'Aibek signe des décrets qui auraient rétabli l'ordre et le calme parmi les émirs mamelouks, quitte à faire rouler quelques têtes. Mais la famille du grand vizir était elle-même d'origine mamelouk, et il ne tenait pas à prendre ce genre de décisions. Il préférait partir pour des missions aventureuses dans les pays lointains, au-delà de la mer. Le prince Constance de Sélinonte, son alter ego que l'empereur Frédéric avait fait chevalier de sa propre main, existait toujours. Ces différentes identités se cachaient sous un seul nom de guerre, Faucon rouge. Et c'est cet homme-là qu'elle avait épousé! Madulain ne put que secouer la tête.

Comme si une cloche avait sonné, on frappa à la porte de sa chambre. On annonça l'arrivée de l'un des vieux Bédouins, chargé d'une nouvelle du Caire. Madulain le reçut immédiatement. C'était le fidèle Al-Khaf.

— Nous sommes arrivés trop tard pour sauver le trône du sultan Ali, mais assez tôt pour protéger sa vie. Nous l'avons fait sortir de la ville par des chemins dérobés et nous vous l'amenons, car on le traque, et sa famille n'est pas en mesure de se charger de lui.

— Vous avez bien fait, Al-Khaf. La maison du grand vizir doit être ouverte à tout fugitif. Mais il ne faudra pas longtemps avant que le nouveau sultan ne le sache et nous force à livrer Ali.

— Nous pourrions partir avec lui à cheval dans le désert; là, le savoir du sultan du Caire ne va pas loin, pas plus que son pouvoir! déclara fièrement le Bédouin.

— Laissez-moi réfléchir. Soyez remercié, cher Al-Khaf. Lorsque vos hommes arriveront avec Ali, j'aurai pris ma décision.

Elle se retira et fit réveiller ses serviteurs et ses suivantes, pour qu'ils préparent immédiatement leur départ. Car Madulain n'avait pas hésité un seul instant. Si Qutuz montait sur le trône, elle n'aurait pas une journée de sécurité, d'autant plus que Faucon rouge n'était pas auprès d'elle. Saif ed-Din Qutuz s'était insolemment approché d'elle chaque fois qu'il en avait eu l'occasion. Devenu sultan, son pouvoir serait sans limites ! Elle devait donc prendre la fuite avec Ali, quoi qu'en pense son époux. Elle ne lui avait jamais raconté qu'il l'avait importunée. Faucon rouge n'avait pas de pouvoir dans la capitale. Il ne disposait que de ses fidèles Bédouins, ici, hors de la cité. Madulain descendit et fit venir autour d'elle tous les doyens de tribu qui s'étaient déjà rassemblés devant la maison.

— Je veux tenir cette demeure à l'écart de la guerre et de la destruction, et je ne veux pas mettre votre vie en péril, annonça-t-elle d'une voix ferme. Je vais donc partir à cheval avec quelques-uns d'entre vous et le fils d'Aibek, je traverserai le désert jusqu'à la mer Rouge, où nous serons en sécurité. Ensuite, prendrons-nous un navire, traverserons-nous le Sinaï ? *Hadha bi mashiat Allah.*

Même s'il n'était pas le plus âgé, c'est Al-Khaf qui s'exprima au nom des chefs.

— Vous avez des égards pour notre vie, et ce n'est pas une bonne chose de votre part. Notre vie vous appartient, et chacun, ici, s'estime heureux de pouvoir la donner. C'est vrai, nos corps sont comptés, et il est sage de votre part de ne pas attendre jusqu'à ce que l'ennemi marche sur nos cadavres et vous prenne tout de même, vous et le fils d'Aibek. Permettez cependant que nous retenions les poursuivants ici aussi longtemps que possible, jusqu'à ce que nous soyons certains que vous aurez atteint le désert. Là-bas, nous serons si nombreux à vous entourer qu'aucune main ne pourra s'abattre sur vous.

— Je vous remercie, Al-Khaf. Je vous en prie, décidez qui m'accompagnera et qui restera ici. Nous nous en irons dès que le jeune sultan arrivera.

Elle s'apprêtait à partir, mais une idée lui vint.

— Informez, je vous prie, *an-nisr al ahmar,* à Alexandrie, de l'endroit où je me trouve.

Il saura bien où me dénicher, songea-t-elle avec une sorte de colère. C'était le genre d'aventures qu'il appréciait ! Il avait passé toute sa vie ainsi. Roç et Yeza, *Allah ya'allam* y avaient joué un bien plus grand rôle que son épouse. Son épouse ? Sa compagne de combat, oui ! Mais après tout, cela lui convenait.

Roç et ses trois compagnons ne furent pas réveillés par le bruit qu'ils attendaient : le sol de leur chambre ne s'était pas ouvert comme une gigantesque trappe en emportant tout avec lui. Ils constatèrent, avec un certain agacement, que leurs lits les attendaient toujours au même endroit. Même le lustre était encore suspendu. On frappait doucement à la porte. Ils entendirent la voix du majordome :

— Messire Ugo vous salue amicalement. Il est parti à cheval, de bonne heure, pour accueillir l'épouse...

— Nous sommes ravis d'être réveillés par cette nouvelle réjouissante, s'écria Mas depuis son rebord de fenêtre en étirant ses membres engourdis.

Il avait le cou tordu par la fraîcheur de la nuit et le courant d'air de la fenêtre. Pons avait mieux dormi et avait donc d'autres soucis.

— Quand et où donne-t-on la collation des mâtines ? crailla-t-il depuis son réduit.

— Tout est dressé dans la cuisine ! répondit le majordome, et les pas s'éloignèrent. La porte était ouverte. Roç sortit de son armoire.

— J'ai déjà inspecté notre chambre par le bas, annonça-t-il à voix basse. Les choses sont bien telles que nous les avions imaginées. Mais je vous en prie, restez où vous êtes, car je n'ai pas confiance. Je veux faire un tour rapide de Maugriffe.

Avant de disparaître derrière la porte de son armoire, il entendit Pons geindre :

— Il va boire du lait frais et se bourrer de caviar parfumé sur une galette de pain tendre !

Cela faisait saliver le gros garçon. Roç, lui, ne s'intéressait qu'au chemin qu'il allait emprunter entre les murs épais du château. L'installation qui permettait de transformer le plancher de la chambre en trappe était extrêmement simple. Une lourde poutre de chêne était disposée au milieu du sol, quatre branches sciées retenaient chacune un triangle, et lorsqu'on tirait sur les cordes qui étaient enroulées au pied de la poutre, installée sur des rondins, trois des surfaces au moins basculaient à la verticale, et la quatrième, vraisemblablement, en biais, puisqu'elle serait entravée par la poutre. Mais cela suffisait certainement à tout faire tomber dans cette geôle sans fenêtre d'où ne partait aucun escalier ni aucune issue. Les cordes étaient actionnées d'une balustrade qui courait autour de la salle. Roç, satisfait, continua son parcours et parvint bientôt devant une porte de fer donnant accès à un puits étroit qui, sans doute camouflé de l'extérieur en mâchicoulis, débouchait dans les douves du château. Mais c'est dans la cour que Roç voulait arriver. Il trouva une descente à l'intérieur d'une cheminée désaffectée. À en juger aux fumets et aux voix de femmes, il s'était rapproché de la cuisine. Au risque de faire voir ses jambes avant de pouvoir découvrir les lieux, il descendit rapidement dans le conduit. Il se trouvait dans la fumerie. Il vit par le trou de la serrure de jeunes femmes servir du pain, du fromage et du jambon à quelques seigneurs bien habillés. Le vin était aussi sur la table. En entendant les questions que posaient les jeunes femmes en gloussant, et les réponses faites la bouche pleine, Roç comprit que ces hommes constituaient une sorte d'avant-garde, celle du prince Lancia. Roç attendit que les femmes repartent chercher des vivres, puis il ouvrit la porte et s'installa, comme si c'était tout naturel, auprès des soldats de Salerne. Il maîtrisait leur idiome et n'eut aucun mal à approfondir les informations qu'il avait déjà entendues.

— C'est ici que le duc Galvano rencontrera l'épouse ? demanda-t-il, l'air indifférent.

Il se servit abondamment et tendit un gobelet à la servante qui arrivait avec une nouvelle cruche.

— Pas directement, lui répondit-on. Il ira chercher notre reine Elena dès qu'elle débarquera, et viendra ici avec elle.

— Messire Ugo, le seigneur de ce château, ne se trouvait donc pas déjà sur la plage pour accueillir la reine Elena et le prince ?

— Pas le moins du monde ! Ce berger grec ne nous a pas gratifiés de la moindre salutation ! expliqua l'un des hommes, et un autre ajouta avec une pointe d'amertume : À notre arrivée ici, nous avons appris que ce bouc d'Arcady puant était parti dans ses terres, à la chasse !

— Avec toute son armée ! compléta le premier avec mépris. Enfin, je dis armée... disons ce que les Grecs réussissent à mettre sur pied en passant à leurs bergers une cape de cuir découpé sur le crâne et en leur fourrant une lance dans la main ! Les voilà, nos fabuleux alliés !

Roç en avait assez entendu. Il repartit en traversant la cuisine et en empruntant l'escalier normal. Il erra dans le labyrinthe de couloirs et de fausses portes, jusqu'à ce qu'il rejoigne celle qu'il cherchait. Il la reconnut depuis l'extrémité du long couloir : une douzaine d'hommes en tunique courte y montaient la garde et croisaient leurs lances d'un air martial. Ils portaient effectivement une sorte de casquette de cuir pendante.

— Je dois échanger quelques mots avec les prisonniers ! annonça-t-il en grec, d'un ton qui ne supportait aucune réplique. Comme les gardiens n'avaient manifestement qu'une seule instruction, celle de ne laisser sortir personne, ils lui ouvrirent le passage sans discuter. Roç manqua tomber sur Raoul, toujours couché sur le seuil.

— Place, espèce de chien puant! brailla-t-il en refermant la porte derrière lui. Il posa aussitôt le doigt sur ses lèvres et ordonna à ses camarades, en chuchotant, de se diriger vers la porte de l'armoire. Puis il recommença à se disputer bruyamment avec eux, en langue d'oc.

— Nous devons repartir immédiatement! les informa-t-il. Je crains le pire! Prenez le chemin que je vais vous décrire, et attendez-moi sur la côte, éloignez-vous de Maugriffe, dans la direction d'où nous sommes venus, jusqu'à ce que vous ne puissiez plus voir ce château!

— Ça, c'est déjà mon cas, même en peinture! répondit Mas, qui ne manquait jamais une occasion d'exprimer ses sarcasmes.

— Je vais essayer d'aller chercher les chevaux!

Toujours en criant, pour que les gardes pensent qu'ils se disputaient, il expliqua à Raoul comment on arrivait, par le puits, dans les fossés du château, et il les poussa l'un après l'autre par la porte creusée dans le lambris. Ensuite, il hurla en grec:

— Plus un mot! À présent, vous allez écrire vos aveux en silence!

Roç fit les cent pas dans la chambre, en laissant cliqueter ses éperons. Lorsqu'il pensa que ses trois Occitans avaient pris le large, il disparut lui aussi en un éclair derrière la porte secrète et la referma soigneusement.

Un étage en dessous, Roç sauta sur la balustrade, attrapa l'extrémité des cordes et tira d'un seul coup sur le poteau de chêne. Il glissa aussitôt sur les rondins. Roç se précipita le long de la balustrade avec sa corde. Il y eut d'abord un léger craquement, puis un claquement sec, et les segments de bois exotique du plancher descendirent, suivis par les lits. Seul le baldaquin qui lui avait été destiné, situé sur le pan oblique, glissa lentement, mais irrésistiblement. La poutre finit par pencher, et la couche royale tomba dans les profondeurs avec un bruit mat. Roç lança un dernier regard sur les ravages qu'il avait causés. Puis il courut à sa cheminée, tomba dans le conduit plus qu'il ne le descendit, et rejoignit la porte en vitesse. Il n'y avait plus personne dans la pièce voisine. Il se faufila donc dans la cuisine, puis dans la cour, demanda les écuries et trouva immédiatement ses chevaux, que l'on n'avait même pas dessellés. Roç monta et se dirigea vers la porte en les tenant par les rênes.

— Avant-garde de l'épouse! grogna-t-il aux gardes. Il manque des chevaux pour les dames de cour!

Les gardes haussèrent les épaules. Il passa au petit trot, et fut bientôt hors de vue de Maugriffe. Nous voilà sortis d'affaire, pensa Roç. Mais il se serait donné des gifles. Comment avait-il pu se faire tromper ainsi! Et le pire les attendait encore. Le Trencavel décrivit un grand arc autour du château et galopa vers le point de rendez-vous où ses compagnons l'attendaient avec impatience.

— Au moment précis où nous nous faufilions hors des douves, raconta Pons, tout excité, sept Templiers sont arrivés au portail!

— Ils étaient prisonniers? demanda Roç. La question était toute rhétorique : comment aurait-il pu en être autrement?

— Pas du tout! répondit Pons. Au contraire : ils avaient même des prisonniers avec eux.

— Je ne comprends pas, marmonna Roç.

Il força ses compagnons à remonter la plage au grand galop, cela réduirait considérablement leur trajet pour rejoindre Pantokratos. On pouvait éperonner les chevaux sans craindre un accident : mis à part de gros rochers noirs, bien visibles dans le sable, il n'y avait pas d'obstacles.

Des palais au fond de la mer

Sur la plage d'Alexandrie, Yeza attendait toujours ses caisses, ses ballots de vêtements et ses bahuts d'ustensiles ménagers dans lesquels on avait caché, sans que Jordi les quitte jamais des yeux, les caisses pourvues de serrures et de verrous qui contenaient son argent liquide et ses bijoux. La dame tenait à leur prouver à tous, et surtout à elle-même, que le séjour sur place serait de courte durée. Sur ordre de Yeza, on emporta donc les tentes que l'on avait prises, et l'on chercha un abri dans les ruines du gigantesque édifice, au bord du rivage. C'étaient les restes du plus grand phare qu'ait jamais connu le monde. Mais un tremblement de terre l'avait précipité dans les flots. Les ruines de son socle, vues du sol, ressemblaient toujours à un château fort détruit. Elles grouillaient de la vermine qui peuplait la riche ville portuaire, petits escrocs et détrousseurs, bandits de grand chemin et lanceurs de couteau, faux infirmes et brigands estropiés auxquels le Kadi avait fait couper la main ou briser une jambe bien des années auparavant. Ils avaient d'abord reçu les intrus avec hostilité, mais en apercevant les biens qui les accompagnaient, ils avaient paru retrousser les babines. Yeza s'était donc contentée de demander aux *lancelotti* de nettoyer la partie des blocs de pierre qui jouxtait leur camp de toile, afin d'y entreposer tous les objets précieux et les armes. Car cet étrange château, sur le rivage, se trouvait sur un plan rocheux dépourvu de toute construction, et les tentes n'offraient guère de protection contre une attaque rapide lancée par des cavaliers. Il serait plus facile de défendre des pierres. Il restait la menace constante de cette racaille qui les entourait et pourrait toujours se faufiler entre deux roches. Les *lancelotti* les avaient certes éloignés à une distance respectable avec leurs faux, mais la nuit, ils cherchaient sans arrêt à entrer dans la « chambre au trésor » de Yeza. Celle-ci appréciait, d'une certaine manière, cette

situation excitante. Taxiarchos, à en croire la
manière dont il dirigeait sa meute de larrons à
Constantinople, aurait certainement eu la tâche plus
facile avec ces canailles.

Mais Yeza parvint elle aussi à se faire respecter
par les lanceurs de couteau après avoir projeté l'un
des plus solides d'entre eux entre les pierres, où il
s'était abattu avec un craquement, et en avoir
désarmé un autre d'un coup de pied sur la main. Il
s'était finalement retrouvé couché sur son compagnon, qui avait eu trois côtes cassées. Depuis, Yeza
pouvait se promener toute seule où bon lui semblait.

Elle n'avait pas encore décidé si, de là, elle reparti-
rait directement, ou si elle irait d'abord revoir la
grande pyramide. La dernière fois qu'elle y était passée, elle était encore une enfant, et elle avait subi
passivement tout ce qu'elle y avait vécu. Elle avait
gardé un souvenir violent des événements survenus à
l'intérieur de la tombe de Cheops. Mais ses souvenirs
étaient émaillés de nombreuses taches noires qu'elle
désirait à présent éclaircir. Elle rêvait souvent de la
pyramide. Même en plein jour.

Mais Yeza n'était pas de ces rêveuses qui se laissaient porter, comme un papillon, par n'importe
quelle petite brise, passant d'une fleur à l'autre. Elle
aimait faire des projets, mais elle avait toujours à
l'esprit la possibilité de les mettre en œuvre. Sa vie
entière ne suffirait pas à créer à Jérusalem un
museion où seraient présentées toutes les manières
de voir le monde, toutes les religions. Mais elle se
croyait capable de créer une petite *universitas*, un
centre d'études peuplé de sages, un pour chaque
courant philosophique. Elle se rappela Arslan, et
Mauri En Raimon. Était-il encore en vie ? Peut-être
devait-elle commencer par Kefir Alhakim ? Ou par
Jordi ? Rumi, le fameux soufi, devrait bien sûr en
être, avec ses vers admirables, sa poésie si fine et
pourtant si entière.

« Lorsque j'agissais comme on me l'avait dit, j'étais
aveugle.
Lorsque je venais comme on m'avait appelé, j'étais
perdu.
Je me suis donc détaché de chacun et de moi-
même,
J'ai tout trouvé, moi compris. »

Elle était assise et récitait ces vers lorsque les
vagues semblèrent s'ouvrir devant elle, et un jeune
homme à la peau brune (non, c'était un homme dans
la fleur de l'âge) sortit des flots. Il avait noué à l'une
de ses cuisses une ceinture de cuir, et portait un poignard sur le côté. Yeza reconnut Hamo avant même
que le plongeur n'ôte le bandeau sur son front et ne
secoue ses cheveux trempés. Le comte d'Otrante
avait pris du poids, ses hanches s'étaient chargées de
deux poignées d'amour. Elle ne l'avait pas vu depuis
plusieurs années.

— Hamo! s'exclama joyeusement Yeza. D'où
viens-tu donc?

La question n'avait rien de très intelligent, mais
elle méritait d'être posée.

— Je viens de l'Alexandrie engloutie, un autre
monde d'une beauté sublime, s'écria Hamo avec
enthousiasme. Je savais que je te rencontrerais ici.
Aurais-tu un vêtement pour couvrir ma nudité? J'ai
sauté à l'eau sur l'autre côté de la baie, où se trouve
mon navire. Je me perds chaque fois dans ce
royaume fantastique qui n'appartient qu'à moi... et à
quelques poissons. J'oublie tout, c'est comme une
ivresse.

Yeza commença par regarder le corps de l'homme
avant de lui tendre un châle de soie. Aucune comparaison! Beaucoup trop de chair molle! songea-t-elle,
et elle ne ressentit aucun regret lorsque Hamo se
noua la pièce de tissu autour de la taille.

— Tu savais donc que j'avais accosté, et tu as
attendu cet instant pour sortir des flots comme une
naïade masculine...

Le rire franc de Hamo coupa court à ce reproche, qui n'en était pas vraiment un.

— Vous ne pouviez pas m'échapper, princesse! (Il désigna le campement des Bédouins, dans le dos de Yeza.) Pour me faire pardonner, je vous invite dans mon palais, ce sera un séjour un peu plus confortable.

— J'ignorais que vous disposiez ici d'un lieu conforme à votre rang, Hamo l'Estrange.

— Je ne le savais pas non plus, répliqua le comte en souriant. Jusqu'à ce que mon beau-frère prenne pitié de moi, moins au nom de Shirat qu'en se rappelant le fait que son fils jouit de notre hospitalité à Otrante...

— Vous voulez dire que Baibars, le terrible Archer, met sa maison à la disposition d'un chrétien?

— Avec une antique petite mère et des domestiques. Je me plais, ici!

— Et où se trouve votre cabane?

Hamo désigna l'autre côté de la baie, où un coteau couvert d'arbres séparait la nouvelle Alexandrie de celle d'Alexandre le Grand. Quelques palais seulement brillaient à travers la masse verte des cyprès et les troncs minces des palmiers.

— Je vous attends!

Hamo traversa la plage et s'enfonça dans l'eau. Yeza, perdue dans ses pensées, le vit chercher prudemment son chemin entre les pierres. Sa tête dansa un instant entre les vagues, puis le comte d'Otrante disparut. Elle avait totalement oublié de lui demander pourquoi il était là et pas en Grèce, comme vassal de son roi. Peut-être avait-il vu Roç? Et pourquoi passait-il ses journées à nager dans la mer au lieu de se trouver chez lui, auprès de sa femme? Elle s'étonna, comme lorsqu'elle était petite fille, à Otrante, du temps infiniment long que Hamo était capable de passer sous l'eau. Il faudrait qu'il le lui apprenne! Yeza appela Jordi auprès d'elle et le chargea d'organiser le déménagement.

— Je n'ai pour ma part aucune envie de partir d'ici, dit-elle. Mais je suppose que vous accepterez cette offre avec plaisir ?

Jordi la regarda droit dans les yeux.

— Ne serait-ce que pour votre sécurité. La maison de Baibars est...

— Elle peut aussi se transformer en piège, si l'Archer apprend qui sommeille dans son petit lit...

— Vous n'en êtes guère protégée non plus ici, sur la plage. Et en plus, vous y dormez mal !

LES TOURMENTS D'UN SULTAN

Le lendemain matin, le palais du sultan grouillait comme une fourmilière dans laquelle un mamelouk aurait planté son cimeterre. C'était l'armée de l'émir qui, depuis quelques heures, siégeait sur le trône du Caire sous le nom de sultan Saif ed-Din Qutuz. Qutuz était fou de rage : il venait d'apprendre que son prédécesseur s'était échappé pendant la nuit.

— Il est évidemment allé rejoindre sa catin à Gizeh ! hurla-t-il à Naiman, son sbire aux yeux bigleux, l'homme des mauvais coups. Celui-ci joua des coudes pour échapper à la meute des courtisans excités et des officiers qui se pavanaient, et s'approcha du trône. Ainsi, il n'eut pas à crier pour se faire entendre.

— Je m'y étais attendu, et j'avais fait bloquer la route menant à Gizeh, mais les fugitifs en ont pris une autre !

— Et pourquoi n'êtes-vous pas allé jusqu'au nid d'amour de cette *Saratz,* pourquoi ne vous êtes-vous pas emparé de lui là-bas ?

— Parce que cette damnée racaille de Bédouins bloquait l'accès à la résidence de campagne du grand vizir.

— Eh bien prenez des renforts, deux, cinq, dix régiments ! Abattez-les ! Transformez-les en cendres...

— On règne mieux avec la tête froide qu'avec la queue brûlante, tonna un homme qui n'avait manifestement guère de respect pour le trône du sultan. C'était Baibars. Il ne s'approcha pas, mais resta immobile au milieu de la pièce, ce qui lui permit de parler aussi fort que Qutuz.

— Par ailleurs, reprit-il, notre cavalerie n'est pas un jouet dont on se sert pour déclencher des guerres civiles. Et, en troisième lieu, vous pouvez être certain que ceux que vous recherchez, illustre sultan, ont déjà quitté le pays !

— Quoi ? Même Mad... (Il rengorgea cette marque de familiarité.) Même la *Saratz* ? Elle est donc complice !

— Selon mes informations, mentit froidement Baibars, ils sont partis pour Damiette sur une galère rapide des Vénitiens, avec l'époux de la dame, notre ami et émir Fassr ed-Din Octay. Réjouissez-vous d'en être débarrassé !

Le sultan Qutuz ravala sa salive.

— Êtes-vous venu me gâcher le jour de mon accession au trône, Baibars, ou me rendre hommage ?

— Si cela vous fait plaisir, je me mettrai à genoux et je vous promettrai ce que vous voudrez, Majesté. (Mais le corps massif de l'Archer n'esquissa aucun geste de ce type.) Je suis ici pour discuter avec vous de choses plus importantes ! Mais en tête à tête ! Montrez-moi votre nouveau pouvoir, et commencez par les jeter tous dehors !

Il demeura campé sur ses jambes tandis que Qutuz donnait un ordre à Naiman, et que celui-ci le retransmettait aux gardes. Ils parvinrent effectivement à vider en un clin d'œil cette très large salle. Seul Baibars resta, comme un rocher dans le courant, entre les courtisans qui s'en allaient en chuchotant et les officiers qui prenaient congé, obéissants.

— Asseyez-vous près de moi, je vous prie, suggéra Qutuz. Je ne vous aurai plus sous le nez. Et encore moins dans le dos !

Baibars monta rapidement les marches, se dirigea droit vers Qutuz et tomba à genoux devant lui, si subitement que le sultan eut un mouvement de recul. Il se sentit agressé, et personne n'était là pour le protéger. Mais en voyant que l'Archer ne s'en prenait pas à sa vie, il lui donna l'accolade avec un sourire aigre-doux et voulut l'aider à se relever. Baibars se releva d'un bond, avec l'agilité d'un fauve, et s'assit près du trône.

— Le fait que ce soit vous qui occupiez le trône du Caire, et non plus le gamin, commença Baibars sans regarder le sultan, ce qui força le malheureux Qutuz à tourner la tête pour comprendre l'émir, a moins à voir avec vous qu'avec le grand khan, que je ne tiens pas du tout à avoir ici.

— Quelle bienveillance ! laissa échapper le sultan, qui écumait.

— Cela n'a rien à voir avec de la bienveillance, ni d'un côté, ni de l'autre, répliqua sèchement Baibars. Vous avez été choisi pour sauver l'Égypte et l'Islam de ce péril.

— Pourquoi pas vous ? demanda Qutuz avec une méfiance légitime.

— Parce que je me trouverai à la tête de l'armée lorsque aura lieu la bataille décisive contre les Mongols.

— *Allah ijazihum !*

— *Allah ikun be'ouna !* Nous devons battre nos ennemis nous-mêmes !

— Avons-nous de nouvelles informations sur la direction suivie par les hordes de Hulagu ?

— Ne parlez pas ainsi, et surtout ne pensez pas aussi dédaigneusement à un ennemi qui a, jusqu'ici, écrasé tout ce qui se trouvait sur son chemin. Nous aussi, nous allons devoir céder vers Bagdad un peu d'un terrain qui nous est cher jusqu'à ce que nous nous soyons placés dans une situation où nous pourrons attaquer et détruire avec quelques chances d'aboutir.

— Quels sacrifices, vous, le grand Archer, allez-

vous donc encore exiger du peuple de la juste foi ?
Nous devons immédiatement...

— Non, nous ne devons pas ! l'interrompit Baibars
d'une voix tranchante. C'est notre avantage. Lui doit.
Et nous, nous pouvons attendre. Il est très vraisemblable qu'il se tourne vers Jérusalem.

— La ville d'où Mahomet a commencé son voyage
de nuit, là où son cheval a laissé son empreinte —
sacré soit le lieu du Prophète !

— C'est la raison pour laquelle notre victoire sur
les infidèles doit lui servir d'ornement.

— Pourquoi Jérusalem ?

— Vous avez entendu parler du couple royal ?

— Ces prétendus « enfants du Graal » ? *Tasouir
mafduh,* aucune dynastie, des imposteurs !

— Vous êtes bien placé pour le dire ! Il me suffit
qu'ils servent d'appâts pour attirer les Mongols dans
une région qui ne correspond pas à leur mode de
combat, mais que nous connaissons bien et qui pla-
cerait notre bataille sous de bons auspices ! Pensez à
Saladin !

— Vous ne vous comparez pas à n'importe qui, se
moqua le sultan. Mais Baibars ne releva pas la
remarque.

— Yeza est déjà arrivée à Alexandrie. Roç Trencavel ne tardera donc pas. Leur objectif, c'est Jérusalem, Palerme nous en a informé.

— Si nous empêchons le couple d'accéder à la
Ville sainte, elle sera donc épargnée par les Mongols.
Je vais immédiatement...

— Qutuz !

Baibars avait hurlé si fort à l'oreille du sultan que
celui-ci avait bondi sur son trône.

— Je ne vous ai pas fait devenir sultan pour que
vous veniez vous mêler de la stratégie des cam-
pagnes militaires. Les Mongols doivent avancer
jusqu'à Hierosolyma, ils ne sont pas forcés d'entrer
dans la ville. Là-bas, nous allons les anéantir, et avec
l'aide des Francs !

— Vous comptez vous allier à ces chiens de chrétiens ?

— Trop de chiens font la mort du sanglier! Ce que je ferai des chiens ensuite, c'est une autre histoire! Je ne vous demande pas non plus de manger le gibier. Mais il y a une chose que j'exige immédiatement : jurez-moi que vous enlèverez vos pattes lorsque je dresserai la table!

Baibars avait de nouveau bondi sur ses jambes. Cette fois, il était derrière le trône, et répéta entre ses dents :

— Jurez!

Qutuz n'osa pas tourner la tête. Il sentit le fer glacé dans sa nuque.

— Je le jure, dit-il d'une voix rauque, presque un chuchotement.

— À voix haute! « Je jure devant Allah le Tout-Puissant que je ne me mêlerai pas de choses auxquelles je ne comprends rien. »

Qutuz avait saisi que si Baibars parlait aussi fort, c'était surtout pour le ridiculiser auprès de tous ceux qui avaient l'oreille collée aux portes. Mais aucun de ces flagorneurs ne se précipita pour venir à son aide. Il était dans la main de Baibars, il la sentait sur sa tête, dans ses cheveux que ce terrible gaillard tiendrait fermement s'il venait à lui trancher le cou. Qutuz prononça donc d'une voix étranglée les phrases qu'avait dictées Baibars.

— Plus fort! chuchota la voix derrière lui, encore plus basse. Ou je vous fais avaler de la viande de porc...

Qutuz commença à vomir au dernier mot. Mais Baibars était déjà parti, et les portes s'ouvrirent. Tous restèrent immobiles, à regarder le sultan qui rendait son repas sur le trône.

— Dehors! hurla-t-il, et Naiman accourut avec une coupe.

Après les événements de la nuit, les salons de thé du Bab an-Nars étaient combles. Chacun savait raconter d'autres informations toutes fraîches sur la chute du jeune calife et sa fuite spectaculaire. Beaucoup n'arrivaient même pas à croire qu'il avait ainsi réussi à s'échapper, et pensaient qu'il s'agissait d'une manœuvre de ses partisans : qu'en réalité, le pauvre Ali, aveuglé et émasculé, attendait la mort dans le plus profond cachot de son palais, et que sa favorite secrète, la vieille épouse de Faucon rouge, avait déjà été conduite de force au harem de Qutuz. Tous attendaient que le fils du grand vizir, très apprécié dans le peuple, revienne au plus vite et, fou de colère, se venge atrocement de ce parvenu qui avait souillé son couple.

On servait avec beaucoup d'égards deux hommes âgés installés dans une niche surélevée. Comme leurs vêtements ne révélaient rien de leur rang et qu'ils n'avaient aucun bijou, c'étaient sûrement de célèbres érudits, en tout cas des sages. Ils ne participaient pas aux conversations, mais buvaient tranquillement leur *shai bi na'na'*.

— Dans quelle mesure les Templiers ont-ils effectivement un rapport avec le Graal ? demanda le fameux soufi Abu Bassiht à son invité d'Extrême-Orient que lui avaient recommandé des amis persans. Arslan, le chaman, n'avait pas dévoilé son identité. Il était habillé comme un simple moine itinérant, et sa manière de parler n'inspirait pas non plus le moindre doute.

— Pour pouvoir vous donner une réponse satisfaisante, *ya abuya*, il faudrait que l'un de nous soit déjà en mesure d'expliquer ce que le Graal représente aujourd'hui de manière essentielle. Moi, je ne le sais pas ! avoua Arslan avec franchise et modestie. Mais sur la signification qu'il dissimule, je ne peux parler avec personne mieux qu'avec vous.

— Je ne voulais pas semer la confusion dans votre esprit, mon cher Arslan. Je pensais simplement à un personnage qui se réclame de vous. Il s'agit d'un très vieux Templier qui croupit dans nos cachots depuis la bataille de La Forbie, je crois, et que son Ordre a oublié depuis très longtemps. En tout cas, personne n'a versé de rançon pour lui ou, plus exactement, il se refuse obstinément à faire partie d'un échange de prisonniers. Il dit qu'il lui a été promis de voir le Graal à Jérusalem avant d'y mourir.

— Et pourquoi ne l'envoyez-vous pas là-bas ? On verrait bien alors si le Graal lui apparaît ?

— Après La Mecque, Jérusalem est toujours la plus sainte des villes. Qui va prendre le risque qu'à côté des cris des juifs autour de leur temple, des simagrées des chrétiens autour de la tombe de leur messie, s'installent en plus les partisans d'un Graal réel ou imaginaire ? D'autant plus qu'il s'agirait de véritables fanatiques qui ne craignent même pas la mort par le feu !

— Vous ne devriez pas considérer ainsi les « Purs », comme ils s'appellent, précieux Abu Bassiht, qu'ils se donnent ce titre légitimement ou par arrogance. Il leur manque ce qui caractérise malheureusement toutes les autres religions du Dieu unique : l'intolérance ! Ils ne se battent pas pour leur foi, ils ne prennent jamais une arme, ils meurent pour elle parce qu'elle leur promet le Paradis !

— Nous l'offrons nous aussi, répondit le soufi en souriant. Mais il doit être acquis *khilal Allah an amalihi* !

— Les partisans du Graal sont certains d'aller au paradis, et tout aussi certains qu'on ne peut pas le trouver sur terre. Pour eux, ce monde est diabolique. À quoi bon le réjouir par de bonnes actions ?

— C'est plutôt par de mauvaises actions que l'on réjouit le diable !

— Vous pensez donc que nous devrions exaucer les vœux du chevalier à la longue barbe ?

— Parlez un peu plus fort ! chuchota Arslan. Nous sommes espionnés. Derrière le pilier, j'ai vu Naiman, l'œil du malin, lui aussi boite comme le *cheîtan*.

— C'est un des espions de Qutuz. Il est trop bête pour comprendre ce que nous disons ici.

— Je le connais depuis l'époque où il sévissait à Bagdad. Il a essayé de faire périr les enfants à Samarcande pour les empêcher de parvenir jusqu'au grand khan...

— Parlez plus doucement, mon cher Arslan, il y a des mots qui peuvent coûter la vie !

— C'est bien ce que j'ai dit à l'ambassadeur des Mongols, mais il n'a pas voulu me croire ! C'est le demi-frère du grand chambellan de la cour, Ata el-Mulk Dschuveni ! répondit le chaman, d'une voix assez claire. Les enfants du Graal sont aujourd'hui devenus le couple royal. Ils accéderont au trône de Jérusalem afin que le Graal s'y révèle à eux, sous le puissant bouclier de l'armée du grand khan. C'est une affaire entendue. Votre temple antique pourrait être une preuve par l'exemple. Dans ce cas, les croyants d'Égypte sauraient quelles sont les intentions d'Allah pour le peuple de son prophète. Si le Graal se révèle dans la sainte Jérusalem, les Mongols arriveront. Si l'événement n'a pas lieu, ou si le Graal se dissimule aux yeux de ceux qui sont appelés à le voir, alors tout sera de nouveau possible. Le couple royal n'abandonnera pas sa quête. Allah seul sait où elle mènera ! Peut-être est-ce un astre qui la guide, peut-être suivront-ils la trace de l'étoile jusqu'aux illustres pyramides ?

— *Al hami Allah !* s'exclama le soufi.

— Vous n'avez plus à avoir peur, dit Arslan, doucement, en reprenant un ton de discussion normal dans un salon de thé surpeuplé, Naiman, notre grande oreille, a entendu l'essentiel. Reste à savoir s'il a compris. Une chose est certaine : il est reparti d'ici en claudiquant pour rapporter nos propos tout chauds au palais !

Le nouveau sultan Qutuz, livide, était assis sur son trône. Il avait veillé à ce que l'on dispose deux rangées de gardes du corps derrière lui et sur ses côtés. La salle d'audience était de nouveau emplie de quémandeurs, courtisans et officiers, mais les gardes ne laissaient personne dépasser la première marche. Naiman avait du mal à se faire comprendre de son seigneur.

— Écris-le donc ! lui cria le sultan énervé.

— Okr'el-Mulk Dschuveni, ambassadeur extraordinaire du Il-khan Hulagu de Perse, souverain du monde occidental! annonça un héraut.

La foule curieuse ouvrit un chemin au Mongol, qui put accéder au trône sans difficulté. L'ambassadeur ressemblait à un vieux castor aux dents jaunies. Il était chauve, et seule sa moustache descendant tout droit vers le sol impressionnait un peu.

— Au nom du tout-puissant grand khan de tous les Mongols..., commença-t-il d'une voix morne. Mais le sultan Qutuz lui coupa brutalement la parole :

— Es-tu venu me faire allégeance? aboya-t-il au castor.

Tous les poils de la moustache de Dschuveni parurent se hérisser, et ses yeux aqueux se resserrèrent sur le sultan. C'était toujours la même chose, avec ces princes occidentaux, pensa-t-il : ils ne comprenaient pas, ou faisaient semblant de ne pas comprendre. C'était pourtant si simple...

— Mon illustre seigneur invite le sultan du Caire à se soumettre à lui, à payer un tribut dont le montant reste à déterminer, à livrer certaines forteresses situées sur la frontière et à mettre à sa disposition des divisions de l'armée, sur demande de mon maître.

Okr'el-Mulk Dschuveni ne se donnait aucune peine pour présenter ces désirs sous une forme plaisante. Il les jetait littéralement aux pieds du sultan. Ce n'était après tout que pure routine.

— D'ici la moitié d'une année, reprit-il, le sultan devra se présenter à Karakorom et faire allégeance à plat ventre, comme le veut la règle...

L'ambassadeur acheva son exposé monotone. Le sultan en resta bouche bée. Il vira au rouge, reprit son souffle et ne put, au bout du compte, que crier d'une voix éraillée :

— La tête !

Comme le plus grand silence régnait à présent dans la salle, les officiers l'entendirent et sortirent aussitôt leur cimeterre. Les gardes de la première rangée prirent eux aussi cet ordre pour eux. Plusieurs personnes s'emparèrent de l'ambassadeur et le forcèrent à s'agenouiller. Mais on ne parvenait pas à se mettre d'accord : qui aurait l'honneur d'exécuter le verdict du sultan ?

Le castor faisait preuve d'une certaine indifférence. Utilisant le temps qu'il lui restait, Okr' el-Mulk Dschuveni annonça :

— Cet acte vous fera passer pour un lâche sans honneur, qui ne respecte pas l'immunité des ambassadeurs.

Il avait parlé lentement. La pointe de ses moustaches tremblait de mépris.

Entre-temps, les gardiens soucieux de leur hiérarchie avaient désigné un Nubien à la stature de géant qui se fit tendre le plus grand des sabres recourbés et se fraya un chemin dans la foule pour arriver jusque dans le dos du condamné.

— Mon sang vous collera aux mains jusqu'aux jours où vous subirez la même...

Dschuveni n'alla pas plus loin. Le cimeterre lui avait tranché le cou, le sang jaillit et le corps tomba en avant.

— Faites-le sortir ! ordonna Naiman. Et nettoyez immédiatement !

Il était le seul à avoir gardé son calme. Ce n'était pas le cas de Baibars, qui arriva en trombe dans la salle.

— Dis-lui, souffla-t-il au boiteux, que c'était le premier et le dernier Mongol qu'il décapite sans mon autorisation !

L'Archer avait parlé suffisamment fort pour que le message atteigne directement son destinataire. Afin d'éviter une nouvelle querelle, Naiman répondit lui-même :

— Ce n'était pas un Mongol, mais un traître de l'Islam, passé à leur service.

Il veilla à rester à bonne distance de Baibars. Furieux, l'Archer fendit la foule et sortit de la salle sans se retourner. Derrière lui, des serviteurs portaient le corps de Dschuveni au pas de course. Sa tête avait été posée dans une corbeille de sciure, dont on avait aussi répandu un peu sur le sol.

— Que voulais-tu me raconter, Naiman? demanda le sultan à son mouchard.

— La chose est déjà partiellement réglée, mon seigneur et maître. Une princesse venue de Graal est arrivée hier d'Alexandrie.

— Je sais! répondit Qutuz.

— Elle est en route pour Jérusalem.

— Pas encore, l'informa le sultan. Ne la perds pas de vue! Autre chose?

— Dans notre cachot réservé aux chiens chrétiens, nous détenons un certain Botho de Saint-Omer, quatre-vingt-treize ans, dont vingt-huit en prison, un chevalier du Temple...

— Dois-je le gracier en l'honneur de cette journée? s'enquit Qutuz, moqueur, et Naiman changea de tactique.

— Une légende affirme que ce vieil homme ne peut mourir qu'à Jérusalem.

— Eh bien fais-le tuer, et cela mettra un terme à cette chimère chrétienne.

Qutuz ne gaspilla pas une seconde de plus sur le cas de ce vieillard. Il pensait déjà à autre chose.

— Envoie un message à Saint-Jean-d'Acre, mais pas en mon nom, et... (il pria Naiman de se rapprocher) fais en sorte que le texte ne tombe pas entre les mains de Baibars. (Il chuchotait, et était agacé de devoir le faire.) Nous informons le gouvernement de ce prétendu royaume que nous sommes très mécontents des projets secrets que le « couple royal »...

— Une certaine Yeza Esclarmonde, et Roç Trencavel, ajouta Naiman. Je connais ces deux imposteurs!

— Je sais! (Qutuz perdait patience.) Mais ils ne sont pas inoffensifs! Même Baibars a déjà succombé une fois à leur charme. Laisser ces aventuriers résider à Jérusalem constitue à nos yeux une rupture flagrante du cessez-le-feu. Nous attendons du gouvernement qu'il entreprenne les démarches nécessaires pour bloquer ces plans. Sceau de la chancellerie d'État!

— Secret et urgent! Fiez-vous à moi!

— Ces barons pesants et infatués de Saint-Jean-d'Acre me causent du souci, je leur fourrerais volontiers un peu de poivre dans les fesses...

— La tête! laissa échapper Naiman, et il le regretta aussitôt.

— Tu veux dire que nous devons aussi y fourrer leur tête? Pour qu'ils voient comment le nouveau sultan traite ses ennemis...?

— Je ne sais pas si cela serait très diplomatique, répondit Naiman, avec, peut-être, un peu trop de hâte. Cela pourrait avoir des conséquences inattendues, vous auriez Baibars sur le dos.

— Tu veux me donner des leçons?

La voix du sultan ressemblait au sifflement du serpent.

— Je suis votre banquette, Majesté, votre serviteur qui se tait lorsque vous le désirez, mais qui risque sa langue pour aider vos pensées les plus secrètes à voir le jour.

— Ça ira! le tranquillisa Qutuz. Fais-les moi entendre.

— Un cadeau de bienvenue pour Yeza, lorsqu'elle arrivera à Jérusalem, offert par un Templier à barbe blanche au cours d'une cérémonie de réception solennelle, une cassette précieuse, fermée à clef...

— Où veux-tu en venir? demanda le sultan. J'avais pourtant bien fait comprendre que je ne tiens pas du tout à voir cette princesse à Jérusalem.

Mais, cette fois, Naiman ne se laissa pas troubler.

— Nous aurons du mal à l'en empêcher. L'émir Fassr ed-Din Octay est déjà en route pour Alexandrie...

— Pour Damiette! répliqua le sultan, indigné.

— Comme vous voudrez, Majesté, concéda aussitôt le mouchard. En tout cas, il existe des puissances, beaucoup trop fortes, qui feront en sorte que Yeza atteigne son objectif. Mais que cela ne vous chagrine pas : nous allons même réserver à cette femme une réception éclatante.

— Il faudrait aussi qu'un Mongol assiste à la scène, et une délégation de Saint-Jean-d'Acre.

Le sultan avait enfin compris que c'étaient ses propres réflexions que développait Naiman.

— Le Templier Botho de Saint-Omer, reprit Qutuz, tend la cassette à la princesse du Graal, on l'ouvre...

— La tête !

Qutuz éclata de rire.

— Tu es imbattable, Naiman ! Mais il y a une petite variante. Fais en sorte, je te prie, que le porteur de la cassette perde lui aussi, immédiatement après, sa tête de vieillard ! Alors, tout sera rentré dans l'ordre, et l'effet sera d'autant plus grand !

— La confusion aussi.

Naiman était fier de lui. Malgré l'incompréhension de son seigneur, il avait imposé que l'on applique à la lettre le plan de ce Mongol camouflé en qui il avait reconnu Arslan. Mais les conséquences seraient différentes de celles qu'avait imaginées le chaman. Il se frotta les mains et, de son œil en bonne santé, fit un signe familier à Qutuz. Il ne lui restait plus à présent qu'à s'emparer de l'espion mongol et à faire en sorte qu'il soit, à Jérusalem, le témoin de son beau cadeau. Il prit quelques sbires et se rendit immédiatement au salon de thé du Bab an-Nasr. Mais le soufi et son acolyte étaient déjà partis.

Trompés, trahis, volés

Lorsqu'ils aperçurent au loin la « tour du puits » qu'ils connaissaient si bien et qui se dressait sur la falaise, au-dessus de la plage, le cœur de Roç cessa un peu de battre la chamade : on ne distinguait rien de suspect. Il fit obliquer sa petite troupe vers l'inté-

rieur des terres. Il voulait commencer par inspecter
la citadelle, afin d'être certain que personne ne les
attaquerait par-derrière. Roç chevauchait en tête.
Les trois Occitans remontèrent la dune en biais sur
leur cheval. Lorsqu'ils arrivèrent sur la hauteur, Pantokratos paraissait calme et paisible. La ville semblait encore peuplée. Sur les murs de la citadelle, au
moins, ils virent leurs hommes, les Allemands, et les
drapeaux de la Sicile flottaient sur la tour.

Roç se dirigea vers la brèche creusée dans le mur.
Les pieux acérés ne portaient plus les décorations
atroces avec lesquelles ils avaient été reçus la première fois. Pons fit un signe vers les murailles, et les
hommes en armes, derrière les créneaux, répondirent à son salut en agitant la main. Roç s'apprêtait
à descendre de son cheval pour poursuivre son chemin à pied lorsqu'il buta sur un corps qui rampait
devant lui, à moitié recouvert par le sable. C'était
Dietrich, recouvert d'une gangue de sang coagulé. Il
râlait :

— Disparais, Trencavel, ce ne sont pas des Allemands... Tous morts !

Roç descendit tout de même et se pencha vers le
blessé.

— Qui ? demanda-t-il stupidement : il savait bien
que le seul responsable possible était Ugo.

— Sauvez-vous !

Dietrich se redressa péniblement. Son torse musclé était bardé de flèches brisées.

— Laissez-moi mourir ici, gémit-il en faisant sortir son épée du sable où il l'avait posée. Je veux leur
vendre ma mort un bon prix.

— Absurde !

Roç appela ses compagnons. Ils portèrent le blessé
ensemble sur le cheval bâté. Comme Dietrich ne
pouvait ni rester assis, ni tenir les rênes, ils l'installèrent sur le ventre, et le ficelèrent comme un sac sur
la croupe du cheval.

— Sauvez-vous ! les implora le géant blond qui
recommençait à saigner par les blessures qu'il por-

tait aux épaules. Ils se mirent au trot et se dirigèrent vers la tour. Le Trencavel avançait en éclaireur, il se retourna pour s'assurer que ses Occitans arrivaient avec l'Allemand. Il vit alors des cavaliers surgir derrière les murs de Pantokratos et se mettre en formation. Son regard retourna vers la dune qu'ils venaient de quitter. Là aussi, des groupes de cavaliers se dressaient à présent, comme de gros matous disposés à laisser encore un peu de temps à la souris, afin de pouvoir mieux jouer avec elle.

Roç sentit son cœur battre la chamade. Mais il se força à recouvrer son calme, ne dit pas un mot et, surtout, n'accéléra pas le train. Le moindre signe de panique, ou même de fuite rapide, aurait fait perdre aux poursuivants leur calme stoïque, et l'hallali aurait été lancé ! Et l'identité du perdant ne faisait aucun doute. Le seul espoir de salut était cette tour, si elle était toujours tenue par Beni et Potkaxl. Roç regarda encore une fois derrière lui. Le filet se resserrait, les rabatteurs se regroupaient lentement, et la seule différence avec une chasse à courre était le silence de plomb qui régnait sur les lieux. Il n'était plus nécessaire de débusquer le gibier : il se promenait dans la cuvette formée par la vallée, comme un lot de souris aveugles.

Ils montèrent le sentier. En haut, sur la plus haute plate-forme de la tour du puits, Roç crut reconnaître les visages de Beni et Potkaxl. Dieu soit loué ! Elles n'étaient pas sur des pieux, puisqu'ils lui faisaient signe ! À moins que quelqu'un ne se soit trouvé derrière eux, agitant leur main figée par la mort ?

— Beni ! hurla Roç, pris d'un terrible pressentiment.

— Ne prenez pas l'escalier ! répondit la voix de la Toltèque. Il est barricadé !

— Attrapez la corde ! cria Beni à son tour. Nous allons vous lever !

Roç, avec un infini soulagement, vit la corde descendre vers lui. Mais ils n'auraient jamais le temps de monter tous les cinq jusqu'en haut de la tour, sur-

tout avec un homme blessé et au bout de ses forces.
Il se tourna vers les Occitans :

— Raoul, nos chemins se séparent ici. Débrouil-
lez-vous pour vous frayer un chemin par la mer.
Moi, je vais essayer de protéger Dietrich !

Ils étaient parvenus au pied de la tour. Les trois
cavaliers attendirent, indécis.

— Nous y arriverons avant qu'ils ne soient ici !
déclara Raoul d'une voix ferme.

Ils avaient soulevé Dietrich de son cheval et
l'avaient posé sur le socle de la tour.

— Mais fichez donc le camp ! grogna l'Allemand
en prenant appui contre la muraille, la pointe des
doigts enfoncée dans les jointures. Et vous, Roç, ne
jouez pas le héros ! Ma mission était de protéger
votre départ, je l'ai quelque peu outrepassée. (Il se
força à sourire au moment où il fut debout, vacillant.) Je vais vous accrocher la corde autour de la
poitrine.

Les dents serrées, Dietrich saisit l'extrémité de la
corde. Il la noua. Roç voulut attraper l'Allemand,
non pas pour le serrer une dernière fois dans ses
bras, mais pour le tenir, dans le vague espoir que
Beni et Potkaxl seraient assez forts pour les hisser
tous les deux. Mais il n'en eut pas le temps. Roç se
sentit tiré vers le haut. Dietrich lui avait tourné le
dos. D'un pas incertain, l'Allemand marcha vers les
cavaliers qui parvenaient au pied de la falaise. Il portait son épée au poing. Roç s'élevait le long de la
paroi. Il vit ses trois compagnons dévaler le chemin
jusqu'à la plage pour remonter le rivage. Mais la
corde à laquelle il était suspendu, impuissant, le
retourna vers le mur.

En bas, Dietrich se dressa devant les premiers
cavaliers. Il leur barra le passage jusqu'à ce qu'un
javelot lui transperce la poitrine. Son épée tomba, et
il s'effondra face contre terre. Ils poursuivirent leur
chemin en évitant son corps. Il n'y avait pas
d'archers parmi les assaillants. Leurs lances ne montaient pas assez haut : elles rebondirent contre le

mur, sous les pieds de Roç. Il réussit à étendre les jambes et à caler ses pieds contre la paroi. Il donnait ainsi l'impression de vouloir escalader la tour à l'horizontale, mais cette position diminuait considérablement son poids. D'une main, il attrapa la rambarde. Beni rassembla ses dernières forces pour retenir la corde, Potkaxl agrippa le bras de Roç jusqu'à ce que celui-ci, le souffle lourd, se retrouve couché sur le ventre, sur les pierres formant la couronne du mur. Il lança un dernier regard en bas, vers la mer. Des hommes étaient en train de ligoter les trois chevaliers. Ils étaient tombés dans une embuscade, leurs adversaires avaient été trop nombreux. Pons se retourna et leva les yeux vers la tour, à contre-jour. Roç se dressa et lui fit signe. Le gros garçon reçut un coup de poing dans la nuque, et l'on emmena les trois Occitans. Je vous sortirai de là! se promit Roç, qui bouillait de rage. Maugriffe ne lui faisait plus peur! *Tant mieux je griffe, tant pis!* Le temps n'était plus aux rêves d'avenir héroïque : il venait d'être hissé dans une tour par un page et une suivante, comme un amant éperdu. Dietrich s'était sacrifié pour le sauver, lui, Roç, sans aucune nécessité : les cavaliers n'avaient manifestement pas l'intention de prendre la tour d'assaut, et restèrent là où Dietrich avait tenté de leur barrer la route. Ils n'avaient pas maltraité le cadavre de l'Allemand, ils ne lui avaient pas coupé la tête : ils l'avaient déposé entre les rochers, presque avec respect. Ces cavaliers inconnus donnaient l'impression d'attendre un ordre, ou leur chef. Roç vit la tête de Dietrich glisser lentement sur le côté, puis son buste piqué de moignons de flèches tomba en avant. Étrange garçon que ce Germain. Roç n'aurait jamais pensé qu'il regretterait la disparition du guerrier blond. Il se surprit même à lui envier sa mort. Roç se redressa.

— Racontez-moi comment tout s'est passé, demanda-t-il, épuisé, à ses deux amis.

— D'abord, Mahmoud est sorti en courant de la

galerie souterraine qui débouche en bas, près de la source, dans le puits, comme vous le savez sûrement, commença Potkaxl à toute vitesse. Il criait « Trahison! Trahison! » et a filé tout droit vers la plage, où se trouvait la trirème.

À cet instant seulement, Roç remarqua que le navire n'était plus là. Mais il était trop fatigué pour s'en soucier.

— Peu de temps après, nous avons vu la trirème se préparer à partir.

— On avait hissé les voiles, compléta Potkaxl.

— Les Templiers, qui avaient établi leur campement en dessous de nous, l'ont vue aussi, et ont décidé de partir avec elle. Simon nous a prié de vous transmettre ses salutations.

— Merci, dit Roç.

— Mais ils ont trop attendu, compléta Potkaxl. Entretemps, une troupe de cavaliers était apparue devant la citadelle. Ils ont agité un drapeau blanc, et ceux de la citadelle ont répondu de la même manière à ce salut. Ensuite, une fraction des cavaliers est partie à pied dans la ville. Eux aussi portaient un drapeau blanc.

— Qui? s'enquit Roç.

— Je ne sais pas non plus, dit Beni. En tout cas, les Templiers sont descendus vers la plage. Ils n'avaient pas fait la moitié du chemin lorsque la trirème a levé l'ancre...

— ... et leur a filé sous le nez, toutes voiles dehors, ajouta Potkaxl. Les Templiers lui ont couru après, ils ont même sauté à l'eau.

— À cet instant précis, en dessous de nous, des hommes armés ont surgi du puits, menés par ce barbu avec lequel vous aviez croisé le fer, Trencavel.

— Ugo! s'exclama Roç. Enfin! Je l'avais déjà oublié, cette canaille!

— Il ne se conduisait pas du tout comme un puissant despote! répliqua Potkaxl. Il était crasseux et en haillons, à la tête de ses soldats qui n'étaient pas en meilleur état.

— Ils étaient en fuite !

— Car l'ennemi était partout ! s'écria Beni en désignant les alentours. Comme maintenant, d'ailleurs.

— Qu'est-ce que vous racontez ? interrogea Roç, agacé. Quel « ennemi » ? Ce n'étaient pas les propres cavaliers d'Ugo ?

Beni secoua la tête.

— Ceux-là, il les avait sans doute laissés devant Pantokratos en prenant la fuite par les canalisations d'eau. Ils se sont retrouvés d'un seul coup encerclés par des troupes bien supérieures en nombre, qui les ont forcés à mener une bataille à cheval.

— Elle n'a pas duré longtemps, compléta Potkaxl. Et à la fin, le Despotikos n'avait plus un seul cavalier.

— Qui était donc cet adversaire surgi tout d'un coup du néant ? voulut savoir Roç.

Mais Potkaxl avait autre chose à lui raconter.

— Cette mêlée à laquelle Beni donne généreusement le nom de « bataille de cavaliers » a laissé une petite pause à Ugo, suffisante pour s'abattre sur les Templiers qui remontaient de la plage vers la tour, tristes et déçus. Il leur a tendu une embuscade. Nous avons crié à nous égosiller pour prévenir Simon et ses sept chevaliers de la présence du lâche Depostikos.

— Ils ne voulaient pas comprendre qu'ils couraient un risque, reprit Beni, qui aimait bien ces récits de combats. La petite troupe d'Ugo comptait plus du double d'hommes, ce qui, à vrai dire, ne signifie pas grand-chose lorsqu'on affronte les Templiers. Mais, avant que ces messieurs ne comprennent qu'ils étaient la cible de l'attaque, trois des sept chevaliers étaient déjà morts, tués par les flèches des arbalètes qui, à cette distance, percent n'importe quelle cotte de mailles.

— Simon ?

— Simon vivait encore, en tout cas lorsque...

Potkaxl ôta les mots de la bouche de son ami.

— Les vaincus ont été poussés ou tirés en toute hâte dans la tour, qu'ils soient morts ou vivants.

— Peu après, les « chevaliers du Temple », tout juste au nombre de sept, ont quitté en toute hâte la tour du puits. Ils poussaient devant eux une bonne douzaine de prisonniers et paraissaient extrêmement pressés de quitter les lieux.

— L'un d'eux était le Despotikos, je le jurerais, avec sa barbe noire !

— Comment ? s'enquit Roç, confus. Comme prisonnier ? et Simon ?

— Simon n'y était pas, expliqua Potkaxl. C'est messire Ugo qui portait désormais son clams, échappant sans doute ainsi à l'emprise de ses ennemis.

— Oui, murmura Roç, ce lascar y est parvenu.

— Selon mes calculs, reprit Beni d'une voix trop forte, Simon et ses quatre Templiers devraient se trouver en dessous de nous, dépouillés de leurs tenues de chevaliers.

— Je serais heureux qu'ils puissent sauver leur peau nue ! Mais au fait, demanda Roç, suspicieux, où est passée ma caisse ?

En entendant cette question, qu'ils s'étaient bien gardés d'aborder jusque-là, ses compagnons de souffrance se turent.

— Ils viennent vers nous !

Beni n'avait pas tenté de faire une diversion : effectivement, la troupe qui stationnait au pied des falaises s'était mise en mouvement. Certains des hommes montèrent, sans prêter la moindre attention aux occupants de la tour. Ils sautèrent de leur selle, formèrent un cercle autour de l'édifice et attendirent. Roç et ses jeunes amis regardaient vers le bas, tendus. Zaprota fut le premier à sortir par la grande porte. C'était sûrement lui qui avait guidé dans la galerie souterraine les hommes qui se pressaient à présent vers l'extérieur. À cet instant seulement, les spectateurs auxquels nul ne pensait plus constatèrent que le vieux avait les mains liées dans le dos. Le chef des soldats tira sur la corde et lui cracha au visage.

— Ton ami Ugo nous a échappé parce que tu nous as mal guidés !

Un autre avait déjà son épée dans le dos de Zaprota, et le vieil homme tomba à genoux. Un troisième voulut lui couper la tête, mais leur chef le lui interdit, sortit un poignard court et lui donna le coup de grâce dans la nuque. Alors, Simon et trois des frères d'Ordre qui survivaient encore arrivèrent. Ils n'avaient plus qu'un pagne à la ceinture, et portaient sur leurs épaules le lourd coffre au trésor de Roç.

Le Trencavel adressa un regard de reproche à Beni, qui accepta de s'expliquer à voix basse :

— Nous ne sommes pas arrivés à lui faire prendre l'escalier. Il était trop étroit. Les Maures ont eu beau faire, il se coinçait dans tous les coins.

— Et il était beaucoup trop lourd pour qu'on puisse le soulever au bout d'une corde, ajouta Potkaxl. Et puis, à ce moment-là, le Diable du feu est arrivé en courant et en criant « Trahison ! » Alors les Maures ont jeté le coffre dans le puits et sont repartis en courant vers le navire, derrière Mahmoud...

— Bon, dit Roç en se forçant à arborer un sourire pincé. Me voilà aussi débarrassé de ma cassette de guerre, et mon armée n'est plus composée que de vous, mes deux héros !

Ils regardèrent ensemble, du haut de la tour, la plaine qui se vidait de ses cavaliers. Les inconnus partirent avec leur butin et tous les prisonniers, y compris les morts. On emporta aussi le corps de Dietrich. Roç vit la crinière blonde de l'Allemand que l'on avait couché sur la croupe d'un cheval, les bras ballants.

— Ugo d'Arcady est une telle canaille, il a un tel mépris de son prochain, résuma Roç, que je le crois capable d'avoir imaginé pareille mise en scène : lancer l'une contre l'autre deux parties de son armée pour se débarrasser d'alliés dont il n'a plus besoin.

— C'était peut-être une mutinerie ? suggéra Potkaxl. Une rébellion contre le Despotikos, qui l'aurait forcé à prendre la fuite devant ses propres hommes ?

— Pourquoi, alors, n'a-t-il pas emporté la caisse au trésor ?

— Il ne l'aura pas vue. L'important, pour lui, c'étaient les tenues de l'Ordre, elles lui ont peut-être sauvé la vie.

— En tout cas, la clef de l'énigme se trouve toujours au castel Maugriffe !

— Pour moi, tous les Grecs se valent, en ce qui concerne la fausseté et la trahison ! conclut Beni.

— Ça n'est pas le problème, rétorqua Potkaxl. Et puis la bassesse se trouve partout où les hommes s'affrontent sans aucune perspective de se réconcilier.

— Nous avons perdu Dietrich et les Allemands, énuméra Beni, Simon et ses Templiers ont été enlevés, les trois Occitans sont prisonniers. Et la trirème est partie !

— Et nous n'avons plus de chevaux non plus ! ajouta Roç avec un soupir.

— Il y a encore suffisamment de montures sans maîtres en dessous de nous, corrigea Potkaxl, nous n'avons qu'à nous en emparer. Et à partir au galop pour libérer les prisonniers !

— C'est exactement ce que nous allons faire ! confirma Roç en souriant. Et ensuite, nous prendrons Jérusalem !

MALHEUREUSE EST LA FAVORITE DU SULTAN

Le castel Maugriffe brillait dans la pénombre comme une comète tombée du ciel, projetant dans toutes les directions des particules étincelantes qui disparaissaient en décrivant un grand arc de cercle incandescent au-dessus de la mer.

— Le Despotikos se serait-il, en plus, emparé de notre Diable du feu, pour qu'il célèbre sa victoire ? plaisanta le Trencavel en découvrant le spectacle. Puis il se rappela qu'Ugo avait annoncé une grande fête pour ce jour-là, car Lancia, l'oncle de l'époux, devait venir prendre l'épouse de Sicile, la charmante Elena. Le maître du château n'avait donc pas lésiné pour présenter sous le meilleur jour son sombre château fort. Roç était toujours vêtu comme un prince des Mille et Une Nuits : il n'avait rien d'autre à porter, même si ses pantalons damassés et son pourpoint de soie étaient sortis de cette journée peu glorieuse effilochés, troués et tachés. Le Trencavel brida son cheval et se tourna vers ses troupes, qui se partageaient le dos d'un seul animal : ils n'avaient pu capturer que deux montures.

— Vous ne m'accompagnerez pas, informa-t-il son aile droite. Je puis à présent me retrouver les yeux fermés dans les sombres recoins de Maugriffe. Et cette fois-ci, messire le Despotikos ne m'attend pas.

Beni hocha la tête, mais la partie toltèque de la cavalerie n'accepta pas le départ en solitaire de Roç.

— Vous devez essayer d'approcher Lancia sans vous faire voir, et de lui ouvrir les yeux pour qu'il comprenne les sombres manigances du maître des lieux, expliqua l'intelligente jeune femme. Pour y parvenir, une charmante princesse à votre côté serait peut-être un atout inestimable ?

Roç ne put s'empêcher de rire.

— Si je ne suis pas revenu d'ici demain matin, considérez que le Despotikos s'est assuré de mon silence définitif. (Roç prit l'air grave.) À ce moment-là, vous serez libres de reprendre votre chemin, car je vous interdis de me suivre. En revanche, je vous demande de saluer ma très chère Yeza et de lui dire...

Il n'alla pas plus loin : le chagrin l'empêchait de parler.

— Ne serait-ce que dans ce but, il vaut mieux que vous restiez ensemble, pour que vous ne connaissiez pas le même sort que moi.

Il serra Beni dans ses bras et embrassa Potkaxl sur la bouche, qu'elle lui tendait avec ardeur.

— Attendez donc ici !

Roç se retourna, laissa son cheval sous leur garde et marcha vers ce monstre étincelant.

Cette fois, les invités venaient de toutes parts : des dames en litière, avec leur escorte en grande livrée, des chevaliers suivis de leurs valets, de leurs porte-bannières et de leurs musiciens. Roç traversa une piste de tournoi que l'on venait d'aménager; des guirlandes ornaient les tribunes. Depuis le haut du remblai, il ne pouvait certes pas regarder par-dessus les murs, mais il entendait très bien tout ce qui se passait. On avait sans doute installé des tables et des bancs jusque dans la cour du château. Les musiciens jouaient des danses. Sous le remblai se creusait le fossé du château. Roç chercha le mâchicoulis mais ne parvint pas à le trouver. Il remarqua en revanche un trou qui se situait d'ordinaire en dessous de la surface de l'eau, dans les douves. Il buta contre une grille de fer. Elle céda. Roç la poussa vers l'intérieur et rampa dans la galerie. Ce n'était pas un égout, contrairement à ce que pouvaient laisser croire quelques rats effrayés, mais le canal d'évacuation des déchets de cuisine. Roç respira, soulagé : il connaissait désormais les lieux.

Du moins le croyait-il. Arrivé devant un escalier, il se laissa tenter par l'idée d'en monter les marches. Il grimpa et grimpa encore, jusqu'à une galerie horizontale. Il avança en tâtonnant et sentit le fer-blanc d'une porte. Il tenta prudemment de l'ouvrir. Il s'arrêta, osant à peine respirer, car un rayon de lumière passait par une fente dans le bois, au-dessus de lui. Il épia. Constatant que rien ne bougeait, il estima que la pièce était vide, poussa doucement la porte du placard et se retrouva face à deux yeux sombres qui l'observaient fixement. La charmante créature à laquelle ils appartenaient était agenouillée sur le lit et dit, avec un soupir de soulagement :

— Je pensais que vous étiez un rat !

— Ce n'est qu'une impression, répondit Roç. Je suis le Trencavel, et je me suis perdu. Et vous, belle dame, qui êtes-vous ?

Elle le dévisagea, l'air encore plus étonné, et dit d'une voix mutine :

— Si vous ne le savez pas, vous vous êtes effectivement égaré, et je dois appeler les gardes : vous êtes
un intrus insolent qui s'approche trop près de ma
vertu.

— Laissez-moi un peu de temps pour cela ! répondit Roç en souriant. Je sais, à présent : vous êtes
Elena d'Épire.

Il fit un pas vers elle pour lui baiser gracieusement
la main, en oubliant totalement le spectacle qu'il lui
offrait. La farouche créature sauta de l'autre côté du
lit :

— Encore un pas, et je vais devoir me boucher le
nez, menaça-t-elle. Si vous vous approchez, je m'éva-
nouis.

— Je vous en prie, ma reine, dites-moi seulement
où je trouverai Ugo, le maître de ce château ?

À présent, la belle semblait prise de sérieux
doutes.

— De quel Ugo parlez-vous ? demanda-t-elle avec
méfiance. Il n'y a qu'un seul maître ici, le prince Lancia de Salerne, et je devrais lui livrer le garçon
vacher insolent qui se fait passer pour le célèbre
Trencavel !

— Je peux vous prouver..., commença Roç à l'instant précis où l'on entendit des pas fermes approcher
dans le couloir.

— Le voilà, il vient me chercher !

Roç entendit que l'on frappait à la porte de la
chambre. Elena referma celle de l'armoire derrière
lui. Dans sa hâte, Roç manqua l'entrée dans l'escalier, et passa dans une autre ouverture. Une plaque
de pierre céda sous ses pas et le précipita dans une
rigole que l'on n'avait pas nettoyée depuis des
années. Incapable de s'arrêter, il glissa vers les profondeurs, d'abord sur son fond de pantalon damassé,
puis sur les fesses nues. À l'instant où il crut qu'il ne
pourrait plus supporter la douleur, il atterrit dans un
bassin d'eau croupie. Il y resta un instant assis, heureux de ce rafraîchissement imprévu. Il était entouré
par les rats. Au cliquetis des chaînes, Roç comprit où

il se trouvait. Il ne put distinguer qu'une silhouette, suspendue à l'un des piliers. Roç sortit du bassin et recula, effrayé. On avait creusé une ouverture ronde dans la voûte, sans même prendre la peine d'y installer une grille. De là, la lueur très faible de torches éloignées tombait dans le cachot. L'amas humain qui se trouvait en dessous devait aussi avoir emprunté ce chemin : c'étaient les Templiers, ou du moins leurs cadavres, les clams imbibés de sang. Il était difficile de les reconnaître, car si leurs têtes étaient bien là, elles n'étaient pas en revanche reliées aux troncs auxquels elles appartenaient. Roç apaisa son effroi en se rappelant qu'il avait vu Simon et ses trois frères d'Ordre en vie, lorsqu'ils étaient partis en emportant son trésor.

Roç escalada le tas de cadavres, provoquant les piaillements des rats, qui craignaient d'être privés de leur festin. Ils lui sautèrent dessus, furieux. Il les chassa à coups de pied et marcha vers l'homme attaché au pilier. Il le reconnut à sa barbe épaisse. Mais là où se trouvaient jadis deux yeux enflammés, il ne vit plus que deux orbites creuses et ensanglantées, un spectacle tellement hideux qu'il ne put s'empêcher de détourner le regard.

— C'est vous, Trencavel ? demanda Ugo avec la voix tranquille d'un homme sûr de son affaire. Il m'a épargné, poursuivit-il. Mon exécution aura sans doute lieu demain, elle doit faire partie du programme des festivités. Le pal ou l'écartèlement, je suppose.

— Je ne pense pas, Ugo d'Arcady, que le prince veuille gâcher l'ambiance de fête en offrant une telle vision. Je suppose que le bourreau vous étranglera dans la plus grande discrétion. Il vous torturera peut-être un peu auparavant, pour distraire son seigneur, qui apprécie ce genre de choses.

Ugo eut un éclat de rire amer.

— Je vois, j'entends, que votre cœur n'est pas empli de haine et de rancune.

— En quoi ce qui m'a poussé ici compte-t-il

encore, Ugo d'Arcady? Votre pire ennemi ne pourrait pas vous souhaiter supplice plus atroce. Mais racontez-moi donc ce qui s'est passé, après que vous avez habilement échappé à vos ennemis, près de Pantokratos. Qui, au juste, vous avait attaqué?

— Je n'ai plus grand-chose à vendre, je ne dispose plus que de ma vie, et pour peu de temps. Je vais vous dire tout ce que vous souhaitez savoir si vous me donnez votre parole de me tuer aussitôt après.

Roç eut du mal à trouver ses mots.

— Je n'ai encore jamais fait passer un homme de vie à trépas autrement que pendant une bataille. Je ne ferai ni un bon meurtrier, ni un bourreau!

— Avez-vous une arme?

Le silence de Roç confirma la supposition du Despotikos.

— Laissez-la-moi lorsque vous partirez!

C'était une imploration, même si le condamné à mort ne s'était pas départi de son ton sarcastique.

— Soit, dit Roç. Mais en contrepartie, je veux entendre la vérité. Et ne pensez pas que je vous cède mon poignard de bon cœur.

— Considérez cela comme un prêt. Si mon sang ne vous dérange pas. Vous pourrez toujours l'essuyer.

— Où est mon coffre, tout mon or?

— Quel coffre? demanda Ugo. Même si je l'avais trouvé, il ne me serait rien resté de votre or. Mais je vais vous raconter, vous poserez vos questions après, si vous pensez que je vous ai passé quelque chose sous silence ou que j'ai laissé quelque chose dans le flou, car ce n'est pas mon genre!

— Je ne voulais pas vous offenser. Mais vous pourriez vous soucier de votre gloire posthume...

Le Despotikos éclata de rire.

— Ma postérité, je m'en suis suffisamment occupé de mon vivant, vous ne pourriez pas l'embellir, même si vous aviez la langue d'un ange!

— Vous vous êtes donc mis en marche pendant la nuit?

— Je voulais vous donner une leçon, Trencavel. Nous sommes arrivés au petit matin devant Pantokratos. Nous ne pouvions emprunter le passage secret menant de la tour du puits à la citadelle, parce que vos hommes connaissaient désormais ce chemin. J'ai utilisé un moyen très peu honorable...

— Le drapeau blanc d'un parlementaire intouchable! grogna Roç.

— Exact! De la citadelle, le drapeau de Manfred nous a salués, et des chevaliers nous ont fait signe d'approcher. Je suis entré dans la citadelle avec une troupe d'assassins, tous expérimentés dans l'usage perfide du poignard. Malheureusement, nous sommes tombés sur des hommes qui n'avaient rien à nous envier quant à la ruse et à la trahison. Nous avons engagé un combat au corps à corps, mais nos adversaires nous attendaient et avaient, de toutes parts, pointé sur nous leurs arbalètes. Je suis parvenu, avec beaucoup de chance, à faire sortir une douzaine de mes hommes par les tuyaux du puits. Mais, là encore, nous avons payé le passage au prix fort. Zaprota avait révélé aux ennemis l'existence de cette galerie! En traversant la citerne, nous avons trouvé, entassés, les corps de vos chevaliers teutoniques. Ils avaient tous eu la gorge tranchée pendant leur sommeil.

— Vous leur auriez vraisemblablement réservé le même sort, objecta Roç. À moins que ce ne soit vous qui ayez leur mort sur la conscience?

— Vous pouvez partir du principe que je ne mens pas, Trencavel! Je n'affirmerai pas que nous n'aurions pas soulagé nos nerfs sur eux. Mais cela ne s'est pas passé ainsi...

— Mais dites-moi enfin qui..., demanda Roç, agacé.

— Je pensais que c'était évident. Je vous ai pourtant déjà expliqué que mon géniteur Villehardouin, le prince d'Achaïe, s'est rallié à Épire dans son combat contre Michel Paléologue, l'empereur auto-proclamé de Nicée. Son frère Jean, qui se donne avec

arrogance le titre de « Sebastocrator », avait, le soir
même où nous donnions banquet à Maugriffe...

— ... et où vous aviez déjà décidé de me prendre
par la ruse...

— ... déjà débarqué des troupes à Corfou pour me
punir de mes méfaits.

— Je ne sais pas, commença Roç en lui coupant la
parole, si vous méritiez tant d'attention. Je crains
plutôt qu'il n'ait eu l'intention de s'emparer de
l'épouse.

— Voilà qui me plairait bien !

— Vous restez une fripouille ! dit Roç, écœuré, en
pensant à l'enfant aux yeux brûlants qui l'avait pris
pour un vacher et ne l'avait pourtant pas dénoncé.
Le reste, avec les Templiers, je le connais. Vous en
avez tué trois pour vous emparer de leurs misérables
vêtements.

— Ils sont tombés en combat régulier.

— Vous les avez abattus au cours d'une embuscade !

— Ne soyez pas mesquin comme un pharisien,
Trencavel. J'aurais voulu vous voir à ma place.

— Les gens de l'Ordre, contrairement à ce que
vous auriez pu penser des cavaliers de Manfred,
n'étaient même pas vos ennemis, dit Roç d'une voix
chargée de reproche. J'avais emmené ces braves garçons, ils attendaient un passage en *Terra sancta*.

— Les Templiers, répondit Ugo, moqueur, vivent
dans une aussi grande familiarité avec la mort violente qu'avec leurs chausses ! Une liaison à vie, sans
alternative ! D'ailleurs, leurs hardes puantes ne nous
ont pas porté chance. Nous avons fait à pied la plus
grande partie du chemin du retour. Ensuite, nous
sommes parvenus à capturer quelques-uns des chevaux qui, le matin même, portaient encore mes fiers
cavaliers devant ce damné Pantokratos, et qui couraient à présent dans tous les sens.

Le Despotikos regrette sincèrement la mort de ses
hommes, songea Roç. Quelque chose comme une
conscience se cacherait-il donc en lui ?

— Nous n'avions que sept clams à croix griffue. Les autres ont dû se déguiser en « prisonniers » et courir à côté de nous. Cela a suffi à tromper les Nicéens que nous avons rencontrés sur le chemin. Nous avons eu bien du mal à les empêcher de partir avec les prisonniers. Enfin, nous sommes revenus à Maugriffe, où Lancia était arrivé. Épuisés mais fiers, au bout du compte, d'y être parvenus, nous sommes entrés à cheval dans la cour du château. Je me suis présenté devant le prince pour lui souhaiter la bienvenue. Il m'a regardé comme s'il était éberlué de mon arrivée — ou même de me revoir vivant. Au lieu d'une salutation amicale, il a crié : « Quoi ? Vous osez reparaître devant mes yeux ? » Ses gardes s'étaient déjà emparés de moi et avaient désarmé mes compagnons. « Si j'en juge à votre déguisement, il est donc bien exact que vous avez lancé une conjuration pour vous emparer de l'épouse !

— Vous vous trompez, mon prince, ai-je répondu, je viens d'échapper à un piège que m'avaient tendu les Nicéens...

— Peuh ! Nicée ! répliqua-t-il. C'est *vous* qui avez assassiné ces quatre cents noble sires que Manfred avait aimablement envoyés, c'est *vous* qui avez porté la main sur Corfou, qui devait revenir en dot à Manfred ! Et à présent, vous voulez lui voler sa reine ! Disparaissez avec vos traîtres grecs ! »

— La plus grande partie de ces accusations n'a rien d'injuste, constata Roç.

— Si ! se rebella le Despotikos. Sur les quatre cents chevaliers, seule un peu moins de la moitié est effectivement arrivée en Grèce. Parmi ceux qui ont débarqué ici, j'en ai effectivement fait passer un petit nombre au fil de l'épée...

— Et les autres ? J'étais là lorsqu'ils ont quitté Palerme, ils étaient bien plus de trois cents, sans compter les valets et les écuyers.

Ugo haussa les épaules.

— Ils ont accosté ailleurs, peut-être ont-ils été capturés. Si c'est pour cela que Lancia m'a fait aveugler...

À présent, le Despotikos avait la mine d'un parfait innocent auquel on aurait arraché les yeux par erreur.

— Dans l'exercice de votre hospitalité hellénique, c'est-à-dire au cours de l'accueil attentif que vous, et pas Nicée, avez réservé aux chevaliers de Manfred, un certain Hamo l'Estrange, comte d'Otrante, vous est-il tombé entre les mains ? Dites-moi la vérité !

Ugo réfléchit longtemps avant de parler.

— Oui, dit-il, je l'ai vendu.

— À qui ?

— À un marchand d'esclaves qui travaille dans nos eaux pour le compte du Hafside. (Ugo déglutit.) Si c'était votre ami, je suis navré.

— Absolument pas ! répondit Roç. Je suis heureux de l'entendre. Car cela me laisse un espoir qu'il soit encore en vie, un privilège qui n'a manifestement pas été accordé à beaucoup de monde, ici, à Hellade. Le Hafside est un de nos bons amis.

— Que voulez-vous encore savoir de moi ? questionna Ugo, impatient. Le temps presse, vous pouvez à présent tenir votre part de notre accord.

— Vous m'avez facilité ma décision, Ugo d'Arcady — vous méritez effectivement la mort. Dites-moi seulement une chose : vouliez-vous réellement enlever la belle Elena ?

— L'avez-vous vue, vous êtes-vous trouvé devant elle ?

— Oui, elle est comme du lait et du miel, une rose en bouton.

— Je sais, dit Ugo à voix basse, mais c'est une partie d'un rêve de jeunesse. Mon père a reçu sa sœur, et je... Mais je vous en prie, ne me forcez pas. Je veux garder son image dans mon cœur telle que je me la rappelle, et l'emporter dans la mort !

Roç sortit son poignard, puis il changea d'avis.

— Portez-vous sur vous quelque chose pour écrire ? demanda-t-il sans grand espoir, mais Ugo répondit :

— Si vous cherchez dans ma poche de poitrine,

vous trouverez une pointe d'argent et un support adapté, je les porte toujours sur moi.

Roç surmonta son dégoût et plongea la main dans le vêtement trempé. Il eut l'impression de sentir battre le cœur du condamné. Il sortit le stylet et un petit portrait de bois. C'était celui d'Elena, l'une de ces miniatures que seul Rinat Le Pulcin savait réaliser. Roç reconnut immédiatement la patte de l'artiste. Il ne dit pas qu'il en avait déjà vu un semblable chez le roi Manfred. Il ne dit rien du tout.

— Que voulez-vous écrire ? s'enquit Ugo, inquiet. Je ne veux pas lui laisser d'adieux. Elle ne sait certainement même pas que j'attends la mort ici, dans ce souterrain. Et je ne veux pas l'importuner avec cela.

— J'écris, dit Roç. « Gardez-vous de Nicée ! Maugriffe n'offre plus de protection à l'épouse. »

Le Despotikos attendit jusqu'à ce qu'il entende le stylet d'argent gratter sur le petit tableau de bois.

— Alors, ajoutez « *Tant pis* », je vous prie, et Roç exauça son vœu.

— Il faut que l'on trouve cette mise en garde sur vous, déclara Roç, ne la cachez pas. Puisque vous ne pouvez pas diriger le poignard avec vos mains enchaînées, je vais vous l'accrocher dans le dos, à la hauteur du cœur. (Il fit passer la lame sur les doigts d'Ugo.) Le reste, c'est votre affaire. Si vous ne poussez pas suffisamment du premier coup, ou s'il tombe, vous n'aurez pas eu de chance, car je serai déjà parti.

Ugo se pencha en avant, autant que le lui permettaient les chaînes. Roç poussa la lame à travers un anneau de fer, sur le pilier, si bien que la poignée de l'arme était calée contre le mur et que sa pointe était dirigée vers le dos d'Ugo, juste sous l'omoplate gauche. Puis Roç approcha prudemment le corps d'Ugo contre le fer, afin qu'il puisse sentir où l'attendait la mort.

— Veuillez patienter jusqu'à ce que je sois parti ! dit-il en guise d'adieu. Cela n'a pas été un plaisir pour moi !

Trencavel se retourna et poursuivit son chemin dans le cachot. Il trouverait certainement une issue à un moment ou à un autre. Il entendit un coup sourd derrière lui, les chaînes cliquetèrent doucement, il y eut un long soupir, puis le silence.

Roç buta contre une porte. Elle n'était pas verrouillée. Un long couloir donnait sur d'autres cellules dont les grilles de fer étaient toutes ouvertes. Quelques-uns des rongeurs le suivaient pas à pas. Mais, au bout du couloir, il ne trouva qu'une autre cave voûtée, totalement vide. Même les rats ne se promènent pas ici, songea Roç en se rappelant l'horrible repas auquel il avait assisté un peu plus tôt.

Là aussi, un orifice circulaire laissait passer la lumière de l'étage supérieur, et l'on entendait des voix. Roç évita le cercle lumineux dessiné sur le sol de pierre et se faufila vers la sortie. Une pierre tomba derrière lui, dans le cône de lumière. Roç se retourna, effrayé. Des poings lui attrapèrent les bras par-derrière et les lui tirèrent dans le dos, on lui lia brutalement les mains et on le traîna sous l'orifice de la voûte. Il reçut un coup au creux des genoux, et l'on tira sa tête vers l'arrière, par les cheveux. Les traits grossiers de ses bourreaux laissèrent place à un spectacle inattendu : deux visages dissemblables qui étaient apparus en haut, dans le trou. C'étaient le crâne anguleux de Lancia et, juste à côté, le visage charmant de la jeune reine. Ils ne manifestaient aucune émotion, aucune excitation. Ils se tenaient là, dans le firmament de la voûte, comme le soleil et la lune, des larves sans cœur dont les yeux étaient déjà morts, même si leurs bouches s'ouvraient encore.

— C'est lui ? demanda le prince.

— C'est lui, répondit la jeune reine.

— Fouettez-le ! ordonna Lancia aux gardiens. Et jetez-le dans le fossé !

Les deux visages d'ange disparurent du cercle, on souleva Roç et on le jeta sur un cheval d'arçon. L'un des sbires déchira la chemise de soie, dévoilant son dos, l'autre lui attacha les jambes. Cela ne suffisait pas : lorsqu'il vit les fesses de Roç, que la glissade avait maltraitées, il lui ôta aussi son pantalon avec un rire méprisant, tandis que l'autre lui détachait les mains jusqu'à ce qu'il puisse les poser des deux côtés du cheval, dans des anneaux de fer. Les valets ne firent pas de longs préparatifs, ils se crachèrent dans les mains, crachèrent aussi sur le dos velouté de Roç, et commencèrent à fouetter. Ils frappaient chacun son tour, pour tuer le temps ; le but du jeu était de taper plus fort que l'autre. Roç apercevait tout juste leurs pantalons et leurs chaussures. Mais il cessa bientôt de s'y intéresser, cela ne l'aidait plus à supporter le sifflement du fouet, le claquement du coup et la vague de douleur. Sa chair éclatait, les rigoles de sang aux lisières des plaies enflaient en une masse sanguinolente. Il se mit à crier, d'abord en aboyant, puis en un long hurlement effroyable, qui se transforma en sanglot. Puis tout disparut. Il avait perdu conscience, et ses bourreaux perdirent l'envie de continuer.

LE SCEAU DE SALOMON

I

LE TAROT D'ALEXANDRIE

Le tapis du cabaliste

Yeza se rendit avec Kefir au bazar. Préparer ses affaires pour le départ l'excédait, et aucune de ses suivantes n'était restée avec elle. Seul Jordi lui était encore fidèle. Le vizir lui avait raconté, tout excité, qu'il avait rencontré sur le marché un vieux juif qui lui avait proposé sous le manteau des rouleaux de papyrus et quelques parchemins rescapés de la fameuse bibliothèque. Yeza tenait à voir cela. Elle aimait les bazars de l'Orient, avec leurs sombres grottes, leurs parfums mystérieux, enivrants, et la mélopée des vendeurs qui vantaient leur marchandise au rythme des coups de marteau aigus des forgeurs de cuivre et celui, plus sourd, des selliers qui attendrissaient leur cuir. Kefir longeait les arcades, il savait où il allait. On avait accroché aux murs quantité de poignards tachés (par du sang séché?) et de cimeterres ciselés reluisants, une vue à laquelle elle ne put résister. Kefir se dirigea vers la cour intérieure d'un marchand de tapis. Il échangea quelques mots avec le propriétaire, qui lui indiqua la direction.

— Mon cabaliste change de lieu chaque jour, expliqua le vizir sur un ton de conspirateur, sans doute parce que la vente de ces objets précieux est illégale!

À un coin animé où se croisaient deux des rues couvertes du bazar et où des conducteurs d'ânes et des porteurs de litières se disputaient la priorité avec force jurons, on voyait au mur une planche peinte à la main qui annonçait « l'horoscope personnel, les numéros de la chance, la chiromancie » dans toutes les langues courantes dans ce port du Nil. En dessous dormait un vieil homme en cafetan, le menton sur la poitrine. Yeza retint son vizir et se faufila derrière le coin de la maison.

— Pouvez-vous me tirer le tarot alexandrin du huitième Sephirot, Ezer Melchsedek ?

Le vieil homme sursauta, effrayé, et attrapa ses petites tables pliantes, devant lui, pour faire disparaître les plaques interdites sous un drap noir. Yeza n'était pas encore sortie de sa cachette. Le chiromancien ne se tourna pas non plus vers elle, mais un sourire parcourut son visage, comme si un rayon de soleil s'y était égaré. Il fouilla dans le bric-à-brac que dissimulait le drap noir, jusqu'à ce qu'il ait trouvé ce qu'il cherchait : un seul petit tableau. Sans dire un mot et sans se retourner, il en tendit le verso en direction du coin où se tenait Yeza. Elle vit son propre portrait, l'une des miniatures réalisées par Rinat.

— Vous vous connaissez ? demanda Kefir, comme si c'était nécessaire. Alors, l'authenticité des rouleaux de papyrus, des autres parchemins et de leur origine est...

— Chut ! répondit Ezer. Ils sont parfaitement authentiques ! chuchota-t-il fièrement. Travail d'écriture très raffiné de votre vieil Ezer Melchsedek ! Je ne vais tout de même pas, ajouta-t-il en voyant le visage indigné du vizir, vendre à ma princesse Yeza les produits de mon agilité personnelle comme des originaux vieux de plus de mille ans. Je les lui offre !

Yeza était sortie de l'ombre du mur. Elle voulut serrer Ezer dans ses bras, mais se rappela juste à temps à quel point il empestait, jadis. Cela n'avait pas changé depuis. Elle lui tendit donc gracieusement la main et, de l'autre, attrapa son portrait.

— Au contraire, grand maître, je vous achète tout
— y compris les travaux à venir. Je vous reprends à
mon service, et ce avec la plus grande joie.

Alors, le vieux bondit sur ses jambes, renversa sa
petite table et passa la manche de son cafetan autour
de Yeza avant qu'elle n'ait eu le temps de s'en rendre
compte. La bouffée d'air chargé de sueur et d'ail,
d'urine de vieil homme et d'haleine fétide renversa
presque Kefir, qui se tenait pourtant à distance. Yeza
crut qu'elle allait étouffer. Mais il fallait ramasser le
tarot dispersé sur le pavé, ce qui la sauva une fois de
plus. Elle se demanda, abasourdie, si son offre
n'avait pas été un peu hâtive, car Ezer ronflait aussi,
au moins aussi épouvantablement que Guillaume !
Mais Melchsedek avait un cerveau aux multiples
facettes, il était chez lui dans toutes les cultures de la
Méditerranée et s'était montré fort débrouillard
lorsqu'il l'avait fallu. Non, elle emmènerait de toute
façon le cabaliste jusqu'à Jérusalem. Jakov lui revint
alors à l'esprit. Elle le retrouverait avec l'aide du
Doge, ou celle du Hafside.

— Comment va votre franciscain personnel, le
pieux Guillaume de Rubrouck ? demanda Ezer pour
bavarder, tout en emballant ses affaires, heureux de
pouvoir échanger l'existence misérable d'un vendeur
à la sauvette contre l'honneur de servir la princesse.

— J'aimerais bien savoir où il se cache, avoua
Yeza. La dernière nouvelle que j'ai reçue de lui provenait d'Antioche.

Ezer Melchsedek la regarda, songeur, puis il
fouilla à l'aveuglette dans son sac. « Les amants » : ce
fut la première carte qu'il tira.

— Roç va bientôt s'unir à vous !

Puis il tira « le pendu ».

— Quelqu'un a des objections. Voyons de qui il
s'agit.

La troisième carte était « le bouffon » !

— Guillaume prend donc son temps !

Il tira la quatrième image.

— « La grande prêtresse » ! Avez-vous, princesse,

dans votre entourage immédiat, une vierge du Temple, une jeune fille qui se livre à la prostitution rituelle ? Guillaume, ce vieux bouc à putains, avec sa peau rose et ses cheveux roux, en est tombé totalement fou.

— Pour tout vous dire, je n'ai pas de relations très fréquentes avec les *houris,* répondit Yeza. D'ailleurs, en ce moment, je n'ai aucune femme autour de moi, uniquement des hommes de toute nature.

— Et pourtant, je vois une étrangère, qui tient autant à vous qu'aux joies de la chair.

Elzer Melchsedek n'en démordait pas, et cela irrita Yeza.

— Comment Guillaume, que je n'ai pas vu depuis une éternité, pourrait-il s'adonner aux joies de l'amour avec une charmante personne qui prétend m'être familière et m'aimer, mais que je ne connais pas ?

— *Turuq Allah amiqa !* glissa le vizir.

— Le tarot ne ment pas ! affirma Ezer.

— Dans ce cas, précieux maître, déclara Kefir, dirigeons-nous vers le lieu où sont cachés les mots, pour que vous puissiez les remettre à ma maîtresse. Ensuite, nous visiterons notre nouveau palais.

Ezer Melchsedek passa devant. Ils se retrouvèrent dans la cour du marchand de tapis. Ezer lui chuchota quelques mots. L'autre désigna un vieux tapis roulé dans le coin et prononça à voix haute une somme pour laquelle un connaisseur ne se serait même pas laissé convaincre d'acheter tout l'éventaire, Ezer paraissait désespéré : ses trésors étaient manifestement enroulés dans ce vieux paillasson.

— Dites-lui, demanda Yeza à son vizir, que pour ce prix-là, je l'achète aussi, lui, ses fils et ses petits-enfants. Je les ferai mijoter avec de la viande de porc bien grasse pour récupérer au moins un dixième de mon bon argent. Et, pour la différence, il recevra chaque jour des dix prochaines années une bastonnade bien comptée. Je pourrai alors me réjouir en entendant le son de sa voix, puisque je n'aurai plus le bruit de mon argent. Donnez-lui une pièce, pas plus, et qu'il prie Allah à genoux pour que je veuille bien l'oublier, lui, sa maison et le chemin qui y mène.

— Mais ce tapis a été noué au paradis, ses franges, à elles seules, valent de l'or! Regardez seulement l'épaisseur des nœuds, chacun est une perle! bêla le marchand. Le prophète a prié dessus avant que...

— Fourre-lui la pièce dans la gueule! ordonna Yeza à son vizir, qui la jeta aux pieds de l'homme. Qu'il transporte cette misérable serpillière mangée aux mites dans la maison de Baibars!

En entendant ces mots, le commerçant eut un instant les yeux exorbités par la terreur. Il bondit, alla ramasser la pièce dans la poussière et la rendit humblement à Kefir.

— Permettez au moins, Monseigneur, que je porte moi-même ce haillon rongé par les chats, ce paillasson d'infidèle sur lequel se sont roulés des porcs, où ont craché des mendiants et... (Il était à court de métaphores répugnantes.) Je vais juste l'envelopper dans un tapis de mon propre cabinet, afin que moi-même et mes descendants ne soyons pas un objet de raillerie chez le grand Archer. Qu'Allah lui donne longue vie!

Yeza et son escorte n'entendirent pas le reste. Ils étaient déjà partis. Pendant ce temps-là, le marchand, les mains tremblantes, avec l'aide de tous ses fils, enveloppait le vieux Boukhara dans un lourd tapis de Täbriz, un cylindre aussi épais qu'un tronc d'arbre, que quatre de ses fils portèrent ensuite au pas de course derrière ces illustres visiteurs.

— Avec mes salutations les plus dévouées! leur cria encore le marchand.

LE FOU, LA TOUR, LE PENDU

Roç ne se voyait pas lui-même. Son corps s'était décomposé, ses membres lui refusaient l'obéissance. Il ne les sentait même plus. Avait-il déjà franchi la

frontière de la vie ? Un gigantesque poing pressait
son visage dans le sable fin qui le gelait et lui coupait
le souffle. Il était incapable de soulever sa tête des
plumes blanches. On pouvait tuer un homme ainsi ;
pourtant, il ne pouvait s'empêcher de respirer. Mais
ensuite, chaque fois, il se retrouvait gelé, il était couché dans la vaste plaine, rien ne bougeait, surtout
pas lui, et son regard refroidi se promenait sur la
surface gelée, s'arrêtait sur cette forme humaine
qu'on avait allongée à une distance insurmontable,
après l'avoir jetée comme un vieux tapis. Ce n'était
pas lui, c'était l'autre qu'il voulait sauver, c'est pour
cela qu'il vivait encore. Seul le dos du torse nu et
musclé de Dietrich dépassait encore, seules les
épaules sortaient de la neige, comme des formations
rocheuses polies par le vent froid. Un corps humain
transpercé de flèches plus ou moins longues, certaines courbées, cassées, tirées indistinctement, sans
le moindre sens de l'esthétique à laquelle un corps
comme celui de l'Allemand aurait pu prétendre,
même dans la mort.

« La belle mort ! » Rien ici ne rappelait le champ
de bataille de Pantokratos. C'est donc qu'ils se trouvaient déjà au ciel, l'un transpercé par les flèches, un
martyr aux boucles blondes, l'autre fouetté à mort
comme un pâtre inutile. C'est bien ce qu'il était. Et
Roç, en fidèle berger, voulut éveiller à la vie l'agneau
du sacrifice, Dietrich. Il se disait sourdement que lui,
le grand Trencavel, aurait pu éviter ce désastre en
déployant beaucoup moins d'efforts. Mais avait-il
demandé le sacrifice du guerrier blond ? Non. Cela
avait été une entreprise absurde, dans laquelle Roç
lui-même se considérait comme une victime. Pourquoi aurait-il dû en assumer toute la faute ? Il s'était
peut-être montré un piètre général. Mais était-il là
pour protéger son frère ? N'était-il lui-même qu'un
pion dans le grand jeu ? Il était là, couché, uni à la
vaste plaine à l'extrémité de laquelle des lignes
noires se dressaient comme autant de lances acérées
vers l'horizon laiteux. Les longues lances montèrent

de plus en plus haut, comme des traits de plume. Ce fut ensuite la masse sombre et resserrée des casques en forme de pot. Alors seulement apparurent les chevaliers fantômes, sans corps, dans leurs manteaux blancs. Le regard incrédule de Roç se promena sur le fond ; la surface qui le séparait de l'Allemand allongé dans la neige se souleva au-dessus de lui et glissa sur le terrain. Il s'était transformé en échiquier de marbre, analogue à ceux qu'il avait vus dans la Constantinople de sa jeunesse. Le « centre du monde » : c'est le nom qu'on avait donné à la haute salle du Palais Kallistos, dont les zones les plus basses, représentant les mers, pouvaient être inondées, alors que les zones en promontoire émergeaient au-dessus des flots. À présent, des blocs de glace recouvraient l'Égée, de la neige s'était déposée sur le Péloponnèse. Les chevaliers de l'Ordre avancèrent vers lui sans bruit, formant un large front. C'étaient les Templiers — Gavin les menait-il à leur dernière bataille ? Ils passèrent sans prendre garde au-dessus de Dietrich. Beaucoup de visages rappelaient quelque chose à Roç, mais ils ne lui étaient pas familiers et ne lui inspiraient pas confiance. Ils déposèrent sans mot dire la litière noire. La Grande Maîtresse prit la place de la reine, celle du grand maître resta libre. Le voile, devant ses yeux, cacha les yeux de la vieille femme comme derrière une toile d'araignée. L'*alfiere* qui vint se placer à côté d'elle était Guillaume de Gisors, le visage aussi livide que celui d'un mort. Au premier rang des Pedones avançaient Simon de Cadet et les chevaliers de Linosa, dégradés au rang de piétaille pour ne pas avoir défendu *L'Atalante* jusqu'à la mort. Une poussière de glace cristalline soulevée en tourbillons par les sabots des chevaux sauta au visage de Roç et l'empêcha de voir les tours et les cavaliers. À peine les chevaliers blancs à la croix rouge griffue avaient-ils pris position que les blocs de glace s'ouvrirent en face d'eux, et l'on vit surgir des profondeurs les rouges, leurs vieux ennemis, les chevaliers de Saint-Jean.

Immobiles, visières fermées, ils montèrent et se transformèrent en bâtons de glace, comme les Templiers. Le cavalier blanc sortit alors des rangs ; c'était un centaure. Il resta immobile entre les fronts. Les visières des chevaliers de Saint-Jean installés au premier rang se soulevèrent d'un seul coup, dévoilant des visages imberbes, avec de petits nez plats et des yeux en amande. Roç connaissait la deuxième rangée des Mongols. Leurs tours solides étaient représentées par le grand juge chauve et par le bon général Kitbogha, qui avaient toujours été ses amis. Ils étaient flanqués par Ata el-Mulk Dschuveni, le grand chambellan perfide, et par le vizir Muwayad cd-Din, cet intrigant ; ces deux-là étaient moins bien disposés à l'égard de Roç. Au milieu des rouges se tenait le tout-puissant grand khan, entouré par ses frères. Le cavalier, qui s'était beaucoup avancé, prit son élan pour sauter de nouveau lorsqu'un nuage de flèches s'abattit du ciel comme une boule de feu, jetant à terre l'animal au torse humain. Roç vit alors aussi la tête. Le signe de feu gravé sur la nuque lui révéla qui était couché là, avant même que Gavin n'ait pu tourner vers lui son visage anguleux et lui adresser un sourire hautain. Les flèches n'avaient pas été tirées par les Mongols, mais de ses propres rangs, derrière lui. Pour rétablir l'équilibre de l'honneur, les chefs mongols arrivèrent en rangs serrés et décapitèrent leurs propres fous. Puis les deux fronts se figèrent de nouveau comme des statues de sel. Et le vent souffla sur le haut plateau glacé de l'Altaï. Roç rampa vers l'avant, il n'aurait pas pu se déplacer autrement, cela ne le remplit pas non plus de satisfaction : son corps n'était plus qu'un poids. Le vent hurlait autour de lui, un sifflement strident qui lui parcourait le crâne. Les doigts nus, Roç fouilla dans la neige pour trouver le corps de Dietrich von Röpkenstein, passa ses mains brûlantes sous le torse et le souleva de son lit chaud. Produisant un effort surhumain, il courba son dos écorché, força ses genoux et la musculature de ses jambes à redresser non seulement son propre corps, mais aussi le poids qu'il portait sur les bras. Roç avança par saccades, en s'efforçant toujours de marcher d'un pas sur le champ rouge, de l'autre sur le champ blanc de l'échiquier, et surtout pas sur le « seuil », la ligne qui délimitait chaque champ. Il haletait, il trébuchait mais il savait que, s'il faisait un faux pas, s'il abandonnait, s'il laissait l'autre glisser de ses bras raides, il était perdu. Les deux fronts hostiles regardaient son combat, impassibles. Les Templiers ne tenaient plus le champ blanc depuis longtemps : l'oriflamme flottait à présent au-dessus du trône de Saint-Denis, où Roç crut distinguer le roi Louis entouré par ses frères. Mais il s'y vit ensuite lui-même, le bord de la couronne imprimé sur le front. À ses côtés, une vague frisée en ondulation constante. Ce devait être Yeza. Non, ce n'était pas elle : Dietrich tournait vers lui sa tête bouclée, son visage était endeuillé. Roç se retourna d'un mouvement vif et dirigea son œil impérieux sur la reine de son rival rouge. Elle était là, bien entendu, sa dame, elle en faisait toujours à sa tête et ne voulait pas partager cette dignité avec lui. Elle portait la couronne, messire Simon de Cadet avait su se contenter de rester à côté d'elle et de lui tenir la main. Yeza, reine rouge des ismaélites d'Alamut, reine des Assassins ! Elle adressa un doux sourire à celui qui lui faisait face et fit signe à Dietrich de la rejoindre. Roç tenta de le retenir, mais il était déjà aux pieds de Yeza. Arslan, le chaman, que Roç avait inconsciemment appelé à l'aide lorsqu'il avait erré dans le monde enneigé de l'Altaï, le corps du guerrier blond sur les bras, mais dont la grotte n'avait pas voulu lui apparaître, le vieil Arslan surgit alors parce que Yeza le voulait, de petites flammes s'élevèrent autour de Dietrich, déposé sur une civière, et le chaman dansa autour de lui, il dansait pour Yeza ! Et chaque fois que ses doigts d'oiseau émergeaient de son manteau enchanté, une flèche sortait d'un seul coup de la poitrine, du ventre tendu, des bras musclés et des cuisses dures, la blessure se refermait comme si le

trou n'avait jamais été percé. Chaque flèche repartait
ainsi vers l'arrière et ralentissait sa course avant de
se poser docilement dans la main de Yeza, qui en
tenait déjà tout un faisceau. Mais, lorsque la dernière pointe mortelle eut quitté le cœur, les flammes
s'élevèrent, menaçant d'engloutir Roç. De la fumée
en sortit, et lorsque le feu diminua, il ne restait plus
de l'Allemand qu'un petit tas de cendres, aussitôt
balayé par un souffle de vent glacé. Il n'y avait plus
aucune trace de Dietrich. À moins que... Un aigle
ouvrit les ailes, s'éleva dans le ciel bleu clair et se
laissa porter de plus en plus haut par les vents, vers
le soleil dont la lumière finit par l'absorber. Le *bab al
djanna*, la porte du paradis, s'était ouverte. Roç
détourna le regard. Sur la tribune de pierre, les *fida'i*
étaient assis, tout raides, mais leurs regards brillaient sous leur capuche d'une profonde haine. Ils le
poussèrent, lui aussi, vers le dernier parcours, la
marche vers le paradis. Ils possédaient ce pouvoir, et
Roç connaissait ses ennemis. Ils s'étaient retrouvés
ici pour le détruire. Le grossier Vitus de Viterbe qui,
même sur ses béquilles, n'avait pas voulu abandonner le combat. Yves le Breton, meurtrier condamné
mais entré au service du roi, plus dangereux que
tous les Assassins réunis, car il vénérait à sa manière
le couple royal, haïssait sa fonction de bourreau sans
pouvoir cependant résister aux conseils du mauvais
Charles d'Anjou. Juste à côté, le « Père du Géant », le
nain, grand maître de la cour du sultan, qui avait
lancé les lions contre eux et que le Diable du feu
avait fait sauter. Pourquoi s'étaient-ils tous rassemblés ici ? On voyait aussi le cuisinier fou de l'évêque,
celui qui avait jeté son propre molosse aveugle sur
les pointes de la herse. Un rang plus loin se cachait le
favori de l'imam, qui avait tenté de les faire périr
alors que la Rose disparaissait déjà dans un déluge
de feu. Avaient-ils tous conservé leur méchanceté
par-delà la mort, pour qu'ils tentent tous encore de
saisir l'aigle dans leurs serres et de le précipiter vers
le sol ? Ils attendaient là, tous, comme de vieux vau-

tours, l'instant où Roç ferait le saut dans le grand
vide. Seule la présence d'Yves le Breton avait quelque chose de rassurant : attendre que survienne la
mort de son adversaire n'était pas son genre. Tant
qu'Yves vivait, il représentait un danger mortel, et
cela incita Roç à rester sur ses gardes, à combattre
pour la vie jusqu'à son dernier souffle. Il regarda discrètement le Breton, derrière lui. Il vit certes ses
yeux qui brillaient. Mais il n'y avait pas de haine
dans son regard : juste un effroyable désespoir et
une tristesse abyssale. Le *bab al djanna*, une porte de
bois usée par les intempéries, s'était refermé depuis
longtemps. Trois jeunes gens tout de blanc vêtus se
présentèrent alors devant l'assemblée immobile. Le
premier d'entre eux portait les trois poignards encas-
trés, le symbole du pouvoir de vie et de mort que
détenait le grand maître. Ils défilèrent devant le
Grand Da'i, qui s'était redressé, et Roç regarda le
visage ravagé de l'imam, qui serrait dans ses bras les
trois jeunes gens condamnés à mourir. Puis il se
tourna vers le deuxième, qui avait entouré son bras
du morceau de lin, l'avertissement envoyé par le
grand maître à quiconque, dans le monde, n'obéissait pas à ses ordres. Roç ne s'étonna pas en découvrant le visage livide de Kito. Le fils du général Kitbogha n'était pas un membre de l'ordre des
Assassins, mais sa victime. Pourtant, le Grand Da'i
l'embrassa, lui aussi. Le troisième était Roç lui-
même. Il fit un pas en arrière, non par peur, il s'y
était attendu, mais par écœurement à l'idée d'être
embrassé par le hideux imam. Le Grand Da'i le punit
en ne le regardant même pas, et reprit sa place. Le
silence était maintenant absolu, mis à part le bruit
du vent et les cris de l'aigle. Les portes du *bab al
djanna* se rouvrirent lentement. À travers l'orifice, on
voyait le vaste paysage, les plateaux couverts de
neige de l'Altaï, qui se trouvait à présent à la lumière
du soleil. Alors, quelques-uns des *fida'i* se mirent à
applaudir en rythme, d'autres les imitèrent, la
cadence accéléra, devint plus vive, extatique, et la

première victime désignée sauta d'un bond vers le
chemin, mais les flammes s'étaient déjà emparées de
lui. Devenu une torche vivante, il tituba, manqua
s'affaler et franchit en courant la porte ouverte. Son
corps parut rester immobile un instant, comme un
ange enflammé planant dans les airs, puis il tomba
et disparut. D'un seul coup, les applaudissements
cessèrent, le silence revint, et tous virent un grand
aigle déployer ses ailes et s'éloigner d'un seul battement. Les vents le portèrent vers le soleil, et Roç le
perdit des yeux. Il tenait désormais dans les mains le
bâton composé des trois poignards en gigogne. Mais
Roç n'avait aucune intention de se laisser forcer à
accepter cet « honneur » et c'est Kito, conscient de
son devoir, qui se présenta à sa place. Il s'inclina
devant Roç sans le regarder en face, et déposa le lin
sur le bras du Trencavel. Les paumes de main bat-
tirent plus vite, se transformèrent en un roulement
de tambour. Kito baissa le front et courut, les yeux
fermés, il trébucha devant la porte quand on lui
coupa la tête, il avait tout juste eu le temps
d'atteindre le seuil et tenait les bras écartés, mais
aucun aigle ne prit son envol. Il fut précipité dans
l'abîme comme une pierre, et seul son crâne, séparé
du tronc, resta un bref instant sur le seuil, comme
s'il pouvait s'offrir un instant d'indécision avant de
rejoindre le reste du corps. Il n'y eut pas de cri de
l'aigle, juste le souffle du vent qui caressait les murs
et se prenait dans les battants ouverts du *bab al
djanna*. Roç était indécis. Il sentait la pression de
tous ceux qui attendaient son sacrifice. Il regarda
Yves le Breton qui secoua la tête, un refus que Roç
accepta avec reconnaissance, résolu à ne pas se plier
à toutes les règles des Assassins, chez qui un seul
signe du grand maître suffisait pour qu'on se précipite dans la mort. Roç vit alors la silhouette frêle et
les cheveux blancs de John Turnbull apparaître
comme une aura à côté de la porte du paradis. Il
hocha la tête dans sa direction, pour l'encourager.
Ce fut décisif. Roç jeta les poignards et le lin aux

pieds de l'imam ahuri, ce qui déclencha un hurlement de rage. Il partit en courant d'un pas souple et
fit signe à toute l'assistance, ce qui augmenta encore
la colère. Quelques *fida'i* en tenue blanche s'étaient
déjà levés et tentaient de l'attraper. Roç augmenta sa
vitesse, trouva le précipice et se laissa porter, car il
savait qu'il pouvait voler. L'aigle s'éleva avec un cri
sauvage, traça un cercle hautain au-dessus de
l'assemblée et disparut vers les sommets enneigés de
l'Altaï. Roç planait, comme en apesanteur. Ici, le
vent ne sifflait plus, il jouait et chantait dans les
rochers comme sur une harpe. Roç regarda en bas,
vers les steppes vertes et infinies des Mongols, il vit
des monastères blancs aux bulbes dorés et des
pagodes de bois rouge aux toits ornés de clochettes
qui tintinnabulaient au moindre souffle d'air. Il vit
des légions de moines en tenue jaune safran et au
crâne chauve. Ils frappaient sur un gigantesque
gong, le son balayait la terre en ondes gigantesques,
comme ces cercles qu'engendre la chute d'un caillou
dans l'eau. Il vit les chars à bœufs hauts comme des
hommes, chargés des yourtes noires et rassemblées
pour le départ. De gigantesques légions marchaient
vers le soleil couchant. Loin devant eux roulait,
seule, la voiture qui enlevait l'arbre à boire en argent
du grand khan. Yeza et lui étaient assis sur le siège
du cocher, avec Guillaume. Était-ce la paix ? Non pas
la *pax mongolica,* la paix pour le monde, mais la certitude de reposer en soi-même. Comme elle lui manquait, cette confiance ! Roç regrettait la sécurité qu'il
ressentait chaque fois qu'ils se retrouvaient tous les
trois, qu'ils se disputaient et se réconciliaient : lui, sa
dame obstinée et le franciscain rondouillard. Le premier éclair frappa comme un coup de fouet. Le ciel
s'était assombri, passant au bleu profond, mais à
l'horizon il se teintait déjà de noir, et les coups de
tonnerre grondaient dans le lointain. La foudre était
tombée dans le gigantesque arbre à boire. Le chef-
d'œuvre de l'orfèvrerie française, avec son système
de tuyaux dissimulé dans les branches, était en

flammes. Les chevaux s'emballèrent, Guillaume tomba du siège sans que quiconque le remarque, pas même Roç. Semblable à une torche géante, le véhicule fou fonça dans la montagne jusqu'à ce que les chevaux, trempés de sueur, s'arrêtent au puits d'Iskenderun. Le village qui avait porté ce nom n'existait plus. À la lueur des éclairs, les yeux d'aigle de Roç cherchèrent des restes, des traces. Aucune pierre ne témoignait plus du fait que des êtres vivants avaient vécu ici jadis, des Assassins qui avaient gardé jusqu'à la mort le secret de la Rose. Alamut se trouvait quelque part, en bas, dans la nuit noire. Les éclairs qui se succédaient rapidement éclairèrent sa peau nue en fer martelé, la protection impénétrable du pistil, tandis que les feuilles du bourgeon s'ouvraient avidement pour recueillir les trombes de pluie. La mince tige ne paraissait pas affectée par la tempête, la régularité de son fonctionnement n'était liée qu'au cours des astres, symbolisé par la lune d'argent qui continuait à tourner, de la lumière à l'ombre, de l'ombre à la lumière. Roç refit défiler ces images devant son œil intérieur, incapable de supporter l'idée que la rose majestueuse, cette création enchantée digne d'un Hermes Trismégiste, devait avoir subi le même sort misérable qu'Iskenderun. Cette machinerie unique au monde était plus que le siège de l'imam, plus que la forteresse centrale et imprenable des ismaélites. La rose d'acier était née de la *coniunctio aurea*, immortelle, le « grand œuvre » pour toute l'éternité !

LE TEMPLE, LE JEUNE HOMME, LA PHARAONE

Yeza était certaine de rencontrer Hamo l'Estrange sur la plage, devant les ruines du phare. Mais elle ne s'était pas attendue à le trouver dans les bras de Simon. Les deux hommes ne se livraient nullement à des actes coupables, mais la seule vision de leurs corps brillant comme du bronze, couchés dans le

sable et exposés aux rayons du soleil lui serra le
cœur. Ils avaient sans doute nagé ensemble dans la
mer, Hamo avait peut-être emmené le Templier avec
lui, dans le monde englouti de Cléopâtre, et cette
idée suffisait à attiser la jalousie de Yeza.

Elle ne savait rien de l'aventure peu glorieuse que
Simon avait vécue avec Roç à Corfou, et ne se doutait nullement qu'il avait été fait prisonnier. C'est le
Hafside qui l'avait libéré de l'esclavage et lui avait
permis de se rendre en Terre sainte. Mais, pour l'instant, il n'avait pas dépassé Alexandrie.

Le Templier salua Yeza d'un hochement de tête
amical, comme si le revoir dans le delta du Nil était
la chose la plus naturelle au monde. Yeza le regarda
sans mot dire.

— Il ne sert à rien de nier, messires ! finit-elle par
lâcher, d'en haut, pour dissimuler son étonnement.
Les gouttes d'eau sur la peau trahissent les traîtres !

— Comment aurais-je pu vous trahir, princesse,
s'exclama Hamo en clignant les yeux vers le haut,
mais sans se relever pour autant.

— Vous avez plongé sans moi.

Yeza se jeta dans le sable, à côté de Hamo.

— Déshabillez-moi, chuchota-t-elle d'une voix
rauque et tentatrice. Ouvrez-moi au moins mes bou-
tons, ajouta-t-elle en constatant que Hamo ne réagis-
sait pas. Simon se pencha vers elle et s'attaqua maladroitement au haut de sa robe, mais Hamo resta
immobile.

— Où avez-vous donc laissé Philippe, notre serviteur, que nous vous avions prêté pour votre campagne héroïque contre Hellade ? Il ne se ferait pas
autant prier, et ne serait pas aussi maladroit qu'un...

Yeza ne voulut pas vexer Simon et s'épargna la
comparaison. Mais sa question directe avait doulou-
reusement touché Hamo.

— Philippe, laissa-t-il échapper d'une voix tourmentée, m'a accompagné comme un brave écuyer
dans ce combat stupide. (Le comte cherchait ses
mots.) Quand on nous a emprisonnés, nous, les sei-

gneurs de l'Ouest, pour nous rendre plus tard contre
une bonne rançon, les Grecs qui s'étaient battus à
notre côté ont été triés et séparés de nous.

Hamo se tut, l'air sombre, mais Yeza ne céda pas.

— Et que leur est-il arrivé ?

— Nous avons appris plus tard qu'on les avait tous
passés par le fil de l'épée ! fit-il d'une voix faible et
indignée. Si j'avais su quel destin les attendait, je
l'aurais racheté, évidemment. Mais on ne m'a pas
posé la question ! se défendit-il, honteux. Je suis
navré pour Philippe.

— Ces seigneurs de haute lignée ont donc été
épargnés, se moqua Yeza, tellement révoltée par
l'attitude de Hamo qu'elle ne ressentit aucune douleur, plutôt une rage sourde. Vous n'avez pas rencontré Roç, par hasard ? demanda-t-elle au fils de la
comtesse, en s'efforçant de ne laisser aucune inquiétude percer dans sa voix.

Yeza commença à se déshabiller. Hamo secoua la
tête avec une expression de regret, mais Simon prit
la parole :

— Lorsque nous sommes tombés entre les mains
des Nicéens, à Corfou, le Trencavel se tenait encore
dans un puissant donjon, avec ses serviteurs.
J'ignore cependant combien de temps il a pu y résister, car on nous a emmenés en captivité.

— C'est là que nous nous sommes rencontrés,
ajouta Hamo en souriant. Le Hafside a jugé bon de
nous affranchir...

— Vous avez eu bien de la chance, Hamo
l'Estrange ! dit Yeza d'une voix mutine, en pensant
une dernière fois à ce fidèle serviteur auquel cette
chance n'avait pas été donnée.

— Ne croyez pas que le marchand d'esclaves ait
été animé par une pure volonté de faire le bien,
répondit Hamo, indigné. Il nous a fait signer une
reconnaissance de dettes pour une somme trois fois
plus importante.

— Mais vous êtes en vie ! rappela Yeza pour couper court au lamento. Elle s'était entre-temps débar-

rassée toute seule de ses vêtements et se préparait à descendre dans l'eau. Elle devait combattre le mépris croissant qu'elle éprouvait pour Hamo. Il l'avait sans doute senti : il se mit à parler, sans qu'on le lui ait demandé.

— Il faut s'entraîner pour pouvoir plonger, ma princesse. Je ne peux pas vous prendre par la main et vous tirer par le fond. Vous ne le supporteriez pas, ou vous resteriez en bas pour toujours. Les filles de Neptune n'attendent que des jeunes filles comme vous, celles qui se jettent à l'eau pour noyer leurs chagrins d'amour!

Il rit de sa plaisanterie. Simon, lui, ne savait plus où il devait diriger son regard : Yeza venait d'enlever son pagne.

— La douleur que je ressens à l'idée de devoir me passer de vous, Hamo l'Estrange, est si vive que je suis contrainte de tenter ce pas vers le Paradis...

Elle se leva d'un bond et courut nue vers les vagues.

— Attendez, stupide fille de la terre! s'exclama Hamo en se redressant à son tour. Commencez, je vous prie, par regarder le Paradis d'en haut! Posez votre visage sur l'eau, habituez vos yeux au sel et apprenez à prendre votre souffle!

Yeza s'était déjà jetée dans les flots. Elle ne voyait rien, évidemment, et eut rapidement le nez et la gorge pleins d'eau, elle cracha et toussa, mais elle ne voulait pas non plus retourner sur la plage. Elle se laissa donc aller et rêva de son vol dans les profondeurs comme une mouette qui se précipiterait vers le sol. Devant ses yeux, elle vit surgir dans l'eau claire de gigantesques palais de granit rose et de basalte noir, dont les portes étaient ornées de carapaces de tortues; les halles à colonnes de temples lumineux, dans lesquels elle se vit nager dans des essaims de sirènes et d'hippocampes. Franchissant le rideau battant d'une haute fenêtre, le corps de poisson argenté de Yeza se faufila dans une chambre d'albâtre blanc. Le large lit était d'ébène et d'ivoire, entouré par une telle quantité d'anémones de mer et recouvert de coraux tellement pullulants qu'elle crut voir une silhouette féminine étendue, vêtue uniquement d'un collier de perles. C'était certainement la belle pharaone Cléopâtre! Yeza ressentit une piqûre brûlante sur la tendre peau de sa poitrine. Elle avait été touchée par une méduse. Yeza battait des bras, non parce que cela la brûlait comme du feu, mais par fureur d'avoir été tirée de ses beaux rêves. Elle ne voulait pas abandonner.

Yeza ne savait pas combien de temps elle s'était laissé balancer par les vagues. Deux mains masculines s'emparèrent d'elle et elle se retrouva dans les bras de Simon. Mais, à son grand regret, elle ne lut rien d'autre dans ses yeux que de l'inquiétude. Et il ne la laissa pas serrer ses bras autour de lui : il la ramena sur le rivage comme une vieille femme fragile. Hamo avait décidé de s'éloigner de la plage, pour ce jour-là..

LA GRANDE PRÊTRESSE, LA LUNE, LE CHAR DE COMBAT

Roç se plaisait dans sa peau d'aigle. D'un puissant battement d'ailes, il descendit sur l'observatoire, au sommet du minaret d'Alamut. Kasda, la fine prêtresse des étoiles, était couchée dans son croissant de lune. Un drap de mousseline évanescent laissait plus transparaître de son corps si mince qu'il ne le recouvrait. L'aigle se pencha sur elle. Ses yeux clairs brillèrent vers le roi ailé, et s'offrirent aux serres qui déchirèrent le tissu fin, depuis le cou jusqu'au pubis. L'aigle prit la forme de Roç, mais l'oiseau garda sa tête. La prêtresse prit les traits de Yeza. Roç pénétra son amante, mais sa reine, elle aussi, voulait l'aigle et le lui fit sentir. Ne sachant pas précisément qui était gratifié par son *penis triumphans*, il poursuivit, infatigable, jusqu'à ce que le grand magicien l'éloigne du croissant de lune. Et parce que l'âme errante, indécise, l'avait tellement désiré, Roç put cette fois s'entretenir avec un être vivant, même s'il était à des lieues de lui. Guillaume de Rubrouck lui parlait à travers la paroi de fer comme Yahvé depuis le buisson ardent. Avant que l'éclair et le tonnerre ne mettent un terme à leur dialogue, Guillaume lui conseilla de ne pas abandonner le monde et ses splendeurs. Roç devait se livrer au tyran pour approcher de lui. Trempé, le chevalier entra au « Paradis », le harem du grand maître, que celui-ci protégeait comme la prunelle de ses yeux. Il n'avait encore jamais été donné à Roç d'entrer dans ces jardins artificiels où des arbres dorés et pleins de fruits penchaient leurs branches vers le bas, où le bois de santal et la myrrhe coulaient dans des encensoirs, où les roses et la lavande répandaient en fontaines la gaieté et l'excitation. Yeza avait souvent séjourné ici, et avec plaisir, songea-t-il non sans une once de jalousie. Comme il aurait aimé y rencontrer sa *damna* ! La première *houri* lui tendit ses fesses d'albâtre, et lui rappela sa lointaine amante. Il se sépara de ses vêtements crasseux et se proposa de faire entrer sa lance dans le fourreau offert. Mais il ne s'était pas encore exécuté lorsque la fière détentrice de ce bouclier infernal tourna le visage vers lui, dans l'attente du premier coup, et Roç découvrit les yeux de Shirat, débordant de moquerie. Il était prévenu, mais ne prit pas la fuite. Shirat éclata de rire et lui enleva l'appât en roulant sur le côté, comme un chat. Une fine toile de fer tomba alors du plafond. Roç se retrouva suspendu au-dessus du « Paradis » : il était tombé entre les mains de l'imam. Roç aurait préféré offrir meilleure figure, mais il avait atteint son but, il allait regarder le tyran, les yeux dans les yeux. Comment le maître des lieux punirait-il cette intrusion dans son harem ? La pluie tambourina sur la peau de la Rose comme si les légions d'un ciel furieux prenaient la citadelle d'assaut. Neptune avait ouvert toutes ses écluses, Jupiter lançait ses éclairs et son fils belliqueux lâchait derrière lui ses coups de tonnerre. Roç découvrit le bouc, cet instrument de torture mis au point par l'imam : l'engin l'attendait. Alors, un éclair traversa la pièce, les chaînes de Roç, mais aussi son adversaire et ses gardiens furent aussitôt entourés de flammes jaunes et sulfureuses. Le coup de tonnerre, à l'intérieur de la Rose, s'amplifia comme le battement d'une cloche, le projeta contre les murs, de part et d'autre, jusqu'à ce que le fracas laisse dans son esprit place à un silence inquiétant.

Lorsque Roç vit de nouveau quelque chose, il tourna lentement son regard vers le haut. Là-bas, sur la balustrade de la salle de fête de l'imam, c'est Paléologue qui avait pris place sur son trône. Des centaines de bougies illuminaient le corps écartelé de Roç. La victime pouvait regarder son bourreau dans les yeux. En réalité, l'empereur de Nicée n'avait pas le droit de découper Roç en petits morceaux. À côté du tyran assoiffé de sang, un tapis lourd, qui montait jusqu'au plafond et était orné de bijoux précieux, recouvrait la place d'honneur. La cour gardait une distance respectueuse, et des serviteurs attendaient, cordons entre les mains, l'instant où ils pourraient tirer le rideau. Dans ce silence attentif, on n'entendait que le crépitement monotone de la pluie, l'orage paraissait s'être éloigné. Le Paléologue leva la main comme un César, pour annoncer le début du spectacle. Des masses d'eau s'abattirent alors sur la Rose, on l'aurait crue arrosée par une cascade. Le rideau ouvrit alors, lentement et solennellement. Quelle diablerie le Despotikos avait-il imaginée cette fois-là ? Roç observa, curieux, la fente qui s'élargissait entre les deux morceaux du tapis. On vit apparaître un trône tout aussi somptueux, en ivoire et en ébène taillés en formes obscènes représentant des corps nus d'animaux et d'hommes copulant. Et au milieu, assise les cuisses ouvertes, offrant sans pudeur sa poitrine aux nombreuses mains qui se tendaient vers elle, Yeza Esclarmonde, la « Grande Putain de Babylone ! » Elle découvrit avec satisfaction la situation de Roç. Un sourire narquois parcourut son visage, une sorte de masque entouré par des boucles blondes qui tournaient comme des serpents autour de son front. Roç resta captivé devant cette créature. Il essaya d'effacer cette image, il banda tous ses muscles pour arracher le masque de cette putain : il ne pouvait pas s'agir de sa *damna* bien-aimée. La traction sur ses membres, la douleur qui augmentait ne devaient pas lui ôter la foi inébranlable qu'il avait dans l'amour. Roç serra les dents, il voulut juste pousser un cri : *Yeza mi amor!* Des gouttes d'eau tombèrent sur sa poitrine. Des larmes, pensa-t-il, sa dame pleurait pour lui. Roç leva les yeux. La pluie avait trouvé son chemin à l'intérieur de la Rose, la tempête faisait éclater ses pétales, éteignait les bougies, et un flot d'eau se déversa d'un seul coup sur le tyran. Il libéra le squelette de la Rose, ces tuyaux métalliques incorporés comme des veines dans son épiderme. Un coup de vent furieux parcourut le palais suspendu, les premiers éléments se détachèrent, d'autres s'envolèrent, et le mât se brisa lentement. En bas, dans la Rose, les gens se noyaient. Certains voulurent défaire les liens de Roç, mais il était trop tard, l'engin de torture se mit à vaciller, et des grappes humaines entières furent précipitées dans l'eau. Alamut allait disparaître avec lui. Roç ferma les yeux, il n'avait jamais imaginé qu'il finirait ainsi, noyé et enchaîné. Il regarda au-dessus de lui, il cherchait le ciel. Le lustre en flammes se détacha de son support et tomba en lançant des étincelles, un astre aux mille éclats. Roç fut tiré sous l'eau, il était mi-homme, mi-dauphin dans la mer claire. Il glissa et sauta au-dessus de navires engloutis, contempla le monde d'en bas, des villes inconnues aux palais bleus et aux temples d'or. À travers les flots scintillants, il aperçut au-dessus de lui le plus gigantesque donjon qu'il ait jamais rencontré, qui s'affinait au fur et à mesure qu'on s'approchait de son sommet, et où se trouvait un miroir étincelant dont la lumière pénétrait loin dans les profondeurs. Ce n'était plus la Rose, c'était le Ziggourat de Babylone. Ou bien était-ce l'autre merveille du monde, le Phare, cette montagne lumineuse en marbre blanc? Les flots brillaient comme du cristal, les masses de pierre blanche se détachèrent, d'abord par blocs de plusieurs tonnes, puis par éclats de roche, et disparurent dans la mer écumante. Roç sut qu'il était trop tard pour leur échapper. Les masses d'eau soulevées par leur chute le repoussèrent, les premiers morceaux dévalèrent vers lui comme une avalanche. Il vit alors le calice noir. Il dansait sur l'éboulis, le tremblement de mer ne paraissait pas l'affecter. Captivé, Roç le fixa du regard, voulut l'attraper, mais la coupe lui échappa, glissa dans une fissure qui venait de s'ouvrir et disparut dans les profondeurs ténébreuses. Roç sut alors qu'il devait remonter à la lumière.

LE CALICE, L'AGNEAU, L'OURS

La pierre noire! Elle était là, profondément enfouie sous le sable. Le soleil scintillait en éclats sur le fond clair. L'eau était si limpide que Yeza eut l'impression de pouvoir l'attraper. Mais elle savait parfaitement qu'il s'agissait d'une illusion. Elle ne pouvait pas plonger aussi profond, sa tête éclaterait, l'air s'échapperait de ses poumons et elle ne serait plus qu'un joli cadavre. Yeza s'arracha à ce spectacle et remonta lentement vers la surface, comme le lui avait montré Hamo. Lui avait peut-être la capacité de descendre jusqu'au fond, mais devait-elle pour autant lui révéler le secret? Elle avait vu la pierre, et ce n'était sûrement pas pour la dernière fois. La pierre suivait le calice. Elle se révélait au couple royal, et jamais à Yeza toute seule. Roç en avait donc pris conscience, lui aussi. Son Trencavel allait de nouveau s'unir à elle, elle en était certaine, désormais. Yeza perça la surface de l'eau où jouait le soleil et inspira profondément l'air du ciel, un gigantesque sentiment de bonheur l'inonda : la gratitude de compter au nombre des vivants. En dessous d'elle,

elle avait découvert les restes grandioses d'un monde
des morts, de somptueux bâtiments qui avaient jadis
abrité tout le savoir de l'humanité, avant de brûler et
d'être engloutis. Ces palais d'où l'on gouvernait des
royaumes gigantesques, d'un faste et d'un luxe indes-
criptibles : tout cela était en morceaux, en ruine. Des
colonnes de granit grosses comme des tours, des statues colossales de reines, de divinités animales et de
créatures fabuleuses, comme les sphinx, portaient
témoignage des temples engloutis et de leurs trésors.
Des allées pavées de basalte y menaient à travers des
arcs de triomphe et des ponts à plusieurs niveaux qui
reliaient les îles et les ports. Mais qu'en était-il resté ?
Un tas de pierres dans la mer ! Elle, pourtant, avait
vu « sa » pierre et savait désormais qu'elle était sur la
bonne voie. La pierre noire lui indiquait le chemin
de Jérusalem ! Yeza décida de ne plus descendre
pour ce jour-là. Certaines tentations punissent dure-
ment ceux qui y cèdent. Et puis elle savait qu'elle ne
retrouverait pas la pierre noire. Elle s'était montrée à
Yeza, et elle sentait désormais le péril que l'objet lui
faisait courir. Yeza rentra à la nage vers la rive, où
Hamo l'attendait déjà avec impatience.

— Un jour, Cléopâtre te gardera auprès d'elle, tout
au fond, plaisanta-t-il avec une pointe d'inquiétude.
Mais Yeza put le tranquilliser.

— N'aie pas peur. Mon César m'attend à Jérusalem !

— Prenez votre temps pour partir. Mon cuisinier
prépare un agneau à la broche ! répondit le maître de
maison. J'en ai plus qu'assez du poisson ! Et si nous
arrivons trop tard, le plat sera brûlé !

Il tendit à Yeza ses vêtements. Elle les passa rapidement, car le soleil descendait dans la mer et l'air
devenait froid. Le vent soufflait, dessinant sur la mer
de petites vagues d'écume.

La maison de Baibars était un vrai palais, du
moins extérieurement. À l'intérieur de ses vastes salles régnait la sobriété propre au soldat et au chasseur. Des trophées, des ramures de toute sorte

constituaient l'unique ornementation, et les peaux de lion ne manquaient pas. Le repas avait lieu dans l'atrium, recouvert de toiles de tentes. Yeza n'aimait guère l'agneau, mais elle n'eut d'autre choix que de partager le repas : dès son arrivée, la très vieille mère de l'Archer lui serra énergiquement la main et la mena jusqu'au grand feu où l'animal tournait sur sa broche. Elle découpa elle-même à Yeza le meilleur morceau de l'épaule et le lui tendit à la pointe de son couteau gigantesque.

— Pour que tu prennes des forces, mon enfant, expliqua la petite femme à la peau fripée, d'une voix bienveillante, mais sévère. Tu es beaucoup trop maigre pour trouver un bon mari, et un voyage fatigant t'attend à travers le désert.

Elle désigna un invité dont le visage penché était totalement dissimulé par la capuche de son burnous. À cet instant seulement, il rejeta la tête en arrière, et Yeza reconnut Faucon rouge.

— C'est mon fils qui l'a envoyé. Vous allez devoir partir dès demain matin ! ajouta-t-elle avec regret. Je t'aurais volontiers gâtée un peu plus longtemps, j'aurais fait de toi le gras ornement de n'importe quel harem, ma pauvre petite colombe ! ajouta-t-elle en caressant gentiment le bras de Yeza.

Yeza avala le morceau de viande, remercia, refusa une deuxième tranche et s'éloigna de la bonne vieille femme.

— Vous êtes comme une mère attentionnée, murmura-t-elle en se demandant comment une femme aussi douce pouvait avoir donné le jour à un homme aussi coriace que l'Archer. Faucon rouge avait suivi la scène avec amusement.

— Je vois qu'on ne vous laisse pas dépérir, ici, princesse Jambes-de-Cigogne. (Il la toisa sans la moindre gêne.) Vous avez peut-être quelque chose comme une poitrine ! plaisanta-t-il. Et, même sans cela, vous pourriez plaire aux hommes.

— Je vous attendais, Fassr ed-Din Octay, répliqua Yeza, qui avait toujours la bouche pleine mais ne

voulait pas rester sans répondre. Enfin un homme
qui sait rendre hommage à mes charmes, quand tant
d'autres passent devant sans les voir ! Mais mes seins
remplissent la main de mes amants, mes fesses
invitent à la poussée, et le nid de cigogne entre mes
longues jambes a incité plus d'un oiseau à venir
prendre la becquée sans jamais s'en lasser ! ajouta-
t-elle avec un sourire à Faucon rouge. La petite Yeza
est devenue agile, elle sait très bien se défendre
contre les rapaces de votre espèce.

— Oh là ! s'exclama l'émir, confus. Vous avez
effectivement changé, princesse, et je ne l'ai pas
remarqué !

— Que cela reste ainsi, mon prince. Comment va
mon amie Madulain ? J'espère qu'une femme qui
vous a pour mari n'a pas à souffrir de la faim ?

Elle s'installa auprès de lui, assembla une boule
avec le maïs et les légumes qu'on y avait cuits, et la
tendit à l'invité.

— Votre bouche est encore tellement ouverte,
plaisanta-t-elle. Commencez par mastiquer, ensuite
avalez gentiment, mon ami.

Faucon rouge obéit.

— Lorsque j'ai quitté Le Caire, la maîtresse de
mon foyer se portait bien.

Il s'efforça de se libérer la bouche, mais Yeza
continua à l'alimenter.

— La mère de Baibars m'a annoncé un départ
imminent. Êtes-vous à l'origine de cette étrange
annonce ?

Cette fois, l'émir n'avait plus envie de plaisanter.

— La vieille a dit cela ? demanda-t-il, soudain
alarmé. Elle a une étrange relation avec son fils.
Autrefois, je pensais qu'ils échangeaient des pigeons
voyageurs, mais...

— Mais quoi ?

— Elle a un sixième sens, chuchota Faucon rouge.
En réalité, Baibars ne m'a pas envoyé. Quelque
chose doit s'être passé qui...

Il sauta sur ses jambes et se dirigea calmement

vers la vieille, qui continuait à découper avec son grand couteau les meilleurs morceaux de l'agneau, pour que les serviteurs les distribuent aux invités. Il la tira de côté et lui parla doucement. La mère de Baibars finit par sortir un petit rouleau en parchemin d'une poche de sa djellaba. Faucon rouge le parcourut du regard et revint en toute hâte auprès de Yeza.

— Le sultan Ali a été renversé par l'émir Qutuz. Madulain s'est réfugiée auprès des Bédouins de mon père. Vous êtes en danger! Jusqu'ici, Baibars a pu empêcher que le nouveau sultan envoie l'armée à votre poursuite, mais l'Archer exige que je vous fasse quitter l'Égypte et que je vous mette en sécurité au royaume des Francs.

Hamo paraissait lui aussi avoir appris entre-temps ce qui se passait : il venait de se mettre debout et discutait avec Simon. Jordi était apparu à la porte. Il faisait signe à Yeza, mais elle n'eut pas le temps de le rejoindre.

— Pourquoi la vieille n'en parle-t-elle que maintenant? s'indigna Yeza.

— Elle le sait depuis l'aube, répondit Faucon rouge en haussant les épaules. Mais elle voulait absolument faire rôtir cet agneau en votre honneur, c'est sa spécialité, et elle vous vénère beaucoup, elle vous aime comme sa propre fille!

— Voilà un magnifique amour maternel, se moqua Yeza. Elle me fait courir le risque de finir comme ce mouton...

— Vous n'êtes vraiment pas assez grasse pour cela. Et puis il ne sert à rien de s'exciter. Nous partirons à chameau, demain matin. Il était donc utile que je sois ici au bon moment. Peut-être rien n'a-t-il changé depuis Montségur.

— Si, maintenant je sais faire pipi toute seule. Et je suis même capable de réfléchir : pourquoi ne prenons-nous pas le bateau?

— En avons-nous un? Les autorités du port ne vous en prêteront plus, à présent, même contre beaucoup d'argent!

Yeza eut une idée salutaire :

— Mais Hamo a un navire !

— Le chef de la capitainerie vient de le faire enchaîner, annonça Jordi, qui les avait rejoints.

— Dans ce cas, nous n'irons pas loin non plus avec les chameaux, dit Yeza, résignée. Et puis il est presque impossible de traverser le delta du Nil d'ouest en est, faute de ponts.

À cet instant, Ezer Melchsedek s'approcha du groupe qui entourait Yeza.

— La mère de Baibars veut vous voir, lui chuchota-t-il.

— Excusez-moi, répondit Yeza, hors d'elle, mais je ne pense pas que le moment soit bien choisi pour me donner des conseils sur ma capacité de me marier.

Mais Ezer n'en démordait pas.

— Vous ne pouvez pas repousser cette demande, elle est tout de même...

— Oui, je sais : la mère de l'Archer !

— Justement. Suivez-moi donc, je vous prie.

La vieille femme s'était retirée dans ses appartements. Dès qu'elle eut franchi le seuil, Yeza s'étonna du luxe qui y était déployé. De coûteux tapis de soie étaient tendus sur les murs, les hautes pièces où des palmiers poussaient jusqu'au plafond étaient ornées de fontaines pleines de poissons d'ornement et de volières. Et cela grouillait de chats.

— Je n'aimerais être ni un oiseau, ni un poisson ici ! murmura Ezer, qui avait accompagné Yeza.

— Laissez-nous seules entre femmes, précieux maître du passé et de l'avenir ! ordonna la mère de Baibars. Le présent nous appartient !

Elle était couchée sur un divan, vêtue d'un riche mantelet en velours brodé de perles, et caressait deux chats persans aux yeux d'ambre.

— Approchez, ma fille !

Elle désigna un coussin qui engloutit presque Yeza lorsqu'elle s'y assit.

— Que fait donc une vierge avisée lorsqu'elle est

poursuivie par de nombreux garçons qui en veulent
à sa vertu ?

Dieu du ciel ! songea Yeza, c'est bien le moment de
me parler de cela. Je vais exploser ! Mais elle ne
répondit pas. La vieille dame reprit :

— Bref, que fait une personne intelligente qui sait
qu'elle est poursuivie, même si elle ne voit pas ses
poursuivants et si ceux qui la traquent ne l'ont
encore jamais vue en face ?

Yeza secoua sa chevelure bouclée. La vieille sourit.

— Elle va à leur rencontre !

— Ah ! laissa échapper Yeza, que le récit de la
femme commençait à intéresser.

— Il n'y a plus qu'une route ouverte : personne n'a
eu l'idée que tu puisses prendre un boutre et descendre le Nil en direction du Caire !

— Superbe ! approuva sincèrement Yeza.

— J'ai un petit bateau de ce genre, il est extrêmement confortable et offre suffisamment de place
pour toi et pour ta suite. Personne n'osera le fouiller.
Quand vous aurez dépassé depuis longtemps la ville
du sultan, à la hauteur de Memphis, débarquez. Ce
sera près d'Hélouân, où une route des caravanes
mène à la mer Rouge. Le fils du grand vizir vous
assurera la protection des Bédouins. Ensuite, si
j'étais toi, je prendrais un navire pour contourner le
Sinaï, au lieu de le traverser à pied. Alors, tu te dirigeras vers Jérusalem par le sud, là où nul ne t'attend.

— J'en reste sans voix, dit Yeza. Il ne me reste
plus qu'à demander à un vieil ami de m'envoyer, au
bout de la route des caravanes, une galère qui nous
permettra de poursuivre notre parcours, car la mer y
est infestée de pirates.

— Tu as raison, répliqua la femme en souriant. La
route qui coupe le désert n'est utilisée que par les
caravanes d'esclaves. J'ai donc déjà prévenu le Hafside, qui y dispose de plusieurs navires. L'un d'eux
vous attendra et vous emportera à Aqaba.

— C'est magnifique ! s'exclama Yeza, et elle
embrassa la vieille dame avec tant de force que les

deux chats persans s'enfuirent d'un bond. Comment puis-je vous remercier?

La vieille dame au large manteau bleu nuit calma les matous en plongeant la main dans l'une des boules de cristal rondes. Elle y attrapa d'un geste vif comme l'éclair, sans regarder, deux petits poissons à la queue magnifique, qu'elle jeta aux Persans.

— Le fils de mon fils...

— Ah, dit Yeza, Mahmoud, le Diable du feu!

C'était la première fois que Yeza surprenait la vieille dame.

— Comment l'appelles-tu? « Le Diable du feu? » Cela me plaît beaucoup : Mahmoud, le Diable du feu! Maintenant, reviens auprès de tes amis et profite de ce bon agneau bien gras! Tu le regretteras, pendant ton voyage dans le désert!

Et d'un geste presque impérieux, elle congédia Yeza.

— Je m'occuperai de tous les préparatifs! cria encore derrière elle l'étonnante vieille femme. Je te mettrai un peu d'agneau pour le voyage, enveloppé dans des feuilles de palmier fraîches! En tranches fines, même froid, il a encore du goût!

Roç ne savait pas combien de temps il était resté dans le fossé. Il ne savait d'ailleurs strictement plus rien lorsque Beni et Potkaxl le trouvèrent enfin. Ils n'osèrent même pas soulever et ôter de la boue son corps ensanglanté. Ils restèrent ainsi auprès de lui pendant des jours et des nuits, à rafraîchir la plaie gigantesque qu'il portait au dos et à la recouvrir de toutes sortes d'herbes, espérant qu'elles l'apaiseraient. Ils ignoraient quoi faire devant ces blessures épouvantables. Mais instinctivement, ils s'efforcèrent surtout de ne pas laisser l'âme tourmentée de Roç quitter son corps enfiévré et s'élever vers les cieux, en les laissant tous deux comme deux orphelins auprès d'un cadavre. Sans prendre garde à leur propre épuisement, ils lui parlèrent, le caressèrent, lui chantèrent des chansons, ils firent même l'amour à côté de lui. Beni et Potkaxl le tinrent dans leurs bras, le forcèrent à rester auprès d'eux, sans se soucier de la proximité de Maugriffe. Ils défiaient le château, et personne ne vint leur interdire de demeurer dans la douve auprès du moribond.

Le soir même où le Trencavel s'était rendu seul au château, toutes les torches avaient été éteintes. Il y avait eu beaucoup d'agitation, les invités étaient partis, et la troupe que le prince avait amenée avec lui avait quitté les lieux en toute hâte, avec des domestiques d'Ugo, qui étaient encore là. Sous escorte fortement armée, Lancia avait conduit l'épouse en litière vers la mer, où ses navires étaient déjà prêts. Ils avaient levé l'ancre et pris le large au plus vite.

Un homme aux cheveux blancs rejoignit Beni et Potkaxl. Il regarda de près le dos de Roç, qui était devenu un champ de blessures suppurantes. Il revint, cette fois avec une petite voiture tirée par un chien qui ressemblait à un ours, mais était doux comme un agneau. Le vieil homme apporta des flacons remplis de différents onguents et teintures. Il fit aussi boire quelque chose à Roç, et laissa plusieurs amphores pleines du même produit. Il ne donna pas son nom, et n'exigea pas de paiement. Le grand chien lécha la main de Potkaxl. Le vieux sourit, reconnaissant, et disparut. Peu après, Roç donna pour la première fois un signe de vie : il se mit à respirer régulièrement.

TROMPEUSES SONT LES VAGUES DE LA MER

La capture de Taxiarchos

L'Atalante volait vers l'ouest, les vagues étaient gonflées par le sirocco, si puissant que la mer écumait et qu'il n'était pas nécessaire de mettre en œuvre les trois rangées de rames superposées. Il n'aurait de toute façon pas pu les faire actionner toutes en même temps : après tous ces avatars, il ne lui restait plus que les esclaves partis avec lui à Linosa, et qui ne savaient quoi faire, sinon continuer leur route sur *L'Atalante* : le puissant navire amiral des Templiers était leur seul foyer. Taxiarchos était de toute façon heureux que le vent l'emmène si vite loin de la côte où il avait dû laisser sa bien-aimée, et le porte vers de nouvelles aventures, vers les « Îles lointaines » où il pourrait tout oublier. Il était seul à la barre, laissait le vent du désert lui ébouriffer les cheveux, et réfléchissait. Il rêvait aux baies limpides de La Merica, où les palmiers se reflétaient dans l'eau et où des arbres peints en couleur et sculptés semblaient souhaiter la bienvenue à l'étranger. Le ciel était bleu, sans le moindre nuage. Il vit alors les voiles à l'horizon, le drap blanc à la croix griffue rouge. Les navires s'étaient déployés et lui barraient le chemin, alignés sur plusieurs rangées. S'ils conservaient cette tactique, Taxiarchos n'aurait pas de mal à passer : *L'Atalante* filerait comme une flèche à tra-

vers leur chaîne, sans même en toucher un seul !
Mais ils se replièrent tous vers la côte, comme des
perles sur un fil invisible. Ils lui ouvraient le passage ! Taxiarchos ne pouvait y croire — et il avait raison : car au nord, il aperçut alors les pointes des
mâts, aussi denses que les longues lances d'une
troupe de cavaliers. En voyant les premières bannières, des aigles noirs sur fond d'or, des croix
blanches sur drap rouge et beaucoup d'autres couleurs encore, il sut que les Siciliens et les Génois, les
Pisans et les navires d'Amalfi étaient aussi de la partie de chasse. Tout l'empire semblait avoir suivi
l'appel des Templiers, même le Lion de Saint-Marc
couvrait l'Ordre dans sa chasse à *L'Atalante*. En
Terre sainte, entre Saint-Jean-d'Acre et Tyr, tout ce
petit monde était comme chien et chat, ils se brûlaient mutuellement leurs flottes, ils se coulaient, se
massacraient. Mais ce n'était pas le cas ici : l'essentiel était désormais d'imposer l'ordre et le droit. Tous
les hommes du Pénicrate avaient rejoint leur poste
depuis longtemps et attendaient son commandement. Mais Taxiarchos n'avait pas l'intention
d'envoyer à l'abattoir ses turcopoles, les Maures
d'Otrante et les quelques *lancelotti* qui lui étaient restés.

— Ramenez les voiles l'ordonna-t-il. Jetez vos
armes ! Nous ne nous défendrons pas ! cria-t-il
depuis sa passerelle. Je vous remercie des services
que vous m'avez rendus jusqu'ici. Notre grand périple sur l'océan est terminé.

Les *lancelotti* frappèrent violemment leurs faux les
unes contre les autres, prêts à se battre avec lui
jusqu'à la dernière goutte de sang. C'est précisément
ce que Taxiarchos voulait éviter.

— Je vais me rendre, annonça-t-il, et me livrer à la
justice de l'Ordre.

Taxiarchos garda sa place au gouvernail, *L'Atalante* ralentit et s'arrêta peu à peu. La maîtresse des
mers se laissait à présent balancer par les vagues.
Les voiliers adverses les plus avancés s'approchèrent

lentement en gardant une distance respectueuse. On laissa la priorité aux Templiers. Leurs navires formèrent bientôt une gerbe dense autour de la fierté retrouvée de la flotte. Le Temple avait retrouvé son *Atalante* ! Les premiers canots furent chargés de chevaliers en clams blanc et s'approchèrent rapidement du navire.

Taxiarchos donna son dernier ordre :

— Hissez le pavillon à croix griffue !

Il avait aussi sur le navire la bannière royale de Sicile. Mais à quoi bon impliquer le roi Manfred ? S'il avait respecté l'ordre secret que lui avait donné Jean de Procida, il aurait été depuis longtemps de l'autre côté du grand océan, hors de portée de quiconque.

Les chevaliers du Temple montèrent sur le pont et se dirigèrent vers le Pénicrate, d'un pas tranquille.

Taxiarchos resta à son poste et les regarda, l'air songeur. Il pensait à Yeza. C'était elle, l'Île lointaine, et il l'avait atteinte. Son engagement avait valu la peine, bien plus que tous les trésors de La Merica. Il rêva à ses cheveux d'or, à son corps mince, qu'elle lui avait offert. Ses yeux verts le regardaient. Son regard étoilé l'accompagnerait tant que son cœur battrait.

UN DOUX BALANCEMENT SUR LA MER CALME

— Son front s'est rafraîchi ! annonça une voix extrêmement satisfaite, et Roç sentit qu'une main chaude et charnue s'éloignait de son front. Lorsqu'il ouvrit les yeux, il se vit sur une couche assez dure, entouré de draps de lin trempés de sueur, dans une tente où filtraient les rayons du soleil. Le pavillon, luxueusement aménagé, se dressait à la proue d'un grand voilier. Roç le reconnut aussitôt : il appartenait au Hafside, et il était paisiblement ancré dans un port. N'avait-il donc fait que rêver tout cela ? Il passa prudemment la main sur son dos, et constata que toute sa cage thoracique était entourée de ban-

dages. Et cette simple rotation du corps lui fut particulièrement douloureuse.

— Vous devriez bouger aussi peu que possible,
cher seigneur, dit une voix féminine. Mais Geraude
se pencha au-dessus de lui, et il aperçut dans son
tablier entrouvert ses seins laiteux et tendres. Elle lui
passa un linge humide sur le front.

— Nous avons dû vous attacher au lit, expliqua-
t-elle, un peu honteuse, pour que vous n'en tombiez
pas. Car nous avons essuyé une tempête sévère...

À cet instant seulement, Roç constata que tout le
gréement était en lambeaux et que le grand mât était
brisé. Son lit était arrimé avec toutes sortes de
cordes.

— Où suis-je ? gémit-il d'une voix ténue : même la
parole, le moindre mouvement du diaphragme lui
causaient une douleur infernale.

— Saint-Symeon ! C'est le nom du port d'Antioche, tonna aimablement le Hafside, qui avait
accouru dès qu'il avait entendu dire que son célèbre
invité avait repris conscience. Le prince Bohémond
brûle d'impatience à l'idée de vous saluer, noble
Trencavel.

Roç fit un petit signe de la main à Abdal, pour qu'il
s'approche de lui, au moment où Geraude était partie remplir une bassine d'eau fraîche.

— Comment est-elle arrivée à bord ? murmura-
t-il.

— Votre *secretarius*, Benedictus, a été assez intelligent pour faire revenir la Toltèque à la tour. Cet
enfant attentif avait en effet à peu près noté le procédé permettant d'envoyer des informations par le
biais du miroir, et lui-même se considérait comme
indispensable ici, à votre chevet, en sa qualité d'herboriste.

Le Hafside goûtait encore, après coup, les émo-
tions qu'il avait vécues. Dans sa profession, la plupart des traversées étaient bien moins aventureuses.

— *Qadda oua qaddr,* je croisais justement devant
la côte des Hellènes, car le marché n'y a jamais été
aussi favorable. Les Nicéens vainqueurs bradaient de

la marchandise chrétienne de première qualité que leur avait laissée le despote d'Épire — moins chers à la douzaine !

Il vit que Roç se fatiguait rapidement, et passa sur ces informations qui lui paraissaient pourtant importantes afin de ne pas faire de digressions supplémentaires dans son récit.

— J'ai immédiatement laissé tomber tout ce que je faisais, et j'ai mis les voiles pour aller vous récupérer à Corfou.

— Cela n'explique toujours pas... (Roç soupira, il était difficile d'établir si c'était d'impatience ou de douleur)... comment la suivante de ma *damna* se retrouve sur votre navire, Abdal.

— À hauteur de la Crète, nous avons rencontré mon ami, ce fou de Taxiarchos. Ce dément n'avait pas seulement volé aux Templiers leur vache sacrée, il voguait avec elle sur la Méditerranée comme...

— Avec Yeza ?

La jalousie fit oublier son dos à Roç, pour un bref instant. Il se dressa sur son lit, où une douleur vive le rejeta aussitôt. Abdal, pris par son récit, ne l'avait pas entendu.

— ... comme si sa tête n'avait pas été mise à prix ! Au lieu de prendre le large au plus vite et de franchir les Colonnes d'Hercule !

Le Hafside était furieux. Il y avait des comportements qu'un sage comme Abdal ne pouvait tout simplement pas comprendre.

— Le plus sain, pour lui, aurait été de disparaître à tout jamais dans l'océan Atlantique, au moins pour assez longtemps.

— Mais certainement pas en emmenant ma dame ! Ce misérable brigand ! Le *Penikratos* ! lança Roç avec mépris sans se préoccuper des piqûres qui torturaient sa peau martyrisée. Le roi des coupe-bourse et des voleurs à la sauvette !

Le Hafside s'efforça de revenir à son récit en Crète.

— Nous, c'est-à-dire l'effroyable Pénicrate et l'abominable marchand d'esclaves, nous nous sommes retrouvés en tête à tête et nous avons décidé de ne pas inquiéter votre dame, car les nouvelles que nous avions de votre état de santé ne nous laissaient guère d'espoir. Nous avons donc décidé que Geraude tomberait par-dessus bord, tout simplement ! En fait, on me l'a amenée sur mon bateau, dans un profond sommeil !

— Comment saviez-vous donc, à cette époque, que je...

Roç avait l'esprit confus. Mais ce qui l'inquiétait le plus, c'était ce qui avait bien pu inciter Yeza à confier sa vie à *L'Atalante* et à ce corsaire.

— Et dans quelle direction Taxiarchos faisait-il route ? demanda-t-il, suspicieux.

— Votre *damna* souhaitait être acheminée à Alexandrie, où elle compte approfondir ses connaissances et mener des recherches avant de poursuivre sa route vers Jérusalem avec les sages qu'elle aura réunis dans la ville. C'était sa ferme intention, ajouta le Hafside, apparemment impressionné. Et Yeza Esclarmonde ne m'a pas donné l'impression d'être femme à revenir sur ses décisions !

— Tout cela paraît très rassurant, répondit Roç, résigné. Par conséquent, la dame devrait donc à présent semer l'agitation dans le delta occidental du Nil...

— Si elle n'est pas déjà partie pour Jérusalem, car un certain temps s'est déjà écoulé sur vos souffrances, précieux Trencavel. Par ailleurs, votre escorte de Templiers a insisté pour revenir par le chemin le plus rapide en *Terra sancta*.

— Quels Templiers ? lâcha Roç. Je pensais que le Taxiarchos devait éviter l'Ordre comme le diable évite l'eau bénite...

— Dans le stock de Jean, le Sebastocrator, général des armées de Nicée, j'avais aussi acheté quelques Templiers, dont Simon de Cadet...

— Et ma caisse ? demanda Roç, tout d'un coup parfaitement éveillé.

— Votre malle au trésor a été confisquée comme

butin pris sur l'ennemi, parce que vous étiez au service du roi Manfred...

— Je ne le suis pas! protesta Roç, indigné, sans susciter de réaction chez Abdal.

— Vous pouvez encore aller la récupérer, répliqua celui-ci. Mais je ne vous le conseille pas!

— Vous avez donc échangé quatre Templiers contre mon argent, conclut Roç, moqueur. Et où avez-vous vendu ces chevaliers?

— Je leur ai offert la liberté, car je tiens plus à ma bonne entente avec l'Ordre qu'à l'argent liquide qu'ils m'ont coûté. Je n'ai pas eu à faire appel à vos misérables réserves de guerre. J'ai confié un ami aux Templiers, pour qu'ils l'emmènent jusqu'à Alexandrie.

Roç eut du mal à ne pas éclater de rire.

— C'est admirable! Taxiarchos fait tout pour se débarrasser des Templiers avant d'entrer en mer Ionique (car il voyait sans doute en Simon un dangereux rival pour les faveurs amoureuses de ma dame). Je les ai traînés jusqu'à Corfou, où ils ont été capturés! Et vous les libérez!

Le corps de Roç était secoué par un rire convulsif. Mais il hurlait en même temps de douleur.

— Et vous les lui reposez sur ses parties mal lavées, comme des *papillons d'amour* suceurs de sang!

Le marchand d'esclaves s'amusait désormais beaucoup, lui aussi. Après s'être repris, il tenta de mettre un point final à son récit.

— L'essentiel, c'est que vous, Roç Trencavel, vous soyez aujourd'hui sur la voie de la guérison, car nous ne donnions pas cher de votre peau. Si Beni et Potkaxl n'avaient pas été là...

— Et où se trouvent au juste mes petits sauveurs? demanda Roç en s'adressant à Geraude avec une amabilité appuyée. Sans vouloir diminuer les mérites de vos mains curatrices, chère Geraude, ajouta-t-il en la caressant.

Elle rougit, pudique.

— Votre *secretarius,* répondit Abdal, vous a précédé à Jérusalem, écumant de colère, à pied et tout seul !

— Pourquoi donc ?

— Parce que votre suivante toltèque, cette Samaritaine de grand talent pour les héros blessés et autres chevaliers en détresse, a accepté la proposition de Gosset (Abdal avait du mal à garder son sérieux, et Roç à ne pas se laisser contaminer par son hilarité) : jouer le rôle de *prima peregrina meretrix* dans sa nouvelle maison des plaisirs !

— Cette *houri !* s'exclama Roç.

— Vous êtes très injuste ! Elle s'est sacrifiée pour vous faire traverser la vallée de la mort et vous ramener sur l'étroite crête de la vie, elle vous a poussé et tiré ! Elle a mérité votre gratitude jusqu'à la fin des temps !

— Pardonnez-moi ! répondit Roç, gêné, en voyant que les yeux clairs de Geraude s'emplissaient de larmes. Bref, monseigneur Gosset, mon conseiller tout aussi méritant, est redevenu le patron d'une auberge du plaisir vénal... Quelle carrière !

— « L'âme s'élève hors du monde oppressée, lorsque l'homme a quitté le droit chemin. »

Jakov paraissait toujours se prendre pour l'incarnation de Joseph le Charpentier. Il sortit du gréement détruit, où il s'occupait, marteau et rabot à la main, du mât qui avait beaucoup souffert. Il effrayait bien plus les marins du Hafside en déclamant les passages de l'Ancien Testament d'une voix tonitruante qu'avec ses numéros d'équilibriste entre la vigie et le pont. Mais le cabaliste était un artisan éprouvé, et se balançait comme un vieux gibbon, entre les cordes et les bômes.

— « Lorsque l'âme est digne et qu'elle porte l'habit précieux qui la préserve, alors, et alors seulement, les légions célestes sont prêtes à s'unir à elle et à la guider vers le jardin d'Éden ».

Lorsque le charpentier se balança à une corde, au-

dessus du pont, pour atterrir sur la plate-forme surélevée de la poupe avec l'habileté d'un acrobate, Roç
constata que Jakov portait toujours la même tenue
qu'à Rhedae et à Ustica.

— « Mais lorsqu'elle ne l'est pas, ce sont les anges
de la confusion qui se vengent sur elle. »

À cet instant apparut un gigantesque vieil homme
qui guidait un ours. L'animal tirait une petite voiture. Il n'y avait rien à l'intérieur. Roç se dit qu'il
avait déjà rencontré le montreur d'animaux, et
demanda à Jakov, en chuchotant :

— Qui est-ce ? D'où connaissez-vous cet homme ?

Jakov fit comme s'il n'avait pas entendu la question.

— « À l'intérieur d'une puissante roche, dans une
région reculée du Ciel, il existe un palais que l'on
nomme le palais de l'amour. C'est un lieu où se dissi-
mulent les trésors les plus précieux, ceux où le roi
donne ses baisers d'amour. Car c'est là qu'entrent les
âmes aimées du roi. »

Le géant barbu s'approcha du lit de Roç et lui posa
en silence sa grande main sur le front, ce que Roç
ressentit comme un immense apaisement. Il ferma
les yeux et recueillit la force curative que lui donnait
cet homme, une énergie qui passait de sa nuque à
son dos et s'y répandait, bienfaisante.

— « C'est là que le Tout-Puissant trouve l'âme
sanctifiée, la prend dans la main, l'embrasse et la
cajole, la laisse monter à lui et joue avec elle, comme
le fait un père avec sa fille préférée. »

Roç oublia qu'il comptait demander à Jakov si le
calice noir lui avait été remis, car lui, Roç, l'avait vu
dans un autre monde, un monde de malheur. Que
symbolisait le calice noir ? Roç sentit qu'il ne pouvait
pas le comprendre, il ne souhaitait plus qu'une
chose : le vide absolu. Il voulait s'y laisser glisser, et
la main de l'homme à l'ours allait l'y aider. Roç
oublia totalement de l'interroger sur sa présence et
son rôle, et il aurait sombré dans un sommeil bien-
faisant si le Hafside n'avait pas repris le récit des événements d'une voix de stentor.

— Ce bon seigneur Bohémond a laissé à Monsignore la tour des Templiers, avec lesquelles il est en bisbille, il les a chassés de sa principauté et du comté de Tripoli.

L'ours s'était couché devant le lit de Roç et léchait la main de Geraude. Le géant souriait avec l'air reconnaissant d'un enfant qui vient de recevoir un cadeau.

— Si vous vous redressez un peu, mon Trencavel, recommanda Abdal sans tenir compte de l'état de Roç, vous pourrez apercevoir l'établissement « La Table ronde du roi Arthur », là-bas, à l'extrémité du môle. (Roç ne bougea pas.) C'est là que votre Potkaxl sert désormais la coupe noire aux clients qui paient bien.

— Une copie à bon marché! l'interrompit doucement Jakov.

— Les trois chevaliers (Monsignore n'a pas encore pu en rassembler un plus grand nombre autour de lui) chantent les louanges de leur noble mécène, et se partagent la donatrice de toutes les joies. Tiens, les voilà justement!

Après avoir cligné les yeux un instant, Roç se décida à les ouvrir.

Légèrement éméchés, les trois Occitans se hissèrent sur la passerelle et montèrent en titubant l'escalier qui menait à la poupe.

— *Ave Caesar*, ceux qui ne sont disposés à aucun sacrifice te refusent leur salutation! balbutia Mas, sur le deuxième palier, tandis que Raoul s'était déjà précipité en avant pour saluer Roç. Il ne pouvait pas s'agenouiller au chevet du lit, la place était déjà occupée par l'ours. Il attrapa donc les pieds du Trencavel.

— Nous sommes si contents de vous..., s'exclama Pons, qui avait encore grossi. Il n'alla pas plus loin : il trébucha sur la corde tendue et tomba devant la gueule de l'ours, qui lui lécha le visage. Pons était figé par la terreur.

— Le comte de Mirepoix a trouvé son animal

emblématique : non plus *mira peix*, mais cet « ours lécheur » sans précédent dans l'histoire de l'héraldique.

— Nul n'est plus heureux que moi, dit Roç, de vous voir sortis en bonne santé de cette effroyable captivité ! (Il essaya de se relever pour mieux les voir.) Le Hafside, dans sa magnanimité, a volontairement passé sous silence le fait qu'il vous avait aussi libé...

— Quelle captivité ? demanda Mas.

— Je les ai vus de mes propres yeux s'emparer de vous, et je n'ai rien pu y faire, dit Roç, honteux, en s'asseyant sur son lit. Comment vous êtes-vous sortis des geôles de Nicée ?

— Des geôles ? grogna Pons. Il avait envie de rire, mais ne savait pas comment l'ours allait prendre la chose : l'animal le regarda tristement ramper sur le ventre et mettre son visage hors de portée de sa langue rêche.

— Pourquoi parlez-vous donc de geôles, mon cher Trencavel ? demanda Mas, en riant à la place de son compagnon.

— Nous nous sommes fait passer pour des chevaliers occitans en quête d'aventure..., expliqua enfin Raoul.

— C'est bien ce que nous sommes ! précisa Mas.

— Des chevaliers qui n'avaient aucun rapport avec Manfred. Le Sebastocrator nous proposa alors d'entrer dans son armée pour y quérir la gloire et l'honneur, et toucher notre part du butin, car la victoire de l'empereur ne faisait pas de doute.

— Comme je vous l'ai déjà fait savoir, intervint le Hafside, c'est pour nous que l'affaire a été fructueuse !

— Racontez-moi donc, mon cher Raoul, comment s'est achevée cette affaire, demanda Roç à Belgrave, et ce que j'ai manqué.

— Si vous vous étiez battu du côté d'Épire, ce serait vite raconté. Mais nous, nous avons vécu cette campagne comme des généraux privilégiés. Le soir, nous étions assis à la table de Jean, le Sebastocrator, nous avions des femmes et...

Pons était tellement fier de ses états de service qu'il en avait oublié la hiérarchie. Raoul dut le faire taire d'une gifle avant de reprendre lui-même le récit :

— L'armée que l'empereur de Nicée avait donnée à son frère n'était composée que d'une toute petite proportion de Grecs. Les mercenaires slaves et les tribus turques en constituaient la plus grande part, ce qui explique la promotion de Pons au rang de chef de section. Entre-temps, le despote d'Épire avait reçu une bonne partie des armes offertes en aide par les Allemands et les Siciliens. Son autre beau-fils, Guillaume d'Achaïe, avait lui aussi mis sur pied une armée nombreuse en pratiquant la conscription forcée dans sa principauté. Ces armées réunies partirent pour la Thessalie, où se rallièrent à eux le fils bâtard du despote, celui qui est marié à la fille du prince des Valaches, et le duc d'Athènes, Otto La Roche, un vassal du Villehardouin. Ils ont emprunté la Via Egnatia, l'ancienne route militaire qui, en traversant la campagne, mène de Constantinople à la côte adriatique. Près de Pelagonia, nous attendions avec le Sebastocrator le choc des armées, avec un peu de crainte, car les alliés étaient numériquement supérieurs. L'empereur Michel nous envoya des estafettes nous demandant d'éviter le combat ouvert et de faire en sorte de semer la discorde dans l'alliance adverse.

— Ah! s'exclama Pons. Arrête! Au risque d'en reprendre une en travers de la figure, je ne tolérerai pas que mes deux compagnons mettent leur lumière sous le boisseau.

Raoul eut un rictus, mais il laissa Pons continuer.

— Ces deux héros que vous voyez ici devant vous, noble Trencavel, ont mis leur jeune vie en péril. Ils se sont rendus par des détours dans le camp adverse, comme s'ils étaient les derniers retardataires des troupes envoyées par Manfred. Quelques seigneurs les connaissaient effectivement comme tels. Nul ne douta donc de leur parole.

— Nos missions étaient très différentes, expliqua Mas. La mienne était ingrate, la sienne n'était pas sans attrait ni sans récompense. J'avais les poches pleines d'or, que je devais répartir habilement parmi les chevaliers de Sicile pour les inciter à la désertion. Les Allemands refusèrent avec indignation, et il me fallut me réfugier auprès des gens d'Achaïe. Ceux-là faisaient de toute façon leurs petites affaires à part, car le prince Guillaume de Villehardouin lorgnait lui aussi le trône de Byzance. Leur morale s'était par ailleurs relâchée, et ils se plaisaient à inquiéter le fils bâtard du despote et à le vexer en faisant une cour éhontée à son épouse, la Valache enflammée.

— Laisse-moi au moins raconter ma modeste part dans la victoire du grand Morency, l'interrompit Raoul. Je cherchai donc l'amitié du bâtard, je simulai l'indignation face au comportement infâme de quelques chevaliers...

— Avec lesquels j'avais entre-temps parié de grosses sommes, ajouta Mas, qu'ils ne parviendraient pas à séduire la dame, une variante propre de la corruption. Bref, la bonne dame était entre-temps si brûlante...

Raoul reprit sèchement son récit :

— Affolée par le tourbillon autour de sa vertu, elle me confia sa protection. Son mari me serra même la main avec reconnaissance lorsqu'il me demanda de dormir sur le seuil de la tente de la dame, pour veiller sur elle. Au milieu de la nuit, Mas et ses parieurs attirèrent le mari pour une discussion urgente, importante et très secrète. Je déplaçai immédiatement mon poste de garde devant le lit de la dame, qui, avec la hâte qui convenait, fit parler son cœur reconnaissant.

— Croyez-moi, je vous prie, Roç, déclara Mas. Lorsque nous avons ouvert avec nos épées la toile de la tente pour en faire des rideaux, tout le camp a vu qu'elle n'avait pas laissé parler que son cœur. Ou

alors cet organe lui avait glissé dans les profondeurs
de sa chemise ! Elle chevauchait notre bon Raoul sur
le tapis, si bien que même le plus compatissant ne
pouvait dire qu'elle avait été forcée.

— Si quelqu'un a été violé, gémit Raoul, ce fut
bien moi. Ensuite, j'ai dû prendre la fuite pour sauver ma vie, car les Valaches énervés voulaient me
découper comme la toile de la tente.

L'émotion avait fait monter le rouge au front de
Geraude. Ou bien était-ce parce que Roç avait glissé
la main sous son tablier ? Jakov et l'homme à l'ours
avaient de nouveau quitté la pièce. Le Hafside, lui
aussi, connaissait déjà le récit. Et puis il n'aimait pas
tant que cela les histoires racontées par d'autres que
lui. Il laissa la place à Raoul.

— Les Épirotes étaient de toute façon déjà énervés, car ils avaient eu vent des ambitions du Villehardouin. Le bâtard, dans sa fureur, n'eut donc pas de
mal à convaincre son père qu'il valait mieux ne pas
se précipiter au combat avec de tels alliés, et qu'il
serait bien plus avisé d'attendre une occasion plus
favorable dans la maison d'Épire. Le despote hésita
un peu, par décence : après tout, c'est lui qui avait
lancé cette campagne. Mais ensuite, les Chevaliers
teutoniques, trop lourds, se sortirent fort mal d'une
escarmouche contre les Nicéens. Ce fut aussi le cas
de ceux d'Achaïe, parce qu'ils étaient corrompus. La
décision était prise. La nuit suivante, le despote partit avec ses proches, suivi, au lever du soleil, par son
armée tout entière. Lorsque Villehardouin et La
Roche constatèrent, à leur réveil, avec la troupe de
Manfred, que leurs alliés grecs avaient pris la poudre
d'escampette, il était trop tard : le Sebastocrator les
attaquait déjà. Certains furent abattus pendant le
combat. Mais la plupart ont été capturés.

— Ce fut le cas de Hamo l'Estrange ! précisa Pons.
Le comte d'Otrante s'est rendu à moi, je l'ai salué de
la part de sa fidèle épouse et de vous-même. Il s'est
alors relevé. Il n'avait pas pu se battre, faute d'avoir
trouvé son épée.

— C'est tout Hamo, ça! dit Roç en souriant dou-
loureusement. Qu'en avez-vous fait? Vous l'avez
rendu à sa Shirat, j'espère!

— Nous l'avons immédiatement racheté avec
notre propre argent, confirma Raoul, et nous l'avons
pourvu d'un cheval, et de suffisamment de moyens
pour qu'il soit revenu à Otrante depuis longtemps.

— J'ai fait une meilleure prise, fanfaronna Mas,
mais il utilisa la première personne du pluriel dès
qu'il eut remarqué les sourcils levés de Raoul : Nous
sommes parvenus, tous les deux... enfin bon,
d'accord, Raoul l'a vu le premier, il s'était caché dans
une grange, déguisé en paysanne...

— Mais qui donc? demanda Roç.

— Raoul l'a reconnu tout de suite à ses dents en
avant : Guillaume de Villehardouin, prince d'Achaïe!

— C'est cela qui nous a rendus riches! ajouta Pons
en souriant et en allongeant les lèvres. Notre cher
petit lapin!

— Par conséquent, vous êtes tous les trois en
pleine forme, conclut Roç, aguerris au combat, repo-
sés et bien en caisse, si bien que vous pouvez
reprendre votre service auprès de moi sans vivre
pour autant à mes crochets.

Le ton interrogateur qui s'était glissé dans son
affirmation l'agaça : ne lui avaient-ils pas donné sa
parole, après tout? Mais le Trencavel dut constater,
au silence qui s'ensuivit, qu'aucun des trois ne ressentait d'enthousiasme à l'idée de revenir à son service. C'est Belgrave, une fois de plus, qui lui répondit :

— À Corfou, Roç Trencavel, vous nous avez...

— Laissés tom...

Mas ravala le reste de sa phrase : seul un bond
rapide sur le côté lui avait permis d'éviter le poing de
Raoul.

— ... vous nous avez congédiés, reprit celui-ci, et
de votre propre chef! N'importe quel tribunal d'honneur verrait les choses ainsi. Il faudrait donc établir
entre nous un nouveau lien de vassalité. Or nous ne

souhaitons pas le contracter ici et maintenant. Nous avons surmonté sans vous notre épreuve du feu. Nous avons eu de la chance, nous avons sauvé notre peau et nous avons réussi à remplir nos poches. Nous voulons à présent commencer par jouir de notre existence. Vous ne pouvez nous offrir pareilles joies, vous en êtes vous-même l'exemple frappant et frappé. Ne nous en veuillez donc pas si, cette fois, nous ne vous suivons pas.

Raoul avait eu du mal à tenir sa petite conférence. Il avait peut-être honte de refuser son aide au Trencavel, placé dans une si piètre situation. En tout cas, il ferma les yeux et évita le regard de Roç. Mais le Trencavel était beaucoup trop affaibli pour reprocher leur attitude aux Occitans.

— Le couple royal, murmura Roç d'une voix lasse, ne peut forcer personne à faire confiance à l'inconnu comme à une étoile lointaine. Les étoiles ne montrent le chemin qu'à ceux qui sont choisis pour les voir, et trouvent la force d'y croire. (Il fit une pause et sourit à Raoul.) Dites-moi seulement, précieux Belgrave, pourquoi monseigneur Gosset ne se montre pas !

La question était manifestement désagréable au jeune noble. Il chercha une diversion.

— Vous l'avez brutalement chassé au lieu d'écouter son conseil, commença-t-il prudemment. Lorsque nous sommes entrés au service du Sebastocrator...

— Lorsqu'on nous y a fait entrer, corrigea Mas en restant à bonne distance.

— ... Monsignore s'y trouvait déjà. Gosset nous a ouvert la voie, car il jouissait d'un grand prestige auprès des Nicéens, en tant qu'ambassadeur du roi de France. Ils lui ont procuré un passage sur un navire et il nous a donné rendez-vous ici, à Antioche, où il voulait « prendre ses quartiers » sur son « chemin vers Jérusalem ».

— Il a vraiment dit cela ? demanda Roç, incrédule, mais tout disposé à se laisser émouvoir. Pourquoi à Antioche ?

— Cela tenait à l'homme qu'il espérait rencontrer ici...

Raoul s'arrêta d'un seul coup, comme s'il avait déjà trop parlé. Mais Mas ne put s'empêcher de reprendre :

— Il a malheureusement accueilli à « La Table ronde du roi Arthur » le moine qu'il voulait vous amener.

— Guillaume ? interrogea Roç.

— Sans doute ! répondit Mas. Guillaume de Rubrouck, ce franciscain dévoyé. Votre meilleur ami, à ce qu'il paraît !

— C'est la réalité ! s'indigna Roç. Et je ne tolérerai pas que l'on parle de lui en ces termes ! (Son regard chercha celui de Belgrave.) Faites en sorte que l'orateur se taise ou disparaisse !

Mas avait déjà compris qu'il lui fallait choisir entre les coups de son chef et des excuses.

— Pardonnez mes dures paroles, noble Trencavel, fit-il, le souffle court. Mais le franciscain nous casse les bonbons, si je peux me permettre !

Raoul, qui avait déjà attrapé Morency par la chemise, le laissa filer et éclata de rire, si bien que Pons se crut en droit de donner à son tour une explication.

— Monsignore joue l'offensé. Mais en réalité, il ne se soucie que de vous, Trencavel. Il a ainsi fait sortir Guillaume de Rubrouck de la ville d'Antioche pour lui permettre de descendre au port afin qu'il puisse venir vous saluer dès qu'il serait arrivé. Mais ce franciscain qui n'est pas des plus chastes, permettez-moi de vous le rappeler, avait à peine franchi le seuil de notre foyer que déjà, son regard s'abattait sur Potkaxl !

Raoul reprit le récit :

— Depuis, ils copulent tous les deux comme s'ils en avaient fait le vœu. Notre gros moine lubrique doit renoncer trois fois par jour au postérieur de la Toltèque. À ce moment-là, Mas, le branleur, peut à son tour remettre la main à la pâte.

Raoul semblait trouver cela particulièrement amusant, se passer de Potkaxl ne paraissait pas le gêner beaucoup, mais Pons, lui, était furieux.

— Si seulement je pouvais comprendre ce que notre princesse trouve à ce franciscain rouquin et bouffi, avec ses deux enfants. Parce qu'il est marié, en plus !

Roç éclata de rire.

— Je pourrais vous citer bien d'autres dames de haut rang qui n'ont pas fait de manières longtemps avant de lui céder.

— Bref, grogna Mas. Depuis que Guillaume est entré dans la tour, c'en est fini de notre vie amoureuse si bien réglée. Et il n'y a pas que cela. Depuis tôt le matin jusqu'au milieu de la nuit, nos oreilles doivent supporter le ramdam, les gémissements, les couinements, les grognements, sans interruption, sans le moindre espoir de pause...

— Guillaume ne sait-il donc pas que je suis alité ici ? l'interrompit Roç.

— Oh, si ! affirma Raoul. Il voulait que nous ne vous révélions pas où il se trouve. Il a peur de se présenter devant vous : cela le forcerait à quitter Potkaxl. Et elle l'a déjà informé qu'elle ne le suivrait pas.

— Eh bien, dit Roç, dans ce cas, l'affaire est toute simple. Comme ni vous, ni Gosset ne voulez partir avec moi, j'ai besoin de Guillaume. Je peux vous demander ce service, pensez à l'opération « *cheîtan annar* », trouvez une idée quelconque, Gosset n'y verra certainement aucune objection.

— Bien au contraire, il est profondément malheureux que Guillaume s'oublie à ce point. Il aimerait bien se débarrasser de nouveau du moine !

— Eh bien, proposa Roç, dans ce cas, je vais me mettre d'accord avec le Hafside. Il pourra lever l'ancre dès que mon Guillaume sera à bord et sous bonne garde. Ensuite, comme nous en étions convenus, nous redescendrons le long de la côte, jusqu'à Ascalon.

— Cette fois, vous pouvez nous faire confiance, Trencavel, assura Raoul en s'approchant du lit avec ses deux compagnons. Vous allez le retrouver, votre frère mineur, et si cela pouvait aider à éliminer la poisse qui vous a collé ces derniers temps aux talons, il se pourrait bien que nous nous revoyons tous à Jérusalem, y compris monsignore et Potkaxl. Dans le cas, bien sûr, où vous souhaiteriez nous revoir...

— Chaque fruit a besoin de temps pour arriver à maturité, répondit Roç en leur tendant à tous la main. Cela vaut aussi pour moi !

— Sauf quand il est rongé par les vers ! s'exclama le Hafside, qui les avait rejoints sans se faire remarquer. Sa remarque concernait manifestement les trois chevaliers, mais Roç ne voulut pas la laisser sans réplique.

— Dieu, le Créateur, se moque bien de savoir si le fruit est consommé par des hommes ou par des vers, chaque chose a sa signification, et au bout du compte, nous retournons tous à la terre, que seule notre âme, et pas notre corps, peut quitter un jour !

TEMPÊTE AU CHAPITRE

Saint-Jean-d'Acre, le siège du « Royaume de Jérusalem », se trouvait à l'extrémité nord de la baie d'Haïfa. Richard Cœur de Lion avait conquis en un tournemain audacieux la citadelle et son port. Mais la ville ne pouvait plus revendiquer le titre de « cité royale » : le pitoyable reste de l'Outremer était géré par la maison royale de Chypre. Or celle-ci n'avait nommé qu'un bailli pour gouverner ses points d'appui sur la terre ferme. Parmi les autres villes portuaires, seule Tyr méritait d'être mentionnée, et elle était en vive concurrence avec Saint-Jean-d'Acre, au plus tard depuis que Venise y avait repoussé les Génois, au cours de batailles navales dévastatrices. Le reste était composé de châteaux forts éparpillés à proximité des côtes, le plus souvent aux mains des ordres de chevalerie qui n'étaient pas soumis au roi, mais au pape, du moins en théorie. Il n'y avait donc pas grand-chose à gouverner. Malgré tout, le Conseil ou la Haute Cour siégeaient en se donnant des allures de puissances mondiales, pratiquaient une politique d'alliances, signaient des traités ou jouaient les arbitres. On y trouvait un sénéchal, un connétable, pléthore de maréchaux, mais pas d'armée en état de marche : le pouvoir royal, éloigné et affaibli, dépendait entièrement de la bienveillance des barons et des trois grands Ordres. Or ceux-ci préparaient depuis longtemps leur petite soupe dans leur cuisine respective : les chevaliers de Saint-Jean à Damas, les Templiers au Caire, les Chevaliers teutoniques dans la lointaine Baltique. Pour combler le tout, le grand incendie mongol était aux portes du royaume. Si les nombreux cuisiniers n'avaient toujours pas fini de goûter leurs plats, c'est seulement que la réputation dont jouissait le royaume comme maître queux était incomparablement plus élevée que son art culinaire véritable. On continuait à donner à Saint-Jean-d'Acre le rôle de la plume qui fait basculer la balance, et les membres de la table royale n'avaient vraiment pas de rivaux pour ce qui concernait l'arrogance. Ainsi, la reine veuve Plaisance de Chypre était arrivée pour présider en personne le haut conseil de son royaume. La réunion eut lieu au château royal, à égale distance des forteresses des Templiers, des chevaliers de Saint-Jean et des Chevaliers teutoniques, mais suffisamment loin des quartiers appartenant aux républiques maritimes rivales.

Dans la salle somptueuse, la reine était entourée par son bailli, monseigneur Godefroy de Sargines, tout juste nommé, et, faute de patriarche, par le légat pontifical Thomas Agni de Lentino. Face à elle se trouvaient les sièges des trois grands maîtres. Mais Hanno von Sangershausen était reparti, une fois de plus, pour l'Allemagne : aux yeux de son Ordre, conquérir la Baltique était bien plus important que de garder de maigres possessions en Outremer. Il avait laissé procuration à Sigbert von Öxfeld, le vieux commandeur de Starkenberg. Lorsque le grand maître du Temple l'apprit, il désigna lui aussi un représentant et fit savoir qu'il n'était pas disponible. Il avait fait appel au commandeur d'Ascalon, messire Georges Morosin. Il considérait certes que cet homme était à peine moins intéressé et moins impérieux que la plupart des hauts gradés du Temple, mais leurs châteaux étaient tous en terres incertaines, alors que la situation était claire à Ascalon, que les Égyptiens tenaient d'une main ferme. Seul le vice-grand maître de l'Hospital, Hugo de Revel, s'était présenté en personne : il venait de prendre ses fonctions et voulait se faire connaître.

Parmi les barons, seuls deux grands noms étaient venus : Philippe de Montfort, seigneur incontesté de Tyr, et Julien de Sidon et Beaufort, son adversaire juré, un homme arrogant, vaniteux et imprévisible.

La reine Plaisance avait aimablement salué l'assistance avant de donner la parole à son bailli.

Godefroy en vint tout de suite à l'essentiel :

— Le seigneur d'Alep, l'atabegh Turan-Shah, digne et sage oncle du sultan de Damas, nous a envoyé un ambassadeur de haut rang qui voudrait évoquer avec nous le péril mongol, car depuis la chute de Bagdad, Alep se sent menacé par Hulagu. Dois-je faire entrer l'émir ?

— Non ! s'exclama Philippe de Montfort. Nous devons d'abord déterminer, entre nous, notre position à l'égard des Mongols.

Le légat intervint :

— Ce n'est pas la question. C'est nous qui les avons appelés, nous avons envoyé d'innombrables ambassadeurs dans la lointaine Karakorom pour appeler à l'aide, et ils sont là à présent. Ce sont des chrétiens, comme nous. Et vous demandez...

— Alep a toujours été pour nous un voisin auquel on pouvait se fier, certes pas un ami, comme les gens de Damas, mais on a toujours respecté les traités...

— Alep reste un ennemi de la foi chrétienne, l'interrompit le légat avec une pointe d'étonnement. C'est pour vaincre ces ennemis que nous sommes partis en croisade !

— Vous oubliez, marmonna le Doge, venu parler au nom des Templiers, que plus de cent cinquante ans se sont écoulés depuis. Nous qui sommes rassemblés ici, poursuivit-il d'une voix plus décidée, nous ne pouvons plus revendiquer le nom de « croisés ». La plupart de nos familles sont installées sur cette terre depuis des générations, beaucoup d'entre nous y sont nés, et les rapports de voisinage ont une importance bien réelle !

— Traître ! (Julien de Sidon avait bondi.) Pour un bon chrétien, un musulman demeure un ennemi à combattre au cout...

— Ha, ha ! s'exclama Philippe en interrompant cette tirade haineuse. Écoutez donc qui parle ! « Pour un bon chrétien » ?

— Messieurs, tonna Sigbert von Öxfeld, n'offrez pas une image aussi lamentable à notre reine ! Asseyez-vous, demanda-t-il à Julien, et taisez-vous donc, si vous n'avez rien de mieux à offrir que les paroles d'un gamin immature !

— Je ne me laisserai pas injurier par un commandeur venu d'ailleurs...

Le grand maître de l'Hospital bondit alors devant l'Allemand, qui tremblait de fureur, et répondit à sa place, d'une voix tranchante :

— Personne ne parlera ainsi d'un chevalier qui a d'aussi grands mérites que le très respecté commandeur de Starkenberg.

Julien s'assit, mais marmonna quelque chose comme « Bande de traîtres et de lâches », ce qui incita Hugo de Revel à ajouter :

— Et si quelqu'un s'y hasarde, je le traînerai devant la Haute Cour !

— Nous vous y aiderons, ajouta le Doge. La conservation de ce royaume est uniquement le fruit d'une politique habile et avisée. La haine ne sort que des têtes sottes !

Philippe de Montfort plaida pour la raison :

— Le traitement de la demande d'Alep dépend toujours de notre attitude à l'égard des Mongols.

— Ce n'est pas nous qui les avons appelés, nous qui devons et voulons vivre ici, rétorqua Julien de Sidon, pour une fois d'accord avec son voisin mal aimé venu de Tyr, mais des personnes extérieures, ou des hôtes de passage, qui ont invité les Mongols en passant par-dessus nos têtes, et sont ensuite repartis.

— Dites donc clairement qui vous accusez! lança le légat. Le Saint-Père et le pieux roi Louis! Vous n'avez pas honte, de qualifier le pape de « personne extérieure »!

— C'est pourtant bien la réalité, répliqua Philippe. Nos familles dirigent ce pays, même si elles s'affrontent, et nous tenons à ce que ce *statu quo* soit préservé. Si nous nous acoquinons de manière trop visible avec les Mongols, nos voisins musulmans ne nous le pardonneront pas. Or nous devrons aussi compter avec eux à l'avenir.

— À moins que les Mongols ne les découpent tous en morceaux, comme cela s'est passé à Bagdad, où seuls les chrétiens ont été épargnés.

Le légat ne précisa pas s'il considérait cela comme souhaitable. Mais, à l'entendre décrire la scène, on pouvait le supposer, et cela agaça profondément Sigbert.

— L'Église est effectivement capable de penser, mais aussi d'agir ainsi. Elle l'a déjà bien assez prouvé au Languedoc!

— Hérétique! grogna le légat, mais Sigbert ne releva pas l'injure.

— *Shoukr Allah!* La mise à mort de tous les peuples, de toutes les tribus qui se réclament de l'Islam n'est pas non plus une voie utilisable pour les Mongols, dit-il avec un calme provocateur. Ils se contenteront donc de gouverner d'en haut...

— Mais vous non plus, Sigbert, l'interrompit le Doge, vous ne pouvez dire si les Mongols vont remporter cette victoire, ou si les mamelouks parviendront à repousser l'attaque. Dans le second cas, nous nous retrouverons en fâcheuse posture, car ils se

vengeront effroyablement sur nos propres personnes. Nous, chrétiens de Terre sainte, nous ne
sommes qu'une poignée, et il est facile de nous décapiter tous autant que nous sommes.

— Cela vaut particulièrement pour les membres
des ordres de chevalerie, le consola le seigneur de
Tyr, car votre devise est : « Combattons les ennemis
de la foi. » Et votre mission ne s'arrête qu'avec la
mort.

— C'est du passé ! répondit le Doge en souriant.
Nous aussi, aujourd'hui, nous sommes une grande
union familiale qui possède le pouvoir territorial,
mais surtout la puissance commerciale.

— Dans ce cas, notre intérêt ne peut pas être de
voir les Mongols échouer, estima Hugo de Revel. Car
ils laisserons nos terres en l'état et, si nécessaire,
nous élèveront au rang d'instruments de pouvoir sur
les peuples de l'Islam.

— Une belle élévation ! grogna Julien. Devenir les
subalternes du grand khan !

Ce fut alors au bailli de la reine de se lever et de
parler, après avoir eu une longue conversation à voix
basse avec Plaisance.

— Votons pour savoir si nous prêterons assistance
à Alep. Qui est pour ?

Seules les mains des seigneurs Philippe, Sigbert et
du Doge se levèrent. La demande était repoussée.

— Je vais à présent convoquer l'émir devant le
conseil, et lui faire connaître notre décision ! déclara
Godefroy de Sargines en adressant un signe au gardien.

Entra alors l'émir de Homs, El-Ashraf, dont un œil
louchait effroyablement. Il s'inclina devant l'assemblée et salua la reine.

— Nous ne pouvons prêter assistance à Alep, lui
annonça le bailli, la mine blême. Mais le bigleux eut
l'air ravi.

— Quelle décision intelligente, puissante reine !
On ne peut pas tenir Alep. An-Nasir, le sultan de
Syrie, ne dispose même pas à Damas de troupes suf-

fisantes pour apporter à son oncle une aide efficace.
Et puis les mamelouks saisiraient avec plaisir l'occasion de voir l'épouse de la Syrie dénudée. Je plaide
pour une bonne entente avec les Mongols : se soumettre et payer le tribut au lieu de verser le sang en
pure perte.

— Vous l'avez déjà obtenu pour Homs ? s'enquit
Hugo de Revel, le chevalier de Saint-Jean, qui
connaissait déjà cette situation mais voulait être sûr
de la réponse. Est-il exact que le prince Bohémond
d'Antioche et de Tripoli envisage une démarche analogue ?

— Ce pleutre ! bêla de nouveau Julien. Mais cette
fois, le commandeur des Allemands tendit la main
au seigneur de Sidon, comme en signe de reconnaissance, et celui-ci eut la légèreté de la prendre. D'une
poigne de fer, Sigbert lui écrasa les doigts, et Julien
perdit toute envie de cracher son fiel.

El-Ashraf s'étonna du comportement des chevaliers en conseil, et répondit par une autre question.

— Vous savez sans doute qui est le beau-père du
jeune prince ?

— Le roi d'Arménie, répliqua Hugo en hochant la
tête, a été le premier à comprendre ce qui se passait,
et à aller prêter allégeance à Karakorom. Depuis, le
roi Hethoum continue à exercer tous ses pouvoirs
dans son royaume. Qu'y a-t-il donc de plus tentant
que de recommander à son beau-fils de faire la
même démarche ?

— Il n'en est pas question ! s'écria Julien, qui se
sentait concerné. Je préférerais rendre sa fille à
Hethoum !

— L'occasion est favorable, se moqua Philippe.

— Nous considérons certes que se soumettre aux
Mongols est une démarche hâtive, mais cela n'en
reste pas moins une victoire de la raison — et de la
juste foi ! proclama le légat d'une voix aigre, et le
bailli prit rapidement congé de l'émir avant qu'une
nouvelle querelle ne s'enflamme.

À peine El-Ashraf avait-il disparu, étonnamment

heureux du résultat, que messire Godefroy aborda
un autre sujet.

— Nous avons devant nous un écrit provenant du
Caire, où l'on nous demande avec insistance de ne
pas laisser ce prétendu « couple royal » se rendre à
Jérusalem. Le sultan considérerait cela comme un
acte hostile, et nous en rendrait responsables.

L'assemblée resta un instant muette : elle n'était
guère coutumière du sujet. C'est le Doge qui finit par
apporter une réponse :

— En réalité, ce qui énerve le sultan Qutuz, c'est
la présence du Trencavel à Antioche ! Il y flaire une
conjuration avec le prince Bohémond, en accord
avec les Mongols. C'est une simple manière de dissimuler son incapacité de retenir la dame Yeza Esclarmonde à Alexandrie. Et nous devrions à présent
obtenir ce qu'il n'a manifestement pas réussi à imposer ?

— Vous êtes étonnamment bien informé sur ce
petit couple d'imposteurs qui sème le désordre,
lança le légat, venimeux.

— C'est ma mission, riposta sèchement le Doge.

— Pourquoi devons-nous nous en occuper ? grogna Philippe de Montfort. L'administration de la
ville de Jérusalem est aux mains des mamelouks.

— Et surtout, pourquoi devrions-nous nous transformer en simples sbires, marmonna Sigbert d'une
voix audible de tous, si Roç et Yeza y instaurent un
royaume de la paix ?

— Hérésie ! s'écria le légat. Je comprends à
présent pourquoi le patriarche nouvellement
nommé, le pieux Jacob Pantaleon, ne vient pas à
Saint-Jean-d'Acre d'abord et se rend tout droit à
Jérusalem : il veut sauver la Ville sainte de ces
envoyés du diable !

— C'est le mal qui s'exprime à travers vous !
s'exclama Sigbert. Mais le Doge posa sa main charnue sur le bras du vieil homme, pour le calmer.

— Pourquoi n'êtes-vous capable de réfléchir qu'en
inquisiteur, Éminence ? Jacob Pantaleon, le cordon-

nier de Troyes, sait de qui il dépend, en tant que patriarche de Jérusalem !

— Je vais tous vous confier à l'Inquisition ! cria le légat, la voix brisée par l'indignation.

— J'aimerais bien voir ça ! répliqua joyeusement Sigbert. Manifestement, Jérusalem est devenue pour l'Église un lieu extrêmement suspect. Lorsque mon empereur, Frédéric, l'a reprise à l'Islam, Rome ne voulait déjà plus entendre parler de cette ville jadis tellement sacrée à ses yeux. Et maintenant, elle s'en prend même au patriarche...

— Le Hohenstaufen a fait perdre sa sainteté à Jérusalem.

— La venue de l'exorciste Pantaleon est d'autant plus nécessaire, avec son encens et son goupillon !

— Vous vous moquez des sacrements de l'*Ecclesia catolica* !

— Et vous souillez la mémoire de milliers de croisés chrétiens qui ont donné leur vie pour Jérusalem !

— Messieurs, modérez-vous ! cria le bailli en constatant que la reine Plaisance secouait la tête, effarée. Nous ne pouvons pas laisser sans réponse cet avertissement du Caire. Annonçons-nous une quelconque mesure de notre part, ou repoussons-nous la demande ? Qui est favorable à une réponse positive ?

Seul le légat leva la main, suivi, avec hésitation, par le grand maître de l'Hospital.

— Refusé ! annonça le bailli.

— Je suis partisan de conquérir Jérusalem, proclama Julien de Sidon, puisque le sultan Qutuz nous y invite !

— Seul un esprit malade peut envisager d'y rétablir l'ordre par les armes ! lui répliqua Montfort.

— Mieux vaut un esprit malade qu'un esprit intelligent qui produit de la merde ! rétorqua Sidon. Je demande un vote immédiat !

— Refusé ! (C'était l'une des rares fois où la reine intervenait dans ces débats brûlants.) Il n'en est pas question.

Le bailli confirma :

— Nous restons en dehors de cette affaire, dit-il en se tournant malicieusement vers le légat. L'Église partage certainement ce point de vue.

— *Hierosolyma non est locus!* (Monsignore Thomas d'Agni ne resta pas longtemps à soupeser le poids de sa sentence.) Si nous avons besoin d'aide ici, nous, les chrétiens, il y a un seul homme à qui la demander : le puissant seigneur Charles d'Anjou, un authentique serviteur de l'Église !

— Le prix en serait la couronne de ce royaume. (Ce qui ne paraissait pas bien cher, aux yeux du vice-grand maître des chevaliers de Saint-Jean.)

— Eh bien, proposons-lui ! suggéra naïvement Hugo de Revel. Quelqu'un est-il contre ?

Les deux barons levèrent le bras en même temps comme s'ils avaient été piqués par la même tarentule. Mais les représentants des autres Ordres refusèrent eux aussi. Et la reine annonça de bon cœur :

— La demande n'aura pas lieu.

— Dans ce cas, il ne m'est pas nécessaire de rester plus longtemps dans ce lieu que Satan tient depuis longtemps entre ses griffes. Que sa disparition expie les péchés qui seront commis contre la sainte Église !

Le légat resserra ses vêtements et sortit de la salle, tête droite.

— Ce ne sont pas les fausses alliances avec nos ennemis, qu'ils portent le nom de Mongols ou de mamelouks, qui nous feront décliner, s'exclama Julien à sa suite, mais notre lâcheté à mettre en œuvre de nouvelles conquêtes. Les hommes de Sidon sont armés, ils ne resteront pas longtemps inactifs. Notre devise, c'est Jérusalem !

— Nous vous interdisons... (Le bailli était tellement indigné qu'il en perdait la voix.)

— Tyr barrera le passage à l'aveuglé ! proclama messire Philippe, non sans plaisir. Mais c'est le représentant du Temple qui assena à Julien le coup décisif.

— Quelque chose ne semble décidément pas bien

fonctionner dans votre tête, commença le Doge avec l'amabilité d'un médecin. Vous souffrez de troubles de mémoire. Vous avez cédé Sidon à mon Ordre par écrit, il y a trois semaines, comme garantie pour les fonds que vous avez dilapidés en absurdes ferraillages! Le gage sera à nous d'ici cinq jours!

— Vous n'oserez pas! hurla Julien. Bande de vautours! Coupe-gorge!

— Ce dernier point n'est pas prévu au contrat, répondit froidement le Doge, mais si vous refusez et si vous nous y forcez...

Il n'acheva pas sa menace. Julien avait déjà traversé toute la pièce.

— Tentez donc de plonger vos serres dans la chair chaude de Sidon, vautour à la croix rouge! hurla-t-il depuis la porte. Vous vous en repentirez!

Et il sortit.

— L'audience est levée, proclama le bailli après avoir recueilli l'accord de la reine. Plaisance paraissait extrêmement maussade, mais soulagée d'avoir mené cette réunion jusqu'à son terme.

Le Doge parcourut à grand pas le quartier abandonné par les Génois. Passant devant l'église contestée de Saint-Sabbas, il arriva au château du Temple, sur la pointe de terre qui se dressait dans la mer comme une épine rocheuse. Son grand maître le reçut immédiatement. Mais, avant même que le Doge puisse l'informer du déroulement et du résultat de l'assemblée du conseil, Thomas Bérard lui annonça, rayonnant de bonheur:

— Nous avons repris *L'Atalante*. En bon état, presque sans dommage!

— J'en suis très heureux, répondit le commandeur Georges Morosin. Je me réjouis aussi que Taxiarchos soit tardivement revenu à la raison.

— Trop tardivement, Georges! répliqua le grand maître avec un sourire pincé. Et puis il ne s'agit guère de retour à la raison. Nous avons dû coincer ce pirate en pleine mer, en déployant la plus grande armada qui se soit jamais rassemblée. Ne serait-ce que pour cette raison, un procès est inévitable.

— Le Pénicrate n'est pas un pirate ordinaire ! protesta le Doge. L'Ordre lui doit d'avoir effectué le trajet secret vers les « Îles lointaines », qu'il a mené à bien et avec brio...

— Pour mettre ensuite ses connaissances au service du roi Manfred, l'interrompit le grand maître d'une voix acide, et s'emparer par la ruse de notre *Atalante*, afin d'accomplir le voyage suivant.

— Ce dernier point est incontestable, mais je ne crois pas qu'il ait eu l'intention de duper l'Ordre, et particulièrement de révéler le secret de l'itinéraire qui traverse l'océan Atlantique !

— Ce corsaire (vous me passerez bien cette expression) pourra présenter lui-même ses excuses pendant le procès.

Thomas Bérard perdait son calme. Cette discussion lui paraissait inutile.

— Vous pouvez sans doute assurer sa défense en exerçant votre droit domestique...

— Comment cela, vous n'allez pas le faire comparaître ici, devant votre siège ?

La patience du grand maître s'étiolait.

— Précieux Georges Morosin, sauf miracle provoqué par la Sainte Vierge, le procès se conclura sur une peine capitale. Pour cela, nous n'avons même pas besoin de procès, le vol aggravé (celui-là est incontesté) y suffit largement. Mais je veux savoir, et c'est de vous que j'attends la réponse, dans quelle mesure la Sicile ou d'autres ont participé à la planification et à la mise en œuvre. (Le grand maître sentit que le Doge allait refuser cette mission. Sa voix se fit plus dure.) J'ai entendu dire que Roç Trencavel avait joué un rôle déterminant, tout comme la trirème du comte d'Orante. Si cela devait s'avérer, ils seraient eux aussi inculpés, tout comme nos propres chevaliers, notamment le commandant responsable, Simon de Cadet...

— Vous voulez tous les traîner devant le...

— Certainement! répliqua sèchement Thomas Bérard. Et, pour éviter des prolongements susceptibles de gêner notre Ordre, le procès se déroulera à huis clos. Nous ne voulons nullement violer le droit, nous n'avons pas peur du public, mais nous parlerons inévitablement des « Îles lointaines ». Ne serait-ce que pour cette raison, nous ne voulons ni de questions idiotes, ni des indiscrétions commises par les curieux ou les jaloux. Ascalon est le lieu qui convient. Nous nous y trouvons certes en terre égyptienne, mais il nous est permis d'y tenir tribunal et d'exécuter les verdicts!

— Vous l'avez déjà prononcé! s'indigna le Doge.

— Ne soyez pas idiot! s'exclama le grand maître en serrant les dents pour garder son calme. À cette fin, nous vous élevons, Georges Morosin, au rang de commandeur. Un titre que vous portez déjà depuis quelque temps sans en avoir le droit. Et nous attendons de vous que vous prépariez et meniez ce procès avec habileté, comme vous savez magistralement le faire, pour que l'Ordre n'ait pas à en pâtir. Si notre réputation devait être atteinte, ou si vous ne défendez pas nos intérêts, je vous en rendrai personnellement responsable.

— Je ne ferai ni un bon accusateur, ni un inquisiteur! répondit le Doge dans une ultime tentative pour éviter ce rôle déplaisant.

— Ne vous souciez donc pas de vos faiblesses! lui rétorqua le grand maître. D'autres s'en chargent déjà. Ils ont moins de scrupules, mais ont montré qu'ils respectaient sans condition et avec zèle leur serment de Templier! Et puis vous n'avez pas été nommé juge...

— Mais larbin! compléta le Doge, lui-même étonné de sa hardiesse.

Le grand maître passa sur cet accès de colère.

— ... ni bourreau, ni même maître des lieux, facilitant la tâche de ses frères d'Ordre, qui doivent accomplir une mission difficile! ajouta-t-il avec un sourire crispé. Sortez, maintenant, je vous prie, avant que je ne me mette à douter de la justesse de mon choix !

Le Doge s'inclina et quitta la salle du chapitre. Il décida d'aller rendre visite à Sigbert von Öxfeld à la maison des Allemands, située à l'autre extrémité de la vieille ville, à proximité immédiate de l'enceinte intérieure, une citadelle massive dont les tours d'angles étaient intégrées aux fortifications. Le vieil homme le conseillerait courtoisement. Le commandeur de Starkenberg tiendrait sans doute moins à sauver la tête de Taxiarchos qu'à parer le danger qui planait sur tous les autres, notamment sur Roç Trencavel. Après tout, on le considérait comme le gardien du couple royal.

AU-DELÀ DU RIVAGE, LE DÉSERT

Le voyage sur le Nil, à bord du bateau démodé que la mère de l'Archer avait si aimablement mis à sa disposition, aurait été tout à fait au goût de Yeza si elle avait pu faire un usage abondant des commodités du bord. Les planchers étaient en bois noble et recouverts de plusieurs couches de tapis précieux. On y avait installé des divans tendus de soie protégés du soleil par des voiles couleur ivoire et des mouches par des pans de gaze bleuâtre. Un Nubien grand comme un arbre rafraîchissait les passagers avec un éventail en plumes de paon, une Soudanaise de bonne stature redressait les coussins, et un Pygmée noir comme jais, qui disparaissait sous son turban gigantesque, proposait depuis un tabouret en argent des sucreries raffinées, avec du *shai bi na' na* ou un *'assir limoun* rafraîchissant agrémenté de dattes et de figues grillées.

Malheureusement, Yeza n'était pas allongée sur un divan, à regarder défiler devant elle le paysage fluvial. Elle était assise dans une tente étouffante de laquelle elle observait avec nostalgie, par une fente étroite, les minarets et les coupoles étincelantes du

Caire, et les Pyramides, dont la vision lui parut irréelle. À plusieurs reprises, Yeza fut tentée de quitter sa cachette et d'ordonner aux rameurs de se diriger vers la rive. Mais elle y renonça et resta dans l'obscurité de la tente jusqu'à ce que la tentation se fût dissipée. Le puissant enchantement agissait encore bien après que la dernière pointe eut disparu. À la hauteur de la ville du sultan, il fallait être prudente, Faucon rouge le lui avait rappelé : Le Caire connaissait le but de son voyage, et ne l'approuvait guère. Yeza enviait ses hommes, les rares à être restés auprès d'elle. Tous vêtus comme des musulmans, ils étaient assis sur des coussins, sur le pont, tiraient sur leur narguilé et n'avaient pratiquement pas accordé le moindre regard à la tombe de Cheops.

Simon de Cadet et ses trois Templiers avaient débarqué avant Le Caire pour prendre, près d'Héliopolis, l'ancienne route des caravanes qui passait par El-Suwais et menait vers l'est, afin d'atteindre au plus vite un territoire chrétien. C'était sans aucun doute le chemin le plus court pour Jérusalem, mais ce serait aussi le plus pénible : il leur faudrait traverser d'abord le Sinaï, puis le désert du Néguev. Faucon rouge leur avait instamment recommandé de se diriger plus au sud, vers la mer Rouge (la route des caravanes était contrôlée par les guetteurs du sultan), puis de prendre un bateau, de contourner la presqu'île, de ne débarquer qu'à Aqaba, puis de remonter la vallée du Jourdain. Ensuite, Faucon rouge les avait quittés, extrêmement inquiet de l'état dans lequel il allait retrouver sa maison et la cour. Il avait débarqué avant Gizeh, mais avait promis qu'il ramènerait bientôt des chevaux frais et de l'eau à la petite troupe, qui entamerait son chemin dans le désert au plus tard à la hauteur de Memphis. Yeza disposait ainsi de deux guerriers puissants, Kefir Alhakim et Jordi Marvel et, pour couronner le tout, du cabaliste Ezer Melchsedek. Grâce au geste de Taxiarchos, elle pouvait aussi compter, *bis mashiat arrabb*, sur les *lancelotti*. Ceux-ci avaient mis de côté leurs faux redoutées et aidaient les esclaves à ramer, ne serait-ce que pour ne pas perdre la main. Ils poussaient le navire contre le flot paresseux lorsque Ezer sauta sur ses jambes.

— Nous avons franchi Hélouân! s'exclama-t-il. Mettez le cap sur la rive gauche!

Yeza sortit de la tente.

— Notre voyage sur le Nil s'achève ici, annonça Jordi à sa maîtresse. C'est dommage.

Le petit troubadour n'avait guère envie de quitter les planches du navire pour le dos d'un chameau. Yeza, elle, hocha la tête. Tout lui convenait. Ou rien du tout.

Du fleuve, Faucon rouge s'était rendu à cheval vers Gizeh, où se trouvait, face à la grande pyramide, la ferme de son père. De loin, déjà, il remarqua qu'il n'y régnait pas l'animation habituelle. Plus il s'en rapprochait, plus il constatait l'état de désolation où se trouvait son bien. Quelques silhouettes familières apparurent sur le côté du chemin : des Bédouins qui gardaient leurs troupeaux aux alentours. Ils paraissaient accablés.

— Nous avons mauvaise conscience, crièrent-ils à Faucon rouge en se jetant au sol, même si nous ne sommes pas coupables, car la maîtresse l'avait voulu ainsi!

— Levez-vous! ordonna l'émir en mettant pied à terre. Que s'est-il passé ici?

Les Bédouins se retournèrent les uns vers les autres, confus, jusqu'à ce qu'un ancien prît la parole :

— Pour protéger la fuite de votre épouse et du jeune sultan Ali, il nous a été ordonné de défendre aussi longtemps que possible l'accès de votre maison aux soldats de Qutuz.

— Où est passée ma femme?

Faucon rouge s'efforçait de ne pas montrer de mouvement d'humeur, surtout pas la colère qui s'emparait peu à peu de lui.

— Elle a rejoint les camps de notre tribu dans le Sinaï. La plupart des nôtres l'ont escortée, si bien qu'elle devrait *(inch'allah!)* être en sécurité depuis plusieurs jours. Nous autres, qui étions restés ici, nous n'avons pas pu résister bien longtemps. Beaucoup ont donné leur vie, seigneur. Mais les soldats ont été pris de fureur en constatant qu'ils s'étaient battus pour rien. Et ils ont dévasté votre maison.

Faucon rouge n'eut qu'un bref instant d'hésitation.

— Je ne veux pas voir cela maintenant. Mais laissez tout en l'état. À mon retour, les coupables seront punis. (Il regarda la petite troupe des Bédouins.) De combien de chameaux et de cavaliers pouvez-vous vous passer ?

L'ancien secoua la tête.

— Décidez quel doit être le nombre d'hommes protégeant vos biens pour éviter au moins que les voleurs et les pilleurs ne succèdent aux profanateurs.

— Six hommes et dix chameaux me suffiront, avec des provisions et de l'eau potable pour une semaine.

— Tout ce qu'il me reste de fils vous accompagnera, répondit le vieil homme, heureux de voir l'émir prendre les dégâts avec autant de détachement. Mais permettez-nous à tous de laver l'affront qui nous a été fait, à vous comme à nous-mêmes, dans le sang de ces canailles, dès que vous aurez trouvé et ramené votre épouse.

Faucon rouge hocha la tête. Il ignorait comment il devrait se comporter face à Madulain s'il la rencontrait un jour chez les Bédouins. Certainement pas en époux jaloux. Une bonne chose que sa mission, pour l'instant, soit de protéger le chemin de Yeza vers Jérusalem.

Simon traversait le désert avec ses trois chevaliers. Ils souffrirent bientôt de la faim, puis de la soif, mais ils prirent cela comme une expiation pour la faute qu'ils portaient (et pour lui, le commandant, elle pesait encore plus lourd) depuis qu'ils s'étaient laissé duper à Linosa et qu'ils ne s'étaient pas battus jusqu'à la mort pour empêcher le départ de *L'Atalante*. Le tribunal du chapitre avait vraisemblablement prononcé depuis longtemps sa culpabilité *in absentia*. Simon était disposé à le payer de sa vie, mais il voulait éviter à ses camarades la punition qui l'attendait. Ce serait bien sûr une grâce de la Vierge, qu'on lui donne encore l'occasion de faire ses preuves, d'engager sa vie pour le bien de l'Ordre, de se dévouer à la gloire et à l'honneur du Temple.

Marie avait-elle entendu sa prière ? Ou bien était-ce un mirage qui apparaissait à Simon, dans la chaleur écrasante, la soif qui les faisait délirer et la lumière scintillante ? En tout cas, il vit tout d'un coup une caravane de guerriers musulmans qui semblaient emmener avec eux un prisonnier, un chevalier du Temple. Plus ils se rapprochaient, plus son doute initial se dissipa. Ils n'avaient pas le moindre soupçon. Car même s'ils avaient forcément vu depuis très longtemps Simon et ses hommes, ils ne manifestaient ni une prudence particulière, ni une quelconque hostilité. Mais les Templiers ne regardaient que le vieil homme à la longue barbe d'argent dont le clams blanc à la croix griffue rouge indiquait son appartenance à l'Ordre. Simon se frotta les yeux pour être sûr de ne pas être en proie à une hallucination. La sueur le brûla plus fortement encore et troubla son regard. Mais ses compagnons s'arrêtèrent eux aussi pour observer la troupe qui avançait lentement.

— Prions ! lança Simon aux siens, à voix basse ; ils descendirent d'un seul bond de leurs chevaux et se jetèrent dans le sable.

— Seigneur, nous Te remercions ! sanglota l'un des trois chevaliers, tandis qu'un autre balbutiait : Miracle de la Grâce ! Vierge céleste !

— C'est à Elle que nous vouons notre vie, qui appartient au Temple ! s'écria Simon, et ils remontèrent en selle.

Les ennemis étaient bien quatre fois supérieurs en

nombre. Il y avait parmi eux un émir, sans doute de haut rang, car il voyageait dans une litière ouverte au-dessus de laquelle on portait une ombrelle. Ce tableau pacifique était souligné par le fait que les musulmans, loin de tirer leur prisonnier derrière eux, au bout d'une corde, l'avaient installé sur le dos d'un chameau. Ils ne l'avaient même pas ligoté ! Mais Simon ne se laissa pas abuser par cette ruse.

— C'est à nous qu'il revient de délivrer ce frère au grand âge ! lança-t-il entre ses dents à ses compagnons. Sortez vos armes !

Les trois hommes obéirent, les yeux brillants. Marie, la sainte mère de Dieu, avait eu pitié d'eux, ils pouvaient se rendre une dernière fois dignes de l'Ordre qui les avait justement exclus, le servir au prix de leur sang ! *Gloria in excelsis !*

— *Bauséant a la riscossa !* hurla Simon comme s'il portait avec lui la bannière invisible. Ils se jetèrent sur la longue caravane dont les hommes parurent totalement hagards en voyant les Templiers dévaler vers eux depuis une dune de sable. Ils n'eurent pas beaucoup de temps pour s'étonner : les premiers d'entre eux tombaient déjà des chameaux, taillés en pièces par les Templiers. La moitié d'entre eux fut bientôt au sol. L'émir, dans la litière, se cachait la tête, tandis que les autres s'enfuyaient dans le désert. Les Templiers ne firent même pas mine de les poursuivre : ils entourèrent leur vieux frère d'Ordre. L'effort les faisait haleter, mais ils rayonnaient de bonheur.

Le Templier regarda ses sauveurs ; il semblait de fort méchante humeur.

— Jeunes frères, mon destin est de mourir à Jérusalem. C'est la raison pour laquelle le nouveau sultan m'y a fait conduire, en signe de bonne volonté.

Le vieil homme jeta un regard désapprobateur sur les épées ensanglantées de ses libérateurs, et alla présenter ses excuses à l'émir, dans la litière.

— Ces seigneurs se sont comportés comme des bandits de grand chemin. Ils ont bien mal rendu leur service à vos hommes courageux, et m'ont gâché mon dernier voyage !

L'émir se contenta de hausser les épaules. Les Templiers, honteux, regardaient le sol. Simon s'adressa tout de même à son vieux frère d'Ordre, qui lui paraissait avoir l'esprit un peu confus.

— Ne vous faites pas de souci pour cela, nous allons immédiatement vous conduire dans la sainte Jérusalem !

Le vieil homme le regarda, l'air encore plus ahuri.

— Vous ne connaissez même pas votre chemin ! gronda-t-il. Comment voulez-vous m'y conduire, jeunes ingénus, alors que je dois à présent vous mener à Ascalon ?

— Même dix chevaux ne m'entraîneront pas à Ascalon ! répliqua Simon.

— Vous allez vous présenter au chapitre de l'Ordre, insista le vieil homme, pour répondre de votre désobéissance, de votre manque de discipline et d'une grossière transgression des règles de votre service ! conclut-il.

— Et moi, que vais-je devenir, illustre Botho de Saint-Omer ? demanda Naiman, plus timide qu'agacé. Qui va enterrer les morts ?

— Que vous importe, Naiman, c'étaient des incroyants comme vous-même, laissez-les en pitance aux oiseaux ! répondit l'homme à la barbe blanche. Poursuivez votre chemin vers Jérusalem, et remplissez la mission que vous a confiée votre seigneur !

Du bout du doigt, il désigna la précieuse cassette que le bigleux avait placé devant lui dans la litière.

— Ensuite, ajouta-t-il en guise d'adieu, si vous n'êtes pas déjà en enfer, faites-moi ce plaisir : allez au diable !

III

LES BOURREAUX D'ASCALON

Lorsque les navires de la flottille des Templiers approchèrent de la fortification portuaire la plus avancée sans diminuer leur vitesse, des coups précis, portés devant leur proue par les catapultes des deux tours de protection, vinrent les mettre en garde. Guillaume de Gisors, qui avait fait hisser bien haut la bannière de l'Ordre, était moins agacé par la garnison mamelouk que par ses propres hommes sur place, qui auraient dû mieux préparer son arrivée, d'autant plus que tous savaient bien qu'il avait à son bord des prisonniers que l'on venait juger ici. Mais le gouverneur du lieu, le « Doge », Georges Morosin, un homme qui lui avait toujours paru suspect, ne se montra même pas pour le saluer. Le grand maître désigné du puissant Prieuré supporta l'humiliation : un seul navire, le sien, fut admis dans le port. Les autres durent rester ancrés à l'extérieur, devant la jetée. La lourde chaîne de fer qui bloquait l'entrée fut détendue, juste assez pour qu'il puisse prudemment glisser dessus. Lorsqu'ils accostèrent, on lui donna l'ordre de se présenter au commandement du port, ce qui était le summum de l'insolence — ou une méchante mise en scène du Doge, qui désirait sans doute l'impressionner. Guillaume de Gisors décida de s'attirer la bienveillance des mamelouks, pour compenser l'hostilité qui semblait se dégager de ses propres rangs. Il choisit dans son bahut aux trésors un précieux cimeterre de parade avec son fourreau (une prise de guerre) et le fit remettre au chef suprême des autorités du port en soulignant qu'il savait fort bien que son Ordre n'était ici qu'un hôte, et qu'il ne pouvait compenser cette hospitalité que par un bien modeste cadeau. Car, ajouta-t-il, être placé sous la protection particulière du sultan du Caire était un privilège extraordinaire.

Le brave homme fut subjugué de voir un Templier de haut rang se montrer aussi modeste et promit aussitôt d'offrir sa vie pour son hôte si cela devait se révéler nécessaire, et de devancer le moindre de ses désirs.

Guillaume s'était ainsi ménagé une sorte de porte de sortie, si des puissances hostiles devaient s'en prendre à lui. Il savait bien cependant que l'attention qu'on leur portait ne lui était pas destinée, mais à Taxiarchos, qui comptait sans doute des amis dans la place. Gisors maudit l'idée de Thomas Bérard, qui avait décidé que le jugement du pirate se déroulerait précisément à Ascalon. Mais les seigneurs qui se trouvaient derrière tout cela allaient être étonnés de l'inflexibilité avec laquelle il allait mener ce procès, jusqu'à ce que le lascar pende au bout d'une corde !

Il but encore un peu de thé. Enfin, un sergent apparut et lui annonça qu'il venait se charger du prisonnier. Guillaume de Gisors était plus près de l'étouffement que de l'accès de rage, mais seul son visage tendre (jadis, on l'appelait « Face d'Ange ») se tordit un peu. Il fit savoir au messager qu'il préférait commencer par inspecter les locaux de l'Ordre avant de transférer directement le détenu du bateau au cachot. Le mamelouk lui proposa de l'escorter jusqu'au donjon du Hafside.

— Le donjon du Hafside ? répéta Gisors, ahuri. Vous ne parlez tout de même pas du marchand d'escl...

— Si, si ! confirma le sergent. Le Hafside est

désormais le propriétaire de l'ancienne commanderie des Templiers. L'Ordre, représenté par le Doge, n'y est qu'un sous-locataire.

— Infamie! grogna Gisors. Pourquoi ne me l'a-t-on pas...

— Cette symbiose dure depuis des années, poursuivit le sergent, impassible. Et elle s'est révélée extrêmement profitable pour le commerce!

Le Templier suivit le sergent en silence. Les mamelouks s'arrêtèrent devant le portail du gigantesque palais, où s'achevait sa mission. Ils ne précisèrent pas qu'Abdal le Hafside n'aimait guère voir des hommes en armes (les siens exceptés) pénétrer dans sa propriété. Guillaume de Gisors, lui non plus, n'aurait pas aimé apparaître devant le Doge et le Hafside avec cette escorte de sabreurs. Il traversa la cour : personne n'était venu l'accueillir. Il s'agissait sûrement d'un ancien caravansérail. Le sergent expliqua qu'on n'y manquait pas de cachots, et que le maître des lieux, Abdal le Hafside, n'était pas là. Le Doge, en revanche, l'attendait. Ils étaient arrivés au pied du donjon qui, semblable à une citadelle, s'élevait au-dessus de toute la propriété et de vastes parties de la ville.

Le Doge reçut le visiteur dans la pièce de travail d'Abdal, sans même se lever. Il avait cependant passé son clams. Guillaume avait l'humeur d'un ange exterminateur. Il bouillait.

— Savez-vous au juste qui se tient devant vous, sans que vous jugiez seulement utile de vous lever? demanda-t-il d'une voix saccadée.

— Guillaume de Gisors, je suppose, répondit le Doge avec un sourire obligeant, avant de préciser aussitôt : Lequel n'a aucun rang dans l'ordre des Templiers, sauf erreur de ma part. L'homme qui se tient assis devant vous a pour sa part la dignité de commandeur. Je puis donc à présent vous proposer de prendre place et de me faire votre rapport.

Guillaume de Gisors resta un certain temps immobile, incapable de dire un mot. Puis il se laissa tomber sur le siège qu'on lui avait offert.

— Comptez-vous me réserver pour toute la durée du procès l'attitude hostile que vous avez manifestée jusqu'ici ? s'enquit-il ensuite d'une voix basse et menaçante. Je suis venu parce que j'ai une mission à remplir. Pas pour vous rendre une visite.

— Bien, répliqua le Doge. Moi aussi, j'aime les situations claires. Je souhaite donc que vous reconnaissiez l'objectivité de mon attitude. Car nous avons à mener un procès, et pas un tribunal vehmique où le verdict est déjà établi.

— Doutez-vous par hasard de la culpabilité du... ?

— Merci ! répondit froidement le Doge. Vous venez déjà de vous disqualifier comme juge, vous ne pouvez plus être qu'un accusateur !

— Est-ce à vous de le décider ? interrogea Gisors, qui tremblait de nouveau de colère.

Le Doge lui mit sous le nez un ordre du grand maître.

— Unique responsable de la bonne mise en œuvre... Avec lettre et cachet !

— Cela fait de vous un président de tribunal, mais pas un juge, loin s'en faut !

— Je n'aimerais pas être le juge, assura le Doge.

— Vous, le commandeur Georges Morosin, vous n'allez tout de même pas assumer la défense de ce pirate ?

— Cela me plairait bien, admit le Doge avec une pointe de regret. Puisque vous, Guillaume de Gisors, avez déjà fait de votre cœur une âme de meurtrier, je ne vous céderai en rien en fausse franchise : de même que vous êtes pressé comme un chien de chasse qui poursuit le renard après l'avoir enfin débusqué de son terrier, je souffre pour ma part avec la créature qui a suivi son instinct et a plongé le grand poulailler dans l'excitation et l'effroi.

— Voulez-vous offenser l'Ordre auquel vous appartenez ?

— Celui qu'ornent les plumes, il se les met au chapeau ! Vous voulez avoir le chapeau du chasseur et

dépecer le renard, l'un comme l'autre sont hono-
rables, mais le chasseur ne peut pas être aussi le
boucher !

— Voulez-vous aussi me contester le droit de porter l'accusation ?

— Je veux très certainement vous libérer d'une
activité qui ne vous revient plus depuis votre arrivée
à Ascalon, celle de sbire ou de maître de geôles ! Le
prisonnier doit être confié au tribunal. Les cachots,
ici, assurent une sécurité totale, y compris au
détenu, au cas où quelqu'un voudrait devancer le
verdict.

— L'attention que vous accordez au criminel
devrait inquiéter les autorités de l'ordre ! commenta
Gisors, menaçant. Il y a certainement un miroir, ici ?

Le Doge ne souriait plus.

— Il est à votre disposition. Par ailleurs, vous
pourrez remonter sur le navire avec lequel vous êtes
arrivé dès que le prisonnier sera ici en bonne santé.

— Êtes-vous devenu fou ? Vous osez me menacer ?

Le regard de Guillaume, que le calme de son interlocuteur avait alerté, se dirigea en haut, vers la
balustrade. Il y vit au moins dix arbalétriers, qui
avaient tous leurs armes braquées sur lui.

— C'est le pire chantage que j'aie...

— Le prisonnier n'est pas votre propriété personnelle, et vous ne disposez pas de son sort. Il appartient à l'Ordre. Vous vous êtes opposé à sa livraison,
et l'Ordre se voit contraint de faire appliquer le droit.

Le Doge se leva pour la première fois et tendit à
Gisors un parchemin déjà rédigé.

— Signez ! Mon sergent se rendra à votre bord
avec ce document et se fera remettre Taxiarchos.
Vous pouvez attendre ici, et vous vous convaincrez
ensuite de la sûreté de notre cachot. À moins que
vous ne vouliez la vérifier tout de suite ?

Le Doge ne laissait aucune échappatoire. Gisors
signa. Le sergent prit la lettre et disparut. Les deux
Templiers n'échangèrent plus le moindre mot.

Depuis que Yeza avait quitté la luxueuse barque de la mère de l'Archer, elle observait sur le rivage du large fleuve limoneux le déchargement du navire. Elle vit alors une troupe de chameliers se diriger vers elle. Elle eut un instant de frayeur : elle se rappelait les menaces qu'avait proférées le nouveau sultan à son encontre. Mais c'est Baibars qui avançait en tête du groupe, et il ne se montra même pas désagréable, malgré sa brutalité habituelle. L'Archer sauta de sa chamelle.

— Soyez saluée, princesse ! tonna-t-il. Je devrais mieux connaître mon illustre mère ! Lorsqu'on m'a dit que sa barque était passée devant le Caire sans faire halte et sans émettre de signal, j'aurais dû me douter qu'elle n'était pas à bord.

— Allah doit vous aimer plus que tout autre, noble Bunduktari, répliqua Yeza, pour vous avoir donné pareille mère. Ce fut pour moi un plaisir de lui tenir compagnie sur ses tapis. Il me faut hélas quitter ici sa protection bienveillante, et confier mon sort au dos de chameaux que je dois encore acheter.

— C'est inutile ! Prenez donc les miens !

— Je ne puis accepter ! répondit Yeza, courtoise.

— Mais si ! Ne serait-ce que parce qu'il me plaît de vous surprendre. Princesse, ce qui n'est pas si simple. Je vais vous accompagner jusqu'à la mer Rouge, car je tiens beaucoup à ce que vous arriviez saine et sauve à Jérusalem.

Yeza regarda le visage anguleux de l'Archer. Il ne trahissait aucune des pensées qui se cachaient derrière son front ridé.

— Dans ce cas, vous savez aussi que j'ai rendez-vous, pour traverser le désert, avec Faucon rouge ?

— L'émir Fassr ed-Din Octay pourrait être retenu... Ou bien il a d'autre soucis.

— Madulain ? demanda Yeza, trop hâtivement.

— Elle lui a filé entre les doigts, avec Ali, le sultan déposé !

Yeza enregistra l'information et préféra se taire. Les fidèles *lancelotti* prirent congé d'elle, comme il avait été convenu avec Hamo. Elle aurait pu demander qu'ils l'accompagnent jusqu'à la mer, et même jusqu'à Jérusalem. Mais elle savait que chacun de ces hommes était attendu par les siens à Otrante. La séparation fut difficile.

— Partons à présent, suggéra l'Archer une fois qu'il se fut assuré que tous les biens de sa protégée avaient été déchargés et répartis sur les chameaux. S'éloigner trop longtemps du palais ne profite jamais à ceux qui détiennent une part du pouvoir.

— Ne vous sacrifiez surtout pas pour moi, Baibars !

Yeza tentait de plaisanter, mais l'émir colérique, l'homme le plus puissant au sultanat des mamelouks, n'entra pas dans le jeu. Et ils entamèrent en silence leur chevauchée dans le désert.

Le voilier du Hafside ancrait toujours à Saint-Syméon, le port d'Antioche. L'état de Roç s'améliorait à vue d'œil, même s'il était encore cloué au lit, malgré les soins attentifs de Geraude. Lorsque la femme au tendre cœur quittait la tente qu'on avait dressée pour lui sur la passerelle arrière, il commençait secrètement à s'exercer. Il courbait son dos maltraité et tentait de faire ses premières tractions. Roç serrait les dents. Mais au bout de trois ou quatre efforts, chaque fois, il retombait sur le ventre. Il aurait hurlé de rage ! C'est dans un moment de désarroi comme celui-là que les trois Occitans lui rendirent visite.

Mas de Morency ouvrit immédiatement sa grande bouche :

— Le Trencavel, fou d'amour, n'a pas encore remarqué que de sa molle couche Geraude s'est enfuie depuis longtemps pour pleurer des larmes brûlantes sur ses pitoyables performances !

Roç décida de ne pas perdre son calme.

— C'est la pure jalousie qui parle !

Raoul tendit la main au Trencavel.

— Messire de Morency qui, on le sait, se branle

trois fois par jour dans son matelas dur en s'imagi-
nant...

— Lui ne dit pas à qui il pense, trompeta Pons,
mais à en juger par sa chaleur finale, il s'agit encore
et toujours de sa lointaine mère adoptive !

Le gros garçon eut juste le temps de se réfugier
derrière la couche de Roç pour échapper aux coups
de pied de Mas.

— Voulez-vous que je vous raconte. Roç, comment sa grande sœur Mafalda en a roulé une à son
petit frère ?

— Ça suffit, à présent, bande de porcs occitans !
ordonna Raoul avant de s'adresser à Roç : Guillaume
de Rubrouck est parti pour Alep.

— Il a pris la fuite devant Potkaxl ! ricana Mas.
Elle l'a surpris au moment où il rendait visite à sa
femme, qui habite en ville, au palais princier.

— Guillaume n'est même pas marié, objecta Pons,
mais il a deux enfants !

— Ni l'un ni l'autre ne sont de lui, contra Roç. Et
Xenia n'est pas non plus leur mère naturelle. Mais
pourquoi à Alep ?

Raoul reprit le récit :

— Monsignore, le cupide, s'est laissé convaincre
par ce moine insatiable qu'une véritable « table
ronde des plaisirs exaucés », puisque c'est ainsi que
ce brave Gosset appelle sa cour du roi Arthur, que ce
lieu, donc, ne peut tenir sa promesse si son unique
source de plaisirs de la chair est cette Toltèque. Potkaxl n'est tout de même pas le Graal, capable
d'abreuver le monde entier jusqu'à plus soif !

— Non, confirma Roç dans un soupir. Dieu sait
que non !

— C'est la raison pour laquelle Monsignore a
puisé, le cœur lourd, dans sa caisse au trésor, et a
remis au frère mineur une somme...

— ... qui suffira tout juste à acheter une Pygmée...

— ... et encore, une toute petite ! ajouta Mas.

— En tout cas, reprit Raoul, Guillaume, une fois
de plus déguisé en marchand musulman, est parti

pour Alep en compagnie d'Abu Bassiht, parce que c'est là que se tient le mieux pourvu des marchés aux esclaves.

— Et il y est allé avec un soufi, en plus! gémit Roç. Ils ne connaissent strictement rien à la manière dont on achète à bon prix ce genre de marchandises.

— Vous devriez lire les vers dans lesquels il chante les mérites des *houris*! intervint le Hafside avec un rire tonitruant. Même s'il s'agit sans doute plutôt, en l'occurrence, des *houris* du Paradis! (Le marchand d'esclaves avait du mal à retrouver son calme.) J'ai proposé à Guillaume les plus belles femmes: des Tcherkesses aux seins en poire, des Nubiennes bien grasses, des Somaliennes aux jambes de gazelle, des Géorgiennes au ventre mou. Mais non, il a absolument voulu aller faire son choix lui-même, avec sa main baladeuse et son regard « expérimenté ». (Abdal le Hafside retrouva son sérieux.) Il faudra peut-être attendre longtemps avant que le moine ne revienne parmi nous. S'il revient! Car si les gardes du marché découvrent à qui ils ont affaire, nous pourrons le racheter à la livre: ils l'auront découpé en morceaux!

— Ce genre de choses n'arrive pas si facilement à Guillaume! dit Roç, pour se tranquilliser. Et puis il a Abu Bassiht comme ange tutélaire.

— Une tête de lard sourde se fait guider par un aveugle à l'esprit confus! Je ne peux en aucun cas attendre que Guillaume revienne dans vos bras, Trencavel. Mes affaires m'appellent à Ascalon. Vous pouvez m'accompagner, vous serez mon invité, ou bien il vous faudra prendre vos quartiers auprès de votre ami Gosset jusqu'à ce que votre franciscain réapparaisse.

— J'attends Guillaume! annonça Roç sans prendre beaucoup de temps pour réfléchir.

— Comme vous voudrez! répondit le Hafside. Par ailleurs, j'ai des nouvelles indirectes de votre *Damna*, elle...

Roç se redressa d'un seul coup.

— De Yeza?

— La princesse Yeza Esclarmonde a demandé un
navire qui doit la conduire à Aqaba par la mer
Rouge. Elle est en route pour Jérusalem!

— Pensez-vous que je devrais...

Roç se laissa retomber sur sa couche, en gémissant.

— Je ne pense rien. C'est à vous de décider. Il faudrait juste ajouter que cette nouvelle est arrivée par
l'intermédiaire du Caire, et qu'elle porte le code de
l'Archer.

— Je trouve cela tranquillisant, déclara Roç, qui
en était profondément convaincu. Baibars n'a que de
bonnes intentions à l'égard de ma dame. Je ne peux
imaginer meilleure protection!

Il avait ainsi touché Abdal à son point le plus sensible : le marchand d'esclaves se considérait lui-
même comme le plus sûr des boucliers pour tous
ceux qu'il prenait sous son aile. Jugeant que Roç
n'était guère reconnaissant, il sortit sans dire au
revoir, non sans ordonner à ses marins de porter sur
le quai la couche et le convalescent.

— Et avec tout cela, la tente, *Allah ia' alam bi kubr
qalbi !*

Il se demanda un bref instant s'il devait prendre
congé de Gosset, mais décida de partir sans autre
formalité. Le Hafside était devenu nerveux, et n'avait
plus qu'une seule hâte : rentrer à Ascalon par le chemin le plus court.

Taxiarchos avait été installé dans une cellule vaste
et claire équipée d'une couchette en pierre, creusée
dans une niche et ornée de plusieurs couches de
tapis. On y trouvait aussi une table en maçonnerie et
un siège, tout aussi dur. Mais aucun objet dans la
pièce ne lui aurait permis d'attenter à ses jours. On
avait donc aussi renoncé à lui lier les mains. La porte
était construite en madriers épais, et la fenêtre à barreaux donnait sur une grande cour dont on ne se servait guère. Taxiarchos faisait les cent pas. Lorsqu'il

se couchait, il avait l'impression que le plafond s'écroulait sur lui. Jusque-là, il n'avait reçu qu'une seule visite du Doge, lequel lui avait seulement demandé s'il existait quelqu'un qu'il lui serait parti-culièrement agréable de rencontrer. Sans hésiter, le Pénicrate avait réclamé son ami Gosset. Le Doge avait promis de faire de son mieux. Pour le reste, il était demeuré très froid. Les repas lui étaient appor-tés par le sergent qui était venu le chercher dans son réduit puant, dans la cale du bateau. De son geôlier, il savait seulement qu'on l'appelait « Harun », et qu'il n'était pas non plus très bavard. Le tribunal n'était pas encore réuni : c'était la seule information qu'il avait pu lui arracher.

Immédiatement après avoir placé son prisonnier sous la garde de l'ancienne commanderie de l'Ordre, Guillaume de Gisors s'était précipité vers la plus haute plate-forme du donjon. En haut, il trouva certes le miroir reluisant, mais aussi un Noir à la sta-ture gigantesque dont le buste nu et huilé brillait au soleil — pas autant, cependant, que son grand cime-terre argenté. Il suivit chacun de ses mouvements en roulant des yeux, l'air attentif. Guillaume de Gisors n'était pas certain que ce colosse comprenait le mes-sage qu'il envoyait à Saint-Jean-d'Acre, mais sa pré-sence l'incita à être concis. Puis il attendit la réponse.

— Es-tu au service du Hafside ou du Temple ? demanda-t-il au géant, très lentement, en détachant les syllabes comme s'il s'adressait à un enfant. Le Noir répondit en inclinant son sabre de telle sorte que la lame nue aveugle son interlocuteur. Guil-laume commença par reculer. Mais il comprit ensuite que l'homme lui renvoyait un message dans son propre code :

— Ques-tion i-di-ote !

Guillaume ne perdit pas son calme et reprit :

— Co-nnais-tu le com-man-dant du port ?

Et le cimeterre lui répondit de nouveau :

— Ques-tion i-di-ote !

— Qui es-tu ? interrogea Guillaume, qui espérait toujours pouvoir trouver un allié utile dans ce nid de guêpes.

Le noir lui renvoya la réponse, une joie puérile dans les yeux :

— Ah-med — le — bour-reau — de — ceux — qui — posent — des — ques-tions — i-dio-tes !

Gisors serra les lèvres. Il évita de regarder l'homme. Mais le miroir se mit alors à briller : on lui envoyait la réponse. Le Noir avança vers la coupe de verre, ce qui fit reculer Guillaume, et émit d'une main experte le signal de reconnaissance du donjon d'Ascalon. À cet instant apparut le Doge, accompagné par le sergent. Guillaume ne put donc déchiffrer tout de suite la décision prise par le grand maître dans la lointaine cité de Saint-Jean-d'Acre :

« Aucun membre de l'Ordre ne doit assumer la défense de l'accusé. Georges Morosin est confirmé dans son rôle de maître du tribunal, et peut jouer celui d'assesseur. Cela est laissé à son seul jugement. Guillaume de Gisors présentera l'accusation au nom de l'Ordinis Sacrae Domus Christi Militiae Templi Salomonis Hierosolymitani Magistri.

Thomas Bérard, locus sigilli.

Post-Scriptum : on vous envoie un juge suprême. »

Ainsi s'achevait le message.

Guillaume de Gisors ne put dissimuler son triomphe, et s'adressa au Doge, moqueur :

— Alors, comment s'exprime « votre seul jugement » ?

Le regard de Morosin alla de la Face d'Ange au reflet du cimeterre.

— Aux questions idiotes, dit-il lentement, on a le droit de répondre par le silence.

Guillaume de Gisors préféra quitter les lieux.

— As-tu touché le Hafside ? demanda le Doge à Ahmed.

Le muet répondit par un signal lumineux, que traduisit Harun, le sergent.

— Abdal a quitté ce matin en toute hâte le port d'Antioche avec Jakov, avant que Gosset ne puisse lui transmettre notre message. Mais on peut supposer qu'il a mis le cap au plus court vers Ascalon !

— Merci, Ahmed, dit le Doge. Informe Gosset, je te prie, qu'il doit lui aussi arriver le plus vite possible.

— Nous ne pourrons le faire qu'en fin d'après-midi, objecta Harun. À midi, le soleil n'est pas propice !

Le Doge donna son accord en hochant la tête, mais Ahmed avait encore un message :

— Gisors, traduisit le sergent, a demandé à Saint-Jean-d'Acre un voilier de l'Ordre, chargé de conduire un certain « Roç Tren-ca-vel » d'Antioche à Ascalon, et immédiatement.

— Tiens donc ! s'exclama le Doge. Qui notre petit Ange veut-il encore installer sur le banc des accusés ? Il me semble que nous devrions informer sa belle-mère, pour qu'elle mette de l'ordre dans ce bazar !

Joyeux intermède sur le marché aux esclaves

La prière de midi était terminée. Les hommes se serraient devant la grande mosquée d'Alep. Parmi eux, on remarquait deux marchands manifestement fortunés. Guillaume avait tenu à ce que Abu Bassiht, vêtu de haillons raides de crasse, s'habille décemment. Comme le soufi n'accordait pas la moindre valeur aux choses extérieures et n'avait pas une seule pièce sur lui, le moine lui avait même payé de sa poche ses vêtements coûteux et ses chaussures de cuir. Devant la mosquée, comme toujours et partout, étaient assis les mendiants qui, aux yeux de tout musulman croyant, avaient un droit à l'aumône. Guillaume joua parfaitement son rôle d'homme riche, il sema les pièces à la volée en sortant, ce qui lui valut de chauds remerciements. Mais Abu Bassiht commença par oublier ses *sanadel* devant la porte. Lorsque Guillaume le lui fit doucement remarquer, il ne les retrouva pas : il n'avait pas noté où il les avait déposées, ni à quoi elles ressemblaient. Cette incertitude lui valut les premières marques d'attention désobligeante. Lorsqu'il eut retrouvé ses souliers, le soufi voulut rejoindre Guillaume mais oublia totalement de verser le *bakchich* de rigueur. En tant que soufi, il était plus habitué à recevoir des dons qu'à en faire. Un hurlement de protestation s'éleva, et Abu Bassiht se mit à fouiller désespérément dans ses poches. On était à deux doigts de l'émeute. Guillaume voulut revenir sur ses pas, mais il était trop tard, la foule en colère le séparait déjà du malheureux. Les sbires du marché voisin arrivèrent en courant, commencèrent par distribuer quelques coups de bâton à l'aveuglette, puis attrapèrent quelques-uns des fauteurs de trouble. Ils s'emparèrent malheureusement aussi du soufi, qui ne se défendit même pas. Guillaume savait qu'il serait absurde (et coûteux) de discuter avec les gardiens. Il ne pourrait obtenir quelque chose qu'en haut lieu. Voire tout au sommet de la hiérarchie.

Vu depuis la mosquée, le Tell se dressait au milieu de la ville comme un gigantesque piton, un château fort surélevé, plus massif que la grande pyramide du Caire. Ses flancs étaient presque lisses. Comme tous les gouvernants avaient rigoureusement veillé à ce qu'on ne construise rien sur ses flancs et à ce que la plate-forme supérieure ne soit protégée que par des mâchicoulis, la colline n'était plus qu'une grande citadelle. À droite, seulement, une étrange fortification descendait vers la ville. À la première porte, flanquée de tours impressionnantes, succédait un pont de pierre en montée qui n'autorisait pas de recul, sauf à sauter dans le vide. Alors seulement, celui qui désirait entrer se retrouvait devant le somptueux portail. Là, on le laissait passer ou on lui prenait la vie.

C'est là que se trouvait pour l'instant Guillaume de Rubrouck, le faux musulman auquel les gardiens demandèrent sèchement son nom et sa requête. Ils le regardaient de la galerie. Certains l'avaient déjà mis en joue. Guillaume s'était longuement et minutieusement préparé à cette question, mais plus rien ne lui venait à l'esprit :

— Dites à votre seigneur Turan-Shah que Guillaume de Rubrouck est venu exiger des explications.

Cela impressionna tellement les gardiens qu'ils détournèrent leurs armes et allèrent prévenir le souverain. La réponse arriva très promptement : les gardiens ouvrirent au plus vite les deux battants du portail et se jetèrent au sol. Guillaume enjamba leurs corps. Le grand eunuque l'attendait déjà derrière la herse levée et lui demanda pardon, avec force courbettes : son maître Turan-Shah ibn az-Zahir avait été surpris dans son bain par cette haute visite, et le priait donc de bien vouloir l'excuser s'il l'y recevait.

Guillaume n'y voyait aucune objection. Il aurait lui aussi apprécié un séjour rafraîchissant au hamam. Enveloppé dans des draps blancs, Turan-Shah était assis au bord du grand bassin des thermes, et observait, l'air soucieux, la vapeur qui montait. Guillaume n'en comprit la raison qu'au moment où il s'approcha : dans l'eau, les yeux fermés, s'ébattait en effet l'émir de Homs, El-Ashraf. Et il déversait sur son oncle un flot de paroles.

— Les Mongols s'abattront sur Alep comme un vol de sauterelles. Ils épargneront vos chrétiens réfugiés dans les églises, mais tous ceux qui, comme vous et moi, n'abjureront pas la foi du Prophète, seront abattus ! Et vous ne pourrez rien y faire. La ville est trop grande pour protéger les murailles. N'attendez pas d'aide de mon cousin An-Nasir, il veut sauver son trône de sultan à Damas. D'ailleurs, il n'y parviendra pas non plus.

L'émir ouvrit son œil bigleux et reconnut le frère mineur malgré ses *amana oua barnas*. Il prit aussitôt à témoin le franciscain déguisé :

— Guillaume de Rubrouck connaît les Mongols mieux que personne. Vous resterez ici pendant quel-

ques jours, perché sur le Tell, tandis que la ville, en
dessous, se noiera dans le sang. Et vous verrez
ensuite ces termites escalader les coteaux par milliers et s'abattre sur vous. Mais il sera trop tard. Ils
vous tortureront jusqu'à ce que vous leur livriez vos
trésors enfouis. Puis, en guise de punition pour avoir
si longtemps hésité, mais aussi un peu par plaisir, ils
vous trancheront la chair par petits morceaux. Et
lorsque vous arrêterez de hurler, ils vous couperont
la tête. N'est-ce pas la vérité, Guillaume de
Rubrouck ?

Le franciscain n'avait jamais eu beaucoup d'estime
pour l'émir, et le vieux Turan-Shah lui faisait pitié :
ces fantasmagories atroces s'abattaient sur lui
comme des flots glacés.

— Cela n'arrive que dans des cas exceptionnels,
répondit Guillaume au bigleux. Lorsqu'on n'excite
pas stupidement un général aussi froid et conciliant
que Kitbogha, lorsqu'on se soumet dignement à lui,
la population, qu'elle soit chrétienne, juive ou
musulmane, ne subit pratiquement aucun dommage. Mais ils occuperont la citadelle une fois que
les défenseurs en seront librement sortis, car les
Mongols respectent le courage guerrier !

— Voilà qui prend déjà une tout autre allure.

Turan-Shah se tourna vers le moine, qu'il ne
connaissait jusqu'ici que par ouï-dire.

— Est-il vrai que je devrai, pour sauver Alep, ramper jusqu'à la croix devant les chrétiens mongols ?

Guillaume ne put lui dissimuler la vérité.

— Les Mongols ne sont pas des combattants de la
foi, ils ne portent pas la croix dans les batailles,
comme les Francs, et nul ne doit ramper devant eux.
La prosternation est une affaire purement formelle.
Mais l'émir a raison : vous ne pourrez pas tenir Alep
une fois que les Mongols seront devant la ville.
Mieux vaut éviter un épanchement de sang inutile.
Acceptez tout de suite l'inévitable.

Turan-Shah regarda longuement Guillaume de ses
yeux tristes.

— Il faut que j'y réfléchisse, déclara-t-il. En tout cas, je vous dois ma gratitude. Que puis-je faire pour vous ?

Guillaume n'hésita pas longtemps, d'autant plus qu'El-Ashraf s'exclamait lui aussi de son bain :

— Demandez donc quelque chose !

— Vos gardes ont arrêté mon compagnon de voyage, le soufi Abu Bassiht, et l'ont jeté au cachot !

— Et moi qui ne savais même pas, grommela Turan-Shah, consterné, que le grand maître se trouvait dans ma ville !

Il claqua dans ses mains, et le grand eunuque accourut avec quelques serviteurs du bain.

— Allez immédiatement chercher ce saint homme, ordonna le souverain, et ramenez-le-moi, pour que je lui demande pardon et lui fasse un cadeau. J'aime ses vers.

Guillaume s'inclina.

— Permettez-moi de prendre congé. Nous sommes venus acheter une belle femme pour un ami sur votre célèbre marché aux esclaves. Nous devrions nous dépêcher, sans cela il ne restera plus que les ratées et les laides.

— El-Ashraf vous accompagnera. Il a mauvais goût, mais les marchands l'aiment bien parce qu'il achète toujours trop cher. Avec lui, on vous gâtera sur le marché comme si vous étiez le Premier gardien du harem du sultan !

Guillaume leva les mains pour refuser, mais El-Ashraf sortait déjà du bain.

— Je vais vous présenter les plus somptueuses *houris* du royaume d'Arménie, des femmes à la cuisse si dure qu'on peut y écraser un pou, alors que leurs fesses sont tendres comme un coussin de velours !

Guillaume détourna pudiquement le regard jusqu'à ce que le grand eunuque ait enveloppé l'émir dans des draps secs.

— À moins que vous ne préfériez la peau noire, dont le portail vous invite comme un coquillage rose tendu vers l'extérieur, des femmes aux seins comme des citrouilles ?

Guillaume roula des yeux pour montrer au vieux Turan-Shah qu'il était désespéré. Mais on interpréta cette attitude comme une expression de pur ravissement.

— Je vois que vous ne méprisez pas la bonne chair ! plaisanta le vieillard presque édenté. Précédez-nous, je pourvoirai Abu Bassiht de tout ce que son cœur souhaitera, pour que cet homme vénéré oublie au plus vite l'affront qui lui a été fait !

Le grand eunuque fit sortir Guillaume du hamam.

Le marché aux esclaves se tenait dans la grande cour du caravansérail de Shadbakti, un bâtiment à deux étages qui se dressait au cœur du souk des marchands de draps. De l'extérieur, il paraissait aussi accueillant qu'une forteresse. Mais tout autour de la cour intérieure pavée, des colonnades adoucissaient cette image rigoureuse. Au milieu du carré, près du bassin, se trouvait une estrade de bois à laquelle menait un petit escalier à plusieurs marches. Elle était couronnée par un bloc surélevé et pourvue d'un poteau à anneaux de fer. C'est là qu'on accrochait la marchandise vendue aux enchères lorsqu'elle se montrait indocile. Deux côtés des galeries étaient attribuées aux négociants, avec leurs chambres et leurs caves, et séparées du reste de la foule par des grilles sévèrement gardées. Les esclaves défilaient rapidement, changeaient de maître ou étaient renvoyés à leur place lorsqu'il n'y avait pas eu d'acheteur. On criait, on braillait, la voix des marchands qui vantaient les corps à vendre était couverte par les jurons poussés par les acheteurs lorsque les prix paraissaient excessifs, ce qui était le plus souvent le cas. Guillaume de Rubrouck resta en retrait jusqu'à ce qu'El-Ashraf finisse par apparaître avec ses gardes du corps, qui lui frayèrent à coups de poing un chemin jusqu'à l'estrade. Les gardiens laissèrent immédiatement l'émir bien connu franchir l'enclos et

entrer dans le secteur réservé aux marchands. Abu
Bassiht invita Guillaume à se joindre à eux. À l'intérieur, la foule ne se pressait pas. Les affaires suivaient discrètement leur cours : les acheteurs et les
vendeurs communiquaient par signes de la main. Il
était en revanche courant de s'assurer de la qualité
des marchandises en les tâtant un peu. Les femmes
supportaient en général stoïquement ce procédé. On
remarqua d'autant plus une furie qu'un petit bonhomme émacié faisait traîner jusqu'au poteau, tout
en haut de l'estrade. La créature criait dans une
langue étrange. Guillaume reconnut immédiatement
l'idiome du Languedoc et écouta attentivement ce
que hurlait la malheureuse.

— Cet imposteur m'a fait boire un somnifère pour
m'enlever ! Je suis la fille du comte Jourdain !

Lorsque Mafalda remarqua que nul ne s'apitoyait
sur son sort, elle changea de tactique : elle se mit à
balancer son joli corps et à faire tourner son bassin
en montrant autant de peau que possible. Guillaume, fasciné, resta les yeux rivés sur ces seins opu-
lents qui semblaient vouloir bondir hors des vêtements qui les enveloppaient. Le soufi, lui aussi, était
extrêmement intéressé par cette prestation.

— N'y a-t-il donc pas ici un chevalier chrétien
auquel je verserai trois fois le prix payé s'il me fait
sortir d'ici, demanda alors la belle, et auquel je don-
nerai en outre le salaire d'amour qui lui reviendra ?

Elle regarda à la ronde, provocatrice. Guillaume
détourna les yeux. Cette femme n'était pas ce qu'il
avait imaginé pour compléter la petite Toltèque.
Celle-là le fatiguait déjà. Elle ne ferait que semer le
trouble à « La Table ronde du roi Arthur ». Mais Abu
Bassiht était enflammé ; il alla parler à l'émir, avec
une énergie qu'on ne lui connaissait guère. Guillaume écouta d'une oreille et comprit qu'El-Ashraf
avait lui-même posé son œil bigleux sur la fille du
comte. Le soufi, bien entendu, n'avait pas d'argent.
Mais Guillaume en possédait certainement assez
pour enchérir, d'autant plus qu'avec son attitude

indécente elle avait déjà effrayé la plupart des clients musulmans. Moins pour faire un plaisir à Abu que pour en ôter un à l'émir, Guillaume décida de participer aux enchères. Il fit signe au marchand, Guillaume remarqua que le bonhomme n'avait plus qu'un bras ; la tromperie et la ruse se lisaient sur son visage. Mais le moine s'abstint de l'interroger sur l'origine de la belle, pour ne pas amoindrir ses chances.

— Je souhaite rester incognito, chuchota-t-il au marchand. À chaque offre que vous recevrez, regardez-moi ! Si mon doigt est posé sur mon nez, j'augmente de la moitié, 50 % en plus ! dit-il dans un arabe parfait. Rinat Le Pulcin lui tendit la main, et Guillaume la serra.

— Vous aurez beaucoup de plaisir avec cette femme, mentit sans le moindre scrupule le fier propriétaire. Je l'ai achetée à Abdal le Hafside il y a quelques jours seulement, c'est une carmélite de pur sang, une nonne que nul n'a encore touchée.

— Ah oui ? Et où cette chance vous a-t-elle été donnée ?

— À Ayas, en Arménie, répondit insolemment Rinat après avoir lancé un regard bref et méfiant au moine.

Pas mal inventé, songea Guillaume en souriant.

— Commencez la vente, à présent, sans quoi le fruit *fi shams Allah* va être gâté !

— Très bien, monseigneur !

Rinat se fraya un chemin jusqu'à l'estrade, où Mafalda s'était recroquevillée devant son poteau comme un petit tas de misère. Aucun marchand n'était venu sans la moindre pudeur expertiser sa poitrine (« seins pendants ! »), lui pincer les fesses (« cul de jument ! ») et lui ouvrir la mâchoire pour observer sa denture impeccable. « Mordante comme un crocodile, venimeuse comme un cobra ! » Seul le soufi l'avait observée et lui avait posé la main sur le bras, pour l'apaiser. Elle le vit ensuite tenter de convaincre l'autre noble seigneur, mais le gros rouquin ne semblait pas particulièrement s'intéresser à elle. En revanche, le troisième homme du groupe s'approcha de Mafalda, la toisa de son regard bigleux comme s'il s'agissait d'une chamelle, et Rinat, le gredin, lui souleva jusqu'aux reins sa jupe déchirée.

— Son giron promet mille joies humides, mais supportera aussi mille coups de votre glorieuse épée ! Ensuite, je vous l'échangerai contre une plus jeune, proposa le porc mutilé.

— Guillaume, implorait le soufi, pensez à mon grand âge ! Qui me réchauffera les membres, si vous ne m'achetez pas à présent ce four brûlant ?

— Je vais voir ce que l'on peut faire, *ya abuya*, le consola le franciscain. Et vérifier si nous avons assez d'argent !

Les gardiens remirent brutalement Mafalda sur ses jambes. Rinat s'épargna la peine de vanter encore sa marchandise : il savait qu'il n'aurait que deux acquéreurs. Ce gredin la mit à prix soixante besants, El-Ashraf hocha la tête et Guillaume posa son doigt sur son nez.

— Cent ! demanda Rinat.

L'émir regarda autour de lui, étonné, parce qu'il n'avait entendu aucun cri et n'avait vu aucune main se lever.

— Cent vingt ! cria El-Ashraf pour conclure l'affaire.

Les doigts de Guillaume firent monter Rinat à deux cents besants. L'émir était furieux :

— Trois cents, et pas un sou de plus !

Rinat regarda Guillaume. Le doigt dressé lui donna le courage de réclamer cinq cents besants.

El-Ashraf fit un signe négatif.

— Gardez-la !

— Cinq cents ! Quelqu'un offre-t-il plus ? demanda de nouveau Rinat.

Les marchands riaient.

— Cinq cents, trois fois ! cria Rinat. La marchandise est acquise par un acheteur connu de moi seul !

Il chercha Guillaume des yeux, mais celui-ci avait

quitté sa place. Le vendeur trouva en revanche le
soufi juste devant lui, qui venait lui verser l'argent.

— Mais il n'y a que trois cent cinquante besants!
s'écria Rinat.

— Cinquante de plus que la dernière offre de
l'émir, rétorqua Abu Bassiht.

Rinat vit l'émir quitter la cour avec Guillaume. Si
les deux hommes étaient de mèche, il était de toute
façon trop tard pour l'établir. Il regarda avidement
les pièces qui lui étaient destinées. Il fit un signe
agacé aux gardiens, pour qu'ils détachent Mafalda de
son poteau et qu'ils la remettent au soufi.

— Emportez cette femelle! fit Rinat entre ces
dents. Pas de reprise, pas de retour!

Mafalda avait toujours les poignets liés lorsqu'on
tendit la corde à Abu Bassiht, qui remit la somme
convenue.

— Merci, *ya munqadhi an-nasib*, bredouilla-t-elle.
Puis elle suivit son nouveau maître.

— Ce n'est pas moi qu'il faut remercier, répondit
Abu Bassiht, confus, mais Guillaume de Rubrouck!

L'ACCUSATEUR, L'AVOCAT, LES JUGES

Le retour du Hafside à Ascalon ne se déroula pas
du tout comme le puissant marchand d'esclaves y
était accoutumé. D'ordinaire, lorsqu'il avait amarré
son voilier au quai, le commandant égyptien courait
lui rendre les honneurs, s'enquérir de sa précieuse
santé et de ses affaires, recevoir un cadeau et lui
transmettre les dernières nouvelles. Dans la plupart
des cas, Abdal le Hafside était mieux informé que le
gouverneur officiel du Caire. Mais cette fois, on ne
baissa même pas la lourde chaîne qui barrait l'entrée
du port, et aucun canot ne vint s'en excuser. Le Hafside fut contraint de jeter l'ancre devant le môle extérieur et de se rendre à pied jusqu'aux murailles. Il se
fit accompagner par Jakov, qui portait comme toujours sur lui le sac contenant ses biens. Dans la *mak-*

tab al mina, il fut salué avec arrogance par un sergent du Temple, un turcopole, qui lui apprit enfin, lorsqu'il eut versé avec beaucoup de générosité ses « taxes portuaires » que l'administration musulmane avait abandonné la ville et le port pour ne pas être coupée de l'Égypte : les troupes mongoles avaient occupé Gaza. En accord avec Le Caire, les affaires de la ville étaient gérées par l'ordre des chevaliers du Temple jusqu'à ce que la situation se soit clarifiée.

Le Hafside pressentit immédiatement un mauvais coup :

— Cela signifie-t-il que ma maison n'est plus...

Le Templier lui coupa brutalement la parole :

— Notre commanderie, si c'est à cela que vous faites allusion, est bien entendu revenue entre nos mains !

— Et mes biens, mes domestiques ?

— Votre ami le Doge s'en est soucié. Le départ en hâte d'un grand nombre de vos coreligionnaires a libéré des palais très prestigieux. Cela dit, la plupart de vos serviteurs ont eux aussi pris leurs jambes à leur cou !

Rien, chez le sergent, ne permettait de savoir s'il se réjouissait des désagréments du Hafside. Le cadeau qu'il avait reçu était suffisamment important pour qu'il puisse au moins feindre la compassion. Le Hafside décida de ne pas faire entrer son voilier dans le port, qui pourrait se transformer en piège, mais de le laisser devant le môle. Il se rendit à la ville à pied.

— « Le sage a ses yeux dans la tête, mais la porte erre dans la pénombre », déclara Jakov, qui était jusqu'ici resté silencieux. Vous n'êtes plus maître chez vous, votre main ne peut plus protéger vos amis, pas plus que votre vie et vos biens. J'ai une mission à remplir. Mais pas en ce lieu : à Jérusalem. On ne peut pas m'en empêcher. Je ne veux donc pas pénétrer dans l'Ascalon des Templiers. Le sang coulera sans que ce sacrifice réjouisse le seigneur, et vous ne pourrez pas l'empêcher.

Il prit son sac à l'épaule et s'en alla.

Le réfectoire de l'ancienne commanderie du Temple, qui, du temps du Hafside, avait servi de halle de stockage pour sa marchandise (en témoignaient encore les anneaux de fer et les chaînes scellés dans les murs) avait été aménagé pour accueillir le tribunal de l'Ordre. La salle avait été badigeonnée de blanc, ce qui ne la rendait pas beaucoup plus souriante. Les fenêtres étaient hautes, et seule une faible lumière tombait sur le sol de pierre, les bancs de bois et les longues tables étroites. Guillaume de Gisors avait fait installer une estrade. La table du juge se trouvait au milieu, flanquée des pupitres du défenseur, à droite, et de l'accusateur, à gauche. Pour l'accusé, on n'avait prévu qu'un banc de bois qui, situé sous le podium, le forçait à lever les yeux vers ses juges. Pour l'instant, l'homme qui était assis sur l'estrade, non point sur le siège surélevé du *iudex caput collegii*, mais sur celui d'un assesseur, était le commandeur Georges Morosin, qui le regardait avec l'air triste d'un vieux saint-bernard. Guillaume de Gisors, derrière son pupitre, tentait d'assombrir encore l'humeur du Doge.

— Je vais aussi inculper votre Roç Trencavel, pour complicité de vol ! annonça-t-il.

Sans même accorder un regard à l'accusateur, Morosin répondit, l'air ennuyé :

— Premièrement, que signifie « votre » ? Je ne suis pas membre du Prieuré. Deuxièmement, ce reproche est grotesque. L'interrogatoire du capitaine a clairement prouvé que nul n'était au courant sur la *Nikè*, et surtout pas Roç.

— Et pourquoi donc, alors, a-t-elle coulé juste devant l'entrée du port de Linosa ? demanda Gisors, triomphant.

— En troisième lieu, poursuivit le Doge comme s'il n'avait pas entendu, il faudrait d'abord mettre la main sur Roç pour le traîner devant votre tribunal, qui n'aurait sans doute pas la compétence de le juger.

— Cela, c'est mon affaire! rétorqua l'Ange, narquois. Le terme « votre », tel que vous venez de l'employer vous aussi, est décidément intéressant. Reconnaissez-vous par là que vous ne vous considérez plus comme un membre de l'Ordre?

— Cela vous conviendrait certainement, Gisors, mais Dieu merci, votre mère vénérée fait toujours office d'instance suprême. (Le coup porta, les traits du visage de Gisors se tordirent de haine, même s'il s'abstint de répondre.) Si elle devait un jour ne plus remplir cette fonction, la question de ma présence dans les rangs de l'Ordre se poserait effectivement.

— La Grande Maîtresse a autre chose à faire qu'à assister aux condamnations de pirates.

— Si vous posez la main sur le couple royal, le coup de bâton maternel est assuré!

— D'ailleurs, ce n'est que ma mère adoptive. Et elle n'osera pas..., riposta Guillaume, déjà fou de rage, lorsqu'on annonça l'arrivée de Templiers venus du désert.

— Simon de Cadet et...

— Ce traître ose-t-il encore se présenter à mes yeux? hurla Gisors.

— Modérez-vous! tonna le Doge. Sinon *in res*, du moins *in modo*!

— Celui-là aussi doit être installé sur le banc des accusés! aboya l'Ange. Mais il se tut aussitôt : le premier, qui entra la tête droite, était un Templier aux cheveux blancs qui rayonnait d'une étrange dignité. Il était suivi par Simon et ses trois compagnons, l'air de chiens battus. Le Doge fit usage de son droit de maître de maison, s'abstint de saluer et demanda aussitôt :

— Qui êtes-vous, chevaliers?

— Le Templier Botho de Saint-Omer est l'un des derniers survivants de La Forbie, déclara Simon. Il a croupi d'innombrables années dans les geôles du Caire, avant que nous ne parvenions à le libérer des mains des Égyptiens.

— Cela n'intéresse que les rats des caves ! répliqua méchamment Gisors. Je veux savoir ce qui l'amène ici !

Alors, le très vieil homme le transperça du regard et dit :

— Je suis le juge, le juge de l'Ordre ! Dieu m'envoie pour juger.

Le Doge fut le premier à réagir.

— Nous vous attendions, frère Botho. Vous êtes le bienvenu. Vous devrez présider le Tribunal en toute neutralité, et dire le droit.

Gisors allait éclater de fureur, mais il se rappela au dernier instant que le Doge avait le privilège de choisir le juge. C'était même peut-être un bon choix. Car le moins qu'on puisse dire était que ce Templier aux cheveux blancs ne rayonnait pas de douceur. Le vieil homme observa Simon et les trois chevaliers.

— Enchaînez-les ! ordonna-t-il au Doge. Jetez-les au cachot ! Ils ont transgressé la règle de l'obéissance, et se sont rendus coupables de lâcheté devant l'ennemi.

Tous semblèrent un instant frappés par la foudre. Guillaume de Gisors reprit la parole :

— Qu'est-ce qu'attend encore le maître de ce procès ? lança-t-il au Doge. Faites entrer les gardes et qu'ils fassent leur office !

Simon et les trois autres se laissèrent emmener sans résister.

— Nous voici donc dotés d'un juge rigoureux ! commenta Guillaume, tout heureux. Le procès peut commencer !

— Je n'ouvrirai pas de procès sans défenseur. Contre personne !

Le Doge sortit du réfectoire, sans même saluer.

Georges Morosin comptait aller rendre visite à Taxiarchos, c'est la mission qu'il s'était fixée pour cette journée. Il voulait s'assurer qu'aucun mal n'était fait au prisonnier avant le verdict, puisque les Templiers avaient pris le pouvoir militaire sur la ville et que la protection de son ami Abdal n'existait plus. C'est un serviteur fidèle du Hafside qui accueillit le visiteur dans la cour.

— Le Sidi est revenu! annonça-t-il. Je dois vous mener à lui.

Le Hafside avait utilisé l'escalier secret qui menait au donjon, juste sous leur salle de travail commune, dans un entresol que l'on ne distinguait pas de l'extérieur. Abdal prit, comme d'habitude, la situation avec sarcasmes, ce que le Doge apprécia.

— Nous pouvons remercier les Mongols au nez aplati de nous avoir plongés dans une merde pareille! lança-t-il en accueillant son ami. Ah, ces peuples qui ne voyagent pas en mer...

— Ils ont conquis Gaza par la mer, corrigea le Doge, grâce à des navires arméniens.

— Et nos mamelouks ont pris la fuite devant cette puissance maritime?

— Baibars ne veut rien précipiter. De petits replis précèdent souvent les grandes batailles.

— Mais cela peut coûter sa tête à notre ami le Taxiarchos.

— Cela lui vaudra peut-être le paradis... Nous devons le libérer!

— Quand avez-vous inspecté le cachot pour la première fois? demanda le Hafside, avec une nuance de moquerie dans la voix.

— Hier, admit le Doge.

— Si vous tentiez d'y pénétrer aujourd'hui, vous y trouveriez un double cordon de sécurité formé par vos frères d'Ordre, la porte verrouillée par trois serrures et les chaînes renforcées, comme s'il s'agissait de retenir Samson. Une douzaine de gardiens dorment même dans sa cellule!

— Que conseillez-vous, Abdal?

— La seule mesure efficace serait de prendre un otage de haut rang.

— Notre Ordre ne cède jamais aux chantages, grommela le Doge. Même si vous vous empariez de notre grand maître, il ne serait jamais échangé. C'est une règle d'airain.

— Les Assassins?

— Ils ne se confrontent pas aux Templiers. Surtout pas maintenant, avec les Mongols dans le dos. Ils seront heureux de ne pas subir ici le même destin qu'à Alamut.

Le Hafside ne s'avouait pas vaincu aussi vite.

— La Grande Maîtresse?

— Nul n'a encore osé..., répondit le Doge, effrayé.

— Nous aurions d'autant plus de chances d'y réussir!

— Elle va venir, réfléchit le Templier à voix haute, parce que Gisors a commis l'erreur d'impliquer le Trencavel dans cette affaire. Mais nul ne sait quand, où ni comment.

— Cela, je peux vous le dire: Roç attend à Antioche l'arrivée de Guillaume de Rubrouck, qui est allé chercher pour Gosset...

— Je parlais de l'arrivée de la Grande Maîtresse, l'interrompit Morosin. Ce serait effectivement un otage de premier ordre, mais on l'estime absolument intouchable. À moins que son fils, qui la déteste...

— Voilà une information très utile, dit le Hafside avec reconnaissance. Nous devrions à présent attendre que Roç Trencavel arrive. Lui a l'oreille de la vieille dame.

Le Doge pensait à autre chose.

— C'est vous, Abdal, qui devriez assurer officiellement la défense du Pénicrate. Sans cela, le procès va nous filer entre les mains. Guillaume de Gisors et son juge suivront alors une procédure expéditive.

— Vous voulez me rendre responsable de la vie et de la mort d'un vieil ami?

— Et qui d'autre?

Dans la tour de « La Table ronde du roi Arthur » de Saint-Symeon, à Antioche, la vie amoureuse des chevaliers et des dames était sens dessus dessous. Mafalda avait pris la direction de la cour de plaisirs. Elle avait même surpassé Potkaxl, et était devenue une attraction pour les clients. Elle avait introduit des nouveautés inouïes, et monsignore Gosset lui avait laissé carte blanche. Car, pour la première fois (même si c'était secrètement et en pleine nuit), le jeune prince Bohémond avait fait à « La Table ronde » l'honneur de sa présence.

L'escorte ayyubide que le gouverneur d'Alep avait donnée au fameux ami et ambassadeur du grand khan, Guillaume de Rubrouck, pour son trajet de retour avait naturellement abandonné son protégé en atteignant la frontière de la principauté, où les Francs, toujours imprévisibles, auraient pu les tailler en pièces. Le moine et le soufi s'étaient ainsi retrouvés seuls avec l'esclave achetée à prix d'or et leurs porteurs. Lorsqu'ils apparurent à Saint-Symeon, la cage était devenue une litière ouverte dans laquelle trônait Mafalda. Guillaume et Abu Bassiht rampaient devant elle, des fers au cou et aux mains. La dame leur assenait des coups de fouet qui n'avaient rien de fictifs. Ils l'en remerciaient encore lorsqu'ils atteignirent enfin la tour de « La Table ronde ».

Mafalda n'avait pas poussé des cris de joie, loin de là, en y retrouvant son frère et ses compagnons. Elle ne salua pas non plus avec beaucoup de chaleur la princesse toltèque. Mais le fait que Roç et Geraude séjournent à proximité, eux qu'elle avait quittés en sautant du navire devant Otrante, à quelques milliers de milles de là, ne paraissait pas l'impressionner particulièrement. Elle se fit attribuer la meilleure chambre par Gosset, comme si c'était tout naturel, et s'y enferma après avoir jeté son linge sale aux pieds de Potkaxl, pour que celle-ci le lave. Un peu plus tard, la dame convoqua auprès d'elle Guillaume et le soufi. Les deux hommes, qui s'étaient à peine remis et avaient fait une rapide toilette, la suivirent sans discuter.

Le gros Pons parvint à trouver un trou dans la paroi. Peu de temps après, il entendit d'étranges claquements dans la pièce, accompagnés de gémissements sourds. Pons fit signe à ses compagnons. Ce qu'ils virent les décontenança tellement qu'ils allèrent chercher la Toltèque.

Mas ne se laissa pas écarter de son trou.

— D'un derviche tourneur, je me serais attendu à pas mal de choses, chuchota-t-il, mais que le fleuron des franciscains aille aussi loin, ça...

Il finit par céder sa place, à Raoul. À travers le trou du mur, celui-ci ne vit que le torse de Mafalda, toute nue, hormis une ceinture de chasteté en or, ornée de cuivre. Il reconnut en revanche les deux religieux, qui ne portaient qu'une corde autour du ventre. Ils rampaient à quatre pattes sous les cuisses écartées de Mafalda, et recevaient à chaque passage des coups de fouet en peau d'hippopotame.

— Ça me plairait bien, à moi aussi, soupira Pons en lançant un sourire triste à Potkaxl.

— Il n'en est pas question ! s'exclama-t-elle, écœurée. Je ne veux même pas le regarder, ça me rappelle l'abattoir, les sacrifices humains !

Et elle partit en courant.

— Notre Toltèque est rattrapée par son passé de vestale ! se moqua Raoul tandis que Mas tentait de prendre sa place. À cet instant, Gosset arriva à son tour, et ne jeta qu'un bref regard à travers la paroi, comme s'il ne s'était pas attendu à découvrir un autre tableau.

— Guillaume devrait passer une bure sur sa corde ! cria-t-il derrière la porte fermée. Roç Trencavel nous rejoint !

Mas vit le franciscain à la peau rose se relever d'un seul coup : il s'en serait fallu de peu qu'il ne soulève sa dominatrice sur son dos. Abu Bassiht, pour sa part, se laissa tomber sur le ventre.

Raoul éloigna ses compagnons du spectacle.

— Il n'est pas nécessaire que Roç Trencavel voie à quel niveau sont tombés ses chevaliers ! Allons le saluer !

Roç boitait encore un peu. Il s'appuyait sur Geraude pour marcher. Potkaxl vint à leur aide en annonçant d'une voix distinguée :

— Je suis profondément heureuse que vous ayez retrouvé vos forces !

Les Occitans n'entendirent que l'ambiguïté de la phrase. La franchise de la Toltèque les fit éclater de rire. Geraude vint à son aide :

— Ce sera une grande joie pour notre maîtresse Yeza Esclarmonde, que vous puissiez bientôt reprendre les rênes, dit-elle au Trencavel, qui s'était installé en gémissant sur le banc, devant le mur. Notamment pour rappeler leurs devoirs aux jeunes chevaliers, afin qu'ils ne se laissent plus aller à leurs idées stupides.

— Il n'est pas si stupide que cela de consacrer ses forces à chevaucher de belles juments, répliqua Mas en regardant insolemment Geraude, les yeux dans les yeux. Ni les juments idiotes, d'ailleurs.

Le coup qu'il reçut sur la nuque n'était ni de Roç, ni de Raoul, mais de Mafalda.

— Tous les boucs puent, Mas. Toi, tu es parfumé à la branlette !

La Première dame avait passé une robe somptueuse qui effaçait tout souvenir de sa tenue précédente. Derrière elle apparut Guillaume de Rubrouck, qui se dirigea vers Roç et lui posa les deux mains sur les épaules.

— Comme ils sont minuscules, tous les délices de ce monde, à côté du bonheur d'être de nouveau uni à vous !

Roç tira vers lui la tête du franciscain et l'embrassa sur le front.

— Mon vieux filou de Flamand ! dit-il avec émotion. Maintenant que vous êtes revenu parmi nous, plus rien n'ira de travers. Car du malheur, nous en avons eu notre dose, et vous n'y étiez pour rien, Guillaume !

À peu près à la même heure, un voilier rapide de l'ordre des Templiers arriva dans le port. Peu après, une délégation de chevaliers en clams blanc à croix griffue rouge se présenta devant Roç. Leur chef annonça :

— Nous sommes venus vous conduire à Jérusalem, noble Trencavel !

Roç eut l'impression que ces hommes lui étaient envoyés par le ciel. Il ne les interrogea pas sur leur origine et les causes de leur venue, et se leva aussitôt, par ses propres moyens.

— Je ne veux pas perdre un seul instant ! s'exclama-t-il tandis que Guillaume se dépêchait de lui proposer son bras. Suivez-moi tous ! ajouta Roç à l'attention de Raoul et des autres.

Mais les trois lascars baissèrent la tête, Mafalda fronça le nez, hautaine, Potkaxl détourna le regard, l'air confus. Seuls les yeux de Geraude s'emplirent de larmes.

— Eh bien soit, dit Roç, dont l'élan s'était considérablement atténué. Vous savez où trouver le couple royal. Venez, Guillaume, en route vers Jérusalem !

Il suivit les Templiers la tête haute, au bras du franciscain. Ils se rendirent directement à bord du voilier, qui détacha aussitôt les amarres. Au dernier instant, Gosset arriva en courant par la porte de la ville.

— Halte ! cria-t-il. Emmenez-moi avec vous, Roç Trencavel !

On rabaissa la passerelle. Le prêtre, lui non plus, n'emportait rien de plus que ce qu'il avait sur lui. Le voilier leva l'ancre, tourna avec élégance dans l'étroit bassin du port et glissa vers la pleine mer en passant devant la tour de « La Table ronde du roi Arthur », avant même que les gardiens du port, hagards, aient eu le réflexe de signaler l'apparition insolente d'un navire du Temple.

— Où est Guillaume ?

Abu Bassiht, se réveillait. Il se frotta les yeux et eut tout juste le temps d'apercevoir la dernière pointe de mât.

— Je reste avec vous ! déclara-t-il, l'air d'un chien fidèle, à dame Mafalda, sa maîtresse d'élection. Mais celle-ci le regarda sévèrement :

— Et qui va payer pour vous, soufi ? s'exclama-
t-elle sans pitié. Le frère mineur s'est dérobé à ma
généreuse éducation pour participer au destin du
couple royal, ce qui est une peine bien plus sévère.
Vous devriez vous aussi vous rendre à Jérusalem.

— Mais le navire est parti ! rappela Potkaxl pour
défendre le pauvre homme.

— Un soufi véritable marche jour et nuit, traverse
les déserts, franchit les montagnes jusqu'à ce qu'il ait
atteint la vie véritable, la Sainte Jérusalem ! répliqua
Mafalda.

Abu Bassiht noua son balluchon et se mit en route.

Yeza menait son chameau à côté de celui de Baibars. Elle ne tenait pas spécialement à discuter avec
l'Archer, mais elle souhaitait montrer qu'ils étaient
sur un pied d'égalité, d'autant plus qu'elle ne disposait pas d'une cour susceptible d'appuyer ses prétentions seigneuriales. On ne ferait pas un très grand
État avec Kefir et Jordi. Elle aurait bien aimé savoir
ce qui poussait l'homme le plus puissant du Caire à
guider ainsi à travers le désert une souveraine sans
couronne et sans terres. Mais Baibars se taisait, et
elle ne serait pas la première à briser le silence. Ils
voyaient déjà l'eau, une côte isolée sur le Golfe,
lorsque Baibars se retourna. Une colonne de poussière s'élevait derrière eux, annonçant des cavaliers
au galop. Yeza fut inquiète : elle pensa d'abord au
sultan du Caire. Mais Baibars la détrompa.

— Votre ami Faucon rouge, grommela-t-il d'une
voix qui trahissait sa jalousie.

— Il ne vous croit pas capable de faire ce parcours
tout seul dans le désert avec une jeune dame,
l'Archer !

Yeza avait tenté d'amuser son accompagnateur
grognon. Elle n'y parvint pas.

— Fassr ed-Din Octay ferait mieux de se soucier
de sa propre épouse. Un homme d'honneur ne laisse
pas sa femme seule avec un jeune gaillard, que ce
soit dans le désert ou sur la mer ! railla Baibars.

Deux gardiens pour votre vertu, Princesse, c'est un de trop. Mon escorte vous accompagnera jusqu'au terme de votre voyage. Mais ma présence est désormais inutile.

Baibars s'efforça de ne pas paraître vexé.

— Vous êtes un cavalier rapide, aussi rapide que le vol du faucon, dit-il pour accueillir l'arrivant.

Il n'avait pas bridé son cheval, et Faucon rouge reprit cette salutation au vol.

— Mais la flèche de l'Archer va plus vite que le battement d'ailes du griffon. Vous m'attendiez, Baibars. Sans cela, je ne vous aurais jamais rattrapé.

— Votre maison tient encore debout ? l'interrompit brusquement Yeza.

— Qutuz a calmé ses nerfs dans mon jardin, comme un enfant qui décapite des fleurs.

— Je n'ai pu l'empêcher, dit Baibars. L'essentiel était que votre épouse ne se promène plus dans le jardin à ce moment-là. Ce n'est pas à la tête de la rose Madulain que le sultan se serait intéressé !

— Si l'Archer vous offre déjà son escorte, dit Faucon rouge sans relever l'allusion, vous n'avez plus besoin de moi à vos côtés.

— Je prends congé ici, répliqua aussitôt Baibars, puisque je sais que la princesse est à présent sous la protection d'un chevalier. Votre mission de dame, ajouta-t-il en s'adressant à Yeza, sera d'apaiser le cœur blessé de Faucon rouge jusqu'à ce que cet oiseau sérieusement ébouriffé soit de nouveau uni avec son épouse. Portez-vous bien, dit-il en rejoignant ses Bédouins, et envoyez-moi un pigeon lorsque vous aurez heureusement atteint Jérusalem. Mais utilisez le miroir situé sur l'étoile de David, si quelque chose vous menace !

L'Archer leva la main pour les saluer, quitta la troupe des chameliers et obliqua droit vers le nord. Ses cavaliers le suivirent. Les Bédouins de Faucon rouge prirent leur place et se dirigèrent vers la plage toute proche, avec la petite escorte de Yeza.

— Vous n'êtes pas forcé de me sacrifier votre

temps, déclara Yeza à son vieil ami, dont le front paraissait embrumé. Je retrouverai seule mon chemin vers Jérusalem, avec mon admirable guerrier.

Faucon rouge fut le premier à apercevoir le voilier immobilisé sur la mer, voiles abattues.

— Vous êtes déjà attendue, Yeza, déclara-t-il. J'accepte votre offre généreuse. Déposez-moi en face, sur la côte. Je vous rejoindrai à Aqaba dès que j'aurai rejoint mon épouse, dont je sais qu'elle se trouve sous la garde de mes Bédouins dévoués.

Yeza le regarda, l'air songeur.

— Vous risquez de mettre plus de temps à traverser le Sinaï qu'à le contourner à la voile. Je ne vous attendrai pas : je vais poursuivre mon voyage. Si, en chemin, vous ne tombez pas sur nos ossements blanchis par le soleil, vous pourrez être certain que nous sommes arrivés avant vous à Jérusalem.

Ils allumèrent un feu sur la plage et firent signe au navire. Celui-ci leva les voiles et se dirigea vers le rivage.

Lorsque le voilier rapide des Templiers passa, sans ralentir sa course, devant le port et le château de Jaffa, Roç s'insurgea.

— Nous avons pour mission de vous conduire à Ascalon, expliqua le capitaine en ajoutant, pour le tranquilliser : de là, le chemin terrestre qui mène à Jérusalem est presque aussi long. Mais nous pourrons vous y offrir une escorte, alors que le prince de Joppe n'est pas maître chez lui.

Il désigna les tours de la citadelle, sur la côte. Effectivement, un croissant de lune sur fond vert y flottait sur un mât. Roç comprit, avec un pincement au cœur, que Yeza atteindrait sans doute avant lui leur objectif. Mais la joie insensée qu'il ressentait à l'idée de pouvoir de nouveau la prendre dans ses bras fut la plus forte.

— Tu sais, Guillaume, confia-t-il au franciscain, il n'y a pas deux femmes comme Yeza dans ce monde !

— J'en ai pris conscience, assura le moine en souriant, dès que je vous ai bercés sur mes genoux, quand vous étiez tout petits, lorsque Yeza ne voulait pas se laisser décrocher de moi parce que tu avais le droit d'aller faire pipi tout seul, et debout...

— Je sais, rétorqua Roç, tu racontes toujours la même histoire. Notre Guillaume devient peu à peu sénile, dit-il à Gosset.

Mais le prêtre ne voulut pas participer aux attaques contre le frère mineur, qu'il connaissait et estimait depuis les journées passées au palais du Pénicrate, le Kallistos.

— Quinze années de chemin avec vous, Roç Trencavel, et la dame Esclarmonde, d'abord enfants du Graal, puis couple royal : il y a de quoi vieillir un homme prématurément ! C'est un miracle que les cheveux de Guillaume ne soient pas depuis longtemps blancs comme neige !

Ils rirent tous les trois jusqu'à ce que Roç déclare, avec le plus grand sérieux :

— Une fois parvenus à Jérusalem, il va bien falloir que nous le trouvions !

Gosset sut aussitôt de quoi parlait Roç. Mais Guillaume ne comprit pas :

— Qui donc ?

Roç allait lui éclater de rire au visage, quand Gosset l'en empêcha habilement :

— Notre Roç Trencavel cherche le calice noir, issu d'une pierre noire. Celle-ci est une partie d'une météorite noire que notre terre a jadis reçue du cosmos, comme un stigmate du mal, un signe du fait qu'elle lui appartient.

Roç leva les yeux, étonné.

— Vous avez fait des progrès, monsignore, se moqua-t-il. Moi qui croyais que vous trouviez tout votre bonheur à gérer des maisons de plaisir.

— L'homme ne vit pas que de pain, répliqua le prêtre. *Domitas habere libidines !* Nulle part au monde, on n'atteint la paix des sens plus rapidement que sous des *houris* accomplissant leur besogne avec zèle. Croyez-moi, elles sont la serrure du paradis.

— Vous avez décidément tous deux l'art de vous faufiler dans l'existence, constata Roç. L'un ne supporte rien, l'autre ne s'engage à rien. Moi, je n'ai jamais pris que des coups !

— C'est le Perceval en vous, une émergence de l'esprit des Trencavel.

— Tant que vous ne tendez pas une hostie au fils d'une hérétique..., plaisanta Guillaume. Mais Roç s'énervait.

— Vous êtes tellement intelligents, tous les deux ! lança-t-il brutalement à Gosset. Alors, dites-le-moi : ce calice est-il le Graal ?

— Pas du tout, rétorqua le prêtre. Tout juste un substitut.

— Un vénéneux ! ajouta Guillaume. Extrêmement dangereux !

— Le calice est un leurre. (Gosset avait retrouvé son sérieux.) Il utilise le symbole prestigieux de la communauté du Graal, fait croire qu'il a le même noble contenu, et remet l'âme de celui qui le cherche entre les mains du Démiurge.

— Et pourtant, il désigne la direction, à chaque intersection, dit Guillaume. C'est toujours la direction opposée !

Lorsque Faucon rouge atteignit le col de Mitla, qui surplombe l'accès nord du Caire, dans le désert où il savait que se situaient les terres d'origine des Bédouins fidèles à son père, il ne rencontra que quelques vieillards, des femmes et des enfants. On lui raconta que l'émir mamelouk était passé là. L'Archer avait levé tous les hommes en état de porter les armes et s'était dirigé avec eux vers Gaza en toute hâte. L'épouse de Faucon rouge et le jeune sultan les avaient suivis.

Le fils du grand vizir réprima un juron. Courir après les fugitifs n'avait aucun sens, cela le rendrait grotesque, surtout aux yeux de son vieux rival Baibars. Revenir au Caire ? Sans le soutien de l'Archer, il ne pouvait pas affronter Qutuz. Il ne lui restait que deux possibilités. Il se rendrait à Damas où Madulain se retrouverait certainement tôt ou tard, et se mettrait au service d'An-Nasir, qui l'accueillerait certainement les bras ouverts. Savoir comment le sultan ayyubide se comporterait à l'égard du jeune Ali était une autre affaire. Faucon rouge n'avait pas lui non plus de sentiments particulièrement bienveillants à l'égard de ce gamin, depuis que Madulain avait pris fait et cause pour le sultan détrôné. Il était de plus en plus difficile de deviner quelle serait la prochaine démarche de Madulain. Il restait le chemin de Jérusalem, où il pourrait rencontrer Yeza, comme il l'avait promis. Elle avait certes elle aussi la tête dure, mais elle, au moins, nourrissait des projets de haut vol. Le grand projet ! Comment avait-il pu en douter ! Il se sentait lié à lui, il avait été choisi pour veiller sur Roç et Yeza. Faucon rouge sentit la certitude tranquillisante, et la fierté non négligeable de savoir que la puissance secrète du Prieuré soutenait son engagement. Qu'il aille à présent à Gaza, à Damas ou à Jérusalem, il ne pouvait pour l'instant suivre qu'une seule piste, celle qui traversait le Sinaï et le désert du Néguev. Plein d'assurance, il se mit en route.

UN PROCÈS, ET DES CONSIDÉRATIONS SUPÉRIEURES

À Ascalon, le procès que l'ordre des Templiers comptait faire à Taxiarchos avait débuté. Mais l'accusation ne s'était pas imposée aussitôt : compte tenu des preuves incontestables, Gisors pensait qu'on délibérerait seulement sur la nature de la peine. Si l'on respectait les formes, c'est à Botho de Saint-Omer, le juge, qu'on le devait — au grand agacement de Guillaume de Gisors. Le vieux soldat commença par se faire raconter dans les moindres détails la prise de *L'Atalante*, en interrogeant exclusivement les rares témoins oculaires. Mis à part l'accusé lui-même, il ne disposait pour l'instant que de Simon de Cadet et des trois autres Templiers. Guillaume de Gisors aurait préféré voir ses frères d'Ordre assis à côté de Taxiarchos sur le banc des accusés, mais celui-ci y était toujours seul, regardait en souriant autour de lui et se taisait, comme le lui avait conseillé son défenseur, le Hafside. C'est donc à Simon qu'il revint de raconter les événements survenus à Linosa. Dès qu'il eut fini, le Doge l'interrogea.

— Je retiens que Taxiarchos était déjà sous votre surveillance, frère Simon de Cadet, quand la *Nikè* est apparue devant l'île.

— Oui, il avait nagé jusqu'à l'île lorsqu'une mutinerie avait éclaté sur la trirème...

— Étiez-vous donc totalement hébété, l'interrompit Guillaume, pour ne pas avoir trouvé bizarre que tous ces événements extraordinaires, qui auraient pu se dérouler en n'importe quel point de la vaste Méditerranée, soient justement survenus devant l'entrée cachée du port de Linosa!

— L'accusation est priée de respecter une certaine retenue dans l'usage d'expressions imagées! rappela le juge.

Simon remercia le vieil homme d'un hochement de tête.

— Lorsque le premier navire, qui fut d'abord tout seul, apparut au large, nous n'avions aucune raison de le soupçonner.

Simon se défendait seul, pour l'instant : il n'était pas encore accusé.

— Mais cette « mutinerie » était déjà un subterfuge! répliqua Guillaume.

— Voilà une affirmation sans aucune preuve! rétorqua le Hafside.

— Ma question au témoin était différente, reprit le Doge. Par quel biais toute la garnison de l'île a-t-elle su d'un seul coup que la *Nikè* allait arriver chargée d'or? Est-ce Taxiarchos qui a répandu cette rumeur?

— Ni directement, ni volontairement, admit l'ancien commandant. Son premier interrogatoire a eu lieu au vu et au su de tous, car nul ne pouvait deviner ce qu'il allait raconter sur la *Nikè* et sur son or. La nouvelle s'est propagée comme un feu de brousse anodin, cela n'avait rien de l'incendie de forêt qui s'est déclenché au moment où la *Nikè* est arrivée et s'est mise à couler sous nos yeux.

— Et même là, vous ne trouviez toujours rien d'inquiétant, messire Simon ?

— Il était trop tard ! s'exclama le Hafside.

— Comment Taxiarchos s'est-il comporté à votre égard, lorsque votre maison s'est retrouvée en flammes ?

— Il a tout fait pour éteindre l'incendie et nous aider.

À cet instant, on fit entrer Roç dans la salle du tribunal. Il s'était étonné que ses compagnons de voyage, les Templiers, le conduisent à la commanderie immédiatement après leur arrivée à Ascalon, éludent ses questions sur le Hafside et sur le Doge, et tentent de le séparer de Guillaume et de Gosset. Roç était hors de lui et s'apprêtait à protester contre ces méthodes brutales lorsqu'on le poussa dans la salle.

Guillaume de Gisors salua aussitôt son arrivée :

— Voici l'homme qui commandait la *Nikè*. J'accuse Roç Trencavel de compli...

— Taisez-vous ! tonna Botho de Saint-Omer. Roç Trencavel, qui se présente ici de son propre chef, peut tout au plus être entendu comme témoin !

Roç avait immédiatement compris la situation. Il lança un regard à Gosset pour l'implorer de ne pas répliquer.

— Ma place est à côté de Taxiarchos ! s'exclama-t-il en tirant Guillaume par la manche et en le forçant à s'asseoir sur le banc des accusés.

Taxiarchos n'eut pas l'air étonné de ce geste spontané. Il se contenta de sourire discrètement au nouveau venu, comme on salue quelqu'un à la *qahua* lorsqu'il prend place à votre table. Guillaume de Gisors avait quant à lui préparé ses arguments pour une nouvelle attaque.

— Dans ce cas, le témoin Roç Trencavel peut nous

expliquer comment et pourquoi il a fait couler la *Nikè*.

— Cette demande est infâme, répondit Gosset. Le Trencavel ignorait que se cachait parmi ses chevaliers le plus dangereux saboteur de l'empire : Dietrich von Röpkenstein !

— Qui êtes-vous donc, demanda Gisors, énervé, pour oser me parler ainsi ?

— Mon identité vous est sans doute connue, répondit monsignore en s'asseyant à côté du Hafside. Ici, vous pouvez voir en ma personne l'assistant judiciaire de Roç Trencavel.

— Ce qui ne signifie pas, protesta aussitôt Roç, que j'approuve les calomnies contre un...

Il ne trouva pas l'expression juste. Le mot « ami » aurait pu produire une impression déplacée.

— *De mortibus nihil nisi bene !* intervint Guillaume en se jetant dans la brèche, suivi par le Hafside :

— En tout cas, nous ne pouvons en aucun cas rendre responsable Taxiarchos des événements qui se sont produits à bord de la *Nikè*.

— Nous ne pouvons pas non plus les attacher à la corde déchirée à laquelle il aurait déjà dû pendre à cette époque ! railla Gisors.

— Taxiarchos a empêché que nous soyons lynchés par les mutins ! s'indigna Simon, mais cela ne toucha guère l'accusateur.

— Une main lave l'autre. Vous le sauvez, il vous sauve. Et en remerciement, vous lui donnez la clef !

— Dans le cas contraire, elle m'aurait été prise par la force, et des mains malhabiles auraient causé des dommages à *L'Atalante*.

— Et puis il s'agissait de sauver des naufragés ! objecta le Hafside. Les actes d'altruisme sont-ils tellement mal vus, désormais, chez les Templiers, que vous les dénonciez comme des crimes ?

— Ils auraient aussi pu nager jusqu'au rivage !

— Chacun ne maîtrise pas cet art. Et les chevaux étaient sous le pont. Auriez-vous aussi voulu les sacrifier, par hasard? (Le Hafside perdait son calme.) L'intervention de *L'Atalante* était un devoir moral, chrétien et chevaleresque. Honte sur quiconque aurait voulu se conduire autrement! D'autant plus que le retour du bateau salvateur dans le port ne faisait aucun doute. Seulement, à ce moment-là, est apparue la trirème.

— Elle aussi pour sauver les naufragés? se moqua l'accusateur. Une rencontre fortuite de Samaritains! D'agneaux innocents! L'équipage, qui était encore un instant plutôt composé de mutins, se soumet alors de bonne grâce au commandement de ce Taxiarchos qu'il voulait pendre?

Gisors fut pris d'un fou rire qui manqua l'étouffer. Son visage d'ange se déforma en une face rouge et enflée. Le Hafside le laissa se calmer, puis répliqua calmement :

— L'accusation oublie totalement que c'est l'équipage de *L'Atalante* qui s'est emparé de son propre navire. Tout le reste n'est que réaction à cette situation extrêmement périlleuse.

— Halte, l'interrompit le juge. Quelle est la conclusion : s'agissait-il d'une opération de sauvetage (adaptée ou non) pour sauver des naufragés, ou l'essentiel était-il l'or de la *Nikè*?

— Il n'y avait pas d'or dans la *Nikè*! aboya Gisors, toujours cramoisi.

— C'est précisément cette découverte qui a déclenché l'insurrection des esclaves rameurs, répliqua le Hafside. Dans le cas contraire, ils se seraient retirés dans le port, satisfaits, avec leur proie et *L'Atalante*. Mais à présent, plus rien ne pouvait les dompter. Taxiarchos a été contraint de reprendre le commandement. Sinon, ils seraient repartis avec *L'Atalante* et se seraient certainement écrasés contre le premier écueil venu.

— Je constate que Taxiarchos est le sauveteur de *L'Atalante*, trancha Botho de Saint-Omer, implacable, et j'espère que l'accusation me suivra. Ce navire lui est tombé sur les genoux comme un sac d'or étranger. La seule question qui se pose est de savoir combien de temps on peut conserver et utiliser un tel objet trouvé sans que son inventeur sincère se transforme en voleur.

La question était adressée à Gisors.

— L'accusé savait à qui appartenait le navire, et n'a rien fait pour le restituer au propriétaire, bien au contraire.

— Merci, dit le juge. Et je vais encore attirer votre attention sur autre chose. Selon les assertions de la défense, c'est le fait que la *Nikè* n'ait pas contenu d'or qui a déclenché l'insurrection. Mais qui, le premier, et le seul, a fait courir l'histoire de l'existence de cet or dans le petit monde de Linosa ?

Gosset vit le piège plus vite que le Hafside.

— Mais cet or existait réellement ! s'écria-t-il afin de dissiper la mauvaise impression produite par la phrase de Saint-Omer. Au moment où Taxiarchos a quitté Palerme, la *Nikè* avait effectivement à son bord des masses d'or considérables que l'ambassadeur de Grèce transportait avec lui. L'accusé ne pouvait pas savoir qu'entre-temps ce trésor avait été confisqué et l'ambassadeur emprisonné.

— Ce qui me paraît important, répondit le juge, ce n'est pas la réalité de l'or, mais le bruit qu'il faisait. Il a suffi pour déclencher les événements.

— On peut aussi se servir de fausses pièces, suggéra joyeusement Gisors. C'est moins cher, et cela paraît sans risque, mis à part la mort au bout d'une corde.

— Guillaume de Gisors, intervint le Doge, vous laissez fâcheusement transparaître votre unique objectif ! Si j'interprète correctement tout ce qui a été dit (il chercha à s'assurer de la bienveillance du président, mais celui-ci ne se départit pas de sa mine impénétrable), alors ni la présence ou l'absence de l'or, ni le naufrage de la *Nikè* ni la sortie de *L'Atalante* n'ont un rapport manifeste avec l'accusé. La seule question est de savoir si son comportement a été correct lorsqu'il s'est retrouvé malgré lui au gouvernail de *L'Atalante* sans être le maître du navire !

— Supposons, répondit Gisors, qu'il se soit comporté comme la Vierge a mis son enfant au monde. Alors, il est tout de même incontestable que ce pauvre diable de Taxiarchos a pris le pouvoir sur le navire, car ses errances (il a parcouru l'Adriatique dans les deux sens, écumé la mer Ionique, il est passé au large de la Crète et a fait route jusqu'à Alexandrie) ne respectaient pas, je suppose, la volonté de son équipage. A-t-il cherché le plus proche port tenu par les Templiers pour leur restituer ce bien qui n'était pas le sien? Nenni! Il a soigneusement évité nos garnisons...

— Objection! s'exclama le Hafside. Nous devons considérer que, s'il tenait effectivement le gouvernail, il devait en revanche procéder avec d'extrêmes précautions à l'égard de son équipage insurgé. Croyez-vous donc qu'ils l'auraient laissé se rendre à Saint-Jean-d'Acre ou à Tyr? Ils l'auraient taillé en pièces! Il lui fallait d'abord les tranquilliser, gagner leur confiance et les habituer à sa direction. Lorsque votre armada a arrêté *L'Atalante,* Taxiarchos était en route pour Linosa!

L'audace de ce scénario laissa même Gisors bouche bée.

— Le tribunal se retire pour délibérer, annonça Botho de Saint-Omer, l'air impénétrable.

Le Doge et Abdal le Hafside étaient assis l'un en face de l'autre dans leur bureau commun, au donjon d'Ascalon. L'expropriation n'avait pas duré bien longtemps; Georges Morosin avait réussi à imposer ses droits auprès du grand maître. L'Ordre, représenté par Guillaume de Gisors, avait dû restituer au marchand d'esclaves sinon toute sa propriété, du moins la tour de l'ancienne commanderie. Les liens d'Abdal avec les Templiers étaient trop forts, et les affaires discrètes que l'on résolvait avec son aide étaient trop juteuses pour qu'on puisse agir autrement.

— Vous devriez être en train de délibérer, en tant

qu'assesseur de ce juge entêté, mon ami, au lieu de me tenir compagnie.

Le Hafside aspirait tranquillement son narguilé, un plaisir que le Doge, cette fois, ne voulut pas partager avec lui.

— Botho de Saint-Omer estime qu'il suffit bien qu'il délibère avec soi-même, d'autant plus que mon sens du droit a été entamé, pour ne pas dire empoisonné, par mes longues relations avec des incroyants comme vous ! Il m'a claqué la porte au nez.

— Pensez-vous que Taxiarchos ait encore des chances de sauver sa tête ?

— Je ne suis guère optimiste ! déclara le Doge. Vous avez fait ce qui était possible, vous avez tendu au juge des perches d'or dont il aurait pu faire usage en toute bonne conscience. Mais ce Botho de Saint-Omer a la rigueur de l'Ancien Testament.

— Il veut une victime pour apaiser ce dieu furieux qui s'est détourné des Templiers. Ce qui lui importe, ce n'est pas d'obtenir la tête de notre ami, mais d'émettre un signal provoquant la rénovation intérieure de l'Ordre. Vous, Georges, vous lui répugnez profondément, et l'attitude que vous avez prise le dégoûte.

— Dois-je disparaître pour ne pas lui donner envie de prononcer un jugement sanglant ?

— Gardez pour une meilleure occasion la possibilité de partir en protestant ! (Le Hafside était plus touché par cette affaire qu'il n'y paraissait. Il avait cessé depuis longtemps de se comporter en spectateur impartial.) D'autre part, seule votre position de commandeur, et donc de maître des lieux, empêche que l'accusation et le juge se mettent d'accord pour pratiquer une justice assassine, à laquelle il ne manquera plus qu'un bourreau.

— Notre véritable adversaire, c'est Gisors. Taxiarchos lui a manqué de respect.

— Lui non plus ne se soucie guère de la tête du Pénicrate. Ce qui lui importe, c'est son pouvoir au sein de l'Ordre ! Il veut échapper à tout prix à la

tutelle de sa mère adoptive. Cela le pousse même à
s'opposer à Roç et à Yeza.

— Je crains que mon influence ne suffise pas à
empêcher le pire, grommela le Doge. Vous devriez
faire des préparatifs pour libérer Taxiarchos par la
force. Il existe dans cette ville un nombre suffisant
d'hommes en armes. Une attaque rapide, et cette
farce sera...

— Cela n'ira pas sans épanchement de sang,
objecta le Hafside. Je préférerais une solution plus
diplomatique. La balance penche trop facilement du
mauvais côté...

— Les Mongols ?

Si le Doge avait prononcé ces mots, c'est qu'il avait
entendu Guillaume descendre l'escalier qui menait
au miroir, en haut du donjon. Les deux hommes se
turent. Guillaume ouvrit doucement la porte et leur
sourit.

— Ils envoient une délégation de Gaza avec la
lettre que nous leur avons demandée : aucun jugement ne peut être exécuté sans l'autorisation du Il-
Khan !

Le soulagement fut général. Gosset, qui revenait
d'une visite aux cachots, put en prendre sa part.

— Taxiarchos est étrangement détendu, rapporta-
t-il.

— Et Roç ? l'interrompit Guillaume. Ce pauvre
garçon n'a-t-il pas besoin de réconfort ?

— Le Trencavel a accepté avec humour l'arrogance des Templiers, qui l'ont enfermé dans la même
salle que le délinquant. Il ne craint rien pour lui-
même.

— Il a sans doute raison ! dit le Doge. La main qui
le protège est trop puissante pour que ce tribunal
puisse toucher un seul de ses cheveux.

— Guillaume de Gisors lui ferait au moins admi-
nistrer la bastonnade, s'il le pouvait.

— Sur ce point, notre seigneur est extrêmement
sensible, songea Guillaume à voix haute. Je devrais
peut-être descendre dissiper ses inquiétudes ?

— Restez ici, rétorqua Gosset. Lui et Taxiarchos sont justement en train de se parler, ils ont beaucoup de choses à se dire. Et cela ne peut qu'être agréable au Pénicrate. Nos paroles de consolation ne feraient que lui peser.

— Attendons l'arrivée des Mongols !

Lui et le Doge restèrent donc là, observant les deux autres avec espoir. Georges Morosin prit le tuyau du narguilé pour calmer sa nervosité. Monsignore et le franciscain regardaient par la fenêtre dans la cour de l'ancien caravansérail. Mais il n'y avait aucun mouvement à la porte. Au bout d'un moment, un sergent les invita à rejoindre la salle d'audience.

Roç et Taxiarchos étaient déjà assis sur le banc des accusés. Mais, cette fois, ils étaient serrés. Il n'y avait plus de place pour Guillaume ; Simon de Cadet et ses Templiers avaient dû rejoindre les deux autres sur ce siège étroit. La salle paraissait encore plus sombre : les nuages avaient obscurci le ciel, et les fenêtres haut placées ne laissaient entrer qu'une lumière diffuse. Gisors tournait autour de son siège. Botho, le juge, se faisait attendre.

— Un neveu du général Kitbogha apportera la lettre ici en personne.

Guillaume, en chuchotant, cherchait à rasséréner le prêtre, accablé par la peur qu'il éprouvait pour son vieil ami, Taxiarchos. On aurait dit qu'une pince de fer lui enserrait le cou. Gosset ne répondit pas. Tous ses espoirs se portaient sur Roç, qui aurait peut-être le pouvoir de mettre un terme à ce cauchemar.

Le Hafside prit place à côté de l'accusateur. Sa seule crainte était que le verdict ne soit exécuté immédiatement après avoir été prononcé. Si le juge prenait une telle disposition, il lui faudrait aussitôt entreprendre quelque chose. Il avait mis en état d'alerte l'équipage de son voilier, et renforcé son personnel à l'intérieur de la commanderie. Ses hommes surveillaient constamment le cachot et n'attendaient qu'un signe pour frapper. Prendre des otages n'avait aucun sens. Le combat serait donc rude : les Templiers, sous les ordres de Gisors, étaient sur leurs gardes. Même ici, dans le tribunal, ils avaient leur épée à la ceinture et leur casque sous le bras.

La tension pesait sur toute l'assistance telle une armure de plomb. Seul Taxiarchos plaisantait avec Roç comme s'il s'agissait d'une soirée entre amis. Le Hafside les entendit rire.

Botho de Saint-Omer entra enfin dans le réfectoire, suivi par le Doge, auquel on n'avait même pas fait appel pour prendre la décision finale. Sa seule mission avait été d'aller chercher le juge dans sa cellule monacale. Il avait trouvé le vieil homme agenouillé, et il ne priait sans doute pas pour obtenir la grâce de la miséricorde, car les derniers mots de son imploration étaient : « Donne-moi, Seigneur, Ta dureté, pour arracher ce qui ne Te sert pas. Ta rigueur, pour éliminer les traces du pécheur ! »

Ce n'était guère encourageant.

Botho, la démarche raide, traversa la salle sans regarder autour de lui, et prit place sur l'estrade.

— *In nomine Dei Patris*, dit-il d'une voix grinçante, *et Sacrae Domus Militae Templi Hierosolymitani Magistri*, je proclame...

Tous s'étaient levés à son entrée, même Taxiarchos s'apprêtait à suivre cet ordre tacite, mais Roç le retint et le fit se rasseoir sur le banc. Le vieux juge lui lança un regard courroucé.

— La justice de cette maison a formulé son verdict...

— Je conteste la compétence de l'Ordre ! cria Roç d'une voix claire dans le silence respectueux. Le Pénicrate n'a jamais prêté serment à un Ordre. Son procès doit avoir lieu devant un tribunal laïc !

— Taisez-vous, Trencavel, ou je vous fais expulser et ramener au cachot ! tonna le vieil homme. Bien, continuez ! lança-t-il au juge, ce qui déclencha un rire contenu dans l'assistance.

Botho, décontenancé, fit semblant de ne pas l'entendre.

— Simon de Cadet est accusé de désobéissance, de lâcheté devant l'ennemi...

Roç l'interrompit de nouveau.

— L'ennemi dont vous parlez, c'étaient les turcopoles et les esclaves de l'Ordre! Un commandant a un devoir d'assistance à leur égard!

— Et un pouvoir de commandement! beugla Gisors. Allons-nous nous laisser instruire par le Trencavel de ce que sont les droits et les devoirs d'un Templier?

— Je condamne Simon à « l'exclusion temporaire », c'est-à-dire pour une année et un jour! conclut le vieil homme, qui tremblait encore devant l'incartade de Roç.

— J'avais demandé en *esgard* la « perte de la maison »! aboya Gisors, cette fois-ci à l'attention du juge. Pour toujours!

Le juge secoua la tête d'un air décidé.

— Les trois chevaliers qui se trouvaient sous ses ordres et ont suivi son exemple sont condamnés à la « perte de l'habit dans la main de Dieu », c'est-à-dire au sursis. Ils feront un service renforcé. Frère Simon, en revanche, est banni à Jérusalem pour la durée de sa peine.

Les condamnés furent invités à quitter la salle. Simon dut ôter sur-le-champ son clams blanc à croix rouge.

— Nous en venons à présent au procès central, reprit le vieux juge. Taxiarchos, accusé devant ce tribunal, n'a pas été convaincu sans le moindre doute d'incitation à la mutinerie. *In dubio pro reo*, je l'acquitte de cette accusation.

Gisors, furieux, se laissa tomber sur son siège, mais cela n'impressionna pas le moins du monde Botho de Saint-Omer.

— Pour ce qui concerne la complicité avec une bande anonyme de mutins dangereux, Taxiarchos aurait pu, au plus tard à partir de Corfou, mettre le cap sur le port de Linosa, ou se diriger vers la plus proche garnison des Templiers en Terre sainte. Il en aurait eu la possibilité : car à cette date, l'équipage de *L'Atalante* lui obéissait. On l'a bien vu lorsque le navire a été cédé sans résistance...

— Une autre preuve de l'innocence de Taxiarchos ! s'exclama Gosset. Il savait aussi diriger *L'Atalante* au combat, comme l'a montré sa confrontation victorieuse avec la flotte de l'Anjou !

— Une nouvelle preuve qu'il s'était arrogé le commandement, et qu'il l'exerçait bel et bien ! siffla Gisors.

— Au lieu de cela, poursuivit le juge, impassible, Taxiarchos a mené le navire à Alexandrie, c'est-à-dire bien loin de l'objectif qu'il aurait dû chercher à atteindre s'il avait pu espérer le moindre reste de compréhension de la part de l'Ordre. Mais il ne songeait pas à rendre son butin. Taxiarchos doit donc être reconnu coupable de vol aggravé !

Le vieux juge ne s'était pas rendu la tâche aussi facile que l'aurait espéré Guillaume de Gisors.

— Et cela mérite la peine capitale ! lui cria celui-ci.

— C'est à moi qu'il revient d'en décider. Et c'est *moi* qui prononce la peine capitale !

Le mot terrible était tombé. Même ceux qui, dans la salle, avaient souhaité ce verdict, restèrent paralysés. Mais avant que des manifestations d'assentiment ou de protestation n'aient pu s'élever, Botho poursuivit :

— Comme l'a noté Trencavel, à fort juste titre, l'Ordre peut sans doute exiger mon jugement, mais pas l'exécuter. Le coupable doit donc être remis au pouvoir laïc !

C'était un coup dans la face de l'Ange et une lueur d'espoir pour les amis de Taxiarchos. Qui donc, en effet, représentait le « pouvoir laïc » à Ascalon ? Le royaume de Jérusalem, qui aurait docilement satisfait les désirs de l'Ordre ? Certainement pas ! Les organes du pouvoir souverain, c'est-à-dire les Égyptiens, s'étaient enfuis. Les Mongols n'avaient pas encore pris leur place, et nul ne savait s'ils en avaient l'intention. Gisors comprit seulement à ce moment-là que le procès se déroulait dans un espace sans pouvoir. Il perdit son contrôle et se mit à crier au juge :

— Il n'est pas nécessaire de trouver un subterfuge pour ne pas devoir exécuter votre verdict, Botho de Saint-Omer, l'exécution n'est pas l'affaire du juge !

— Et certainement pas celle de l'accusateur, Guillaume de Gisors !

Roç s'était mis debout et s'était placé devant Taxiarchos, pour le protéger. Au même instant, il y eut du bruit à la porte de la salle. Les personnes qui étaient dans le secret pensèrent que la délégation mongole convoquée par Guillaume était arrivée. Mais ce furent quatre chevaliers entièrement vêtus de blanc qui entrèrent, le visage caché derrière leurs visières baissées. Ils portaient sur leurs épaules deux grandes perches d'argent où reposait une sobre litière noire. Elle franchit la porte, suivie par quatre autres hommes en blanc, qui soutenaient la partie arrière des barres d'argent. Ils avancèrent d'un pas lent jusqu'au milieu du réfectoire et y déposèrent précautionneusement la litière. Un rayon de soleil perça les nuages et tomba sur le groupe. Le silence s'était fait dans la salle, tout juste troublé par le cliquètement d'une armure. Guillaume de Gisors avait avancé devant son banc, il courbait le genou et baissait la tête, l'air soumis.

— La Grande Maîtresse ! chuchota Roç à Taxiarchos.

On frappa trois coups. L'abaque d'ivoire apparut brièvement, de derrière le rideau ; Botho de Saint-Omer, le Doge et tous les chevaliers présents dans la salle s'agenouillèrent. L'abaque rentra dans l'ombre, et l'on entendit s'élever une voix grinçante :

— Qu'est-ce donc qu'un navire, pour qu'on le mette en balance avec la vie d'un homme ?

La vieille dame qui parlait avait un ton légèrement moqueur et très froid.

— Mais *L'Atalante* n'est pas un navire ordinaire.

Et Taxiarchos le savait. *L'Atalante* est le moyen d'atteindre un objectif caché. Cela aussi, Taxiarchos le savait, car il faisait partie des rares élus auxquels cela a été révélé. Et il a atteint ce but à la demande de l'Ordre, avec les instruments que celui-ci lui avait fournis !

La voix sortait, claire et distincte de la litière noire. Mais elle paraissait de plus en plus sarcastique.

— Son savoir et nos moyens, s'est dit Taxiarchos, devraient pouvoir être mis en commun de manière profitable. Pour mener à bien ce plan désintéressé, il a fait semblant de se vendre à une puissance étrangère aussi cupide que lui-même. C'est elle, pas le trompeur trompé ni le Trencavel, (lui ne se doutait de rien) qui nous a ravi *L'Atalante* en montant une habile mise en scène. Mais cela ne change rien au fait que Taxiarchos était prêt à trahir, même s'il n'a pas accompli son acte. Cet état de fait n'a pas à être puni de mort, d'autant plus qu'aucun chevalier du Temple de Salomon ne devrait se donner le pouvoir de juger de simples mortels. (La voix de la Grande Maîtresse baissa.) Mais Taxiarchos, s'il était laissé en liberté, représenterait pour l'Ordre un danger permanent. Par son biais, le chemin menant à l'objectif caché pourrait tout de même être révélé, par sa volonté, malgré lui, ou par la force. *Videant consules !*

L'abaque invisible frappa trois fois, les huit chevaliers blancs reprirent la litière et quittèrent en silence la salle du tribunal.

Roç fut le premier à retrouver sa langue.

— Si vous projetez un meurtre vehmique, lança-t-il à Gisors, sachez que vous me trouverez au côté de Taxiarchos !

Guillaume de Rubrouck enfonça le même coin :

— Si l'on touchait à un seul cheveu de l'homme qui se trouve désormais sous la protection du Trencavel, aucun d'entre vous ne quitterait Ascalon en vie. Le gouverneur du Il-Khan à Gaza s'est prononcé sans la moindre ambiguïté, et les Mongols ne détestent rien autant que ceux qui s'opposent à leurs ordres.

— Je vous garantis en outre une nuit d'insurrection, car le peuple d'Ascalon, qu'il soit islamique, chrétien ou juif, se soulèvera !

— Si vous l'y incitez, Hafside, lança Gisors entre ses dents. Et je ne vous le conseille pas !

— Messieurs ! s'exclama le Doge. (Le vieux juge paraissait pétrifié et ne disait rien.) La Grande Maîtresse n'a pas prononcé le mot « tuer », ce qui nous laisse la possibilité du *murus strictus*, et nous devrions l'utiliser avec modération. Enfermons donc le délinquant, en attendant que les Mongols, ou un autre représentant du pouvoir laïc, ait pris sa décision et assume la responsabilité d'une exécution.

— Nous pourrons tous accepter cette sage décision, dit Gosset en souriant à Taxiarchos. Y compris notre accusé !

— Vous pensez que nous ne devrions pas juger le traître ? demanda Gisors, agacé.

— Mon bourreau personnel..., annonça le Hafside, en ajoutant avec un regard en biais à Face d'Ange, indigné : ... Ahmed, celui des questions bêtes, reprendra la garde de Taxiarchos dans son cachot.

— Mais alors, qui gouverne la Terre sainte ? laissa échapper le vieux juge, et tous se mirent à rire, s'ils en avaient encore le cœur.

Dans la vase de l'étang de Siloah

La maison du chef de la communauté juive, le rabbi Jizchak, se trouvait près de la boulangerie d'Elia, sur la route de la porte du lion, que les juifs continuaient obstinément à appeler route de Jehosaphat, dans ce que l'on nommait le « Quartier syrien ».

Le rabbin avait perdu son épouse lors du massacre au cours duquel les hordes des Choresmii avaient non seulement définitivement arraché Jérusalem au pouvoir des croisés chrétiens, mais l'avaient aussi reléguée au statut insignifiant d'une ville reculée de province. Sa fille unique, Miriam, venait tout juste d'avoir trois semaines. La femme abattue avait enterré son enfant sous elle, pour la protéger. À présent, Miriam avait seize ans, et ses seins coupaient le souffle aux hommes. Ce fut le cas pour Beni le Matou, qui avait été accueilli pour dormir dans la maison du rabbin. Cela n'impliquait malheureusement pas qu'il partage le lit de la charmante jeune fille. Il n'entra même jamais dans sa chambre : pour y accéder, il fallait emprunter une échelle, et celle-ci se trouvait à côté du lit de son père. Par ailleurs, Miriam n'appréciait guère les manières de Beni. Comme il l'avait épiée à plusieurs reprises alors qu'elle prenait son bain dans les étangs voisins, Miriam avait convaincu ses amies d'aller fréquenter désormais des eaux plus éloignées et bien cachées.

Beni ne s'aventurait guère auprès d'elles : le Matou ne savait pas nager. Autrement, il aurait certainement sauté à l'eau pour tenir compagnie à ces jeunes souris. C'est ainsi, en quête de ces joies du bain dont il était désormais privé, que Beni se retrouva dans les coins les plus reculés de ce tas de ruines qu'était devenue Jérusalem, depuis que les chrétiens avaient abandonné la ville. Ne trouvant pas ce qu'il cherchait entre les murs, il alla flâner devant la porte de cette ville enchantée qui paraissait dormir dans ses pierres comme une épouse dans la roseraie, attendant le prince qui la réveillerait d'un baiser. Cette idée rappela tout d'un coup à Beni l'existence du couple royal, dont il avait dû préparer l'arrivée. Non loin de l'endroit du mur où, jadis, les premiers croisés avaient ouvert la brèche sous la direction de Godefroy de Bouillon, avant de s'abattre sur la ville et de provoquer le pire bain de sang dont Beni ait jamais entendu parler (mis à part la prise d'assaut de Bagdad par les Mongols) se trouvait une tour avancée qu'ils appelaient le « Belvédère » parce qu'elle offrait une vue superbe aux quatre points cardinaux. Beni y grimpa difficilement : les marches s'étaient effondrées, et le reste semblait ne pas être loin de la ruine. Des créneaux recouverts d'herbe, il aperçut un chemin creux que la muraille avait sans doute dû protéger autrefois. Il y vit avancer un vieil homme solitaire, sans bagages, uniquement armé d'un long bâton. Mais cette grande canne paraissait extrêmement précieuse : elle était dorée et portait à son extrémité une étrange double croix abondamment ornée de joyaux étincelants. Le Matou, qui n'avait encore jamais eu sous les yeux une croix de patriarche, pensa qu'il s'agissait d'une crosse d'évêque. La barbe épaisse du promeneur confirma cette impression. Le digne vieillard avançait tête nue, le regard joyeux dirigé vers les murs, les tours et les coupoles de la sainte Jérusalem. Au milieu du chemin pierreux, il tomba à genoux et loua son Dieu. La voix ne monta pas jusqu'à Beni, qui l'observait toujours. Mais le Matou vit avant le vieil homme les bandits qui épiaient jusqu'alors dans les buissons, au-dessus du chemin, et qui venaient de se dresser pour s'abattre sur le pieux pèlerin.

Beni cria « Prenez garde ! » ce que seuls les pillards entendirent. Ils agitèrent dans sa direction un poing menaçant. Beni détacha une pierre de la couronne du mur et la lança vers le bas. Le vieil homme leva les yeux et vit les brigands qui se laissaient glisser vers le chemin creux. Le vieux sortit alors sa magnifique croix de sa tige. Un stylet acéré en sortit, et le bâton se transforma en lance. Avec une agilité inattendue, l'homme attaqué commença par utiliser le bâton pour parer les coups. Puis il le fit tourbillonner et embrocha l'un des voleurs, tandis qu'il en atteignait un autre à la nuque avec sa lourde croix. D'un bond, le patriarche se retrouva devant le chef, le dernier à descendre le coteau sur le fond de son pantalon, en maudissant le monde entier : « *Mala'oun abu dunya ! Kuss umlak !* »

Le hurlement du bandit cessa lorsque la pointe

acérée du bâton s'enfonça sous son menton, mais
pas assez profondément pour qu'il ne puisse encore
émettre un râle que ses hommes comprirent comme
une invitation à délaisser cette ingrate victime et à
prendre la fuite. Deux des bandits étaient encore au
sol, immobiles. Le vieil homme laissa enfin filer le
chef. Beni descendit alors de sa tour et lança courageusement des pierres derrière les voleurs, avant de
se présenter au vieil homme comme son sauveur
héroïque. Le patriarche replaçait sa croix. Beni
constata, étonné, que la poutre inférieure était de
biais. Le patriarche venait de la replacer sur la
pointe de sa lance lorsque les brigands revinrent,
cette fois très lentement et plus prudemment. Le
vieil homme se retourna et vit que le chemin de la
ville lui était à présent barré par un mur humain.

— Celui qui jette la première pierre, dit le vieillard
avec une joyeuse nonchalance, ne donne qu'un mauvais exemple aux pauvres pécheurs.

Beni remarqua seulement à cet instant que tous
les bandits avaient des pierres dans les mains. Il
esquiva le regard du patriarche, moins par pudeur
que par pure angoisse : les deux groupes se rapprochaient.

— Mais celui qui lève l'épée périra par l'épée !

Beni attendait impatiemment l'instant où le vieil
homme ferait de nouveau surgir son arme terrible,
mais il se contenta de s'agenouiller et de prier à voix
haute :

— Seigneur, mon Dieu, tu as permis à Ton serviteur de voir la sainte Jérusalem, et comment T'a-t-il
remercié ? Mais, dans Ta grâce et Ton infinie bonté,
Tu récompenses l'indigne, Tu le fais mourir de la
mort du martyr. Gloire à Toi !

La foule, menée par un capitaine, s'arrêta et
recula. Un ours adulte était apparu par-derrière,
dans le chemin creux. Il était debout sur ses pattes,
un homme conduisant une charrette le menait au
bout d'une chaîne. Mais ce n'était pas l'animal qui
avait provoqué leur effroi : l'homme à la charrette

était le même que celui qui priait devant eux. Son visage était identique, il portait les mêmes vêtements, même sa crosse était reproduite! Les brigands, terrifiés, jetèrent leurs pierres au loin et se réfugièrent dans les buissons. Lorsque ceux qui attendaient au bout du chemin creux virent cette scène, ils se dispersèrent à leur tour.

Beni s'agenouilla à côté du patriarche.

— « *Te Deum laudamus, Te dominum confitemur.* »

Beni se retourna, suspicieux. On ne voyait plus la moindre trace de l'ours, ni de l'homme à la charrette. Le Matou se rappela alors qu'il avait déjà vu une fois cet étrange attelage, lorsque Trencavel luttait contre la mort, devant le castel Maugriffe. Il se rappela aussi qu'il était censé trouver un abri pour le couple royal.

— « *Tibi omnes Angeli, Tibi coeli et universae Postestate.* » Je suis Jacob Pantaleon, dit le vieil homme lorsqu'il eut achevé sa prière, sans avoir remarqué ce qui s'était déroulé dans son dos. Je suis le nouveau patriarche de Jérusalem! Mène-moi au chef de la communauté juive, que je puisse lui présenter mes hommages!

L'étang de Siloah, entouré d'un épais maquis, se trouvait au pied du mont Sion, et la plupart en avaient oublié l'existence depuis longtemps. Seuls quelques bergers y empruntaient encore un sentier sinueux. C'est là que Miriam et ses amies se baignaient désormais, bien qu'il leur eût été rigoureusement interdit de se déplacer en dehors des murs de la ville. Pour que leurs escapades ne se remarquent pas, elles avaient négocié avec un berger qui n'avait pas tous ses esprits et n'était pas juif, le droit de mener ses animaux. Mustafa était si bête qu'il ne se rappelait pas dans quelle direction les jeunes filles étaient parties. Sa cabane était une tour effondrée qui se trouvait juste à côté de la porte, une ruine qu'on avait murée depuis longtemps. Le seul chemin qui permettait d'en sortir passait par l'étable dans laquelle Mustafa dormait. Mais il y régnait une telle odeur que seuls les bergers y mettaient le nez.

Cette fois, lorsqu'elles arrivèrent à leur étang, les jeunes filles entendirent des cris et des lamentations. Elles trouvèrent deux hommes qui battaient des mains dans l'eau, manifestement incapables de nager. L'étang de Siloah était, sur ses bords, rempli d'une vase profonde, si bien qu'on ne pouvait pas y tenir debout. Il ne se creusait que vers le milieu. Et c'est dans cette direction que glissaient les deux hommes, qui tentaient d'attraper un objet dans le fond vaseux.

— Je l'ai ! cria le premier avant de plonger la tête dans l'eau pendant que l'autre le tenait — mais il ressortit les mains vides.

Son maigre compagnon plongea lui aussi dans ce bouillon, et ne reparut pas. Les jeunes filles cessèrent de rire, d'autant plus qu'elles virent le corps de l'homme ressurgir là où l'on n'avait plus pied, sur le dos, comme s'il s'était noyé. L'autre chercha à l'attraper et disparut lui aussi dans l'eau noire, mais il eut le temps d'appeler au secours. Miriam et ses amies se demandaient encore comment on pouvait aider ces pauvres fous lorsque les branches des arbustes s'écartèrent sur le rivage, laissant passer un ours debout, qui entra dans l'eau. Sans se soucier du limon, il avança vers le milieu de l'étang et tendit sa patte à l'homme qui flottait sur le dos. Celui-ci sortit de sa léthargie et se jeta avec ses dernières forces sur la patte de l'animal, la saisit et se fit tirer hors de l'eau. Son compagnon s'agrippa à la fourrure de l'ours, qui se dirigea vers la rive avec ses deux petits paquets couverts de vase. Ils n'abandonnèrent leur sauveur qu'au moment où ils sentirent le sol ferme sous leurs pieds, tombèrent sur le ventre et aboyèrent. L'ours ne regarda même pas dans leur direction, et disparut entre les buissons, aussi vite qu'il était venu. Alors, un homme à l'allure insignifiante approcha des malheureux, couchés sur le sol, leur passa dessus et plongea dans l'eau. Il portait un long manteau de feutre noir, décoré de toutes sortes de miroirs ronds et argentés, des ailes d'oiseaux, de petits os et des poupées de tissu. Le manteau s'écarta comme les feuilles d'un nénuphar, il reposait sur l'eau. L'homme se courba et pêcha d'un geste ferme un objet noir enfoui dans la vase, qui ressemblait à une lourde coupe de pierre. Le montreur d'ours la nettoya soigneusement et repartit. Il déposa le calice noir à côté de l'homme maigre couché dans l'herbe, et suivit son animal.

Les jeunes filles entendirent une charrette qui s'éloignait, mais le maquis épais ne leur permit pas de la suivre des yeux. Les deux hommes, sur le rivage, se levèrent comme s'ils sortaient d'un profond sommeil, virent le calice que le maigre pressa aussitôt contre sa poitrine avant de le faire disparaître sous ses vêtements crasseux.

— « Si tu veux trouver une perle, ne la cherche pas dans la vase d'un étang ! » lui lança son compagnon.

— « Celui qui cherche une perle doit plonger dans les profondeurs de l'océan ! »

— Et qui finira par trouver la perle ? Seuls ceux qui ressortent de l'eau de la vie, et qui ont encore soif !

L'homme émacié, livide, observa son compagnon. Puis ils éclatèrent de rire tous les deux. Ils bondirent et disparurent à leur tour entre les buissons.

Le rabbin Jizchak était assis sur le banc, devant sa maison, lorsque Beni arriva en courant.

— Un ours a sauvé un homme des brigands ! criat-il. Je vous amène...

Le rabbin sourit avec douceur :

— Il n'y a pas d'ours ici, Beni !

— Si ! répliqua Beni, le souffle court. Je vous amène, pour vous le prouver, le patriarche de Jérusalem, un goy !

— Il n'y a pas non plus ici de patriarche chrétien, Beni ! lui répondit le rabbin, amusé.

Mais Jizchak aperçut l'homme au bâton d'or qui remontait la route de la porte de Jehosaphat. Et comme un miracle ne vient jamais seul, il lança un regard rapide de l'autre côté, où il découvrit un homme conduisant une charrette et un ours adulte qui marchait debout. Mais ceux-là se dirigeaient vers la colline du Temple.

— *O mai!* soupira le rabbin. La journée va être fatigante!

Et il se leva pour saluer Jacob Pantaleon.

Jakov Ben Mordechai et son compagnon Abu Bassiht étaient sortis de l'étang de Siloah et marchaient comme deux oiseaux trempés vers la sainte Ville. Après que LUI, le Seigneur, leur avait révélé la cachette du calice en dehors des murs, et qu'IL avait parlé à Jakov depuis le buisson, IL avait jeté à l'eau son serviteur effrayé. Et IL l'avait aussi sauvé de la noyade parce que Jakov devait apporter le calice à Jérusalem. Les deux plongeurs ne s'étonnèrent pas, en sortant du maquis, de ne pas trouver la moindre trace de l'homme et de son ours. Ils étaient en revanche suivis par une troupe de jeunes filles menant des moutons. Elles se moquaient d'eux. Ils n'avaient pu se débarrasser de ces bergères qu'en arrivant devant la ville : ils n'étaient pas passés par la porte murée (ce qui, pour LUI, n'aurait certainement pas été un obstacle), mais avaient longé les murs de la ville : ils ne tenaient pas à parcourir les rues dans ce concert de moqueries.

Ils avaient finalement découvert un étroit passage, et lorsque Jakov Ben Mordechai et le soufi qui l'accompagnait fidèlement avaient monté l'escalier étroit, entre les gravats et les blocs de marbre, les chapiteaux effondrés et les troncs de colonnes brisés, ils s'étaient retrouvés au milieu des écuries du roi Salomon.

— *Alhami Allah!* s'exclama Abu Bassiht, effrayé. Ce sous-sol appartient aux Templiers!

— On ne peut pas parler de propriété! le tranquil-

lisa Jakov. Mais attendez-moi ici jusqu'à ce que j'aie
trouvé une cachette qui LUI plaira.

Jakov se tourna vers un trou sombre et béant dans
le mur, qui menait vers les profondeurs.

— Vous n'allez tout de même pas me laisser ici
tout seul! répondit le soufi d'une voix faible. Ici, les
esprits des Templiers morts tournoient comme des
chauves-souris!

— Des *djinns* à croix griffue? se moqua Jakov.
Allons, j'ai une gousse d'ail dans ma poche! C'est
plus efficace que le Crucifié des chrétiens!

Et il descendit dans la sombre caverne.

Le rabbin Jizchak et son hôte, le patriarche,
étaient montés sur la colline du Temple lorsque
Miriam leur avait raconté que deux hommes avaient
été sauvés par un ours après être tombés dans l'étang
de Siloah. La jeune fille lança un clin d'œil à Beni
pour qu'il n'aille pas raconter qu'elles s'y baignaient.
Mais son père s'intéressait surtout à l'ours, et voulait
juste savoir dans quelle direction les étrangers
étaient partis.

— Sur la colline du Temple! mentit Beni pour
faire plaisir à Miriam.

— C'est bien ce que je pensais, répondit le rabbin.

Ils se retrouvèrent alors sur le gigantesque plateau,
devant la cathédrale rocheuse, et regardèrent en bas,
vers la mosquée d'Al-Aqsa, l'ancien monastère que
les Templiers avaient jadis confisqué pour en faire
leur maison de l'Ordre.

— Une ville difficile, soupira le patriarche. Qui la
dirige aujourd'hui?

Le rabbin regarda l'homme digne, avec son
étrange crosse.

— C'est peut-être LUI, le Seigneur?

Lorsque Guillaume de Rubrouck revint à Ascalon,
le soir, de retour de Gaza, la situation avait totalement changé. Les amis de Taxiarchos l'avaient
envoyé auprès des Mongols chercher l'ordre promis :
aucune condamnation à mort, ni officielle, ni secrète

ne pourrait être exécutée sans l'autorisation du grand khan. Mais le frère mineur revenait les mains vides, et de la citadelle de la ville d'Ascalon, il vit la bannière de l'Anjou battre au même vent que le Beauséant des Templiers.. C'était une mauvaise surprise : cela annonçait l'entrée en jeu d'une puissance laïque qui ne s'embarrassait guère de scrupules. Et ce n'était certainement pas un hasard. Guillaume s'attendait déjà au pire : être revenu trop tard pour sauver Taxiarchos. Le franciscain avait pourtant chevauché comme un diable jusqu'à Gaza, avec les serviteurs du Hafside ; et, sur le chemin du retour, ils avaient galopé comme des furies. Mais aux portes de la ville, ils se retrouvèrent de nouveau devant des musulmans. Ils ne les laissèrent pas passer, arrêtèrent tous les cavaliers et les conduisirent non point à la commanderie, où on les attendait, mais à la capitainerie du port, où on le retint jusqu'à ce que la commanderie ait décidé ce qu'on devait faire de lui. Guillaume n'avait pas la moindre crainte pour sa propre personne, mais il commença à s'inquiéter en voyant toute son escorte expulsée du port, dans un canot qui se dirigeait vers le voilier du Hafside, ancré devant le môle. Le sergent du Temple commandant la capitainerie lui expliqua que le marchand d'esclaves se trouvait à bord, lui aussi ; il avait été banni de la ville, en même temps que ce monsignore Gosset, tous deux s'étant affichés comme des amis de Taxiarchos.

— Est-il encore vivant ? laissa échapper Guillaume.

— Ah ! s'exclama le Templier. Vous faites aussi partie de la bande ?

— Je suis le confesseur de Roç Trencavel, répondit Guillaume.

— Encore pire ! répliqua le sergent en riant. Mais cela ne va pas durer longtemps. Bientôt, votre Taxiarchos sera au bout d'une corde, et le calme reviendra.

Guillaume, décontenancé, préféra ne pas répondre, si bien que le Templier le jugea digne de l'entendre lui retracer les événements : il n'avait personne d'autre ici à qui faire partager son opinion.

— Le départ des Mongols de Gaza a provoqué l'arrivée dans la ville d'une avant-garde des mamelouks. Nous les avons accueillis amicalement. Conséquence immédiate, Le Caire a confirmé que l'Ordre exerçait le pouvoir provisoire dans la ville et sur le port, et les musulmans n'ont laissé ici qu'une poignée de leurs hommes. Cela nous a permis de faire approcher du renfort, une flottille. (Il désigna le quai, où étaient amarrés plusieurs voiliers rapides des Templiers.) Mais aussi suffisamment de turcopoles pour pouvoir exercer un pouvoir réel sur la population. L'étape suivante, inspirée par des motifs qui pourraient vous être étrangers, en tant que moine, fut d'établir ici, à titre provisoire, une troisième force. Car, pour rétablir le droit et l'ordre, il nous fallait malheureusement une puissance laïque !

— Ah ! dit Guillaume, et l'Anjou est arrivé comme si on l'avait appelé...

— En réalité, admit le sergent, ce haut seigneur n'est pas arrivé en personne à Ascalon. Il était représenté par l'un de ses agents qui portent le nom de « bailli », et nous a envoyé son drapeau, une escorte d'honneur, et un bourreau compétent.

— C'est tout ce dont a besoin la bonne Justice : une bannière, des demoiselles d'honneur et un maître de la corde ! se moqua Guillaume. L'Ordre va ainsi pouvoir définitivement régler son compte à Taxiarchos tout en s'en lavant les mains. Comment s'appelle donc ce fameux vicaire de Rome ?

— Le bailli de l'Anjou est le noble sire Rinat Le Pulcin, il n'a qu'un bras...

— Quoi ? laissa échapper Guillaume. Un seul bras, malingre et madré ?

— Admirable description ! s'étonna le sergent. On dit que lui et l'Anjou avaient un vieux compte à régler avec Taxiarchos, mais il est difficile de pendre un homme deux fois de suite, et notre seigneur Gisors ne se laisse pas ôter le *ius primi supplicii* !

— Je suppose que l'Anjou réclame réparation pour ce que lui a fait *L'Atalante* ! Le Doge n'a-t-il rien objecté à l'envie frénétique de faire payer Taxiarchos de sa vie ?

— Gisors l'a dépossédé de tout pouvoir en le faisant emmurer dans son donjon, et avec lui le vieux Botho de Saint-Omer, qui aurait volontiers renié son jugement. Seul le grand maître ou le chapitre peut destituer ces deux frères trop tièdes.

— Et le fils de la Grande Maîtresse ne rencontre guère de sympathie auprès de ces autorités ?

— Vous l'avez dit, Guillaume de Rubrouck !

Une poignée de turcopoles se présenta dans le port pour venir chercher le moine et le conduire à la commanderie. La nuit était tombée.

LE VERDICT D'UN EXÉCUTANT

La chambre que l'on avait attribuée au bourreau se trouvait au rez-de-chaussée, juste à côté de celle du condamné. La grosse porte de madriers ne laissait pas passer le moindre bruit dans la cellule, mais un œilleton dissimulé permettait au bourreau d'observer sa victime. Yves le Breton n'en fit pas usage. Il était triste et furieux. Une fois de plus, il s'était laissé prendre aux vagues promesses de Charles d'Anjou, qui lui avait proposé un poste de gouverneur dans une ville extrêmement exposée et menacée de la Terre sainte, à la frontière du sultanat mamelouk du Caire. Il avait accepté la mission avec reconnaissance, et même avec une secrète satisfaction. Car l'Anjou avait aussi promis au Breton qu'il collaborerait étroitement avec les Templiers stationnés dans la ville. Yves avait toujours rêvé d'être admis dans cet ordre qui l'attirait tant depuis sa prime jeunesse. Il était devenu prêtre, car sa famille n'était pas de sang noble, il s'était formé parallèlement au métier des armes, mais tout cela ne suffisait pas à remplir les conditions rigoureuses d'admission parmi les chevaliers du Temple. Yves, exerçant sa propre justice, avait finalement abattu un brigand de grand chemin. À l'époque, c'était le roi en personne qui l'avait sauvé du bourreau et en avait fait son garde du corps. Mais le Breton était comme un ours en chaîne. Le frère cadet du roi Louis, le comte Charles d'Anjou, avait rapidement su mettre à profit l'insatisfaction et la soif d'action du Breton. Ces deux hommes inégaux étaient liés par une ambition inassouvie et le refus des liens imposés par la féodalité. Combien de fois l'Anjou avait-il déjà promis à Yves l'adoubement, cette clef tellement désirée qui lui permettrait d'entrer au service des Templiers ? Mais à chaque reprise, il lui avait fallu rendre un unique et tout dernier service. Ce coup-ci, l'Anjou avait procédé encore plus perfidement, ce n'était pas *lui* qui avait posé la condition. Lorsque Yves était arrivé à Ascalon, de bonne humeur et insouciant, c'étaient les Templiers qui avaient confié au Breton une tâche dont il devait s'acquitter au plus vite. Et il n'était pas question de récompense. Yves se sentait mal entouré, avec ce petit rat qui était venu le trouver à Beyrouth et lui avait soumis la proposition de l'Anjou. Yves avait demandé une confirmation personnelle de messire Charles, et ce Rinat Le Pulcin la lui avait apportée. Et il se retrouvait à présent, lui, Yves, comme un chien dans cette cellule, chargé de couper la tête à un homme, rien de moins. Le Breton s'était juré de ne plus jamais prêter la main à ce genre d'entreprises, les crânes qui jonchaient déjà son chemin lui suffisaient, ils lui apparaissaient la nuit en rêve, leurs orbites creuses fixées sur lui. Il avait fini par regarder brièvement dans l'œilleton. Son souffle s'arrêta : à côté de cet homme enchaîné qu'il ne connaissait pas, mais dont on lui avait dit la bravoure, oui, aucun doute... À la droite du pirate qu'il lui fallait exécuter se trouvait Roç Trencavel ! Cela aussi, Yves se l'était juré : il ne lèverait plus jamais la main contre Roç et Yeza, le couple royal.

Il avait donc refusé d'obéir aux Templiers. Il avait

brutalement renvoyé ce Guillaume de Gisors, venu lui parler de corde comme s'il avait devant lui un bourreau ordinaire. Et lorsque Rinat, le rat, était ensuite venu lui parler d'un unique « coup d'épée de la Justice », il l'avait fait sortir à coups de pied. Ce Taxiarchos ne lui avait jamais rien fait. Il quitterait Ascalon le lendemain matin sans regretter son titre de gouverneur.

Guillaume de Rubrouck arriva tard, pendant la nuit, à la commanderie. On le conduisit immédiatement, à sa demande, dans la geôle où se trouvait Roç.

— Le noble Trencavel est naturellement libre de quitter à tout instant la pièce où l'on garde le pirate, lui expliqua le Templier en ouvrant la porte, mais il s'y refuse.

Roç reçut Guillaume avec un regard interrogateur, et le moine ne put que répondre par un signe négatif, dont il espérait qu'il ne mettrait pas Taxiarchos au désespoir. Mais celui-ci semblait d'humeur à plaisanter. Il éternua si fort que ses chaînes en cliquetèrent.

— J'espère que vous ne m'avez pas rapporté un rhume, en plus du reste ! Comment voulez-vous vous moucher quand votre tête est...

Guillaume et Roç eurent un rire un peu forcé, et Ahmed, le fidèle garde du corps du Hafside, les imita bien qu'il n'ait rien compris. Lui aussi avait opposé un refus à Gisors lorsque celui-ci, escorté par des hommes en armes, avait demandé au « Bourreau pour les questions bêtes » s'il ne voulait pas, « moyennant un bon salaire », exercer ses fonctions d'exécuteur des basses œuvres, lui qui possédait une si belle épée. Ahmed avait renvoyé la réponse par le reflet de son *shimtar al badi'a*. Gisors connaissait la signification de ces éclats lumineux : « Question bête ! » Et l'ange de la vengeance était reparti furieux, en claquant la porte.

— Les Mongols évacuaient Gaza au moment où je

suis arrivé, raconta Guillaume, parce que Baibars avait fait son apparition, par la mer et par la terre. J'étais tombé dans l'un de ces groupes de Bédouins qui se montrèrent devant les murs tandis que les voiliers des mamelouks quittaient le port pour donner aux partants la possibilité d'abandonner la ville en bon ordre. Manifestement, aucun des deux partis ne voulait l'affrontement. Auprès des Bédouins se trouvait un bigleux nommé Naiman, un homme du nouveau sultan...

— Celui-là, je le connais! s'exclama Roç. Il boite! Il a cherché à nous tuer à Samarcande, lorsque nous nous rendions chez le grand khan. À l'époque, c'était encore l'agent du calife de Bagdad.

— C'est certainement le même. Il portait sur lui une tête puante, celle d'un ambassadeur mongol, paraît-il. Il l'a fait catapulter dans la ville, pour que les Mongols prennent peur et s'enfuient plus rapidement!

— Une canaille répugnante! jugea Roç pour finir. Je ne tiens pas à le rencontrer une nouvelle fois.

On servit le maigre déjeuner. Roç avait pris l'habitude de jouer les goûteurs pour Taxiarchos — il l'avait aussi annoncé bruyamment, car il n'avait aucune envie de périr empoisonné, des crampes au ventre et l'écume à la bouche. Le repas était fait d'une soupe aqueuse où nageaient des têtes de poisson, de quelques os que même des chiens n'auraient pas acceptés, et d'une demi-galette de pain rassis.

— Quand on a faim, ça passe, déclara Roç en voyant Ahmed se précipiter sur le plat.

— J'ai entendu dire, annonça Guillaume, qu'un gredin manchot auquel j'ai acheté votre Mafalda serait arrivé ici pour tenir les fonctions de « bailli de l'Anjou ».

— Rinat Le Pulcin? s'écria Roç en manquant s'étrangler. Mais il est mort! Quelle infection! (Il tendit l'écuelle à Taxiarchos.) Ce brouet n'est pas empoisonné, mais son goût pourrait le laisser croire. Je m'étonne que Rinat ose se présenter en un lieu où il sait pouvoir me rencontrer. (Roç cracha un œil de poisson.) Car si je lui mets la main dessus, je le tuerai, même si cela doit me faire vomir.

Mais l'attention de Guillaume avait été distraite :

— Mais qu'est-ce qui lui arrive, à notre bon Ahmed ? Le Nubien avait glissé contre son pilier, face à Taxiarchos. Son écuelle en terre cuite lui tomba des mains et se brisa. Il roula des yeux en gémissant jusqu'à ce qu'on n'en vît plus que le blanc. De l'écume lui sortit de la bouche, son occiput cogna contre le pilier de fer, comme pour anesthésier le feu d'enfer qui lui brûlait les entrailles, puis il s'effondra lentement sur le côté jusqu'à ce qu'il touche le sol froid : il était mort.

On ouvrit la porte de la geôle, et les turcopoles qui la gardaient entrèrent dans la cellule. Ils ne se donnèrent pas la peine de feindre la surprise, mais essayèrent immédiatement d'arracher son cimeterre à Ahmed. Le mort tenait si fort son arme qu'il aurait fallu lui couper le poing pour la lui ôter. Les gardiens tirèrent Ahmed par les pieds et le sortirent avec son arme, le dos traînant sur le sol.

Guillaume de Gisors fit son entrée. Il était entouré de si près par ses gardes du corps qu'aucune attaque contre lui n'avait la moindre chance d'aboutir. Il devinait sans doute que Roç lui aurait volontiers sauté au visage. Les Templiers repoussèrent le Trencavel et Guillaume sur le côté, si bien que Gisors put se camper sans difficulté devant Taxiarchos. Il ne toisa pas son prisonnier avec son air sarcastique, comme d'habitude, mais sembla implorer la compréhension et la coopération du Pénicrate :

— Il faut mettre un terme à cette histoire.

Le corsaire lui adressa un sourire insolent et lui cracha aux pieds.

Roç s'attendait à ce que l'Ange l'abatte lui-même avec le cimeterre qu'on venait de lui apporter, et dont le pommeau était encore taché de sang. Mais Gisors ne toucha pas son arme. Il ordonna de détacher Taxiarchos du pilier et de l'amener à l'unique

fenêtre de la pièce, qui donnait sur la cour intérieure. Taxiarchos regarda par les barreaux de fer,
tenta de percer la pénombre où l'on distinguait des
mouvements rapides et nerveux. Sur un ordre invisible, on alluma des torches, et à leur lueur vacillante, Taxiarchos vit des hommes en haillons,
enchaînés en longues rangées, agenouillés sur le sol.
Les visages étaient tournés vers lui, ils le regardaient.
C'étaient ses hommes, l'équipage de *L'Atalante* au
grand complet.

— Je les fais décapiter comme mutins, dit Gisors
d'une voix mielleuse. Sauf si vous payez pour eux de
votre vie, Taxiarchos, en vous reconnaissant seul responsable.

Taxiarchos ne se retourna pas, il continuait à parler comme s'il plaisantait.

— Ce qui est étonnant, ce n'est pas ce chantage
ignoble, Guillaume de Gisors, mais votre obstina-
tion. Toutefois je mourrai volontiers pour mes
hommes, si ce verdict repose sur quelque chose.

L'Ange sourit.

— Je savais qu'on pouvait s'entendre avec vous.
Que diriez-vous de cette solution : le Saint-Siège a
donné en fief au comte d'Anjou la couronne de
Sicile. Le bâtard Manfred, qui y règne illégitime-
ment, doit donc être accusé de haute trahison, et
avec lui tous ceux qui lui ont prêté la main. C'est
exactement votre cas, Taxiarchos. Vous avez agi en
capitaine pirate sur ordre du Hohenstaufen, et vous
avez donc mérité la mort.

— Par l'épée ! réclama Taxiarchos. Je n'ai aucune
envie d'être pendu comme pirate. J'exige l'honneur
de l'épée !

Gisors sortit de sa poche un parchemin déjà
rédigé.

— Dans ce cas, signez ici !

— Laissez-moi d'abord le lire ! s'exclama Guillaume, par-derrière, mais Taxiarchos refusa.

— Pourquoi devrais-je me méfier de ma propre
mort, si un chevalier du Temple m'en garantit la

forme, comme vous l'avez tous entendu ici. Je ne perds que ma tête, lui perdrait la face !

— Jurez, Gisors ! cria Roç en tentant de se frayer un chemin entre les gardes du corps. Je ne suis pas armé, vous le savez, et je veux voir votre main lorsque vous le jurerez. Jurez-le sur l'honneur de votre mère.

Face d'Ange laissa retomber la main.

— Si ma parole de Templier ne vous suffit pas, alors choisissez une autre mort. (Il se tourna vers Taxiarchos.) Et vous aurez celle que vous méritez !

— Je vous mets en garde, Gisors ! gronda Roç. Je n'ai certes pas le pouvoir d'offrir la vie à Taxiarchos contre la volonté déclarée de la Grande Maîtresse, mais si vous ne tenez pas votre promesse, je saurai le venger. Cela, je le jure sur mon honneur !

— Merci, Roç ! dit Taxiarchos. Mais ne vous mettez pas dans l'embarras pour moi !

Il prit la plume que lui tendait un Templier et signa sans même avoir jeté un regard sur le document.

— Voilà une bonne chose de faite ! s'exclama-t-il, d'excellente humeur. Je puis à présent demander du bon vin pour moi et mes amis. Et la visite du prêtre, monsignore Gosset.

Les Templiers l'éloignèrent de la fenêtre et le rattachèrent au pilier. Mais ils lui laissèrent les mains libres, il fallait bien qu'il puisse boire. Gisors quitta la pièce sans un mot. Peu après, des artisans vinrent colmater l'ouverture avec de grosses planches.

— Le condamné ne doit pas suivre l'édification de l'échafaud, plaisanta Taxiarchos, ça gâcherait la surprise !

On apporta le vin. Le goûteur en but sous leurs yeux et les laissa choisir les gobelets.

— Bon millésime ! chuchota-t-il. Ce serait dommage de le couper à la ciguë ou à la belladone.

Les charpentiers burent eux aussi avant de repartir.

Naiman fut le dernier à entrer en boitant dans le grenier où Gisors avait rassemblé les agents du sultan et de l'Anjou. Même s'il avait besoin d'eux, il ne tenait pas à se montrer en leur compagnie. Les cheveux de Naiman lui collaient sur le crâne, pleins de pulpe et de pépins de fruits, comme s'il était tombé tête la première dans un bac à déchets.

— Avez-vous apporté le cimeterre ? demanda aussitôt Gisors au pied-bot.

— Pas seulement cela ! J'ai montré à cette tête de lard bretonne l'affûtage de cette admirable lame de Damas, je me suis même coupé le doigt. Je lui ai fait sentir le poids du sabre d'acier en découpant une pastèque devant ses yeux, sans prendre d'élan, comme si c'était une motte de beurre. Mais il n'a pas eu un mot de reconnaissance envers ce chef-d'œuvre de nos forgerons. (Naiman paraissait très déçu.) Et il n'a pas pris le sabre dans ses mains.

— Il le prendra, affirma Rinat Le Pulcin. L'avez-vous informé de ce que je vous avais confié ?

— Lorsque je l'ai averti qu'il ne quitterait pas ces murs en vie s'il continuait à refuser, il a pris la moitié de la pastèque et me l'a écrasée sur la tête comme un chapeau. Je ne voyais plus rien. Je n'entendais plus rien.

Aucun des membres de l'assistance ne parut s'en amuser.

— En fait, moi non plus, cela ne me plaît guère que ce pirate insolent pose en tout honneur son cou crasseux sur le billot, au lieu d'être pendu jusqu'à ce que ses grosses fesses lui coupent le souffle !

— Une potence se construit vite ! suggéra aussitôt Rinat.

— N'importe quel crochet sur une voûte suffit à tenir la corde pendant qu'on enlève un tonneau sous les pieds du criminel, remarqua Naiman.

— Roç Trencavel va nous faire des difficultés, objecta Gisors, il m'accusera de parjure.

— Eurêka ! s'exclama Rinat, l'œil brillant. Voilà

l'idée! Il faut que cela ressemble à un billot, mais à l'instant de vérité, cela se révélera être une potence!

— Voilà une bonne idée! soupira Guillaume de Gisors. Je vous laisse carte blanche!

— Que faisons-nous avec les mutins? s'enquit Naiman, qui s'apprêtait à sortir.

— Passez-les tous au fil de l'épée, répliqua Gisors sans la moindre hésitation.

Mais Rinat Le Pulcin leva les bras:

— Vous pourrez organiser ce massacre ensuite. Pour l'instant, il ne ferait que déranger nos préparatifs et mettre nos amis de mauvaise humeur. Car cela aussi contrevient à l'accord que vous avez conclu.

— *Pacta cum infidelis et Graecis non sunt servanda!*

— Vous devriez rajouter les Templiers à la liste, murmura Naiman, offusqué, en quittant le grenier.

— Pourquoi choquez-vous cet homme? demanda Rinat, agacé. J'ai besoin de sa collaboration!

— Je ne supportais plus son regard, répondit Gisors en guise d'excuse. Dépêchez-vous, à présent! La nuit est bien avancée. À l'aube naissante, je veux voir ce pirate se balancer au bout de sa corde.

Les trois amis passèrent le reste de la nuit à boire du vin.

— Un sacré nectar! admira Gosset. Gisors ne se refuse rien!

Le prêtre était arrivé à temps pour faire ses adieux à son vieux compagnon. Buvant joyeusement, ils se rappelaient le temps qu'ils avaient passé ensemble à Constantinople, les grandes heures du Pénicrate, le roi des mendiants de la Corne d'Or, aussi célèbre que redouté. Ils évoquèrent les églises pillées, la maison de plaisir sur le port, les parties d'échecs au « centre du monde » inondé, les beuveries, les joies des putains et les orgies du palais Kallistos, puis la découverte de sa chambre au trésor. Leur rire tonitruant résonnait dans le cachot.

Roç n'était pas d'humeur à faire la fête. Il se tenait de côté et tentait de jeter un regard dans la cour par les fentes des poutres, devant la fenêtre. La pénombre était encore complète. Le matin s'annonçait à peine. Entre les rires de ses amis et le tintement des gobelets. Roç avait entendu un martèlement. Mais il le garda pour lui et trinqua avec les autres. Chaque fois, il vidait son gobelet, mais ses pensées furent soudain auprès de Yeza. Il était heureux qu'elle n'ait pas à vivre ces heures-là en sa compagnie.

— À la tienne! lança Guillaume à Taxiarchos, comme s'il avait encore à se soucier de sa santé!

C'était une danse des morts absurde. Mais il était peut-être plus facile de marcher vers la fin en s'enivrant plutôt qu'en échangeant des considérations profondes sur le salut de l'âme... D'ailleurs, Gosset, le prêtre, n'avait manifestement aucune intention de s'adresser à la conscience de son ami.

On ouvrit la porte. Le sergent entra et annonça à la compagnie que tout était prêt, et qu'il fallait songer à prendre congé.

— Nous ne faisons rien d'autre depuis des heures! répliqua Taxiarchos.

Le sergent le détacha de son pilier. On lui laissa cependant ses chaînes aux pieds, qui l'empêchaient de marcher trop vite, et son collier de fer.

— Celui-là, nous ne l'enlèverons que plus tard, le consola le sergent. Nous allons quitter cette salle par l'autre porte.

Le Templier désigna le portail situé de l'autre côté, qui était jusqu'ici toujours resté fermé.

— Le bourreau attend derrière! songea Roç, tout d'un coup. Il regarda discrètement le condamné, se demandant si cette pensée lui était venue en même temps qu'à lui. Mais Taxiarchos serrait Guillaume dans ses bras. Ils s'embrassèrent joyeusement, comme deux amis qui se retrouvent, sans échanger de grandes paroles ni des regards lourds de sens. Roç dut se reprendre pour afficher la même indifférence. Taxiarchos sentit la douleur du jeune homme. Et comme si c'était à lui de lui donner du courage, il marcha vers Roç et le prit dans ses bras puissants.

— Nous nous reverrons, Trencavel, assura-t-il. J'ai été heureux de pouvoir partager une partie du chemin du couple royal. Soyez remercié pour tout — et épargnez la douleur à Yeza !

Penser à la jeune femme parut briser sa résistance : sa main pesa soudain lourdement sur l'épaule de Roç. Il se détourna rapidement. Plusieurs Templiers étaient entrés dans la pièce pour escorter le condamné. Taxiarchos s'adressa à ses amis :

— Je ne veux pas que vous m'accompagniez plus loin. Je veux faire seul la dernière partie du chemin.

Gosset l'attira à l'écart.

— Le Hafside vous envoie cette amulette, lui chuchota monsignore. Tenez-la fermement contre vous pendant votre route vers le paradis !

Et il lui glissa dans la main une petite plaque de bois de la largeur d'une paume. Personne ne put la voir. Yeza ! Taxiarchos porta le portrait à ses lèvres.

Le sergent ouvrit le portail. Roç ne fit pas attention au cimeterre posé sur la table devant le bourreau, mais à l'homme qui était assis derrière et méditait, la tête courbée sur ses lourdes mains. Celui-ci leva lentement les yeux vers le condamné. C'était Yves le Breton !

Les Templiers voulaient mener rapidement le condamné de l'autre côté de la salle du bourreau, vers la sortie qui donnait dans la cour. Mais Taxiarchos s'arrêta devant cet homme qu'il voyait pour la première et la dernière fois. Il lui tendit la main, ce qui déconcerta Yves, qui venait d'apercevoir Roç. Un sourire parcourut le visage vérolé du Breton. Le Taxiarchos crut qu'il lui était destiné. Il y répondit et relâcha lentement la main du bourreau.

— Voilà, vous avez vu le gentil monsieur, lui dit le sergent comme s'il s'adressait à un enfant. À présent, nous allons vous bander les yeux, et je vais vous prendre par la main.

— J'avais déjà une collerette de fer, vous n'allez pas m'imposer un bandeau en plus ! protesta Taxiarchos. Je veux aller les yeux ouverts vers mon avenir, sans personne pour me guider, seul !

— C'est la règle! geignit le sergent.

— Je ne suis ni faible, ni malade, ni aveugle! cria Taxiarchos en repoussant le Templier. Mais on lui passa le bandeau de force, et on le noua. Roç s'était frayé un chemin devant Yves, jusqu'à la porte. Il pouvait à présent apercevoir la cour. L'échafaud avait été installé de l'autre côté, c'était une simple estrade de bois à laquelle menaient quelques marches. Le billot de bois massif y avait été déposé. Le tout était disposé sous une arcade. Roç aperçut aussitôt la chaîne de fer qui courait sur une poulie installée au pignon et que l'on avait accrochée en bas, près du plus proche pilier. Elle servait sans doute à hisser des céréales dans le grenier. Trois gros sacs se trouvaient en haut, au bord de l'orifice, comme si l'on venait de les y déposer. Mais l'autre extrémité de la chaîne y était encore attachée. Roç distingua alors la silhouette de Naiman, dans la pénombre. Il n'était pas en train de détacher la chaîne, mais de vérifier qu'elle tenait bien. Si le boiteux poussait les sacs, ils basculeraient dans le vide, l'autre extrémité de la chaîne serait soulevée tout d'un coup, même si un homme adulte tentait de s'y opposer de tout son poids. Et plus encore si l'on avait accroché l'autre bout de la chaîne à un collier de fer porté autour du cou. Roç avait compris l'immonde stratagème avant de découvrir Rinat : il s'était caché derrière le pilier où l'on avait fixé le bout de la chaîne.

Roç se retourna, au seuil de la porte.

— Yves! lui cria-t-il. Fais cela par amour pour moi, cours, et décapite mon ami.

— Je ne peux plus! gémit le Breton en cachant sa tête dans ses mains. Ne plus rien voir, ne plus rien entendre!

Roç bondit vers lui et le secoua.

— Je t'en implore, Yves, aide-moi! Sauve son honneur malgré ces porcs, ces imposteurs.

De l'autre côté, Taxiarchos était arrivé devant l'échafaud. Il commençait à monter les marches.

— Yves ! cria Roç. Je t'en prie !

Le Breton leva les yeux et attrapa le cimeterre. Il se redressa lentement et sourit à Roç, l'air aussi absent qu'un instant plus tôt, face à Taxiarchos.

— Vite ! hurla Roç en courant.

C'était à présent une question de secondes. Taxiarchos était arrivé en haut, sur l'échafaud, il s'agenouilla et allait poser la tête sur le billot. On ne lui avait bien sûr enlevé ni son bandeau, ni son collier de fer. Rinat sauta vers lui avec sa chaîne et s'efforça nerveusement, d'une main, d'accrocher la chaîne à l'anneau soudé au collier. Le rat vit venir Roç. Naiman siffla, d'en haut, pour le prévenir. Les doigts tremblants, Rinat cherchait à faire passer le crochet de la chaîne dans l'anneau.

— Mafalda, cria Roç d'une voix stridente, voilà le rat, Rinat est là, tu le tiens !

Rinat, effrayé, regarda autour de lui. Au même instant, le crochet entra dans l'anneau, mais, semblable à l'ombre d'un grand oiseau, Yves sauta sur l'estrade, le gigantesque cimeterre fila le long de la chaîne, la main de Rinat n'était pas encore retirée lorsque Naiman fit basculer le poids. La lame découpa le cou de Taxiarchos, le collier de fer fut arraché par la chaîne, la tête de Taxiarchos s'éleva comme une amphore de feu grégeois, une comète enflammée qui fila vers le Templier comme pour l'anéantir. Elle l'atteignit à la poitrine, la croix griffue disparut sous une gigantesque tache rouge, le clams immaculé ressemblait à un tablier de boucher. L'Ange tomba à la renverse et se retrouva, à son grand effroi, avec la tête sanglante entre les mains.

Après le coup, Yves n'avait même pas cherché à sortir l'arme du bois où elle s'était profondément enfoncée. Il avait rebroussé chemin et traversait lentement la cour.

Lorsque Roç vit que Rinat ne s'éloignait pas, il tira de toutes ses forces sur le cimeterre, mais celui-ci tenait bon. Rinat Le Pulcin ne pouvait pas lever la main : il n'en avait plus, elle était posée sur le sol, devant lui, tendre et blanche. Il vit Roç parvenir enfin à sortir du bois l'arme effroyable et, dans le même élan, la lui planter dans le bas-ventre. Lorsque Roç retira la lame de sa chair, le peintre tomba en avant, le visage sur la main. Il se colla contre elle et attendit le coup de grâce. Il ne vint pas : Roç s'était précipité dans l'escalier pour régler son compte à Naiman. Le boiteux s'enfuit par le grenier et sauta par la fenêtre. Il atterrit dans la fosse à purin, vit le Trencavel froncer le nez au-dessus de lui, sortit du lisier et fila.

Lorsque Roç revint dans la cour, le sergent qui faisait d'ordinaire office de capitaine du port pour les Templiers arrivait en courant.

— Baibars est à l'entrée du port avec la flotte égyptienne, annonça-t-il, pris de panique. Il est furieux !

Gisors ne l'écouta que d'une oreille : il observait Roç et son cimeterre.

— Il dit que le Temple n'avait aucun droit de remettre Ascalon à l'Anjou.

Roç n'accorda pas le moindre regard à Gisors. Il se dirigea vers Guillaume, qui traversait la cour avec Gosset.

— Tous les membres de l'ordre des Templiers, à l'exception du Doge, ont exactement une heure pour quitter la ville, sans rien emporter de leurs biens. Les navires restent dans le port, tout comme les prisonniers !

— La mort de ce Taxiarchos va nous coûter cher, murmura Guillaume de Gisors.

— Vivant, il aurait été meilleur marché, répondit le sergent enhardi. Le prix de son sang sera la confiscation de notre flotte. Abdal le Hafside recevra trois navires de son choix pour compenser la perte de son ami.

— Le prix du secret de *L'Atalante* est élevé. Sa trahison devait être punie de mort, déclara Gisors, qui s'efforçait de se montrer ferme. Repartons donc d'Ascalon, jusqu'à la prochaine fois ! Ramenez le

Beauséant et donnez l'ordre du départ! ordonna-t-il aux deux sergents.

— Et que devons-nous faire du vieux Botho de Saint-Omer qui se trouve encore dans le donjon?

— Ne perdez pas un temps précieux! Il lui a été prophétisé qu'il mourrait à Jérusalem!

LA VUE CLAIRE DE LA CITADELLE

La caravane était petite, mais suffisamment gardée. Les *as-saiidun ath-tahlath* n'emportaient pas beaucoup de bagages avec eux. De loin, rien ne distinguait Yeza de ses accompagnateurs masculins, hormis le fait que sa silhouette droite inspirait le respect. On ne pouvait guère en dire autant de Jordi et de Kefir Alhakim. Ezer Melchsedek n'avait pas voulu d'un chameau. Il avait insisté pour faire à pied le chemin de Jérusalem depuis qu'ils avaient débarqué à Aqaba. Yeza avait pris comme escorte une partie de l'équipage du bateau. Mais le vieux cabaliste avait aussi refusé qu'un de ces hommes l'accompagne : « C'est mon pèlerinage au pays de mes pères! »

Yeza rêvassait au pas chaloupé de sa monture.

La ville qui s'étalait devant elle ne dissimulait pas seulement une joyeuse promesse, mais aussi un grand nombre de secrets. Jérusalem ne lui était certes pas inconnue, mais Yeza discernait dans les images que lui offrait la ville de sombres profondeurs qui l'attiraient comme par magie. Elle passait dans des salles souterraines, des grottes noires comme la nuit, parfois éclairées par d'étranges lumières.

Les cavaliers bridèrent leurs animaux lorsqu'ils eurent gravi la colline depuis laquelle la vision de la Ville sainte subjugue pour la première fois le voyageur. Elle était là, Jérusalem, et la coupole de la cathédrale rocheuse brillait comme un joyau. Yeza prit le temps d'apprécier cette vision. Elle avait atteint son objectif. Ses compagnons jetèrent simplement un bref regard sur l'entrelacs de murs, de tours et de coupoles. Jordi commença par vérifier qu'aucun des chameaux bâtés ne manquait, surtout celui auquel on avait confié le transport de la caisse de Yeza. Kefir brisa ce silence, né de l'émotion autant que de l'épuisement.

— Et où allons-nous coucher notre tête épuisée ?

— Nous devrions d'abord apaiser notre faim ! suggéra Jordi.

Yeza ne détacha pas son regard de la ville, au loin. Elle rêvait d'un bain rafraîchissant et décida, l'air rêveur :

— Cherchons des quartiers modestes, un monastère désaffecté, peut-être, avec un cloître paisible, envahi par les herbes, plein de fleurs et de fruits. Et avec une fontaine jaillissante.

— Ce bâtiment devrait se trouver entre les quartiers habités par les juifs, les musulmans et les chrétiens, juste au milieu, déclara Jordi. Il devrait aussi posséder une véritable cuisine et une grande salle à manger dans laquelle nous... dans laquelle tous les représentants des différentes religions pourraient prendre des repas en commun.

— Devant nous se trouve la ville des villes, commenta Yeza. L'un pense à son ventre, l'autre à son lit !

Elle donna à son escorte le signe du départ. Elle passa en premier, descendit la colline sur son chameau, vers la route qui devait mener à Jérusalem.

Les deux nouvelles arrivèrent en même temps au gouverneur d'Alep. Turan-Shah ibn az-Zahir attendait l'une d'elles depuis un certain temps. C'est la raison pour laquelle il renonça stoïquement aux agréments de son bain dans les Thermes, et courut avec son équipement sous l'*ebai* et son cimeterre accroché à la ceinture. De sa citadelle haut perchée, il regarda la ville qui lui avait été confiée, espérant apercevoir à un moment ou à un autre, à l'horizon, le chatoiement de milliers de pointes de lance, l'instant où la chaîne de collines rocheuses ne serait plus qu'une masse mouvante dans laquelle on ne distinguerait plus ni chevaux ni cavaliers, mais une bête gigantesque et vorace qui se fraierait à coups de dents un chemin vers l'avant : les Mongols ! Il avait toujours su qu'ils arriveraient un jour. Et ce jour-là était venu.

On lui annonça une délégation. Ils allaient lui ordonner de se soumettre et de rendre la ville. Il décida de ne pas commettre l'erreur qu'avaient faite de nombreux princes aux alentours, qui avaient accueilli les ambassadeurs mongols avec moquerie, et avaient cruellement méprisé leur immunité diplomatique. Ceux qui avaient commis de tels actes avaient dû par la suite, disait la rumeur, manger crue et en tranches leur propre chair, ce qui ne devait rien avoir de très gastronomique. Turan-Shah décida donc d'accueillir aimablement ces seigneurs et de les informer que malheureusement, il obéissait aux ordres de son sultan à Damas, et qu'il n'avait pas encore reçu l'ordre de se rendre. Il appela son grand eunuque et lui ordonna de réserver à la délégation, un accueil princier. Il voulait d'abord parler à l'autre visiteur, dont on venait aussi de lui annoncer la présence : il s'agissait d'El-Aziz, le fils de son sultan. Turan-Shah ne pouvait s'imaginer ce qu'il pouvait bien faire ici. À moins que ce gamin ne lui apporte la nouvelle qu'il attendait ardemment : une armée considérable en provenance de Damas était en marche pour sauver Alep.

El-Aziz était un garçon aux membres d'une finesse étonnante, comparé à son père à la stature de bœuf. Le fils du sultan avait un visage tendre, des traits presque féminins, et des yeux bleus rayonnants, le tout encadré par une chevelure sombre et bouclée.

— Quand l'armée sera-t-elle ici ? demanda avec impatience Turan-Shah après l'échange des formules de politesse usuelles.

— Quelle armée ? répondit le jeune homme, ce qui accabla le gouverneur. Je me rends auprès du Il-

Khan Hulagu, reprit le gamin avec ardeur, parce que messire mon père voudrait montrer à quel point il apprécie les Mongols. On dit qu'ils ont à leur cour une princesse vénérée dont je pourrai conquérir le cœur, afin qu'elle prenne à ma place le pouvoir sur toutes les terres situées entre les hordes du khan et les mamelouks installés sur les rives du Nil.

Il sortit de sa chemise un petit médaillon de bois qu'il tendit à son grand-oncle. On y voyait le portrait d'une jeune femme blonde, encore très jeune, dont le visage charmant révélait la hardiesse, l'énergie et une maturité précoce.

Turan-Shah secoua la tête, désolé. De toute évidence, ce gamin allait servir d'otage entre les mains des Mongols. Mais il se voyait comme un prince bienvenu offrant un beau mariage, le futur seigneur d'une terre que les hordes s'apprêtaient à conquérir.

— Et qui est donc son père ?

Turan-Shah regardait le portrait de Yeza, comme s'il s'agissait d'une créature venue d'une autre étoile.

— Son nom est Yeza Esclarmonde. Son père est le grand empereur, celui que les Mongols aiment et craignent eux aussi.

El-Aziz pensait sans doute à l'empereur Frédéric, décédé depuis longtemps : il n'y en avait pas eu d'autre depuis.

— Magnifique, marmonna Turan-Shah en lui rendant la miniature. Vous allez certainement conquérir son amour. Le bonheur et la prospérité récompenseront votre union !

El-Aziz soupira.

— Combien j'aspire à...

— Êtes-vous donc certain, l'interrompit le vieux gouverneur, que messire votre père n'a pas levé d'armée pour venir à notre aide ?

— Je n'en ai vu aucune. C'est la raison pour laquelle il m'envoie, afin que j'offre la paix aux Mongols, que j'évite une attaque contre notre pays et que je libère cette princesse.

Turan-Shah toussota et ravala toutes ses objections. Il devait éloigner ce doux rêveur d'Alep, aussi vite que possible, et, pourquoi pas, le livrer personnellement au grand khan, dans sa résidence en Perse. Car si ce gamin tombait entre les mains du général commandant les troupes d'invasion, et si celui-ci comprenait l'étroitesse du lien parental entre le gouverneur d'Alep et le sultan de Damas, les Mongols traîneraient immédiatement El-Aziz enchaîné devant les murailles et menaceraient de lui déposer sa jolie tête devant les pieds si la ville ne se rendait pas sur-le-champ. Cela, Turan-Shah ne le voulait à aucun prix. L'ambassade mongole ne devait tout simplement pas voir El-Aziz.

— Je ne veux pas vous retenir plus longtemps, informa-t-il paternellement le jeune garçon. La princesse, votre épouse, attend certainement votre venue avec impatience, elle brûle de savoir si elle vous plaira...

— Oh! s'exclama El-Aziz, je me consume de désir.

— Dans ce cas filez, aussi vite que vous porteront vos chevaux! cria le gouverneur. Le Il-Khan n'aime guère qu'on le fasse attendre.

À peine avait-il chargé l'un de ses grands eunuques d'accompagner le fils du sultan à la porte de la ville que El-Ashraf, un autre de ses neveux, se précipita dans la salle d'audience.

— L'ambassade des Mongols est repartie! cria à son oncle l'émir bigleux de Homs. Ils ne sont pas habitués à ce que l'on fasse attendre aussi longtemps les émissaires du Il-Khan. Le destin d'Alep est à présent scellé.

Le gouverneur ne put s'empêcher de sourire.

— Ils ont dit cela? demanda-t-il sans perdre son calme.

— Dit, non, mais pensé, certainement! admit l'émir, qui ne se maîtrisait plus. En fait, ils voulaient seulement savoir si nous hébergions dans nos murs un couple royal.

— Comment cela? laissa échapper Turan-Shah. S'agirait-il d'une blonde princesse du Nord et d'un garçon à boucles n...

— C'est exactement ainsi qu'ils décrivent Roç Trencavel et Yeza Esclarmonde, répliqua l'émir. Je les ai connus tous les deux alors qu'ils étaient encore deux enfants. On les appelait les enfants du Graal !

— Je croyais qu'elle était la fille de l'empereur des Romains ?

Turan-Shah aimait les situations claires.

— Le royaume du roi Graal doit avoir disparu, mais les Mongols veulent le rétablir, avec le couple royal à sa tête.

— Et comment les Mongols en sont-ils venus à penser que ces Majestés séjournaient justement à Alep...

— On a vu Guillaume de Rubrouck ici, et les Mongols sont fermement persuadés que, lorsqu'il se trouve quelque part, Roç et Yeza ne sont pas bien loin non plus.

— Autant que je me rappelle, répondit Turan-Shah, étonné, le fameux franciscain s'est contenté de visiter ici, *incognito*, le marché aux esclaves, avec le soufi...

— Cet imposteur ! confirma El-Ashraf en se souvenant de la manière dont les deux hommes s'étaient joués de lui. Ils ont acheté une femme superbe !

— Ce n'était donc pas l'ambassadeur du grand khan ? (Turan-Shah commençait à avoir du mal à s'y retrouver. Mieux valait, pensa-t-il, qu'il s'en tienne à la version des Mongols, ils lui feraient bien comprendre ce qu'ils voulaient.) Et, pour le reste, les légats de Hulagu n'ont rien exigé ?

— Si, se rappela l'émir. Vous devez vous soumettre.

— Et qu'avez-vous répondu ?

— Que je vous le recommanderais.

— Il n'en est pas question !

— C'est bien ce que je pensais !

— Vous auriez mieux fait de leur donner tout de suite la bonne réponse.

— Ce n'était pas une question, c'était un ordre, répliqua l'émir. Mais je vais aller les rejoindre et le leur faire savoir.

— Ils le remarqueront bien tout seuls, grommela le vieux gouverneur.

El-Ashraf s'inclina devant son oncle obstiné.

— Je n'aimerais pas me trouver encore à Alep à ce moment-là !

Puis il le quitta à reculons, la tête courbée.

Turan-Shah donna l'ordre de placer la ville et la citadelle en état de défense. Il vit bientôt l'horizon se mettre en marche, tout autour de lui. Ce n'était pas un mirage : les Mongols étaient en train de prendre Alep en tenailles. Au moment où on lui annonçait que l'émir de Homs avait quitté la ville, le gouverneur apprit qu'un messager du sultan était parvenu à se faufiler entre les mailles des troupes mongoles pour rejoindre Alep. Il n'avait aucune envie d'entendre encore les promesses vides d'An-Nasir. Il était trop tard pour cela. Il allait prendre un bain chaud : qui sait s'il en aurait de nouveau l'occasion ?

— Il s'agit d'une femme !

Turan-Shah le regarda, incrédule.

— C'est l'ancienne favorite du sultan, la fille de l'empereur ! ajouta le grand eunuque, légèrement indigné.

— Dans ce cas, envoyez-la-moi aux bains !

Turan-Shah jeta un coup d'œil satisfait par la fenêtre. Les murailles de la ville d'Alep se peuplaient. Les catapultes étaient prêtes, les blocs anguleux dont on se servait comme projectiles formaient de petits monticules. Tout était prêt pour envoyer les meilleurs salutations. L'anneau des Mongols s'était refermé, mais leurs hordes gardaient encore une distance respectable.

Clarion de Salente ne s'était jamais soumise aux mœurs de l'islam au point de ne plus se déplacer en toute indépendance, surtout lorsqu'il fallait aller discuter avec des hommes, notamment lorsque ceux-ci étaient au hamam. Elle laissa sa petite escorte à l'extérieur et entra dans le bain de vapeur par une porte dérobée : le grand eunuque aurait été gêné de l'escorter sous le portail principal des Thermes, ce portail orné de mosaïque où s'était réfugiée la cour de Turan-Shah, sans doute pour profiter de la proximité apaisante de leur seigneur, face au danger imminent.

Turan-Shah était couché dans le *tepidarium,* l'eau tiède d'un bassin peu profond où nageaient des pétales de roses et des fleurs de mauve. Sa tête était posée sur un traversin de marbre. Il laissait les vaguelettes courir en souriant sur son corps ridé. Il n'y avait pas grand-chose à voir, mais cela se laissait voir tout de même : telle fut la première pensée de Clarion lorsqu'elle s'approcha du bassin, au grand effroi de son accompagnateur.

— S'il vous plaît de me recevoir ici, dit aimablement Clarion en guise de salut, je préfère vous avoir face à moi.

— Je suis désolé, répliqua le gouverneur en la regardant comme si c'était elle qui était nue, que vous ayez fait l'effort d'arriver jusqu'ici. Cela va vous forcer à partager le sort d'Alep.

Clarion regarda autour d'elle, comme si elle cherchait quelque chose.

— Le véritable motif de mon voyage était l'espoir de rattraper le fils de mon seigneur avant qu'il n'aille se livrer comme otage entre les mains des Mongols.

— Un geste absurde !

— Le sultan l'a compris entre-temps !

— Trop tard !

— Ce stupide rêveur en quête d'une épouse ! tonna Clarion. Son père lui a brossé un faux portrait de la situation pour lui donner envie d'accomplir ce chemin dangereux. Il lui a fait croire que Yeza était une princesse à libérer ! Alors que la fille du Graal est liée par le destin à Roç Trencavel, et depuis sa naissance.

— Les Mongols le savent-ils aussi ? demanda Turan-Shah en se redressant et en repliant les genoux, ce qui masqua un peu sa nudité. Manifestement, ils ignorent pour l'instant où ils séjournent : ils cherchaient cette princesse ici, à Alep.

— An-Nasir a appris depuis que Yeza ne séjourne

pas ici, ni chez les Mongols, mais qu'elle est sur la route qui mène de l'Égypte à Jérusalem, où elle s'unira secrètement avec son Trencavel.

— Pourquoi An-Nasir expose-t-il sa progéniture à pareils désagréments ?

Turan-Shah avait fait signe aux serviteurs du bain, qui accoururent pour envelopper son corps de draps préchauffés.

— Ni les cadeaux, ni les enfants, reprit-il, ne dissuaderont le Il-Khan de poursuivre sa campagne de conquête, sauf si le sultan en personne venait se prosterner devant lui. Il demande la soumission, et rien d'autre !

— Allez faire comprendre cela à un homme comme votre neveu ! répondit Clarion en riant. Sa vie durant, An-Nasir a lancé sa tête épaisse contre les murs. Il croit fermement que les Mongols vont faire une exception pour lui !

Le vieux Turan-Shah s'était assis au bord du bassin et réfléchissait.

— Et le couple royal, peut-on s'en servir ?

Clarion ne sut quoi répondre.

— Je pourrais imaginer, reprit-elle après un temps de réflexion, que si Roç et Yeza étaient animés par le vœu d'arrêter la progression des hordes, et l'exprimaient clairement... (Clarion pesait chacun de ses mots), les Mongols respecteraient cette exigence.

Turan-Shah la regarda, dubitatif.

— Il est donc si puissant que cela, le pouvoir de ce couple royal qui n'a pas de terre ni d'armée à son service ?

— C'est l'attente des Mongols qui est grande, leur foi dans le royaume de paix de Roç et Yeza, et dans la souveraineté de ces jeunes rois sur la partie du monde qui est tellement étrangère à leur peuple. D'une part, les Mongols, héritiers de Gengis Khan, se sentent appelés à dominer la terre entière. Mais d'un autre côté, ils ont certaines difficultés à comprendre le « Reste du monde », qui ne paraît pas prêt à admettre cette domination. C'est la raison pour laquelle les Mongols ont fait venir les enfants du Graal à Karakorom. Ils comptaient les modeler, en faire leurs régents, des souverains à leur manière, comme Dieu a créé sa réplique avec de l'argile.

— Et ensuite. Roç et Yeza...

— Ils ont filé. Ils n'ont pas accepté cette exigence.

— Je peux les comprendre, marmonna le gouverneur, amusé. Cela me les rend sympathiques. Une pensée me vient... Vous êtes certaine, vénérée Clarion, demanda-t-il prudemment, que le couple royal se trouve déjà à Jérusalem ?

Clarion hocha la tête. Il reprit :

— Si l'on parvenait à vous faire sortir d'Alep assiégée, et si l'on vous conduisait par le chemin le plus court auprès de Roç et de Yeza, vous qui êtes une femme courageuse et avisée, pourriez-vous les inciter à arrêter la marche des Mongols ?

— Permettez-moi de vous interrompre, valeureux Turan-Shah, je ne peux ni voler, ni faire de la magie !

— Alors Alep est perdue.

— Mais pas tout à fait en vain ! répondit Clarion, impassible. Il faut parfois faire des sacrifices pour que les crânes épais s'entrouvrent. Votre neveu An-Nasir, mon seigneur, vous fait parvenir ses nouvelles à la vitesse des éclairs qui vont de tour en tour. Si le sultan se plaçait sous la protection du couple royal, ce serait un signal qu'ils accueilleraient avec joie.

Turan-Shah la regarda, l'air chagrin.

— Vous connaissez An-Nasir. (Ce n'était pas une question). Il ne veut même pas plier devant une légion de milliers de cavaliers armés. Comment puis-je l'inciter à remettre le destin de Damas et de toute la Syrie entre les mains de deux jeunes gens ?

— Il n'est plus maître du destin de la Syrie. Il ne peut pas vous aider, et il ne tiendra pas non plus Damas.

— Vous ne parlez pas comme une fille de ce pays. Même si vous vous êtes convertie à l'islam, Clarion de Salente, vous êtes restée une étrangère au fond de votre cœur. C'est cela qui vous permet de voir les choses avec lucidité.

— Vous pouvez tout à fait dire qu'elle est impitoyable, noble Turan-Shah, mais ne doutez pas de ma fidélité à An-Nasir.

La silhouette maigre du gouverneur se redressa.

— Je vais tenter de convaincre mon seigneur et sultan d'accomplir cette démarche. En attendant, je tiendrai Alep, car c'est pour cela que je suis ici. Soyez mon hôte, digne jeune femme, et voyez comment un vieil homme se défend contre les hordes qui se précipitent sur lui !

IV

PAX HIEROSOLYMITANA

LE CHOIX DU BON LIEU

C'était une affaire entendue : Yeza pénétrerait dans la Sainte Jérusalem par la porte de Sion. Elle avait intégré le « Mont y Sion » à son nom et se sentait, à ce titre, tenue d'effectuer la difficile ascension de la montagne homonyme, où s'élevaient les ruines d'une basilique consacrée à la Vierge Marie, et depuis laquelle la ville était à portée de main des pèlerins.

— Ici a séjourné votre ancêtre toulousain, le comte Raimon de Saint-Gilles, expliqua Jordi à sa maîtresse en déchiffrant une inscription effacée par les intempéries, lorsque Jérusalem a été conquise, en la sainte année 1099.

Yeza baissa le regard vers lui, amusée.

— Avec les deux soldats de ma dernière armée, je vais avoir du mal à faire couler autant de sang.

Ses dernières troupes ne comptaient plus en effet que le troubadour et Kefir Alhakim, son vizir : les Maures qui l'accompagnaient ne resteraient plus longtemps avec elle. Maintenant qu'elle avait atteint son but, elle allait devoir rendre au Hafside les matelots qu'il lui avait prêtés. Mieux valait donc qu'elle prenne tout de suite congé de son escorte et qu'elle entre discrètement à Jérusalem. Alors que Jordi, qui tenait à la fois le rôle de majordome, de chambellan et de chancelier, se chargeait de distribuer les soldes, Yeza laissa glisser sur la ville un regard satisfait. Elle y était arrivée !

À sa gauche, juste devant eux, la citadelle émergeait de la muraille. C'est certainement là aussi que se trouvait la porte du Roi David. Couronnée par la coupole d'or de la cathédrale rocheuse, la colline du Temple s'élevait à droite, et c'était bien plus qu'un pendant spirituel au château ! Même si elle semblait se serrer dans le coin sud-est des fortifications, elle demeurait le centre des lieux sacrés, puisqu'elle avait jadis abrité le Saint des Saints. C'est dans cette direction que Yeza se sentait attirée.

Elle donna un coup de cravache à son chameau et descendit la montagne. Arrivée devant la porte, elle s'apprêta à descendre de sa monture : elle voulait entrer à pied dans ce lieu qu'elle avait tant souhaité découvrir. Elle devait de toute façon attendre que ses compagnons arrivent avec les bagages. Elle était en train de nouer un foulard autour de sa tête lorsqu'elle aperçut Beni. Mais au lieu de lui souhaiter la bienvenue, le petit Matou essayait de se faufiler hors de la grande porte de la ville. Roç était-il parvenu à atteindre Jérusalem avant elle ? D'un bond, elle attrapa le gamin par le col.

— Curiosité ou mauvaise conscience ? On n'échappe ni à l'un, ni à l'autre, lui lança-t-elle sans desserrer son emprise. Et à moi, encore moins.

Beni attrapa les brides et força le chameau à s'agenouiller, ce qui permit à Yeza de descendre.

— Je voulais vous réserver l'accueil qui revient au couple royal ! expliqua-t-il du tac au tac.

— Dis-moi plutôt où je trouverai mon Trencavel !

Jordi et Kefir s'étaient approchés eux aussi, ce qui inspira un malaise supplémentaire au fils perdu.

— Roç Trencavel m'a envoyé en éclaireur, j'ai établi vos quartiers ici, dans le château de David ! mentit éhontément Beni. Ces murs usés par l'histoire ont été le siège souverain de tous les rois de Jérusalem !

— Mais moi, je veux m'installer sur le mont du Temple ! l'informa Yeza.

— Ne commencez pas votre séjour en Ville sainte en donnant un coup de pied dans le nid de guêpes des religions qui s'affrontent! Pardonnez-moi la hardiesse qui m'incite à résister à votre vœu, ma maîtresse, mais je connais bien les lieux! (Yeza avait lâché le Matou, qui joua l'offusqué.) Commencez par étudier la situation, et faites-vous une idée par vous-même, si vous méprisez mon conseil.

— Ton conseil, mon fils, ne tient pas compte du fait que le choix du lieu sera immédiatement interprété comme un signal, répondit le vizir en guise de salutations à son rejeton. Pour toute prétention à la souveraineté spirituelle, la Ville sainte d'où le prophète a entamé son voyage nocturne me paraît infiniment mieux choisie, par sa valeur symbolique, que le château des rois, qui ne peut désigner que le pouvoir profane!

Au début, Yeza fut un peu amusée. Mais l'intelligence de son vizir finit par l'impressionner. Cela ne coupa pas la langue au petit.

— Et pourtant, objecta Jordi, Beni a raison. C'est précisément parce que s'emparer du Saint des Saints des juifs et des musulmans pèse si lourd qu'il vaut mieux commencer par s'enquérir, dans le calme et la sécurité, de l'ambiance qui règne au sein de la population et du type de prêtres auquel nous avons affaire!

— Commençons donc par occuper le château, conclut joyeusement Beni. J'y ai déjà tout installé!

Yeza abandonna la discussion.

Le petit *secretarius* menait fièrement le chameau de sa maîtresse par la longe lorsqu'ils franchirent le pont délabré qui donnait dans la cour de la citadelle, par une porte si mal accrochée à ses gonds qu'un simple coup de poing aurait suffi, à la faire tomber. De l'herbe poussait entre les pierres, des hirondelles nichaient dans les trous. Malgré la chaleur accablante, une foule de personnages en haillons était prête à recevoir Yeza.

— Et voilà les chrétiens!

Beni désigna les porteurs de croix qui étaient apparus avec des bannières déchirées; on y voyait Marie prendre l'enfant au sein ou un agneau perdre son sang, les pattes antérieures pliées. On remarquait dans la foule beaucoup de vieilles femmes, le plus souvent en tenue de nonnes; mais elles formaient de petits groupes qui ne se mélangeaient pas et ne se parlaient pas.

— Des Grecs orthodoxes et des Arméniens, des Syriens et des Coptes! expliqua Beni. Il ne manque que les catholiques romains. À ceux-là, il est interdit sous peine d'*excommunicatio* d'échanger avec vous ne serait-ce qu'un seul mot. Car le patriarche tient à ce que vous alliez d'abord lui présenter vos hommages, et seule, sans escorte!

— Le raccommodeur de chaussures veut mettre à l'épreuve votre juste foi! plaisanta Jordi. Permettez-nous donc d'être particulièrement aimables avec ces schismatiques, cela lui rongera les nerfs!

Yeza accepta cette proposition.

— Donnez une pièce à chaque personne qui se sera présentée ici pour nous saluer, et envoyez-les ensuite au diable, avec toute la bonté d'âme dont vous serez capables.

Tandis que les chrétiens se battaient pour ramasser les aumônes que Jordi faisait sortir à pleines mains de la caisse, Jakov et le soufi arrivèrent. Abu Bassiht s'inclina devant Yeza et récita:

— « Seul le derviche connaît le secret de l'escorte, son regard transperce le ciel infini, il reconnaît Dieu et le Maître comme un seul être. »

Il accompagna sa mélopée d'un léger balancement du corps.

— « Si tu veux changer en or ton âme rouillée, cherche la proximité du Maître: l'alchimiste, c'est lui! »

— Rumi! répondit Yeza, et Abu Bassiht lui lança un regard rayonnant.

— Le maître vous salue!

Le soufi s'inclina encore une fois et fit un pas en arrière pour laisser le passage à Jakov. L'érudit à la mince silhouette semblait parler par-dessus la tête de Yeza, dans ce vent tiède qui ne parvenait pas à adoucir la chaleur :

— Que vos chemins soient des « chemins de l'amour » et vos sentiers des « sentiers de la perfection » ! (Il s'arrêta et baissa la voix, mais sans regarder Yeza.) Un mystère se dissimule dans cette phrase comme dans un flacon magique.

Yeza s'en tint aux règles de la révélation, elle ne chercha pas le regard de Jakov lorsqu'elle posa sa question :

— Le calice noir ?

Et Jakov fit comme s'il n'avait pas entendu.

— Je souhaite vous informer tout de suite, vizir, dit-il à Kefir, de ce que nous, les juifs de Jérusalem, ne considérons nullement comme souhaitable. Les musulmans de cette ville désirent que le couple royal dresse ses tentes sur la montagne de la mosquée Al-Aqsa. Ils veulent qu'Abu Bassiht y devienne leur mufti.

Yeza se tourna vers le soufi :

— Est-ce aussi votre souhait ?

Elle espérait fortement qu'il refuserait cette offre annonciatrice de trahison et de captivité. Abu Bassiht sourit et fit ce qu'elle espérait, mais seulement à moitié.

— Ah, mon frère ! dit-il en s'adressant au vieux Kefir. Servez-moi le vin clair de l'amour et de la liberté ! Vous, en revanche, Kefir Alhakim, vous seriez la gloire des fidèles d'Allah si vous preniez la direction de la mosquée et protégiez la cathédrale rocheuse ! (Il donna une bourrade d'encouragement sur l'épaule du vizir.) Présentez-vous aux suffrages des musulmans de la ville, ils ne trouveront pas de meilleur enseignant !

Mais Kefir Alhakim fut plutôt effrayé par cette proposition.

— Les juifs me lapideront, les Romains me cruci-

fieront! protesta-t-il aussitôt en se retournant vers
Yeza. Je préfère rester le vizir dévoué de ma reine!

— Vous êtes le bienvenu auprès de moi, Kefir, le
consola-t-elle avec un sourire, mais je ne veux pas
faire obstacle à votre vocation!

Le soufi ne s'avoua pas si facilement vaincu.

— Soyez comme une maison ouverte! dit-il à
Yeza avant d'ordonner à l'hésitant : *Assiq laiati
amam illa idha kana mabni alla assas Allah.* Tenez-
vous en aux mots du sage Ibn Arabi, qui a justement
dit à ce propos : « Mon cœur offre de la place à tous.
Il cache un pâturage pour les gazelles; un monastère
pour les moines chrétiens; un temple pour ceux qui
suivent les idoles; un écrin sacré pour les pèlerins;
c'est là que se trouvent les tableaux de la Thora et le
livre du Coran. »

— Vous m'avez demandé de commencer par réfléchir, répliqua Yeza. Il serait juste et normal que vous
accordiez aussi cette possibilité à Kefir Alhakim
avant que vous ne preniez votre service sur la colline
sacrée.

— Et pourtant, ma noble dame, assura Jakov, in-
traitable, le sol sacré, là-haut, demeure votre destination. Vous ne pouvez vous y dérober.

Yeza avait hâte de mettre un terme à cette discussion.

— Avez-vous vu Arslan, le chaman? demanda-
t-elle à brûle-pourpoint. J'ai le sentiment qu'il est
près de nous.

Tous secouèrent la tête. Mais Beni avait dressé
l'oreille.

— Cet Arslan a-t-il un ours avec lui?

La question lui valut un regard réprobateur de son
père. Les deux autres se regardèrent un bref instant
et se turent.

— Un ours? répéta Yeza en riant. Ça lui ressemblerait bien!

Comme Beni se taisait, elle devança les autres
pour prendre enfin possession du château de David.

— Vous, Jakov, et vous, Abu Bassiht, soyez invités

à ma table et sous mon toit. Occupez les pièces qui vous plairont.

Le choix n'était pas si vaste que cela, ils purent le constater rapidement. Dans la plupart des pièces, on pouvait dormir à la belle étoile : le plafond s'était effondré, ce qui ne promettait rien de bon en cas de pluie et de froid. Beni avait bien nettoyé les quelques pièces voûtées qui se trouvaient au niveau du sol, mais elles étaient sombres et humides. Il n'y avait pas de mobilier, hormis des sacs de paille sur la terre nue ou le sol de pierre, et ils devaient les partager avec toutes sortes de créatures animales.

Beni ne songeait pas un seul instant à céder le lit qu'il occupait chez le chef de la communauté juive, rabbi Jizchak. D'une part, parce qu'il ne souhaitait pas revenir sous la tutelle directe de son père. D'autre part, parce qu'il espérait toujours rencontrer un jour la fille du rabbin sans ses amies à l'étang de Siloah. Miriam et les jeunes filles, pour leur part, étaient en train de ramasser dans les maisons de leurs parents des couvertures, des coussins, un tapis, des vases, des *skamlat* et d'autres meubles avec lesquels elles pensaient aménager les pièces austères de la tour. Et elles se dirigèrent ensemble vers le château.

LE PATRIARCHE DE JÉRUSALEM

Yeza s'était rendue en compagnie de Jordi, Kefir, Jakov et Abu Bassiht au palais du patriarche. Ils le trouvèrent en chemise, dans le jardin de son palais : il venait de retourner de sa main un petit carré de terrain dans le parc envahi par les herbes folles, et plantait des bulbes d'ail. Il ne parut nullement confus, même lorsque Yeza lui présenta avec joie le cabaliste, le soufi, le troubadour et son vizir. Pantaleon s'essuya les mains sur son tablier, et l'on alla s'installer à l'ombre. La chaleur était torride. Il n'y avait plus le moindre souffle d'air. La voix du patriarche était douce lorsqu'il s'adressa à Yeza :

— Vous avez à votre service, vous qui méprisez les bénédictions de l'*Ecclesia catolica*, l'unique Église de notre seigneur, un enfant chrétien baptisé, un certain Benedictus, élevé dans la juste foi.

Yeza observa cet homme à l'allure de paysan. Elle sentait sa mauvaise humeur grandir, mais elle lui fit tout de même signe de continuer.

— Il loge dans la maison d'un juif, le rabbi Jizchak. Je ne puis le tolérer, d'autant plus qu'il pourrait m'assister comme lecteur dans l'église du Saint-Sépulcre.

Pantaleon s'attendait à n'importe quelle objection, mais pas à la question que lui posa alors Yeza :

— Et qui donc est enterré là-bas ?

Le patriarche en resta bouche bée, et Jakov put prendre sèchement la parole :

— Vous semblez moins vous préoccuper du lieu où Jésus de Nazareth, de la maison de David, prend son dernier repos, que de votre propre lit, pour désirer à ce point la présence de ce gamin ?

Le patriarche devint tellement cramoisi que les autres s'attendirent à le voir frappé d'apoplexie.

— Racaille hérétique ! grogna-t-il. Je vous ferai tous...

— Quoi donc ? demanda joyeusement Jordi. Crucifier ?

— Bande de juifs ! Vous avez déjà tué le fils de Dieu...

— Arrêtez ! C'étaient les Romains ! objecta immédiatement Jakov. Nous, les juifs, nous l'aurions lapidé. Mais pourquoi l'aurions-nous fait ? C'était notre Messie ardemment désiré, nous le voulions comme roi, comme roi des juifs !

— Vous êtes des porcs, vous avez assassiné l'agneau de Dieu, vous l'avez abattu, abattu ! Mais Christ est ressuscité, c'est le roi des chrétiens ! Il n'appartient donc qu'à nous, avec sa peau et ses cheveux !

— Le pauvre, dit Yeza en se relevant. Il n'a pas mérité cela !

— Je vais vous faire chasser de la ville! brailla le patriarche. Vous êtes démoniaques!

— Je ne suis pas responsable de l'enfer, répondit Kefir Alhakim, mais de mon fils, que vous appelez Benedictus. Je vais lui conseiller d'abjurer son serment chrétien. L'enseignement de notre prophète Mahomet se prête bien mieux à la vie que votre doctrine de haine. *Inch'Allah!*

— Je sauverai son âme pour le Christ, si le Seigneur m'y aide! Mon Dieu! Quant à vous, je vais vous...

Il avait pris son bâton et l'agitait devant le vizir et Jakov.

— Nous devrions peut-être montrer un peu nos semelles au cordonnier, proposa Jordi à sa maîtresse. Il a bien mérité quelques coups de pied...

— Tu veux offrir un nouveau martyr à l'Église? demanda Yeza.

Au même instant, l'érudit avait attrapé le bâton du patriarche et le lui avait arraché des mains avec une agilité dont nul ne l'aurait cru capable. Il le brisa tranquillement sur son genoux. Décontenancé, Pantaleon observa le crucifix qu'on lui tendait.

— « Tout homme en colère est semblable à l'idolâtre », invoqua Jakov, « et la bile est l'épée de l'Ange de la mort. » (Il poussa lentement le patriarche devant lui, comme un exorciste marchant vers le Malin.) « Quiconque transgresse l'interdiction de verser le sang, de servir les idoles et de se livrer à la lubricité, son âme se dénude et il se dirige vers l'enfer! »

Jakov planta dans la terre, aux pieds du patriarche, la partie du bâton qui portait le crucifix, et lui jeta l'autre moitié devant les pieds. Jacob Pantaleon s'agenouilla et pria son Sauveur en silence.

— Bien, fit Yeza, concluons donc cette visite de courtoisie, en souhaitant que ce soit la première et la dernière!

— Que le patriarche s'occupe de ses gousses d'ail, approuva Jordi. Cela lui sera d'une grande utilité avec des femmes comme vous.

— Tu veux dire que le représentant de Rome empestera tellement que je resterai à distance ?

En tout cas, ils laissèrent le patriarche dans son jardin.

— Nous nous retirons sur la montagne du Temple, annonça Yeza après avoir quitté le palais.

— Et nous faisons fermer l'église du Sépulcre, proposa Jordi. Le monde s'en sortirait très bien sans la religion chrétienne.

Depuis que Jérusalem, la Ville sainte, était définitivement retombée entre les mains de l'Islam, en 1244, sous forme d'un tas de ruines pratiquement vidé de sa population, nul ne s'était plus donné la peine de remettre en état les murs, les tours et les portes. Les Francs chrétiens du royaume jugeaient que cette cité était intenable, et sa reconquête paraissait donc absurde. Les Égyptiens, qui en étaient officiellement les maîtres, considéraient qu'elle était trop isolée pour servir de fort avancé aux frontières, et qu'elle n'avait aucune signification stratégique. Lorsqu'ils comprirent que les croisés n'avaient plus aucune prétention sur ce lieu auquel ils avaient jadis tellement tenu, on n'y laissa même plus une garnison entière. Il n'y resta que quelques gardiens en loques qui vivaient des *bakchich* que leur versaient en guise de droit de passage les pèlerins de plus en plus rares.

Lorsque Julien de Sidon aperçut la ville, avec ses spadassins armés jusqu'aux dents, après des journées de chevauchée rapide dans la vallée du Jourdain, il ordonna d'ôter les armures et de les cacher avec casques et épées dans les sacs de paille qu'ils avaient apportés. Personne ne remarqua donc qu'ils amenaient aussi deux chevaux sellés. On les prit pour de pieux pèlerins se rendant au Saint-Sépulcre, et ils franchirent sans être inquiétés le Bab el-Amud, l'ancienne porte Saint-Stéphane. Ils avaient même parmi eux un véritable religieux.

Ce moine (il s'agissait du franciscain Laurent d'Orta), ils l'avaient trouvé en chemin et l'avaient

emmené après qu'il eut reconnu sans la moindre
gêne être un proche du couple royal et se diriger vers
Jérusalem pour lui rendre visite. Julien considéra
cette rencontre comme un signe du destin : lui ne
savait même pas à quoi ressemblaient Roç Trencavel
et sa dame Yeza. Il se garda bien d'informer le frère
mineur de son sombre projet : s'emparer des enfants
du Graal pour s'en servir comme monnaie d'échange
avec les Mongols. Il déclara au contraire tenir à présenter ses hommages au jeune couple. Julien, qui en
était le protecteur, prétendait régner sur le royaume,
et avait un atout de poids contre Philippe de Montfort, son vieil, adversaire. Avec ce Laurent d'Orta, il
s'introduirait auprès de Roç et de Yeza sans éveiller
l'attention. Il aurait alors tout le temps de venir vérifier sur place comment il pourrait mettre en œuvre
son projet de la manière la plus discrète possible.

Emmener ce frère mineur avait sérieusement
ralenti l'entreprise de commando conduite par
Julien de Sidon. Laurent, déjà passablement
indolent, n'était pas habitué aux chevauchées
rapides ni aux autres aléas du voyage. Ils durent au
bout du compte l'attacher au cheval qu'ils lui avaient
attribué d'office pour qu'il n'en tombe pas. Mais le
chevalier-brigand ne s'était pas donné tant de mal
pour rien : Laurent était la peau de mouton sous
laquelle se dissimulerait le loup. Il atteindrait ainsi
sa cible plus sûrement et plus commodément que
par une simple attaque armée. Julien ne tenait ni à
attirer l'attention, ni à verser inutilement le sang.

Lorsque la troupe leur demanda où séjournaient
Roç et Yeza, les gardiens de la porte les renvoyèrent
au château de David. Julien partit ainsi avec ses
hommes au cœur de la ville. Ils avaient déjà dépassé
l'église du Saint-Sépulcre lorsqu'un homme d'un certain âge leur barra le chemin. Il brandissait un crucifix devant les prétendus pèlerins et désignait le portail de l'église.

— Voici le lieu dont vous avez besoin, pécheurs,
pour obtenir le salut !

— Fiche-moi le camp, vieil homme ! tonna Julien. Nous avons plus important à faire.

— Qu'y a-t-il de plus urgent pour un chrétien que de faire pénitence devant la tombe de celui qui est mort pour toi sur la croix ?

Le solide patriarche (que rien, dans ses vêtements, ne permettait de reconnaître) sauta devant le cheval du gredin et attrapa les rênes.

— Je suis Jacob Pantaleon, gardien de ce lieu saint. Et je vous ordonne de descendre !

Julien éperonna son cheval, qui se cabra. Le patriarche effrayé lâcha les rênes. La troupe passa devant lui en riant bruyamment. En entendant l'homme se présenter, Laurent d'Orta avait rabattu sa capuche et avait veillé à ne pas se faire remarquer.

La soirée avait déjà commencé. Yeza et ses derniers compagnons, Jakov et Abu Bassiht, étaient les hôtes du rabbi Jizchak. Jordi et Kefir s'étaient rendus à la montagne du Temple pour vérifier qu'il était possible de s'installer dans l'ancienne résidence des Templiers, le monastère situé à côté de la mosquée Al-Aqsa, au-dessus des écuries de Salomon. À la table du rabbi se trouvait un vieil ami d'Alexandrie, le chiromancien Ezer Melchsedek. Il prétendait avoir parcouru à pied le chemin depuis Aqaba, par les rives de la mer Morte. Il paraissait pourtant très frais.

— Vous avez dû voler ! dit Yeza, incrédule. À moins que des aigles ne vous aient porté ?

— Sur les ailes de l'aigle, par-delà les montagnes, répondit Ezer sans se laisser décontenancer, sur le dos d'un taureau, lorsqu'il fallait franchir l'eau, avec la tête du lion à travers le désert.

— Vous avez dévoré notre modeste repas comme un homme qui a dû jeûner pendant sept jours, remarqua le rabbin, amusé.

— Ce monde n'est-il pas « une fête sans fin, où chacun a ce dont il a besoin ? Nous mangeons, nous mangeons, nous nous resservons deux, trois fois, et la table demeure pourtant toujours abondamment couverte »

Abu Bassiht adressa un sourire à Yeza : il savait combien elle se réjouissait lorsqu'il citait son poète préféré, Jalaluddin Rumi.

— Restez donc, il y a suffisamment de place pour un autre invité à notre table !

— Vous manquez de sérieux ! l'interrompit son ami Jakov. Notre rabbi Jizchak veut expliquer à la fille du Graal la promesse messianique du peuple juif. Les juifs de cette ville ne sont pas les seuls à se demander si le couple royal peut et doit remplir cette attente.

Abu Bassiht bondit et se mit à danser dans la pièce.

— Oh, mes frères, servez le vin pur de l'amour et de la liberté.

Le rabbin chercha à le ramener sur le terrain des réalités.

— Cela pourrait provoquer des troubles, une terrible tempête !

Jizchak était sincèrement inquiet. Mais cela ne servit à rien.

— Plus de vin ! gémit le soufi en commençant à tourner plus vite sur lui-même. Nous allons apprendre à cette tempête comment l'on tournoie !

Il se mit à décrire des cercles, comme un tas de feuilles d'automne soulevé par un petit cyclone, montant et descendant dans son manteau. La danse des derviches !

Yeza avait écouté attentivement le vieil homme, et avait préféré ne pas intervenir dans cette étrange discussion. Elle fut assez surprise d'entendre quelles chimères agitaient ces têtes presque chauves. Et s'il ne s'agissait pas de folies... Roç et elle-même étaient-ils capables d'assumer le fardeau d'un pareil espoir ? Ils avaient atteint Jérusalem, l'objectif qu'ils s'étaient fixé ! Yeza frissonna en comprenant d'un coup ce que signifiait, pour elle, d'avoir mis le pied dans cette ville. Son destin allait s'accomplir ici. Les

temps de l'errance étaient terminés, le Prieuré s'était
pris au piège de ses propres prophéties — et eux, les
anciens enfants du Graal, devaient à présent en subir
les conséquences. Mais ne l'avaient-ils pas toujours
su ? Yeza avait grande hâte que Roç la rejoigne. Elle
ne pouvait pas prendre seule les indispensables décisions, et elle ne le voulait pas non plus !

Ce n'est pas Roç qui arriva, mais Beni, suivi par
une toute jeune femme laiteuse qui avait sans doute
tourné la tête du Matou.

— Qu'y a-t-il, mon enfant ? demanda le rabbin,
qui présenta fièrement la jeune créature : Miriam,
ma fille !

Mais Beni, surexcité, était déjà en train de
raconter son histoire :

— Nous étions en train de rendre le château de
David habitable pour que le couple royal puisse s'y
sentir à son aise lorsqu'un tas de chevaliers y a fait
irruption en brandissant son épée, et s'est immédiatement précipité dans les appartements destinés
au couple royal. (Le Matou reprit un bref instant son
souffle.) Ils m'ont vu, moi et Miriam, dans le cercle
de ses compagnes, dont elle ressortait comme la
perle entre les grains de sable de l'huître ! (Le père
accueillit d'un froncement de sourcil cet enthousiasme pour sa fille.) « Êtes-vous Roç Trencavel et la
dame Yeza Esclarmonde ? » a demandé leur chef,
d'un ton rogue, en regardant fixement Miriam. Ils
avaient aussi amené un moine avec eux, un franciscain malingre. Celui-ci a hoché la tête et a dit :
« Vous vous trompez, messire Julien, ce n'est nullement le couple que vous recherchez ! » J'ai compris
ce qui se passait, je porte tout de même le titre de
secretarius ! et Miriam s'est présentée comme une
simple servante, à l'instar de ses compagnons de
jeu... Messire Julien était furieux contre le frère
mineur. « Vous vouliez pourtant nous présenter le
couple royal, Laurent d'Orta ! » lança-t-il au pauvre
moine, qui se défendit pied à pied : « C'est vous qui
l'avez cru, messire Julien ! Vous ne m'avez pas posé

la question! » Le chevalier a avalé la couleuvre. « Et où trouverons-nous à présent Roç et Yeza? » demanda-t-il poliment. C'est moi qui lui ai répondu : « Mes seigneurs séjournent auprès du patriarche latin qui les a invités dans son palais, escortés par une imposante troupe de chevaliers. Dois-je vous y conduire? » Là-dessus, messire Julien a poussé un juron fort peu chrétien et a quitté le château avec sa bande. Je les ai suivis du regard, ils ont franchi au grand trot la porte la plus proche et ont tourné le dos à la ville!

— Et Laurent d'Orta? demanda aussitôt Yeza. C'est un bon et vieil ami...

— ... et il le restera! assura le franciscain en entrant dans la pièce.

— Que nous voulaient-ils? demanda Yeza dès qu'elle eut serré le petit frère mineur dans ses bras.

— Ces messieurs ne m'ont pas mis dans la confidence, mais cela ressemblait fort à un enlèvement. Ils avaient même amené deux chevaux sellés, j'ai rencontré leur troupe par hasard alors que je me rendais auprès de vous, ma reine!

— Et maintenant? s'enquit Beni, d'une voix trop forte.

— La dame Yeza Esclarmonde dormira cette nuit sous mon toit! décida le rabbi. Miriam lui cédera son lit.

— Il n'en est pas question, répliqua Yeza. Nous allons nous le partager!

La fille unique rougit de bonheur, tandis que s'assombrissait la sombre mine du Matou, jusqu'alors pleine d'espoir : il s'imaginait déjà qu'une souris sans nid ferait une proie facile... Jizchak, son père, lui lança un regard sévère.

— Mais nous voulions boire quelque chose, rappela Abu Bassiht, avant de nous en aller chercher un lieu de repos pour nous autres, vagabonds de longue date. (Il désignait ainsi Jakov et Laurent.)

Tandis que Miriam et Yeza se retiraient en haut de la maison, le rabbin descendait dans la cave et allait chercher un peu plus de vin. Il choisit avec soin, car c'était une journée particulière. La tentative d'enlèvement l'avait confirmé. Le rabbi Jizchak se fraya un chemin entre les amphores disposées contre les murs de la cave humide qui, passant sous la rue Jehosaphat, jouxtait les contreforts de la colline du temple, pressa son front contre la pierre et remercia son dieu à voix haute.

Yeza avait pris le temps d'apprécier la nudité de Miriam, puis la chaleur de la peau de la jeune fille, qui répondit tendrement à son enlacement. Elle laissa avec délices ses lèvres tendres, puis sa langue rêche cajoler la pointe dure de ses seins, et aurait volontiers appris d'autres plaisirs à sa jeune compagne de lit, pour autant que la chose fût encore nécessaire, mais la fatigue fut plus forte que le plaisir. Blottie entre les bras de la fille du rabbin, elle s'endormit aussitôt profondément. Elle vit les piliers des écuries souterraines du roi Salomon, noyées sous l'eau. Elle y nageait comme un poisson, sans le moindre problème de respiration. Le plus petit battement de main suffisait à la faire replonger dans les profondeurs ténébreuses. Aucun rayon de soleil ne l'atteignait plus. Puis elle vit le calice noir descendre en brillant devant ses yeux. Elle ne l'attrapa pas, mais suivit son éclat. Elle l'aurait pourchassé jusque dans les profondeurs de la terre si elle n'avait pas entendu une sonnerie qui s'amplifia et résonna dans l'eau, lui fit bourdonner les oreilles et la tête tout entière. Elle sursauta et vit la silhouette de Myriam debout devant la fenêtre ouverte. Elle regardait à l'extérieur. Yeza sortit du lit et s'approcha de la jeune femme. Des voix excitées montaient vers elles du parvis. Elle se colla à Miriam, et elles tentèrent de saisir des bribes de la conversation. C'est la voix puissante de Jordi qui dominait.

— C'est certainement le patriarche qui les a dénoncés. La populace chrétienne est montée vers le château de David pour lapider le couple royal.

Comme ils n'ont trouvé personne dans les appartements, ils ont brisé les meubles, pillé et emporté tout ce qui leur paraissait précieux, ont détruit tout le reste et y ont mis le feu.

À cet instant seulement, Yeza remarqua l'éclat d'un incendie à l'autre extrémité de la ville, une lueur vacillante.

— Ils avaient attrapé Kefir, qu'ils prenaient pour un juif. L'ambiance était au pogrome : le patriarche, au cours d'une messe nocturne, avait fait comprendre que les juifs voulaient s'emparer de l'église du Saint-Sépulcre pour la transformer en synagogue.

— Il n'y a pas dans tout Jérusalem assez de juifs pour remplir la basilique, soupira Miriam avec une once de regret.

Yeza passa ses bras autour de la jeune fille, qui commençait à frissonner dans la fraîcheur du matin. Ses mains glissèrent vers le bas de ce corps tremblant.

— Viens, chuchota-t-elle, retournons sous la couverture chaude, les hommes n'ont pas mérité mieux.

Elles entendirent toutes deux que l'on ramenait Kefir. Il était donc encore vivant.

— Lorsque quelques gardiens des portes sont arrivés mollement, raconta-t-il, les chrétiens ont quitté le château de David en jurant qu'ils abattraient tout juif qui s'aventurerait à proximité de leurs églises et de leurs lieux saints.

— Sur ce point, toutes les confessions sont d'accord, si hostiles qu'elles puissent être d'ordinaire, conclut Jordi. Kefir Alhakim doit à l'intervention des mamelouks d'avoir pu échapper à la foule, roué de coups, sans doute, mais les os et les dents intacts.

— Eh bien, notre guérisseur va pouvoir se soigner tout seul ! dit Yeza en chuchotant à l'oreille de Miriam : Viens !

En dessous, les hommes entrèrent dans la maison. Et le silence revint dans la rue de Jehosaphat.

L'ÉMIR, SON ÉPOUSE ET LE PETIT GARÇON

À Damas, la perle de la Syrie, l'ambiance n'était pas aussi pesante, mais les habitants étaient profondément inquiets, et se réfugiaient dans une activité frénétique. Aucun ne savait vraiment quoi faire, à commencer par le souverain qui oscillait quotidiennement entre les appels guerriers à la résistance et des projets de fuite sous la protection d'alliés puissants.

Madulain, l'épouse de l'émir mamelouk Fassr ed-Din Octay, qui avait quitté le Caire pour échapper aux assiduités du nouveau sultan, était habituée à ce genre de troubles.

— Vous n'avez pas fait preuve d'intelligence, An-Nasir, reprocha-t-elle sans ambages à son hôte, et vous vous êtes humilié inutilement, en demandant au Caire, sous cette forme, une aide fraternelle. Pour commencer, Qutuz n'est pas votre frère, mais l'un des officiers mamelouks qui ont assassiné votre cousin ayyubide au cours d'une révolte de palais, afin de monter lui-même sur le trône! Comment avez-vous pensé qu'il prendrait votre appel au secours? Comme une invitation à se mettre aussi et enfin Damas sous la dent!

— Ce gamdarite parvenu n'osera pas! tonna An-Nasir, qui avait jusqu'alors écouté en méditant, assis devant la table, une montagne de chair affaissée, les mains jointes sur sa nuque courbée, comme s'il ne voulait rien entendre et rien voir.

Ce n'était pas une fausse impression : le sultan aurait effectivement préféré que tout ce qui s'abattait sur lui se révèle être un mauvais rêve, des rumeurs absurdes, des papotages de bonnes femmes! Mais il savait fort bien que Madulain, cette souveraine née, savait garder la tête froide. Il est terrible, songea An-Nasir, de constater la force dont peuvent faire preuve les femmes lorsque l'homme est dans la détresse! « Dans le péril, la voie médiane mène à la mort »! Cette phrase, c'était son ancienne favorite,

Clarion, qui la lui avait jetée à la face avant de partir, furieuse, pour Alep, afin de retenir El-Aziz qu'il avait envoyé comme otage auprès des Mongols sans s'entretenir d'abord avec la fille de l'empereur.

— Pensez-vous vous aussi, demanda An-Nasir à son hôte, que mon fils n'obtiendra aucun résultat si je l'envoie auprès du Il-Khan ?

Madulain le dévisagea, étonnée.

— Il est en tout cas absurde de remettre entre les mains des Mongols la chair de votre chair, votre unique héritier, si vous voulez partir en campagne contre eux, avec ou sans les mamelouks. Qu'est-ce que cela signifierait ?

An-Nasir gémit.

— Mais je ne peux pas me rendre moi-même au camp de Hulagu et me jeter à ses pieds pour lui demander grâce !

— La question n'est pas de savoir si vous le pouvez, mais ce que vous voulez obtenir.

— Qu'ils me laissent en paix, moi et la Syrie, je veux conserver Damas !

— Seul conserve l'autorité sur un pays celui qui s'en montre digne, par sa sagesse ou par son pouvoir. Le vôtre ne suffit pas à résister aux Mongols. Il était donc parfaitement avisé de s'adresser aux mamelouks. Seulement vous n'auriez pas dû le faire en quémandeur soumis, mais en allié, à égalité de droits, dans la *djihad* de l'islam unie contre l'ennemi commun de la foi !

— Vous avez la parole facile, femme ! protesta le sultan. Si Baibars, avec notre aide, chasse du pays le choléra mongol, j'aurai ensuite la peste mamelouk dans mes frontières.

Madulain éclata de rire.

— Vous auriez dû y penser plus tôt, avant d'abandonner Alep ! Ce sont ses troupes qui vous manquent aujourd'hui, sous le commandement d'un chef d'armée compétent, comme votre oncle Turan-Shah. Vous permettez au Il-Khan de prendre tous les bastions de l'islam à la file... (La voix de Madulain se fit tranchante comme un rasoir) parce que vous êtes obtus et que vous ne pensez qu'à vous-même. Quoi! Vous passez vos journées à méditer et vous n'agissez jamais! Comme si Bagdad, déjà, n'avait pas connu son destin tragique!

— Je ne sais pas pourquoi je tolère qu'une femme me lance tout cela à la tête, se plaignit An-Nasir avant de se relever en gémissant. (Quatre serviteurs au moins accoururent pour soutenir son corps massif. Il vacilla dangereusement; il avait trop bu, en plus du reste.) Peut-être parce que je regrette Clarion, ma fidèle conseillère, qui m'avait habitué à pareil traitement. Mais vous êtes pire qu'une chienne enragée. Rien d'étonnant à ce que votre époux vous ait chassée!

— Ne vous souciez pas du couple que je forme avec Faucon rouge! répondit sèchement Madulain.

La jeune femme avait cessé depuis longtemps de craindre ce colosse aux pieds d'argile. Son problème était plutôt de savoir si elle devait encore attendre longtemps son mari à Damas. Si elle poursuivait son voyage, cela ressemblerait à une fuite, on prendrait son attitude pour un aveu de ses relations supposées avec le jeune Ali, ou du moins pour une reconnaissance du fait qu'elle préférait la compagnie du jeune homme. De cela, il n'était pas question!

— Vous vous inquiétez sans doute aussi pour le jeune Ali? demanda An-Nasir comme s'il avait deviné ses pensées.

— Dans un couple comme dans l'art de gouverner, il y a des périodes où la jeunesse sait nous procurer du plaisir, comme vous vous l'êtes vous-même procuré avec les *houris,* An-Nasir. Mais, dans le dilemme où vous vous trouvez aujourd'hui, vous aspirez à retrouver la sage raison d'une Clarion de Salente, et moi, j'aspire à retrouver le bras puissant et le sage conseil que peut m'apporter Faucon rouge.

— Vous espérez qu'il vous pardonnera? Moi, je ne vous...

— Il n'y a rien à pardonner, répliqua-t-elle brutalement. Avez-vous des nouvelles d'Alep?

Le sultan tressaillit.

— La ville est totalement encerclée. Mon gouverneur se bat courageusement !

Ce fait ne semblait guère le préoccuper, ce qui agaça la *Saratz*.

— Mais vous auriez encore la capacité de lui venir en aide.

An-Nasir ne voulut pas en entendre parler. Il faisait pourtant partie de ces hommes qui, d'ordinaire, écoutent attentivement les avis, paraissent convaincus, et n'en font, au bout du compte, qu'à leur tête.

Madulain prit congé. Elle voulait aller rendre visite à Ali, qui s'abstenait de participer aux repas communs : il ne supportait plus les propos grossiers d'An-Nasir à l'égard des mamelouks, et notamment de son père défunt. Depuis qu'elle était arrivée à Damas, Madulain ne s'était plus guère intéressée aux plaisirs sexuels que lui offrait le jeune garçon. Elle ne voulait pas présenter de faille à An-Nasir, qui aurait immédiatement flairé l'adultère. Ali, qui l'aimait toujours et la désirait ardemment, souffrait terriblement de la froideur de la jeune femme. Après la basse attaque d'An-Nasir, Madulain était justement d'humeur à faire une entorse à ses principes. Elle entra sans frapper dans les appartements d'Ali et ferma la porte derrière elle.

Le sultan de Damas ne reçut pas l'envoyé du Caire dans la somptueuse salle d'audience, mais dans l'un des jardins discrets du palais. Naiman n'était d'ailleurs pas le légat officiel qu'espérait An-Nasir, mais un envoyé « secret ». C'était d'ailleurs exactement l'impression qu'il donnait.

— C'est Baibars qui m'envoie, chuchota (par pure habitude) le bigleux en s'inclinant devant le puissant souverain que sa garde couchait sur un banc de pierre surmonté d'un paravent. Des serviteurs le calèrent avec des coussins et l'éventèrent. Naiman dut pour sa part rester sous le soleil.

— L'Égypte n'abandonnera jamais son frère

syrien, le sultan vous le jure *bismillah,* annonça le messager.

— Quand ? demanda An-Nasir pour couper court au sermon qui s'annonçait.

— Dès que nous aurons levé l'armée, elle se mettra en marche au pas de charge. Mais d'ici là, il vous faudra contenir les Mongols.

— Comment ? grogna An-Nasir, visiblement déçu. La flotte ne peut-elle pas...

La question ne laissa pas longtemps Naiman dans l'embarras.

— Tous les ports qui reliaient jadis Damas à la mer, celui de Tripoli et celui d'Antioche, sont aujourd'hui entre les mains des Mongols ou de leurs alliés.

— J'ai déjà envoyé mon fils El-Aziz en gage au camp de Hulagu, le Il-Khan, soupira le sultan. Je suis en train de sacrifier Alep. Qu'est-ce que je peux faire de plus ?

— Rassemblez votre armée, alliez-vous aux Francs du royaume.

— Ce dernier point n'est guère prometteur. Ce sont eux, tout de même, qui ont fait entrer ces hordes dans le pays.

Naiman réfléchissait. Il tournait en rond en traînant la jambe.

— Le fils de notre dernier sultan ne séjourne-t-il pas dans votre cour ? demanda l'espion, avec un méchant reflet dans l'œil.

— Ali ?

— Tout à fait ! confirma Naiman. Il ne vous sert pas à grand-chose. Il ne vous sert même à rien du tout, pour être précis. Mais en tant que nouvel otage, que « fils du sultan du Caire », il pourrait inciter Hulagu à la réflexion...

— S'il ne lui coupe pas la tête !

— C'est lui qui court le risque, pas vous, répondit Naiman pour balayer cette objection inattendue. Vous n'avez tout de même pas l'intention de demander son accord à cet Ali ?

An-Nasir songeait surtout à la résistance de Madulain, qui ferait tout pour empêcher le départ du jeune garçon. Il parviendrait certes à obtenir le départ de l'otage. Mais si Ali était accepté avec respect, ne serait-il pas alors un rival pour El-Aziz, dans la course à la main de la princesse ?

— Qui est au juste cette Yeza, la *moudiat al'alam* que les Mongols vénèrent tellement et qui a l'oreille du grand khan ?

— Qu'en espérez-vous donc, illustre sultan ? demanda Naiman, légèrement déconcerté par ce coq-à-l'âne subit.

— Une influence apaisante, révéla fièrement An-Nasir. Peut-être la paix ! ajouta-t-il avec emphase. Et Naiman dut lui remettre au plus vite les pieds sur terre.

— Le couple royal est un rêve auquel les Mongols se sont laissé prendre. Mais jusqu'ici, cela ne les a pas fait abandonner leur attitude guerrière ; ils considèrent sans doute Roç Trencavel et Yeza Esclarmonde comme un simple *muchaddir* capiteux censé nous abasourdir. Car ils n'abandonneront certainement pas leur volonté de conquête. Ne vous laissez pas prendre au piège !

Le bigleux constata que ses mots ne produisaient pas grand effet. Il reprit son discours :

— D'autre part, le couple royal s'est séparé des Mongols, justement pour cette raison. Yeza traverse actuellement le Néguev en direction de Jérusalem, elle y est même vraisemblablement déjà arrivée. Roç a été retenu à Ascalon à la suite de différends avec les Templiers, qui constituaient jusqu'ici la puissance protectrice de ce couple. Aujourd'hui, ils n'ont l'un et l'autre aucun pouvoir, aucune terre, aucun moyen. Ce sont des mendiants dans les ruines de Jérusalem !

An-Nasir sembla touché, mais d'une manière différente de ce à quoi s'était attendu son interlocuteur. Il allait lever une armée, et sur-le-champ ! Non pas, cependant, pour marcher contre les Mongols, mais pour prendre Jérusalem et entrer en possession de ce couple royal. Il tiendrait ainsi quelque chose qui pourrait assouplir les Mongols.

— Je vais suivre votre conseil, précieux Naiman, conclut le sultan. Damas va prendre les armes et accrocher au drapeau de l'islam la gloire de la victoire. *Allah jurid dhalek !*

Pour le visiteur tardif, Damas offrait l'image d'une ruche où un ours aurait posé la patte. Dans toutes les rues, la lumière éclairait vivement les maisons. Les gens étaient assis devant les feux de camp ou formaient des attroupements pour discuter du sens que pouvait bien avoir l'appel du sultan. Devaient-ils prendre les armes au plus vite, ou s'enfuir ? Les hommes se pressaient dans les souks pour acheter les vivres indispensables. Devant les bâtiments publics éclairés par des torches, les jeunes qui venaient répondre à l'appel aux armes se rassemblaient. Des vétérans se chargeaient de répartir les lames d'acier tranchant qui avaient fait la réputation de Damas et que l'on avait amassées sur de longues tables. On tirait des chargements entiers d'arcs, de flèches et de lances.

Faucon rouge connaissait admirablement la ville. Il n'eut donc aucun mal à entrer, malgré la confusion générale, dans le palais du sultan. Au cœur de la termitière, chacun le prenait pour ce qu'était finalement Fassr ed-Din Octay : un émir de haut rang qui rejoignait son souverain en toute hâte afin de se mettre à sa disposition pour le combat imminent. Il donnait son nom en toute franchise lorsqu'on le lui demandait. Il ne réclamait cependant pas de voir le sultan » mais sa propre épouse. Les chambellans perfides le menèrent de bonne grâce aux appartements d'Ali.

Dans la grande cour intérieure du palais, une place immense où l'on donnait les défilés, les réceptions et les cérémonies, le sultan saluait les délégations de ses vassaux et alliés. Ses cousins, les seigneurs de Hama et Kerak, venaient tout juste d'arriver. An-Nasir avait renoncé à se faire transporter dans une litière (il fallait généralement huit porteurs pour cela), et déplaçait comme un général sa masse impressionnante. Quatre eunuques gigantesques et quatre puissants officiers de sa garde personnelle turque devaient le soutenir pour que cet obélisque ne bascule pas vers l'avant. Une fanfare militaire montée à dos de chameau faisait sonner les cors et battait un rythme martial sur de grandes timbales. Partout flottaient les bannières des unités, on prêtait serment, cimeterre au clair, on vantait les mérites du sultan, on se moquait de l'ennemi et on le maudissait. An-Nasir se traînait d'un groupe à l'autre, se faisait embrasser les pieds, le manteau et les joues, promettait la victoire et de beaux butins, le salut de l'islam et *barakat Allah*. Il finit tout de même par monter dans sa litière de combat. On installa un escabeau, vingt gardes l'aidèrent à le gravir, marche après marche, car cette caisse molletonnée à l'intérieur et couverte de métal à l'extérieur était accrochée sur le dos d'un éléphant. Celui-ci accueillait en outre quatre arbalétriers légers dont le sultan pouvait surveiller l'efficacité par de fines fentes creusées dans la cabine. Sa propre bannière, le drap vert du prophète orné de la demi-lune argentée, était portée à l'avant par un pachyderme de plus petite taille. Les chefs laissèrent An-Nasir décrire un tour sur toute la place avant de rentrer dans son palais sous les cris de joie, les coups de cymbales et de tambour. Le départ de l'armée était prévu pour le lendemain.

Madulain venait juste d'interrompre sa chevauchée sur les minces flancs d'Ali, et se tenait encore assise sur le lit en bataille. Elle était allée chercher ce dont elle avait envie, et il avait donné le meilleur de lui-même. Ali savait qu'elle l'aimait lorsqu'il lui cajolait les seins, qui ne trouvaient jamais leur compte dans l'ardeur de la bataille. Il était donc agenouillé derrière son amante et caressait son corps nu lorsque Faucon rouge entra et se dirigea vers le divan, au milieu de la pièce.

— Loin de moi l'idée de troubler votre séance de soins corporels, ma dame, commença-t-il d'un ton léger, sans regarder les deux amants.

Madulain s'était aussitôt reprise.

— Continue, dit-elle au garçon qui la caressait et dont les mains étaient retombées. Ce sont surtout les muscles qui tiennent les seins, depuis l'épaule. (Les mains d'Ali se dirigèrent, hésitantes, dans la direction qu'elle lui indiquait.) Allez-y, mon ami, n'ayez pas peur, je suis solide.

Une suée d'angoisse monta au front du jeune garçon : Faucon rouge venait d'ôter sa rapière, et il garda son cimeterre en main un peu plus longtemps que nécessaire. Il souriait.

— Après une longue chevauchée, poursuivit-il d'un ton badin, mes pauvres os auraient bien besoin de détente, eux aussi. (Il passa son *qamis* énergiquement au-dessus de la tête et se retrouva le buste nu.) An-Nasir semble vouloir réserver une fin rapide à son sultanat, il jette son armée contre les Mongols, raconta Faucon rouge en se laissant tomber sur le coussin pour enlever ses chausses.

Madulain l'observait avec suspicion, mais lui répondit tout de même.

— J'ai conseillé à An-Nasir de se soumettre s'il ne parvient pas à convaincre Qutuz, je veux dire : Baibars, d'agir de concert avec nous.

— Cette alliance ne durerait pas bien longtemps, marmonna l'émir, qui sortait de son *soual dachili*. Ou plus exactement : en procédant ainsi, la Syrie se retrouverait unie à l'Égypte, comme du temps du grand Saladin.

Faucon rouge était nu, à présent, à l'exception de ses longues bottes, ce qui incita enfin Madulain à s'arracher aux mouvements nerveux d'Ali et à se jeter sur la poitrine de son mari.

— Ensemble, nous vaincrons ! s'écria-t-elle avec un patriotisme assez inattendu.

Mais il se contenta de l'embrasser fugitivement sur le front et l'écarta de son chemin.

— Je t'ai déjà dit que j'avais besoin d'un bon massage, ma chérie, j'espère que ton suceur de seins ne me refusera pas cela. J'apprécie les mains puissantes et expérimentées des jeunes hommes !

Il marcha vers la couche où Ali le reçut en rougissant, agenouillé. Faucon rouge lui tendit la main droite, que le gamin serra avec ardeur, se plaçant ainsi sous la coupe de l'émir, qui n'était pas du tout d'humeur conciliante. D'un coup, il fit sortir Ali de ses coussins, et Faucon rouge s'y laissa tomber sur le dos. Il glissa, implacable, une botte entre les cuisses du gamin, qui lui présentait malgré lui son postérieur.

— Tenez-la ferme, valet de pied ! ordonna l'émir au fils du sultan en posant l'autre botte contre ses fesses jusqu'à ce que la première ait glissé. Puis il reprit la procédure jusqu'à ce que la seconde botte soit sortie. Faucon rouge s'installa à l'endroit où sa femme était encore couchée un instant plus tôt.

— Allez-y ferme, mon ami, ordonna-t-il au jeune Ali, je suis encore plus solide qu'une femme !

Ali, désorienté, chercha le regard de Madulain, espérant qu'elle lui apporterait son aide, mais elle se contenta de hausser les épaules. Le jeune homme se retourna et commença à masser le dos qu'on lui présentait. Faucon rouge gémit de plaisir.

— Allez dans votre chambre ! ordonna-t-il à Madulain sans même lui accorder un regard. C'est une affaire d'hommes ! À moins que vous ne désiriez regarder ?

Madulain reprit ses habits et sortit de la pièce, furieuse.

L'armée de Damas s'était regroupée à l'extérieur de la ville. Le sultan s'apprêtait à la rejoindre sur son éléphant lorsque Faucon rouge lui coupa la route.

— Attendez, An-Nasir ! s'écria-t-il avant de disparaître sous le ventre de l'animal.

Le sultan, un descendant de Saladin, savait que par le sang, l'émir était un mamelouk, l'ennemi juré de tous les Ayyubides. Mais pour lui, Fassr ed-Din Octay était avant tout le fils du grand vizir Fakhr ed-Din, un homme vénéré et irréprochable. Il lui avait donc fait confiance d'emblée, et l'avait pris à son service. À cela s'ajoutait le fait que sa femme infidèle, Madulain, était son hôte, et donc un gage de la loyauté de Faucon rouge.

— Je m'en doutais ! déclara l'émir, à peine sorti de sous le pachyderme. Les courroies sont découpées. Un seul sursaut de l'animal, et vous serez précipité dans le vide avec votre litière de combat.

An-Nasir, tout en haut, n'osait pas bouger. Faucon rouge reprit :

— J'ai vu dans votre armée l'un des plus dangereux agents du Caire, Naiman, un pied-bot bigleux.

— Il m'a offert ses services, répondit An-Nasir, le souffle lourd.

— C'est un saboteur ! l'informa l'émir. Même si ce n'est pas une tentative d'assassinat, c'eût été un mauvais présage, que le sultan de Damas soit précipité du haut de son éléphant et se brise les côtes ! J'ai surpris Naiman entrain de conspirer avec quelques membres de votre garde turque, je ne serais pas étonné si...

À cet instant, les quatre arbalétriers sautèrent de leur poste, jetèrent leurs armes et partirent en courant.

— Eux aussi, c'étaient des Turcs ! souffla le gros An-Nasir, horrifié. Ma propre garde du corps ! (Le sultan tremblait de tous ses membres.) Retour au palais ! ordonna-t-il d'une voix pitoyable.

— Permettez-moi de poursuivre les fuyards et d'arrêter ce Naiman.

— Allez-y. À qui d'autre puis-je me fier ?

Faucon rouge n'alla pas loin : il rencontra presque aussitôt les cousins ayyubides du sultan.

— Les Turcs sont tous partis pour l'Égypte avec ce Naiman ! L'armée se disperse !

Ils rentrèrent ensemble au palais. An-Nasir s'était fait déposer dans son lit, mais on laissa aussitôt entrer Faucon rouge.

— Alep est tombée! annonça une voix féminine que Faucon rouge reconnut immédiatement : Clarion!

— Les Mongols ont massacré tous les musulmans, les chrétiens ont été épargnés, mis à part quelques orthodoxes qui n'ont pas été reconnus comme tels dans la mêlée, raconta Clarion. Turan-Shah a eu l'intelligence de regrouper la majeure partie de ses troupes dans la citadelle, qu'il défend à présent.

— Et moi, qu'est-ce que je fais? grogna An-Nasir, comme s'il pouvait rendre l'une des personnes présentes responsable de sa situation.

— Vous vous soumettez au couple royal de Jérusalem! lui recommanda sa fidèle conseillère. Vous resterez ainsi le maître de Damas...

— Sous la coupe de Jérusalem? protesta faiblement le sultan.

— Certainement! Car ensuite, ce sera à Roç et à Yeza de se confronter avec les Mongols.

— Mais vous ne vous demandez pas comment je m'en sortirai, moi, avec ce couple de souverains!

— C'est à eux que vous auriez dû envoyer votre fils El-Aziz! lui lança Clarion.

— Ne vaudrait-il pas mieux que je m'allie avec Saint-Jean-d'Acre?

— À quoi bon? rétorqua aussitôt Faucon rouge. Lever une armée dangereuse ne remettrait ni les Francs, ni nos amis sur leurs jambes. Les enfants du Graal, eux, disposent au moins d'un charisme qui impressionne les Mongols.

— Et Jérusalem est de toute façon un lieu spirituel unique au monde, ajouta Clarion. Son esprit éminent...

— J'ignorais que ma favorite s'y connaissait aussi dans l'univers des *djinns*! se moqua le sultan en tirant le drap sur sa tête. Soyez remerciés, mes amis! Je vais laisser le sommeil me porter conseil.

Entrée du couple royal

Roç n'avait pas un long chemin à parcourir pour rejoindre Jérusalem. La première nuit, lui-même, Guillaume et Gosset prirent leurs quartiers chez les chevaliers de Saint-Jean, au château Blanchegarde ; puis ils chevauchèrent jusqu'à Beth-Gibelin. L'Ordre avait certes abandonné les lieux depuis longtemps, mais la garnison des mamelouks accueillit très aimablement les amis du Hafside. Le troisième soir, ils atteignirent Bethléhem et rencontrèrent le vieux Botho de Saint-Omer et Simon de Cadet, eux aussi en route vers la Ville sainte, l'un pour trouver enfin la mort qu'on lui avait promise, l'autre pour accomplir sa peine. Roç et son escorte n'éprouvaient pas la moindre envie de poursuivre leur chemin avec le juge implacable. Mais Roç avait au moins une bonne raison de s'asseoir à la même table que les Templiers devant les murs de la prometteuse Jérusalem, d'autant plus qu'ils partageaient le même gîte. À peine l'aubergiste avait-il débarrassé les reliefs du repas et rempli la cruche que Roç commença à présenter son projet.

— Ce que nous venons de vivre, dit-il d'un ton léger, n'est aux yeux de personne une page de gloire. Votre Ordre (il baissa la voix en s'adressant à Simon) a toutes les raisons de ne pas révéler le secret de *L'Atalante* et de ses voyages secrets aux « Îles lointaines », auxquels notre ami a été sacrifié. Je propose donc de raconter que Taxiarchos est mort l'épée à la main, lors d'un combat héroïque contre une légion de pirates ! Il a pu sauver le navire qui lui avait été confié, mais l'a payé de sa vie !

Tous hochèrent la tête, même si Simon ne put s'empêcher de lâcher un « c'est cela ! » narquois. Seul le vieux Templier parut pétrifié.

— Sanctifier un pirate ? grogna-t-il.

C'est Gosset qui se chargea de le remettre à sa place.

— Si l'on ne comprend pas la proposition, mieux vaudrait faire semblant de ne rien savoir !

— Cela ne devrait pas vous être si difficile, reprit à son tour Guillaume. Vous n'avez jamais été à Ascalon, c'est tout. Vous arrivez tout droit des cachots du Caire !

— Quiconque dira le contraire ne sera qu'un esprit embrumé ! ajouta Roç.

— Mais moi, j'avais une tête... (Botho paraissait effectivement avoir un peu perdu le nord)... je devais l'apporter à Jérusalem... Je ne me rappelle plus à qui je devais porter ce cadeau...

Comme personne ne pouvait l'aider à combler son trou de mémoire, il cessa de se le demander.

— Avec l'âge, on oublie facilement, le consola Roç avant de poursuivre à voix basse : Je tiens moins à préserver la mémoire du Pénicrate qu'à épargner une douleur inutile à Yeza. (Il regarda à la ronde et leva son gobelet.) Je vous remercie, mes amis !

Et ils burent jusque tard dans la nuit.

Le lendemain matin, Roç et ses compagnons partirent de bonne heure. Ils aperçurent bientôt Jérusalem. Les deux Templiers se tenaient à part, bien qu'ils aient le même objectif. Personne ne leur avait demandé de se rallier au Trencavel. À peine étaient-ils à portée de vue des murs qu'une foule considérable afflua vers eux depuis la porte de David : des vieillards, des femmes, des enfants en tenue de fête, les juifs de la ville. Ils agitaient des feuilles de palmier. Les jeunes filles tenaient en main des fleurs printanières. Yeza était assise en amazone sur un palefroi mené à la longe par Beni. Jakov Ben Mordechai et Ezer Melchsedek secondaient le rabbin Jizchak, qui avait passé pour l'occasion une étole de renard beaucoup trop chaude et marchait à la tête du cortège.

> « *A l'entrada del temps clar,*
> *eya,*
> *per joia recomençar,*
> *eya,*

> *e per jelos irritar,*
> *eya,*
> *vol la regina mostrar*
> *qu'el es si amorosa. »*

Kefir Alhakim, en grande tenue de vizir, tentait vainement de donner une note solennelle à l'entrée dans la ville du jeune roi et de son épouse. Derrière Yeza, Jordi chantait une chanson gaie dont nul ne comprenait le sens, mais Abu Bassiht et Laurent d'Orta dansaient sur son rythme, bientôt imités par Miriam et ses compagnes.

> *« A la vi'a la via jelos,*
> *laissatz nos, laissatz nos*
> *balar entre nos, entre nos. »*

Roç sauta de cheval, lança ses rênes à Gosset et courut vers Yeza. Il filait sans prendre garde aux pierres ni aux racines, il manqua dévaler le chemin de gravier, passa devant les trois vieillards sans les saluer, se fraya un chemin parmi les jeunes filles qui lançaient des fleurs jusqu'à ce qu'il arrive, le souffle court, aux pieds de sa princesse, et puisse lui attraper les jambes. Elle se laissa glisser de sa selle et tomba dans ses bras. Le baiser du couple royal fut si long que Jordi chanta une strophe supplémentaire.

> *« El'a fait pertot mandar,*
> *eya,*
> *non sta jusqu'à la mar,*
> *eya,*
> *piucela ni bachalar,*
> *eya,*
> *que tuit non vengar dançar*
> *en la dança jalosa. »*

Lorsque la dernière note eut cessé de résonner, les deux amants se séparèrent.

Roç Trencavel se hâta alors d'aller saluer les dignitaires juifs, puis le petit troubadour, le fier vizir, le *secretarius* qui ne l'était pas moins, le soufi et Laurent.

Yeza serra Guillaume dans ses bras avec un cri de joie, fit une révérence amusée devant Gosset, et adressa même un signe cordial à Simon, qui était resté timidement sur le côté. Mais le Templier fut éloigné par son vieux frère d'Ordre, Botho, qui venait de comprendre et ne voulait pas être impliqué dans le spectacle qui s'annonçait.

— Pur blasphème! marmonna-t-il! Imitation de l'entrée du Messie!

Et il éperonna son cheval.

Cela ne troubla en rien la joie des retrouvailles. Le cortège se remit en marche en chantant, en dansant et en riant. On se dirigeait vers la porte de David.

> « *A la vi'a la via jelos,*
> *laissatz nos, laissatz nos*
> *balar entre nos, entre nos.* »

Jordi avait distribué d'imposants *bakchich* aux gardiens mamelouks : les pillards de la nuit précédente n'avaient pas remarqué la caisse, dissimulée sous une voûte sombre du château. Abu Bassiht et Laurent aidèrent le nain à distribuer les pièces d'or au peuple. Les juifs de Jérusalem formaient une haie au bord du chemin, agitaient leurs palmes et criaient « Hosanna! » Rabbi Jizchak jubilait lorsqu'il entra dans la ville :

« Heureux ton élu, ton familier, il demeure dans tes parvis. »

Mais d'un seul coup, les premiers œufs pourris s'abattirent sur eux, mêlés d'entrailles et d'excréments. Des chrétiens, orthodoxes et catholiques, grecs et arméniens, affluaient par les rues latérales du quartier du patriarche. Une voix se mit à brailler :

— Nous avons déjà utilisé les intestins et les panses pour chasser l'Antéchrist de la ville de notre seigneur Jésus-Christ!

Le cortège pacifique n'avait aucun moyen de se défendre contre cette agression. Les premiers os et sabots de porc se mêlaient déjà aux projectiles. Roç sauta immédiatement sur son cheval, mais les deux Templiers étaient déjà accourus. Ils parvinrent à repousser les trublions. Les juifs se réfugièrent dans leur quartier, à l'exception de Miriam et de ses amies, qui avaient laissé tomber leurs fleurs pour s'emparer de graviers et les lancer sur l'adversaire. Les jeunes filles formaient un anneau serré autour de Yeza, comme s'il leur fallait protéger leur reine.

Le couple royal poursuivit son chemin dans le quartier des musulmans, jusqu'à la montagne du Temple. Roç et Yeza y furent accueillis avec une curiosité amicale, qui tourna au bout du compte à une relative indifférence. Yeza était remontée en selle depuis longtemps, comme un homme cette fois-ci, à son habitude. Elle aurait aimé participer à la contre-attaque. Roç plaça son cheval à côté du sien. Les deux Templiers les précédèrent vers la Belle Porte.

— Ils vont occuper avant nous le temple de Salomon, et y planter le Beauséant! supposa Yeza. Pour affirmer leur vieux statut de propriétaire!

Roç s'efforça de suivre du regard les deux chevaliers qui mettaient pied à terre et disparaissaient dans un portail étroit, que l'on avait construit suffisamment bas pour que personne ne puisse y entrer à cheval.

— L'Ordre n'a jamais eu aucun droit sur la mosquée Al-Aqsa, et il ne détient sûrement plus aujourd'hui le droit du vainqueur.

Tout se passa cependant comme Yeza l'avait prévu. Lorsqu'ils eurent franchi le portail, Botho regardait déjà par la fenêtre, en haut, et Simon montait la garde devant la porte, avec la bannière.

— Ceci est la maison de l'Ordre! annonça-t-il.

Kefir se sentit défié en sa qualité de vizir et de futur mufti.

— Vous vous trompez, chevalier! cria-t-il à Botho.

C'est ici que va s'installer le couple royal. Et il ne vous accordera l'hospitalité que s'il lui plaît de le faire.

— Il faudra me passer sur le corps ! hurla Botho en voyant Simon se placer sur le côté pour laisser le passage à Roç et à Yeza.

— La prophétie de votre mort à Jérusalem ne s'accomplira pas aussi vite ! s'exclama Kefir. Et puis vous voudrez sûrement mourir par l'épée, et pas sous les coups de canne des mamelouks que je vais appeler immédiatement si vous vous opposez de nouveau à mon ordre.

La tête de Botho de Saint-Omer disparut. Peu après le vieil homme quittait fièrement le bâtiment, par la porte du bas.

— Vous êtes une honte pour la chrétienté ! lança-t-il à Roç en passant devant lui.

— Cela ne nous concerne pas ! répliqua Roç en lui riant au visage.

— Nous sommes des hérétiques, les enfants du Graal ! ajouta Yeza.

Suivi par Jordi et Guillaume, Laurent et Abu Bassiht, le couple royal entra dans le bâtiment monacal situé à côté de la mosquée et qui allait désormais leur servir de résidence. Il était encore plus dévasté que la citadelle. Ce n'étaient pas des rois qui avaient résidé ici, mais des moines guerriers qui ne s'attachaient guère à l'ordre et à la propreté. Par la suite, ces cellules humides et sombres avaient servi de relais pour la nuit aux derviches itinérants, qui faisaient leurs besoins dans n'importe quel coin sombre. Seuls les anciens appartements du grand maître étaient dépourvus d'excréments, vraisemblablement parce que les fenêtres étaient plus grandes ici et que la lumière du soleil y tombait abondamment. Et puis les pigeons y étaient plus nombreux que les rats.

— Nous allons dresser notre campement ici ! décida Yeza. Toute personne ayant de bons sentiments à notre égard sera la bienvenue à la cour !

— Si j'en crois mes expériences avec ces esprits troublés, la première chose que vous ayez à faire est de vous procurer une garde personnelle efficace.

— Et où sont donc passés vos vaillants guerriers d'Occitanie, mon cher Trencavel ? demanda aussitôt Yeza.

— Dès que le Trencavel a quitté Antioche, répondit gaiement le soufi, le prince Bohémond les a pris à son service. Il leur a offert des fiefs avantageux — mais à une condition : ils devaient affranchir les trois dames dont l'activité à « La Table ronde du roi Arthur » était devenue intolérable pour le haut clergé. Scandale ! Scandale !

— Comment donc ? s'exclama Roç. Les héros ont accepté ?

— La contrepartie était abondante ! répliqua le soufi. Et les dames consentantes ! Raoul de Belgrave a donc pris la sauvage Mafalda, dont il a aussitôt senti les éperons. Il aurait préféré la douce abondance de Geraude, mais dans ce cas, nul ne se serait occupé de la comtesse de Levis, car Pons, son frère, ne pouvait s'en charger. Et lorsqu'on envisagea de la confier à Mas, elle a menacé de mettre fin à ses jours.

— Je peux le comprendre, dit Yeza. Pour moi aussi, Raoul aurait été le moindre mal.

— Vraiment ? marmonna Roç. Moi, si je faisais mon choix aussi librement, je sentirais votre fouet sur mon dos !

— Non, mon cher, mon poignard ! le consola Yeza. Mais laissez-moi plutôt deviner qui votre Geraude, votre vache rose aux pis tendres, a bien pu emmener : le gros Pons ?

— Erreur ! rétorqua le soufi. La tendre et douce Geraude a attrapé Mas par les parties, sans la moindre hésitation. Il n'est donc plus resté à Pons que la princesse toltèque, qu'il connaissait déjà fort bien.

— Quel malheur ! s'exclama Guillaume, sincèrement soucieux.

— Il ne s'agit sans doute pas d'une alliance pour la vie, mon frère ! lui répondit Gosset en lui tapant sur l'épaule. Cela durera jusqu'à ce qu'un nouveau navire arrive dans le port.

— Tout cela ne règle pas la question de votre garde personnelle, objecta Jordi.

— Nous nous sommes toujours protégés nous-mêmes, déclara Yeza. Il me paraît plus important d'édifier ici un bastion de l'esprit et de nous mettre d'accord sur nos buts et notre cause.

— Jusqu'ici, confirma Roç, le chemin était l'objectif. Mais nous voici arrivés à Jérusalem, et le Prieuré nous laisse...

— Le Prieuré ne vous abandonne ni sur le bord du chemin, ni dans l'embarras, si c'est ce que vous vouliez dire, l'interrompit Laurent.

Roç et Yeza se dévisagèrent. Pour ne pas laisser naître une conspiration, le franciscain poursuivit d'une voix sans appel :

— En tant que doyen, c'est à moi de le représenter ici. Je propose que nous nous rafraîchissions et que nous nous rejoignions ensuite dans la salle ronde de la coupole.

LE CONSEIL DES SAGES

Roç avait espéré pouvoir être enfin seul avec Yeza. Après cette longue période de séparation, il voulait lui dire ce qu'il avait sur le cœur, et connaître la réponse à une question essentielle : l'aimait-elle encore ? Il en était sûr, ou du moins s'en était toujours convaincu, mais il voulait l'entendre de sa bouche.

Mais la dame était constamment entourée de sa cour, à laquelle s'étaient ajoutées Miriam et ses amies. Et elle ne paraissait pas avoir envie de les renvoyer. Leur amour ne passait-il pas avant les problèmes d'emménagement et de garde du corps ? Depuis qu'ils s'étaient retrouvés, Yeza se comportait comme si elle s'était juste absentée un instant pour faire pipi derrière un buisson, et n'avait pas passé des mois sur les mers avec ce Taxiarchos.

Yeza, elle, s'étonnait de l'attitude de Roç. Elle s'était attendue à ce que son chevalier la prenne par la main et l'entraîne derrière le premier coin sombre venu pour lui faire éprouver à quel point il l'aimait et s'assurer concrètement de son amour. Elle voulait enfin sentir à nouveau son sexe en elle, par plaisir, par envie, pour que toute chose retrouve sa place. Mais le Trencavel ne paraissait pas accorder beaucoup plus d'importance à leurs retrouvailles qu'à celles de ses vieux amis. Roç et elle s'étaient endurcis, le Prieuré les avait forgés. Mais pour qui ? Pour quoi ? Rien ne devait être plus important que leur amour. Yeza s'approcha de l'une des hautes fenêtres et regarda à l'extérieur.

Devant le temple de Salomon, on avait dressé une tente, et l'on avait planté à l'entrée le Beauséant : une protestation silencieuse de Botho de Saint-Omer, qui y avait établi ses quartiers avec Simon de Cadet. Il était fermement décidé à demander des renforts — mais à qui ? Il ne voyait qu'une seule personne pour aller appeler l'Ordre à leur secours, à Saint-Jean-d'Acre : le patriarche. Dès qu'il l'eut compris, Botho se mit en route.

La halle aux piliers située sous l'Al-Aqsa servait pour les grands jours fériés de l'islam, lorsque la mosquée ne pouvait plus accueillir le flot des croyants. Mis à part le sol couvert de tapis, elle était d'une parfaite austérité. C'est la raison pour laquelle beaucoup préféraient faire leur prière ici, où rien ne venait troubler ou détourner leur ferveur.

Yeza présida cette petite réunion.

— Je vous ai invités, mes chers amis, parce que l'heure de la vérité supérieure va bientôt venir dans le Saint des Saints, celle où le grand mystère doit se révéler à nous.

Elle fit une pause, accordant à chaque personne

présente un regard, une salutation qui lui permit
aussi d'évaluer les états d'esprit. Yeza n'avait pas
l'intention de tourner longtemps autour du pot. Mais
Roç prit la parole.

— Il faut nous demander comment nous, le
couple royal, devons nous comporter pour avoir
notre part du Graal, car je ne peux imaginer notre
règne à Jérusalem si la grâce de sa découverte ne
nous a pas touchés auparavant.

Il regarda Yeza et constata que ses mots ne lui
avaient guère fait plaisir. Il s'inclina en indiquant
d'un sourire qu'il s'abstiendrait désormais d'intervenir. Elle le remercia pareillement.

Ezer se racla la gorge.

— Qu'il me soit permis, en tant que doyen de
l'assistance, de souligner l'importance de ce lieu aux
yeux de mon peuple. C'est ici que Dieu s'est révélé à
notre père Abraham, c'est ici qu'a été conclue la première alliance...

— Il faut inclure un bien plus grand mystère
encore.

Jakov avait interrompu le cabaliste avec une
pointe de colère. Yeza ne l'avait encore jamais vu
aussi excité.

— Il s'agit du sceau...

— Nous voulions parler du royaume de paix des
rois du Graal que nous avons choisi ! intervint Gosset en lui coupant sèchement la parole. Pas de mystères inexpliqués, ni des promesses non tenues du
vieux Yahvé !

Laurent d'Orta enfonça le même clou.

— Le Prieuré sait pourquoi il a élu ce lieu, il n'a
pas besoin de l'aide de l'Ancien Testament !

— Je ne laisserai pas, s'indigna Jakov, une obscure société secrète m'empêcher de parler, d'autant
plus qu'elle n'a rien de comparable, ni en âge, ni en
dignité, avec...

— Comment justifiez-vous au juste, Jakov Ben
Mordechaï, que vous, juif orthodoxe, vous veniez
jouer les fiers à bras sur la montagne du Temple, que
la Thora vous interdit strictement de fouler ?

Gosset avait glissé dans ses paroles une bonne dose de moquerie. Mais Laurent reprit la balle au bond.

— Ezer Melchsedek n'est pas concerné par ces mesures rigoureuses. De toute façon, un cabaliste comme lui, venu qui plus est d'Alexandrie, n'a aucune valeur à ses yeux. Mais vous, qui revendiquez...

— Ah! l'arrêta le charpentier. De quel droit vous érigez-vous en juge ? Que savez-vous, vous, membre dévoyé de l'*Ecclesia catolica*, du sang pur de notre grand prêtre, et de sa lignée authentique ? Je sais ce que je peux faire. Jakov Ben Mordechai a le droit de s'approcher du Saint des Saints, du lieu sacré où s'élevait le temple de Salomon.

— Et où il s'élève toujours, invisible pour les goïm, l'aida Ezer.

— Oublions donc pour un instant la question de savoir qui a le droit de se promener sur cette colline, proposa en souriant Abu Bassiht. Sans quoi nous allons pouvoir dissoudre l'assemblée tout de suite.

Laurent, lui aussi, prit un ton plus conciliant.

— Si faible que soit notre nombre, je voudrais donner à notre réunion le nom de « Concile du Graal », mes chers amis, pour que nous gardions toujours notre objectif à l'esprit. (Il regarda à la ronde. Lorsqu'il fut certain de l'approbation de tous, il reprit :) Il ne s'agit ni du destin humain de tel ou tel individu, même s'ils sont mis en valeur par leur rang et leur naissance. Il ne s'agit pas non plus du chemin qu'ils doivent suivre. Il s'agit de l'objectif, du Graal.

C'est un autre franciscain, Guillaume de Rubrouck, qui le contredit aussitôt et avec force.

— Pendant toute leur jeune vie, le Prieuré a expliqué et répété à Roç Trencavel et à sa dame, Yeza Esclarmonde, que le chemin était l'objectif. Et maintenant, de par le rang secret que vous occupez, vous proclamez *ex cathedra* qu'il n'en va pas ainsi, mais exactement à l'inverse !

Guillaume était sincèrement indigné.

— Vous n'avez pas bien écouté, mon cher Guillaume, ou, comme si souvent, vous n'avez pas tout à fait compris. Je ne suis pas en contradiction avec cette ligne, d'autant plus que l'inverse constitue toujours une alternative de même valeur, ne renonçons pas non plus à ce droit-là !

Yeza reprit la direction de la discussion.

— Voilà comment je vois les choses : au bout du compte, le Prieuré se moque bien du destin de ceux avec lesquels il joue ! L'essentiel, c'est que le char, la *rota fortunae,* roule sur le chemin dont des textes apocryphes promettent qu'il est « l'objectif ». Ceux qui passent sous les roues ont simplement eu de la malchance !

— Cela ne peut pas être le sens du Graal ! s'exclama Roç, outré. Nous n'avons pas seulement le droit de le chercher. Nous avons aussi besoin de l'espoir de le trouver !

Il regarda chacun des participants. À côté de Laurent d'Orta était assis le soufi Abu Bassiht, un hôte apprécié de tous. Il n'avait certes aucun rapport avec toute cette histoire, mais Yeza avait tenu à ce qu'un représentant de l'Islam participe au concile, puisque Kefir Alhakim, qui avait mis ces lieux à disposition, considérait que sa dignité encore non officielle de mufti ne lui permettait pas de prendre position. Ce « Graal » lui était étranger, il l'inquiétait et il était heureux que cette assemblée se déroule dans les salles inférieures.

Après les paroles indignées et teintées de désespoir de Roç, un silence consterné se fit dans la salle. Abu Bassiht se vit contraint de détendre l'atmosphère en citant l'un de ses vers.

— « Tu affirmes être maître dans tout art, t'y connaître en toute science ! Mais tu n'es même pas capable d'entendre ce que te conseille ton propre cœur. »

Il avait prononcé ces mots d'un ton léger, sans s'adresser à personne en particulier. Mais c'est à présent Laurent qu'il regardait dans les yeux.

— « Sans entendre cette simple voix, tu veux être le gardien des mystères ? Comme un voyageur sur ce chemin ? »

Laurent ne baissa pas les yeux, mais ne répondit pas. C'est Gosset qui reprit la parole :

— Il y a sans doute deux choses à élucider : « Qu'est-ce que le Graal ? » et « Qui est élu ? » (Il s'en prit prudemment à Roç.) Je ne crois pas pour ma part que le Graal ait le devoir moral de se révéler à celui qui a parcouru un long et douloureux chemin pour le chercher, ni à celui qui l'espère ardemment.

— N'accordez-vous donc aucune valeur à la ferveur de la prière et à la piété de l'action sur ce chemin terrestre, lorsqu'il s'agit d'atteindre l'objectif céleste ? demanda alors Ezer. N'oubliez pas le pouvoir des astres, qui permet au céleste d'intervenir dans notre vie, d'élever l'un et de corrompre l'autre.

— Il n'existe qu'une seule révélation, et elle pèse beaucoup plus lourd : celle du sceau de Salomon, derrière laquelle se dissimule le mystère. (Jakov reprit son souffle lorsqu'il comprit que personne, cette fois-ci, ne l'empêcherait de parler.) La pierre noire dans laquelle Salomon, après un combat long et acharné, a banni les démons vaincus, se tient comme la pierre d'une porte devant le dernier lieu. Après lui se trouve la lumière. Elle garde le Graal et repousse tous ceux qui ne peuvent pas encore voir la lumière.

— Et comment, dans ce cas, peut-on découvrir le Graal ? s'insurgea Guillaume.

— Si nous en croyons Kyot, répondit Gosset, c'est le manque de compassion qui a provoqué l'échec de Perceval.

— Mais cela ne signifie pas, loin de là, riposta Guillaume, entêté, que le Graal éprouve des sentiments aussi tendres pour celui qui le recherche.

— De quel bois devons-nous donc être faits, reprit patiemment Yeza, pour être admis dans l'illustre cercle des élus, dès lors que ni les mots, ni les actes ne comptent ?

— Oh, si! On les compte! s'exclama Ezer. Mais nous ne savons pas à quelle aune on les mesure, la Cabale...

— Je vous en prie! s'écria Gosset. Restons-en à notre problème : « *Daz was ein dinc, daz hiez der Grâl, erden wunsches überwal. C'était un objet qui s'appelait le Graal, qui abritait des miracles innombrables.* »

— Je ne vois pas, répliqua Jakov d'une voix pincée, pourquoi il faudrait accorder moins de valeur au langage si clair des chiffres qu'à ce genre de rimailleries?

— Messieurs! s'interposa Laurent, nous n'avancerons pas ainsi!

Abu Bassiht prit la parole à son tour.

— Je défendrai volontiers les poètes, eux qui voient les choses dissimulées à nos yeux. Écoutez les vers de Rumi!

— Oh non, pas encore! gémit Laurent, qui tenait à ce que la réunion suive son cours. Mais Yeza s'exclama :

— Je veux les entendre!

Le derviche se leva et se mit à danser en tournant. Il était impossible de lire sur le visage d'Abu Bassiht s'il était en colère ou s'il se moquait des autres.

— Oho! « Ne dites pas que les soufis sont fous. N'allez pas dire que les chrétiens sont irrécupérables et les incroyants perdus! » (Il s'arrêta brutalement, et son doigt désigna la poitrine du cabaliste.) Oh non! Ton esprit est confus. Voilà pourquoi tout autre te semble perdu.

Et il s'inclina devant Yeza.

— Maintenant, je veux savoir, déclara Roç, impatient. Le Graal existe-t-il? Sommes-nous dignes de lui, nous, le couple royal, et que devons-nous faire pour en avoir notre part?

— Si vous avez soif de lui, il prend forme, lui répondit Jakov, on ne peut le découvrir qu'ici, et il n'apparaît qu'au pur, au dernier de la lignée du roi David. (Il haussa le ton, menaçant.) Le sceau de

Salomon protège le Graal, afin qu'aucun impur ne le réclame.

— Moi, il me réclame, intervint Yeza d'une voix ferme, et Roç fit un pas en avant. Il s'agenouilla, joignit les mains et leva les yeux vers la coupole. Nous implorons sa grâce !

Yeza s'était installée à côté de Roç. Mais aucun rayon de lumière ne descendit, aucun pigeon ne se dirigea vers eux en battant des ailes.

— Il vous attend ici, dans cette montagne du Saint des Saints, bien en dessous de nous, annonça Jakov d'une voix solennelle.

— Le calice noir ?

— Les Templiers, par un geste scélérat, ont ôté à la pierre noire la partie qui abrite le savoir de ce monde. Mais elle est source de mort si on l'utilise sans le lien, le calice de la connaissance. C'est pour cette raison que le calice a été ôté aux Templiers et réuni avec la pierre. C'est lui, la clef !

— Je m'étais toujours imaginé le Graal blanc, clair, lumineux, objecta Guillaume.

— Noir ou blanc, répondit Jakov, c'est uniquement une question d'ombre et de lumière, la vision du Paraclet, monté aux cieux, ou du Démiurge, précipité dans les profondeurs. Le calice n'est qu'un reflet. Seul celui qui le franchit participe à l'ultime connaissance.

Jakov se tut, et tous l'imitèrent jusqu'à ce que Gosset tente de résumer ce qui n'avait pas été dit :

— « *Den Wunsch von pardiîz, bêde wurzeln unde rîs.* »

— Amen, dit Laurent. *Ite missa est,* mes amis, que le Seigneur guide le couple royal vers la destinée qu'a voulue Dieu !

Et sur ces mots, l'assemblée se dispersa.

LE MESSIE INDÉSIRABLE

Roç et Yeza montèrent dans leurs appartements, que Miriam et ses amies avaient nettoyés et à peu près aménagés, sous la supervision de Beni. On avait installé au milieu de la pièce un lit opulent, composé de tapis et de peaux, avec des couvertures ourlées de fourrure et des coussins de soie.

Lorsque Gosset et Guillaume sortirent sur le parvis de la mosquée Al-Aqsa, ils virent les musulmans qui s'y étaient regroupés en priant. C'était déjà l'heure de la prière du soir.

Allahu Akbar! Allahu Akbar! La illahha illallah!

Kefir Alhakim descendit dignement du minaret. Il s'était déjà présenté aux adeptes du Prophète en sa qualité de « grand mufti de Jérusalem ».

— J'ai adressé un message au Caire, expliqua-t-il fièrement, pour que le sultan envoie des troupes au plus vite. (Il désigna la tente des Templiers, où Simon montait la garde, solitaire.) Ils devront empêcher toute agression contre le plus haut dignitaire de l'Islam, le gardien, engagé par Dieu, des traces du Prophète.

Les fidèles s'inclinèrent en direction de la Kaaba, à La Mecque.

« *Ashaddu ana la illaha illa Allah! Ashaddu ana Mohamad ar-rassoul Allah!* »

« Allah nous offrira la victoire sur nos ennemis » : c'est ce qu'entendirent alors les deux vieux juifs, qui venaient à leur tour de sortir.

— Si les chrétiens et les musulmans se disputent déjà, de nouveau, le Saint des Saints, marmonna Ezer Melchsedek, soucieux, comment voulez-vous faire venir au monde l'État de Dieu juif ? Les Francs vont nous massacrer aussitôt, et sans faire de distinction entre les personnes. Quant aux mamelouks, lorsqu'ils offrent la vie à un juif, c'est pour lui sucer le sang !

— C'est bien pour cela que nous devons enfin

apprendre à nous défendre. C'est par la ruse que les chiens attaquent les lions !

— Et c'est le rôle que vous confiez au couple royal ? demanda Ezer, visiblement en proie au doute.

— Derrière Roç et Yeza, il y a les Mongols ! Ceux-là se moquent bien de la foi qu'ont choisie leurs sujets. Sous leur protection, le peuple élu de Yahvé pourra survivre et prendre des forces si cela lui plaît, afin de créer un jour superbe, sous sa propre égide, l'État de Dieu en Israël, la terre promise, lorsque personne ne parlera plus depuis longtemps des héritiers de Gengis Khan, lorsque les premiers rois seront redevenus poussière.

Les deux hommes quittèrent la montagne du Temple. Ezer n'avait pas perdu une seule des paroles de cet exalté.

— Sous cet angle, l'hostilité affichée des chrétiens et le refus dissimulé des musulmans à l'égard du couple royal pourront même servir vos plans, Jakov. Je comprends à présent pourquoi l'on vous appelle le « Charpentier » ! (Le vieux cabaliste s'inclina respectueusement.) Vous construisez le nouveau Temple d'Israël sur le seul terrain authentique.

— Roç et Yeza, les enfants du Graal, sont un don du ciel ! répondit modestement Jakov. Nous, les juifs, nous avons beaucoup à apprendre d'eux. Et notamment comment on peut poursuivre obstinément un objectif élevé.

Ils étaient à proximité de la maison du rabbi Jizchak.

Roç et Yeza étaient couchés sur le large lit composé de tapis et de peaux qui recouvrait le sol de la pièce. Dehors, le soleil se couchait sur Jérusalem.

Ils avaient donné quartier libre à leur escorte. Kefir se consacrait entièrement à sa nouvelle mission de chef spirituel des musulmans, qu'Abu Bassiht l'avait convaincu d'accepter. Il ne lui manquait plus qu'une confirmation venue du Caire, mais lorsqu'on avait occupé les hautes fonctions de gouverneur impérial à Ustica, on ne vous refusait cer-

tainement pas la reconnaissance de votre titre.
Même dans une Jérusalem occupée par les mamelouks, seul un homme aussi expérimenté que le
« vizir du couple royal » était capable de défendre les
intérêts de l'islam contre les zélateurs chrétiens et les
juifs entêtés. C'est en tout cas ce qu'on pouvait lire
dans la lettre de « l'adepte du Prophète qui lutte
héroïquement contre la puissance supérieure des
infidèles », missive qu'il avait envoyée au Caire par
pigeon voyageur. Kefir Alhakim l'avait rédigée lui-
même.

Guillaume de Rubrouck était allé manger dans la
vieille ville avec son nouvel ami, Abu Bassiht. Monsignore Gosset s'était joint à eux. Beni le Matou
rôdait autour de la maison du rabbi Jizchak, espérant toujours pouvoir surprendre Miriam au
moment où elle reviendrait de chez ses compagnes
de jeu, et avant que son père extrêmement atten-
tionné ne la reprenne sous sa protection. Seul Jordi
était resté au temple de Salomon. Son luth et le son
de sa voix parvenaient par bribes à Roç et à Yeza.

> *« Ah la dolchor del temps novel*
> *foillo li bosc, e li aucel*
> *chanton, chascus en lor lati,*
> *segon lo vers del novel chan :*
> *Adonc esta ben c'om s'aisi*
> *D'acho don hom a plus talan. »*

Roç et Yeza se surprirent à se toiser l'un l'autre, et
dissipèrent leur gêne d'un sourire douloureux. Yeza
ne portait qu'un seul vêtement, et son amant impé-
tueux trouva aussitôt ce qu'il voulait. Elle l'aida à
ôter ses chausses et lui attrapa les testicules. Elle
voulait sentir son membre durcir dans ses mains,
mais il la repoussa, lui écarta les cuisses et la pénétra. Yeza voulut lever son bassin vers lui, mais il
l'avait déjà attrapé des deux mains. Elle céda avec
délices à cet assaut. Des cercles enflammés dansaient devant ses yeux. Yeza se força à les garder

ouverts. Elle voulait voir Roç, il devait la regarder dans les yeux, des étincelles devaient former un arc entre eux deux. Elle n'aspirait pas seulement à cette fusion tempétueuse de leurs deux corps : elle s'y précipitait. Roç la regardait, il savait que tout était redevenu comme avant. Il sourit, libéré, et cacha sa fierté en couvrant les seins fermes de la jeune femme de baisers maladroits. Yeza le remercia en faisant briller ses pupilles vert-gris. Ils étaient de nouveau unis ! Yeza se cabra, Roç augmenta la force de ses poussées, il haletait lorsqu'il s'épancha en elle. Yeza noua ses jambes autour de ses hanches, les agrippa, le tira en elle tandis que ses mains s'enfonçaient dans son dos. Elle était son amante, nulle ne savait le prendre comme elle le faisait. Roç était un navire entre les vagues. Aucune autre femme ne pouvait lui donner cette mer, cet océan ! Yeza le tira de la tempête pour le ramener au port, les coups de rames ralentirent, il se laissa tomber. Yeza pleurait. Il sanglotait lui aussi, répétait son prénom et le mot « amour ». Il noya son visage sous les baisers. Ils restèrent longtemps ainsi. La crinière blonde de la jeune femme le grattait, ses mains lui cajolaient le dos. Elle parcourut tendrement du doigt les cicatrices que lui avaient laissées les fouets de Maugriffe.

— Quelle femme t'a donc arrangé ainsi ? plaisanta Yeza.

— Elles étaient deux ! répondit Roç en riant.

Dois-je lui dire à présent que Taxiarchos est mort ? se demanda-t-il. Mais il n'eut pas le cœur de le faire, Yeza était tellement heureuse. L'autre lui avait-il aussi procuré pareil bonheur ?

— As-tu vu Arslan, ces derniers temps ? s'enquit-elle à brûle-pourpoint. Je le sens proche de nous, il est certainement ici, avant l'arrivée des Mongols.

Yeza avait échappé à Roç, comme si son corps, qui était toujours uni à celui de la jeune fille, ce corps dont elle sentait forcément le poids et la pulsation, s'était dissipé dans l'air.

— Lorsque j'ai eu ces quelques petits problèmes,

j'ai vu apparaître un homme avec un ours, réfléchit-il à voix haute. J'étais entre la vie et la mort...

— C'était sans doute lui, répliqua Yeza. Je lui demanderais volontiers de stopper l'avancée des Mongols, au moins pour l'instant.

— Si tu le souhaites fermement, il t'entendra! dit Roç, sans pouvoir dissimuler une once de moquerie. Mais pourquoi n'en veux-tu pas ici?

Yeza revint vers lui et le força à la regarder dans les yeux.

— Ni le pape, ni les musulmans n'attendent quoi que ce soit de nous, au contraire : nous les dérangeons. Seuls les juifs, le peuple élu, attendent encore le Messie. Nous devons répondre à leur espoir de salut, nous...

— Je ne suis pas le Messie, plaisanta Roç, et ces patriarches n'accepteraient jamais un Messie féminin. Et puis nous sommes liés l'un à l'autre, nous ne faisons qu'un.

— C'est exactement cela, approuva Yeza en approchant ses yeux si près de lui que leurs lèvres se touchèrent. (Elle savoura lentement ce baiser, sans laisser jouer sa langue.) C'est de nous que doit naître le Sauveur, chuchota-t-elle. (Elle sentit que le sexe de Roç était rentré en elle.) De nous seuls. C'est la raison pour laquelle je ne veux pas de protecteurs mongols autour de moi, tant que je ne l'aurai pas mis au monde. Nul ne doit penser que nous donnons le jour à un gouverneur mongol. Le Messie naîtra dans des circonstances défavorables, la misère et la persécution.

Roç en était restée bouche bée. Un enfant, maintenant?

— Est-ce que tu serais déjà..., bredouilla-t-il maladroitement.

— On ne procrée pas aussi vite que cela, mon cher, répondit-elle en éclatant de rire. Je veux vivre cela en toute conscience, et tu devrais faire de même.

Roç se tourna un peu, mais n'osa pas la heurter en

se retirant d'elle. Il n'avait même plus le droit de s'endormir ! Elle le mépriserait, le prendrait pour un lâche !

— Ne pouvons-nous pas attendre que...

— Que veux-tu donc attendre, Roç Trencavel ? Je suis assez forte pour porter l'enfant dans mon corps pendant neuf lunes, et tu as peur de me le faire ? Que crains-tu donc, Trencavel ? Est-ce que tu t'imagines que je porte en moi le fruit de Taxiarchos ?

— Dieu du ciel, Yeza ! Ne dis pas cela ! Je n'y ai pas songé un seul instant !

— Je suis désolée, répondit Yeza en l'observant. J'ai honte de te... (Elle luttait contre les larmes.) Je pensais que tu serais heureux de faire un enfant avec moi, un enfant de notre amour...

Elle sanglotait à présent. Roç sentit son sexe enfler de nouveau en elle.

— Taxiarchos est mort, murmura-t-il en s'efforçant de ne pas laisser percer son émotion. Il est tombé au combat.

— Je le pressentais, dit Yeza d'une voix triste. Il l'a voulu ainsi. (Elle s'agrippa à lui et parvint à ne plus pleurer.) Aime-moi ! dit-elle dans un souffle, et Roç lui céda. Entends-tu Jordi chanter ?

Yeza fit semblant d'écouter les notes qui montaient lentement vers eux.

> « *Dous Dieus, metetz li en coratge*
> *qu'elam retenha per ami,*
> *mas ela es de si grand parage*
> *qu'ela mi metra en oblit.* »

Yeza souhaitait que Roç se détende enfin. Quelle mouche l'avait donc piquée, de lui prêter des sentiments aussi bas ? Elle l'avait blessé, elle le savait, et avait obtenu exactement l'effet inverse de celui qu'elle désirait.

> « *Cortez'e sage,*
> *cler lo viztge,*

> *ni anc de mos hueils plus bela non vi :*
> *Vos m'aves mes al cor le rage,*
> *Si de moi non aves mersi. »*

C'était à elle, à présent, de prendre les commandes. Roç résista, et cela l'excita fabuleusement. Elle voulait un enfant, elle le lui arracherait. Si le Trencavel se montrait indifférent, c'est son bassin à elle qui l'emmènerait, d'abord doucement, puis de plus en plus vite, de plus en plus sauvagement, jusqu'à ce qu'elle ne soit plus capable que de trembler et de tressaillir dans les délices du feu grégeois, avançant vers cette sublime inconscience, ce triomphe final.

> *« Por li fas soner ma vïele*
> *tant doucement et main et soir*
> *d'un douz penser qui me resveille*
> *des biens que je soloie avoir. »*

Mais elle n'y trouva pas son compte : Roç s'éveilla soudain, se mit à galoper en solitaire et l'empêcha d'atteindre le sommet avec lui.

— Pas aujourd'hui! grommela-t-il en cherchant à peine une excuse. Il souligna son refus en se détachant d'elle d'un seul coup, en feignant mal l'épuisement et en roulant sur le ventre, dans les peaux de bête.

— Je pense que nous devons d'abord trouver le mystère du Graal, dit-il pour l'apaiser, celui dont Jakov, notre charpentier, soupçonne l'existence en ces lieux, dans les profondeurs de la colline du Temple.

— Il a parlé d'un miroir que nous devions traverser.

Yeza avait compris qu'elle n'obtiendrait rien en le prenant par surprise. Ils avaient peut-être effectivement besoin de découvrir le Graal avant qu'elle ne puisse espérer mettre au monde un nouveau Messie. Roç, exceptionnellement, avait sans doute raison.

Elle se pencha vers sa nuque et lui embrassa tendrement le cou, ce qu'il appréciait beaucoup.

— Ce sera comme il vous plaira, mon seigneur et maître. (Sa langue vint lui caresser l'oreille.) Je vous aime, c'est mon malheur.

Roç lui en fut reconnaissant. Ils se connaissaient depuis si longtemps. Et pourtant, tout était toujours tellement beau, tellement excitant, entre eux.

— Je t'aime plus que tout au monde, Yeza! soupira Roç. À tout jamais!

Et il se tourna de nouveau vers elle.

> « *Enquer me membra d'un mati*
> *que nos fezem de guerra fi,*
> *e que m'donel un don tan gran,*
> *sa drudari'e son anel :*
> *enquer me lais Dieus viure tan*
> *c'aia mas manz soz so mantel.* »

V

ARMAGEDDON

Un royaume des ordres et des barons

La maison des Allemands à Saint-Jean-d'Acre se situait contre le deuxième anneau des murailles, entre la « Tour maudite » et la « Porta Pontis », l'accès fortifié au nouveau port. C'était un bloc de pierre massif, défendu par des créneaux, si large qu'il composait deux des tours de la ceinture de défense et si élevé qu'il en surmontait les murailles. Comme la forteresse disposait d'une large cour lumineuse, elle n'avait pas besoin de fenêtres vers l'extérieur, où seules apparaissaient d'étroites meurtrières. Les appartements du grand maître et du haut maître en exercice étaient sobrement meublés.

Hanno von Sangershausen était en ces lieux plus un hôte qu'un résident : depuis longtemps, l'ordre Teutonique avait cessé de s'intéresser à la Terre sainte et porté toute son attention sur le nord, la Prusse et la Baltique. Et s'il restait représenté ici, au siège du gouvernement du royaume de Jérusalem, c'était par souci des convenances, comme aimait à le répéter le grand maître. La garnison y était si faible que Sigbert von Öxfeld, le commandeur de Starkenberg, avait sonné le rappel de tous les hommes, chevaliers et écuyers, pour remplir au moins le réfectoire à travers lequel l'invité devait être mené vers le grand maître, présent par hasard en ces lieux.

> *« Schoeniu lant rîch unde hêre,*
> *swaz ich der noch hân gesehen,*
> *so bist dû ir aller êre :*
> *Waz ist wunders hie geschehen. »*

Tous les Chevaliers teutoniques réunis ce jour-là chantaient avec ardeur.

Godefroy de Sargines, le bailli du royaume, tenait à connaître l'opinion des Allemands avant de se confronter aux deux autres grands ordres de chevalerie. Et comme ceux-ci étaient en compétition permanente, le point de vue des Teutoniques pourrait être, comme cela avait déjà été le cas, la petite plume qui ferait pencher la balance.

> *« Daz ein magt ein kint gebar*
> *hêre übr aller engel schar,*
> *was daz niht ein wunder gar ? »*

Messire Godefroy était un homme vénérable et soucieux de régler au mieux les affaires gouvernementales. Cela aussi lui valait plus de compréhension en ces lieux que chez les arrogants Templiers ou chez les chevaliers de Saint-Jean, dévorés par l'orgueil. Il salua respectueusement le grand maître, puis, très chaleureusement, le vieux commandeur, et en vint aussitôt au fait.

— La citadelle d'Alep est tombée à son tour ! annonça-t-il. Et nul ne sait s'il s'agit d'un message de malheur ou d'une nouvelle réjouissante.

— Ce n'est en tout cas pas une nouvelle inattendue, répondit le vieux Sigbert. Turan-Shah s'est battu longtemps et courageusement.

— Cela a même plus impressionné que courroucé le Il-Khan, ajouta Sargines. Alors que quatre semaines plus tôt, pendant la prise de la ville, nul n'avait été laissé en vie...

— Les chrétiens ont été épargnés, corrigea le grand maître.

Le bailli fit un geste de la main, comme pour chasser une mouche importune, et reprit son récit.

— En raison de son grand âge, on n'a pas touché un cheveu du courageux combattant. Hulagu l'a laissé partir avec son escorte et ses biens personnels...

— Eh bien, Sigbert, vous voyez, vous avez votre chance, vous aussi, si un jour Starkenberg devait tomber sous l'assaut de nos chers amis venus de l'Est.

— J'espère ne plus être là pour le voir, répondit le commandeur aux cheveux blancs. Pour l'instant, je suppose que la prochaine cible sera Damas?

— C'est la raison, messire, pour laquelle je voulais m'entretenir avec vous, dit Godefroy. Nous ne pouvons plus rester la tête dans le sable.

Hanno von Sangershausen regarda fixement par l'étroite fente du mur, qui donnait sur la mer et permettait de surveiller une tour à l'entrée du port.

— Voilà les Pisans qui filent à leur tour, marmonna-t-il. Apparemment, ils s'allient avec les Vénitiens. Cela fait plusieurs jours que ceux-là sont prêts à prendre le large, devant la « tour des mouches ».

— La bataille navale ne se fera pas attendre longtemps, confirma le commandeur, qui les avait rejoints. Tout comme ces nuages gris qui s'y amassent vont nous apporter un orage!

— Les Génois n'oseront pas essayer une fois de plus, assura messire Godefroy pour dissiper ses craintes. Il ne nous manquait plus que cela. D'abord une querelle commerciale, ensuite une guerre civile, et pour finir l'invasion mongole.

— Pourquoi vous, le bailli du royaume, ne vous comportez-vous pas comme le prince d'Antioche? demanda le grand maître à Sargines. Bohémond s'est soumis, pour la forme, à Hulagu, et il est resté le maître d'Antioche et du comté de Tripoli.

— La reine Plaisance ne renoncera pas à la sécurité de l'île de Chypre pour se rendre au camp des Mongols et s'y prosterner. (Le bailli était vraiment très soucieux.) Moi, son représentant, je peux bien ramper pendant des heures sur le ventre devant Hulagu, il se servira de moi comme paillasson, mais n'accepera pas mon allégeance!

— Ils vous écorchera vif! précisa Sigbert, amusé, mais il reprit aussitôt son récit. D'un point de vue formel, les Mongols sont nos alliés, c'est nous qui les avons appelés. Pas pour leur proposer notre soumission, mais pour vaincre les incroyants à leurs côtés.

— Et voilà que ce gamin stupide, ce Bohémond (son père n'aurait jamais fait une chose pareille!), a donné au Il-Khan le goût de soumettre les chrétiens, déplora Godefroy de Sargines.

— C'est son beau-père qui l'a convaincu de le faire, expliqua Sigbert au bailli. Hethoum d'Arménie n'a vu que cette possibilité d'assurer la survie de son royaume, sans doute à juste titre, car ses terres se situent au milieu de la zone de pouvoir des Mongols, elles sont totalement coupées des nôtres. Antioche n'avait sans doute pas d'autre choix non plus, après la chute d'Alep.

— Devinez donc, mon cher Sigbert, entre les mains de qui le bienveillant Il-Khan a remis l'administration de la ville...

Le commandeur secoua la tête.

— El-Ashraf! tonna Hanno. L'émir de Homs a réussi à hériter de son grand-oncle!

— Personne ne peut donc plus arrêter la marche des Mongols?

Godefroy de Sargines était proche du désespoir, ce que le grand maître jugea déplacé.

— Vous ne vous êtes jamais demandé, messire Godefroy, ce qui se passerait si Damas et Le Caire s'alliaient sous la pression des Mongols, et s'ils parvenaient effectivement à porter à l'ennemi déclaré de l'islam un coup qui empêcherait nos frères chrétiens d'avancer plus encore vers le Proche-Orient, ou même de rebrousser chemin? (Hanno von Sangershausen était sévère avec le bailli, qui ne voyait pas de réponse.) Vous croyez sans doute que tout redeviendrait comme avant, comme aujourd'hui, où nous pouvons nous permettre de détruire nos flottes devant nos propres côtes, dans une querelle honteuse pour les monopoles commerciaux ? *Hic la Superba ! Hic la Serenissima !* Nous nous incendions réciproquement nos entrepôts, nos maisons et nos églises. *Hic* le Temple, *hac* l'Hospital ! (Le grand maître était en colère, sa voix s'était d'abord cassée, et il riait même de rage, à présent.) Non ! Non ! Trois fois non ! Si nous ne le retenons pas, un général mamelouk comme Baibars nous réglera notre compte sans la moindre émotion et nous repoussera impitoyablement vers la mer. Plus de cent cinquante années de croisades auront été vaines !

Le bailli avait baissé la tête en attendant la fin de la tempête. Il la releva ensuite timidement, mais il n'avait toujours pas changé d'idée :

— Nous devons donc nous soumettre à ces Tatars mal dégrossis ?

— Mais certainement, messire ! Ce que vous appelez « mal dégrossi » avec votre arrogance occidentale, est une force jeune, non corrompue ! Avec les Mongols, vous pouvez en avoir fini en deux ou trois générations, en les convertissant à la *civitas*. Mais le monde de l'islam nous est supérieur dans de nombreux domaines, notamment culturels. Les Syriens et les Égyptiens disposent d'un patrimoine intellectuel auquel nous n'avons pas grand-chose à opposer. Mais c'est avec ce pas grand-chose que nous nous sommes maintenus, que nous nous sommes agrippés jusqu'ici à ces côtes. C'est cela que vous mettez en jeu si vous admettez une *unio regni* de tous les musulmans.

— Il faut donc bien stopper l'avancée des Mongols. Vous avez dit vous même que la pression qu'ils exercent pourrait justement engendrer cette unité du camp islamique qu'il convient d'éviter. (Godefroy de Sargines reprenait confiance en lui-même ; cela ne lui permettait guère que de ressortir le même cercle vicieux.) Si nous nous allions avec les Mongols, nous pouvons peut-être battre les musulmans, une fois, deux fois. Mais nous ne pouvons pas les anéantir — même les Mongols ne pourraient pas couper autant de têtes! Ils se multiplieront, et un beau jour ils s'abattront sur'nous! Si nous nous allions avec les mamelouks, nous pouvons certes vaincre les Mongols, et même les chasser. Mais ensuite, tôt ou tard, ce sera notre tour. Belles perspectives!

Sigbert, qui était resté longtemps silencieux, prit la parole.

— Il y a peut-être un moyen de conserver le statu quo. Faire en sorte que les Mongols cessent d'avancer, mais restent une menace. Cet équilibre de la menace constante empêchera quiconque d'entreprendre quoi que ce soit.

— Et qui devrait mettre cette stratégie en œuvre? demanda le bailli, incrédule.

— Le couple royal de Jérusalem! révéla le vieux commandeur. Il pourrait faire jouer son influence.

— Vous le croyez vraiment, Sigbert von Öxfeld? demanda le grand maître, lui aussi plus que sceptique.

— Cela mériterait au moins une tentative, répondit son commandeur.

Godefroy de Sargines accepta l'offre avec avidité.

— J'espère qu'il n'est pas trop tard! s'exclama-t-il avant s'ajouter, pris d'une subite excitation : Je dois prendre congé. Je vous remercie pour cet entretien, messieurs!

Puis il se dirigea vers la porte, traversa le réfectoire et alla vers le portail.

— Il court voir le Temple, à présent, commenta Sigbert à son grand maître. Depuis quelques jours, déjà, Guillaume de Gisors avait l'intention de se rendre à Jérusalem avec une troupe nombreuse de Templiers, et d'y faire régner « l'ordre », pour reprendre son expression. Son intelligente mère adoptive, la Grande Maîtresse, le lui a interdit. Et Thomas Bérard, qui oublie son statut de grand maître et se transforme en sergent lorsque la vieille dame est présente, a obéi au commandement.

— Pourquoi Marie de Saint-Clair est-elle présente ? demanda messire Hanno. Les Templiers ont toujours été les protecteurs exclusifs de ces enfants, non ?

— Les temps changent, commenta Sigbert en passant sous silence le procès d'Ascalon. Messire Guillaume a décrété, sans qu'on lui ait rien demandé, que Roç et Yeza se livraient indiscutablement à une « haute trahison » et à une « captation illégale » des biens que l'Ordre détient sur place.

— Et vous aimeriez bien sûr, Sigbert, vous rendre sur-le-champ à Jérusalem, vous aussi ? supposa le grand maître avec un fin sourire. Je ne vais pas vous retenir, mais je puis vous demander de faire en sorte que votre absence soit brève, car il me faut rentrer sur le *Marienburg*. Et puis strictement rien ne me retient en cette *terra violata*. Je ne veux surtout pas être enterré ici.

— Je vous remercie pour votre compréhension. (Sigbert s'inclina devant son supérieur.) J'ai consacré ma vie à cette terre, et j'y recevrai volontiers la mort, pourvu que j'emporte dans ma tombe la certitude que Roç Trencavel et Yeza Esclarmonde ont atteint leur objectif !

— S'ils arrêtent le rouleau des Mongols, tout me conviendra, même cela !

Il prit congé du vieil homme et regarda de nouveau par la fenêtre, vers le port. Devant les débarcadères de Saint-Jean-d'Acre se pressaient les navires, une forêt de mâts sans voiles. Le ciel avait pris une teinte bleu-noir. Les premiers éclairs strièrent le ciel, et le tonnerre roula, depuis la mer, vers Saint-Jean d'Acre.

— Les Allemands veulent livrer Jérusalem aux Mongols !

C'est en prononçant cette phrase que le bailli du royaume, dégoulinant de pluie, fit irruption dans la « tour des maîtres » installée sur la falaise rocheuse,

et à laquelle on n'accédait que par une galerie souterraine creusée en profondeur dans la pierre.

— Leur couple royal doit, de là-bas, régner sur
tous les pays qu'ils conquerront désormais.

— Vous ne m'apprenez rien, messire Godefroy,
répondit avec un sourire Thomas Bérard, le grand
maître de l'ordre des Templiers. C'est aussi la raison
pour laquelle nous n'y avons envoyé aucun de nos
chevaliers, contrairement à ce que demandait avec
tant d'insistance ce patriarche à très courte vue.

— Notre frère d'Ordre, Botho de Saint-Omer, s'est
rallié à cet appel au sauvetage des Lieux...

— J'ai dit « non ! », Guillaume de Gisors ! l'interrompit sèchement Thomas Bérard. Frère Botho a
vécu la plus grande partie de son temps au sein de
l'Ordre dans les cachots obscurs du Caire, et s'il a
encore toute sa tête, il ne sait tout de même pas comment les choses ont évolué. (Il se tourna vers le
bailli, pour les lui expliquer.) Lorsque les Ayyubides
l'ont jeté dans leurs prisons, personne, ou presque,
n'avait encore entendu parler des Mongols.

— Bien, admit Face d'Ange. Laissons de côté les
radotages de ce vieux stupide. Mais qu'avons-nous
obtenu, avec notre attitude de refus ? Les chevaliers
de Saint-Jean se sont installés avec délices aux
places que nous avions libérées ! Hugo de Revel n'a
pas laissé passer la chance...

— Ce seigneur vient d'arriver. (La voix huileuse
du grand maître dégoulinait de raillerie.) Nos sièges
sont trop hauts pour ses chevaliers de l'Hospital. Ils
pourraient bien en dégringoler.

— Ou s'y accrocher fermement ! s'énerva Sargines. Les chevaliers de Saint-Jean se sont mis en
route avec une troupe considérable, dirigée par Jean
de Ronay, un maréchal qui a fait ses preuves. Ils se
mettront à la disposition du patriarche, et pas du
couple royal.

— Depuis quand cela inquiète-t-il un bailli du
royaume ? demanda le grand maître, l'air amusé.
Vous feriez mieux de vous occuper de cela, dehors.

(Il désigna la mer secouée par la tempête.) Une bataille navale s'y annonce !

Les fortifications des Templiers occupaient toute la côte rocheuse qui avançait loin dans la mer et dominait le vieux port, avec les quartiers des républiques maritimes en conflit.

— La flotte de Gênes, numériquement bien plus importante, est susceptible d'arriver à n'importe quel instant. Philippe de Montfort marche déjà avec les troupes de Tyr, le long de la côte.

— Tant que durera cette tempête, il n'arrivera rien ! répondit le bailli pour dissiper ses craintes, si c'en étaient vraiment. En tout cas, la garde civile de Saint-Jean-d'Acre est prête.

— Dans ce cas, ne la privez pas de votre commandement, qui a déjà fait ses preuves, lança le grand maître, ce qui revenait à mettre le bailli à la porte. Dans cette situation, nous ne pouvons nous priver d'aucune de nos troupes ici, à Saint-Jean-d'Acre. Mais d'un autre côté, je crains des problèmes à Jérusalem, si ce balourd de Maréchal s'y laisse atteler devant l'autel portable du Patriarche.

— Ne devrais-je pas... (Cette fois, l'Ange s'efforça de présenter ses intentions avec plus de prudence.) Ne devrais-je pas éloigner Roç et Yeza de Jérusalem, et peut-être les faire revenir ici, sous votre garde ?

— Vous pensez y parvenir ? s'enquit Thomas Bérard, sans cacher ses doutes. Vous n'êtes certes pas un crétin comme Ronay, mais vous êtes un zélateur, et vous êtes empli de colère envers les enfants du Graal, comme s'ils menaçaient votre accession future à la tête du Prieuré.

Le visage de Guillaume de Gisors tourna au rouge vif.

— Ils mettent en péril l'Ordre qui a chargé Gavin de les protéger, comme les Assassins. Qu'est-ce que cela leur a apporté ? Je ne dirai qu'un mot : Alamut !

Thomas Bérard réfléchit longuement, en regardant la mer et les nuages. Seul un éclair tombé sur la tour, accompagné d'un craquement effroyable et d'une odeur de soufre infernale, le tirèrent de sa méditation.

— Vous savez que Julien de Sidon s'est lui aussi rallié à nos amis de l'Hospital. Il brûle de mener sa première tentative d'enlèvement.

— Ce n'est qu'un bretteur imbécile !

— Nous devons préserver la sécurité du couple royal là où il se trouve, dans la Ville sainte. Sans cela, les Mongols n'iront jamais aussi loin vers le sud. Et c'est à nous, pas aux chevaliers de Saint-Jean, qu'il revient de fournir la garde du corps. C'est la manière la plus sûre de présenter notre ordre comme puissance de pacification auprès du Il-Khan.

Gisors ne dissimula pas son étonnement.

— Vous comptez donc proposer aux Mongols le royaume de Jérusalem ?

— Le royaume de Jérusalem doit d'abord être instauré, messire. À moins que vous n'ayez sérieusement l'intention de donner ce nom à ces deux villes côtières hostiles, et de vous contenter de cela ?

— Vous m'autorisez donc à partir ? (L'Ange n'était plus capable de maîtriser sa colère.)

— Je vous en donne l'ordre ! l'informa son supérieur. Et j'attends de vous que vous remplissiez votre mission telle que je viens de vous la confier !

— Si je vous ai bien compris, vous voulez que les enfants vous aiment comme une mère lointaine pendant que je jouerai la nourrice qui les bercera tendrement dans leur sommeil et les nourrira au sein lorsqu'ils ont soif...

— Permettez-moi de douter que vous soyez capable de les allaiter. Mais tout le reste me convient : l'État de l'ordre des Templiers ne pourra être créé qu'en Terre sainte, pas en France. Et pour cela, nous avons, dans un premier temps, besoin de Roç Trencavel et de sa dame.

— Et des Mongols ?

— Aujourd'hui, certainement, répondit le grand maître. Pour ce qui concerne l'avenir, nous ne le verrons peut-être ni l'un, ni l'autre, mais ce qui doit avoir lieu aura lieu. À nous de le préparer comme il convient.

— *Beauséant alla riscossa !*

Guillaume de Gisors s'en alla sur ces mots, passablement furieux. Il saurait bien prendre tout seul les premières mesures.

Thomas Bérard s'approcha de la fenêtre et regarda la tempête. Les navires s'étaient serrés comme un troupeau de moutons noirs flairant la proximité du loup. Dommage, pensa le grand maître. Quel gaspillage insensé de combattants valeureux et de matériel coûteux !

Il avait cessé de pleuvoir. La petite troupe choisie de l'Ordre était déjà en selle dans la cour de la forteresse lorsque sortit Guillaume de Gisors. Son regard tomba immédiatement sur l'homme installé à l'aile : il dépassait les autres d'une tête, et ne portait pas leur uniforme. Sigbert von Öxfeld arborait, bien visible, la croix noire de l'ordre Teutonique sur son clams blanc. L'Ange marcha droit vers lui.

— Qu'est-ce qui vous amène chez nous, Sigbert ? demanda-t-il d'une voix forte pour que tous l'entendent éconduire cet hôte indésirable.

Mais celui-ci se contenta de lui tendre en silence un parchemin. Guillaume pâlit en reconnaissant le sceau. C'était un ordre de la Grande Maîtresse : elle demandait à Sigbert de se rallier au convoi en partance pour Jérusalem, et l'exemptait explicitement de toute obéissance à son fils adoptif.

— Je vous surveillerai ! tonna le vieil homme, heureux d'être entendu de toute la troupe. Pour que vous ne fassiez pas de bêtises !

Les dents serrées, Guillaume donna à ses hommes le signal du départ.

Les trois grands maîtres et leur escorte se tenaient devant l'église Saint-Sabbas, devant laquelle s'était enflammée, voici des années, « la grande querelle de Saint-Jean-d'Acre ». On avait évacué les gravats et les cendres des deux quartiers voisins, ceux des Génois et ceux des Pisans. Mais les entrepôts calcinés et les fenêtres borgnes témoignaient encore de la guerre civile. Le quartier des commerçants de Gênes paraissait totalement éteint. Ses habitants s'étaient réfugiés à Tyr. C'était aux chevaliers de Saint-Jean, dont l'hospice était situé juste à côté, que revenait la surveillance des ruines.

— Rendons-nous donc sur le Montjoie, proposa Hanno von Sangershausen. Nous y serons en terrain neutre, et nous verrons mieux !

Les deux autres, le grand maître de l'Hospital et celui du Temple, eurent un sourire forcé. Mais ils suivirent l'Allemand.

— On vient de m'informer, annonça Thomas Bérard, qu'une armée provenant de Damas descend la vallée du Jourdain. Elle est passée sans s'arrêter à droite de Banyas, la forteresse des Sarrasins.

— Je peux vous annoncer, précisa Hugo de Revel d'une voix nasillarde, que l'on a déjà vu son avant-garde sur l'autre rive du lac de Tibériade.

— An-Nasir la mène-t-il en personne ? demanda l'Allemand, intéressé.

— Certainement pas ! répondit messire Thomas en riant. Celui-là n'ose ni avancer, ni reculer. Non, c'est Faucon rouge qui commande ces troupes.

— Ils se dirigent vers Jérusalem ! comprit aussitôt Sangershausen.

Bérard hocha la tête. Hugo de Revel fut le seul à ne pas comprendre :

— Pourquoi donc ?

— L'Hospital n'est pas le seul à avoir eu l'idée d'y envoyer des cavaliers, plaisanta méchamment le Templier.

— Vous êtes encore jeune dans vos fonctions, expliqua Hanno pour consoler le chevalier de Saint-Jean. Sans cela, vous sauriez qui est Faucon rouge.

— Un émir mamelouk ! répondit Revel avec dédain.

— L'un des plus doués ! le corrigea le Templier. Et un ami intime de Roç et Yeza, le couple royal !

— Quelque chose se prépare, soupira Hanno von Sangershausen. Une troupe envoyée par les mamelouks se dirige elle aussi vers Jérusalem.

— Sous les ordres de Baibars? demanda immédiatement messire Thomas.

— Non, c'est un certain Naiman qui les conduit. Ils ont quitté Gaza hier, de bonne heure.

— Et ils vont vers Bethléhem! C'est ce que m'a indiqué notre fort frontalier de Beth-Gibelin!

Hugo, le grand maître des chevaliers de Saint-Jean, était fier de la rapidité de ses services. Mais le Templier détruisit son petit triomphe.

— Eux aussi chevauchent vers Jérusalem.

Les trois seigneurs étaient arrivés à leur but, une hauteur déboisée au-dessus de l'ancien arsenal. Le vent sifflait. Ils frissonnèrent. On ne voyait plus grand-chose des navires. Ils avaient relevé les voiles et mettaient le cap vers le nord, formant une longue chaîne. On ne distinguait plus à l'horizon que les pointes des mâts, ornés de leurs bannières.

— Le Lion de Saint-Marc montre ses griffes à Gênes! annonça joyeusement le grand maître des Templiers, allié depuis toujours des Vénitiens. Les chevaliers de Saint-Jean, eux, s'appuyaient de temps en temps sur les Génois.

— La Serenissima se fera taper sur les doigts avant d'être à la hauteur de Tyr, répliqua aussitôt messire Hugo.

— Pour ma part, je ne trouve rien de réjouissant à ce genre de querelles fratricides! gronda Hanno. L'essentiel me paraît être le fait que l'armée principale des Mongols, sous les ordres du général Kitbogha, s'est arrêtée tout d'un coup devant la « Porte de Syrie ». J'ignore ce que cela signifie, mais cela m'étonne.

— Ils n'osent peut-être pas affronter les mamelouks? proposa timidement Hugo.

— Ce serait bien la première fois! rétorqua le Templier. Il y a forcément une autre raison. D'ailleurs, une petite troupe continue d'avancer à grande vitesse.

— Une petite ? Combien de milliers ? plaisanta messire de Sangershausen.

— À peine une centaine ! répondit Thomas, qui n'avait pas l'esprit à plaisanter.

— Il pourrait s'agir de punir la forteresse de Harenc, supposa Hugo de Revel, qui n'était pas un fin stratège, mais connaissait bien le nord du pays.

— Curieusement, cette attaque n'a pas eu lieu non plus, marmonna l'Allemand. D'autre part, ils ont déjà franchi Shaizar sans piller la ville.

— Plus loin, plus loin ! s'exclama Thomas. Cette troupe semble avoir des ailes, elle a déjà atteint Baalbek ; elle a un ours avec elle.

— Mais un ours ne peut pas voler ! tenta de plaisanter Hugo.

— Par Dieu le Juste ! gémit Hanno von Sangershausen. Ceux-là ne vont tout de même pas arriver aussi à Jérusalem ?

— Et pourquoi pas ? demanda Thomas Bérard, le Templier. Le couple royal aura demandé l'arrêt du gros des troupes et appelé cette centurie à Jérusalem pour délibérer.

— Avec l'ours ?

Nul ne s'arrêtait plus aux plaisanteries de Hugo.

— Considérez-vous vraiment que ce Roç Trencavel et sa dame Yeza Esclarmonde exercent une telle influence qu'ils aient la capacité d'arrêter les hordes de Gengis Khan, ce que ni l'empereur, ni le pape ne sont arrivés à faire ? demanda l'Allemand, incrédule, mais avec un certain respect.

— Le couple royal exerce un pouvoir spirituel qui découle de leur statut d'enfants du Graal, mais dont les seuls effets sont ceux que la puissance secrète qui les soutient juge souhaitables. Roç et Yeza sont à la fois de jeunes personnes qui n'ont rien d'infaillible et des espèces de créatures divines. C'est ce second trait qui domine pour l'instant. Contrairement à nous, les Mongols ont compris cette possibilité.

— Je vois beaucoup de sang couler sur les Lieux saints, dit messire Hanno en frissonnant. Si j'ai bien compté, et cette tâche me revient puisque nous, Chevaliers teutoniques, sommes les seuls à ne pas avoir envoyé de troupes, cinq partis aux intentions totalement différentes convergent actuellement vers le couple royal.

— Sans compter ceux qui affûtent déjà leurs couteaux à l'intérieur de la Ville sainte ! ajouta le chevalier de Saint-Jean.

— Mes valeureux seigneurs, annonça le grand maître de *l'Ordo Equitum Teutonicorum,* nous devrions tous à présent nous demander si nous avons agi sagement ou de manière malhabile, si nous pouvons encore limiter les dégâts ou si nous n'avons plus qu'à observer la suite des événements. Le sang versé retombera sur nous. Que Dieu protège le couple royal !

Et ils se séparèrent sans un mot.

Le sous-sol caché du Temple

La nuit était déjà tombée lorsque Jakov leur apporta les aubes, deux longues tenues blanches telles que les cathares avaient eux aussi coutume d'en porter pour la cérémonie du *consolamentum,* et qu'ils gardaient ensuite constamment disponibles pour le franchissement de la porte, le passage qui leur ferait quitter ce monde et les mènerait au paradis.

Roç et Yeza ne furent pas étonnés de ce don. Un regard vers le firmament leur indiquait avec la clarté des astres le chemin qu'ils avaient emprunté. Jakov s'éloigna sans un mot. Il ne voulait pas troubler le début de *l'endura* du couple royal en leur indiquant inutilement que tout était prêt. Un regard sur Roç et Yeza lui avait suffi, ils l'avaient compris. Mais Jakov ne se serait pas appelé « le Charpentier » s'il n'avait pas enfoncé un clou, par sécurité. Dans le vestibule, il rencontra Guillaume de Rubrouck. Le moine contemplait la voûte céleste limpide à travers une

longue-vue que lui tenait Ezer Melchsedek, et mur-
murait des chiffres que le franciscain confirmait
chaque fois en hochant la tête et en soufflant.
Laurent d'Orta était présent, lui aussi, et consignait
tout, bien proprement, sur une plaquette. Soudain,
le cabaliste parut s'agiter. Guillaume tendit l'oreille.

— Cela concerne Roç et Yeza ?

— Nous ne connaissons même pas l'année exacte
de leur naissance ! fit Laurent, apaisant. Comment
voulez-vous...

— Pour moi, le couple royal est dans le signe des
gémeaux, l'informa Ezer. Mercure, l'androgyne
inconstant y a sa maison, Mars et Vénus sont les
décans aériens.

Guillaume s'en contenta. Ezer n'avait pas dit un
seul mot sur Algol, qu'il avait vu traverser la scène.
L'étoile claire en Perseus annonçait inévitablement
le meurtre et l'assassinat.

Jordi, assis dans un coin, les observait en silence.
Ses doigts de nain taquinaient les cordes de son luth.
À chaque combinaison de chiffres, il faisait douce-
ment sonner un accord qui planait dans l'espace
comme une musique céleste. C'est à lui que s'adressa
Jakov :

— « Lorsque les âmes s'élèvent vers le lieu du
"recueil de toute vie", elles y jouissent, au reflet du
miroir, d'une lumière qui rayonne depuis un lieu
éminent entre tous. Mais si l'âme ne s'entourait pas
alors d'un nouvel habit de lumière, elle ne pourrait
pas s'approcher de cet éclat. »

— Frère Jakov, dit Ezer en interrompant sa série
de chiffres cabalistiques, tu utilises le livre de Sohar
comme si tu voulais transformer Roç et Yeza en ce
nuage depuis lequel avancerait vers toi un fondateur
d'État comme Moïse, qui reçoit sur la montagne les
Tables de la Loi pour ton peuple — pour notre
peuple. Le couple royal cherche une autre lumière !

— Il n'y a qu'une seule source de lumière, tout le
reste n'est que reflet, précieux Ezer ! répondit Jakov
d'une voix douce, mais agacée. Et c'est une relation

mystérieuse. (Il s'assura que le troubadour le suivait.) « Comme on donne à l'âme un habit qui lui
permet d'exister en ce monde, on lui donnera un
habit lumineux, de nature supérieure, pour exister
dans cet autre monde et regarder dans le miroir qui,
depuis ce pays de la vie, reçoit sa lumière ! »

Ezer le dévisagea, mais s'abstint de répondre.
Laurent, lui, posa sa petite plaquette et dit :

— Il faut éviter que Roç et Yeza ne disparaissent
dans le miroir pour ne plus être tiraillés de toutes
parts. Les musulmans sont le moins concernés ;
depuis que Kefir est à leur tête, ils sont en attente.
Les chrétiens orthodoxes les poursuivent de leur
haine, tout comme les Pharisiens ont persécuté le
Messie. Mais les juifs sont les pires : ils serrent le
couple royal dans leurs bras avec la ferveur de
l'Ancien Testament. Yeza et Roç en perdent presque
le souffle. Nous devrions laisser de côté les projets
que nous avons pour ces créatures remarquables,
cesser de nous demander comment nous pouvons les
faire entrer dans nos plans, nous devrions leur
tendre la main pour qu'ils puissent exaucer leur
vœu : leur ouvrir le chemin qui leur permettra de
parvenir au Graal.

— Vous êtes bien placé pour donner des leçons !
gronda Jakov. Quel exemple fournit donc le Prieuré ?

— Faites-vous votre opinion selon ce que vous
comprenez, répliqua Laurent. Remerciez votre
Yahvé pour la légèreté de votre fardeau. La véritable
connaissance est bien lourde à porter. (Il se releva en
gémissant.) Je prends la charge sur mes faibles
épaules.

Lassé de cette querelle, et faute de nouvelles
constellations, Guillaume avait baissé vers la sombre
terre le télescope qui lui permettait d'observer le firmament. Il aperçut les âtres des Bédouins dans le
désert. Puis son œil tomba sur un feu de camp tellement vif qu'il distingua clairement l'homme qui bon-
dissait comme une corneille noire tout autour des
flammes. Le manteau de l'étranger était couvert de

fétiches, d'osselets et de plaquettes d'argent qui brillaient à la lumière des flammes. C'était certainement Arslan. Un ours était couché à côté du foyer. Il fallait en informer Roç et Yeza au plus vite. Ils se réjouiraient à coup sûr. Guillaume ne mentionna pas sa découverte lorsque Laurent s'adressa à lui et à Jordi.

— Les conditions spirituelles de l'accession au règne seront décidées dans un lieu supérieur, annonça le petit franciscain avec l'autorité pesante du Prieuré de Sion. Il n'est pas nécessaire que vous soyez présents, mais le couple royal a besoin de vous pour la marche qui l'attend. Accompagnez Roç et Yeza tant qu'ils voudront vous savoir près d'eux, mais ensuite, arrêtez votre pas et laissez-les seuls.

C'était plus qu'un ordre : une exhortation. Le charmant vieil homme dont les yeux respiraient souvent la plaisanterie était à la hauteur de sa mission.

— Car la terre déserte qui jouxte la frontière t'est inconnue et le restera ! (Il lança à Guillaume un regard sévère.) Garde-toi de vouloir encore jouer le protecteur à ce moment-là, Guillaume, lorsque cela ne te sera plus accordé.

Il connaissait bien son frère d'Ordre.

Suivis par Jordi et Guillaume, qui portaient deux torches, Roç et Yeza s'étaient faufilés, de nuit, dans la mosquée devant laquelle le mufti Kefir Alhakim avait fait poster des gardes. Ils étaient descendus par un escalier caché derrière le *minbar* surélevé, dans le sous-sol jalonné de piliers : les écuries de Salomon. D'infinies rangées de mangeoires en pierre et d'anneaux de fer, interrompues par des colonnes et des rampes, s'étiraient sous tout le complexe de bâtiments, jusqu'au coin sud-est des murs extérieurs de la colline du Temple. Une porte à hauteur d'homme, trop étroite pour un cheval, menait à l'air libre. Le trou par lequel on faisait passer le foin évacuait l'air vicié ; de la lumière tombait d'en haut par les barreaux de fer des citernes qui alimentaient les animaux en eau potable. Les tuyaux des aqueducs formaient une installation complexe et raffinée dans laquelle la petite troupe butait régulièrement.

Yeza et Roç portaient tous deux les longues tenues blanches. Ils savaient cependant qu'ils ne pouvaient pas s'attendre à trouver ce qu'ils cherchaient à ce niveau. Comme le sol était rarement en terre battue et qu'il était constitué, pour le reste, de roches ou de plaques de pierre, on pouvait supposer que des salles mobiles se trouvaient encore en dessous. Roç, qui se taisait comme Yeza, regardait par le rebord de chacun des bassins. Mais ils étaient tous remplis jusqu'à leur bonde, ce qui ne permettait pas de penser qu'ils cachaient une galerie dans leur partie inférieure. Toutefois chaque plaque de pierre, chaque pilier pouvait dissimuler un passage secret.

— Il faut frapper sur les murs pour trouver les espaces creux! venait de dire Roç afin d'encourager Jordi, qui l'éclairait et ne semblait pas avoir beaucoup d'espoir. À cet instant, ils entendirent derrière eux un bruit de chute de pierres et le cri contenu de Guillaume. À la lumière de la torche tombée au sol, ils virent Guillaume enfoncé jusqu'à la poitrine dans un trou qui s'était ouvert sous ses pieds. Une plaque de pierre avait basculé vers le bas comme une trappe, libérant le début d'un passage étroit qui menait à pic dans la pénombre.

— J'ai à peine touché la corniche, grogna le gros franciscain en désignant un pilier semblable à tous les autres.

Yeza lui tendit la torche.

— Priorité à l'inventeur, dit-elle, impassible.

Guillaume descendit les marches à tâtons. Yeza le suivit. Elle posa sa main sur l'épaule de Guillaume, en constatant que le pauvre moine tremblait de peur. Roç fit de même avec elle, pour lui montrer que son chevalier la protégeait, mais aussi pour participer à cette certitude tranquille qui poussait Yeza vers son objectif. Jordi fermait la marche.

— Le petit homme de votre Prieuré, dit Ezer à Gosset en désignant une terrasse située en contre-bas, a fait preuve d'une extrême arrogance. Il a pro-fondément blessé le Joseph qui se cache en Jakov Ben Mordechai.

En dessous d'eux, comme deux ombres, Laurent d'Orta et le Charpentier faisaient les cent pas et poursuivaient leur confrontation. Leurs chemins se croisaient, mais ils ne se rencontraient pas. En haut, derrière les créneaux de la tour, se trouvaient le prêtre, le cabaliste, et Abu Bassiht, le soufi, qui regardait les étoiles sans se servir de la longue-vue d'Ezer.

Gosset se moquait bien des reproches que l'on pouvait adresser à la société secrète dont il était membre. Le Prieuré, lui aussi, se sentait au-dessus de ce type d'attaques. L'important, pour lui, était d'ôter au juif l'illusion que son peuple était toujours le peuple élu.

— Puisqu'un homme qui est devenu charpentier se croit déjà appelé à devenir l'architecte d'un État, répliqua Gosset au cabaliste, il n'y a rien de mal à ce qu'on le fasse redescendre de ses hauteurs. Sans cela, n'importe quel pigeon se prendra pour l'aigle de l'empire !

— Lorsqu'un homme caresse le rêve du royaume de Dieu sur terre, où régneraient la paix et le bon-heur, laissez-le donc le fonder, répondit Ezer Melch-sedek. Votre Prieuré ne veut rien d'autre. Seulement lui n'a pas de peuple.

— Nous avons le couple royal, Roç Trencavel et la dame Yeza Esclarmonde, les futurs rois de la paix ! éclata Gosset. Eux seuls sont les garants du salut...

— Nous les acceptons de tout cœur, nous les aimons, et ils ont besoin de nous, s'exclama le caba-liste avec emphase mais Gosset brisa net son dis-cours :

— Ce que Jakov Ben Mordechai a en tête, c'est un royaume des juifs, avec Jérusalem comme capitale. Il se sent comme un nouveau Salomon, il veut sûre-ment aussi reconstruire le Temple...
— Est-ce une ignominie ?

— Non, c'est une erreur de calcul! grogna Gosset.
Cela exclut les musulmans. Quant à nous, chrétiens,
cette perspective ne peut que nous gêner!

— Vous préférez donc obtenir ce résultat déplaisant : renvoyer ceux qui étaient enfin venus nous
apporter le salut?

— Ne déformez pas la réalité, Ezer Melchsedek!
C'est nous qui avons mené le couple royal en ce lieu
sacré pour qu'il fasse rayonner la paix de Dieu sur
toutes les fois, et dans le monde entier. N'allez pas
confondre le Prieuré de Sion avec ces croisés excités,
et encore moins avec l'Antéchrist de Rome! Roç et
Yeza doivent se tenir au-dessus des religions hostiles, et non pas aider l'une d'entre elles à remporter
une victoire tardive, surtout si cette religion est celle
dont Jésus, déjà, pensait qu'elle avait besoin d'être
renouvelée.

— Le peuple d'Israël demeure tout de même le
peuple élu, protesta Ezer. Et c'est à nous, à nous
seuls que la terre est promise!

— *Jafki! Jafki!* Assez de ces papotages! s'exclama
Abu Bassiht. Nous nous éloignons de l'unique créa-
ture d'amour, qui ne peut de toute façon plus nous
supporter. (Le soufi avait bondi sur ses jambes.)
Tournons le dos à La Mecque! Oublions la Thora!
Jetons nous-mêmes les apôtres hors de la ville!

Abu dansait autour des deux autres. Il était impossible de savoir s'il était en colère, s'il plaisantait ou
s'il parlait sérieusement.

— Voilà! dit-il en reprenant son souffle après un
dernier tournoiement. « Quand, très cher, vas-tu
enfin venir? »

Ils n'avaient cessé de s'enfoncer dans les profondeurs. Ils avaient parcouru des galeries obscures,
puis humides. Les piliers avaient laissé place à de
grossières colonnes qui transformaient les salles en
voûtes étroites. Les plafonds étaient de plus en plus
bas. L'air était vicié. Roç et Yeza avançaient toujours
plus difficilement; leurs tenues de moines se salis-

saient peu à peu. Roç avait l'impression de tourner
en rond. Mais Yeza avançait devant lui, d'un pas si
ferme et si rapide que Jordi avait du mal à lui éclairer le chemin avec sa torche. La galerie qu'ils avaient
empruntée donnait sur une salle ronde, sous une
coupole, et Guillaume résuma ce qu'ils pensaient
tous :

— Nous voilà devant une paroi qui cache quelque
chose.

Il dirigea sa torche entre les piliers à demi taillés
dans le roc. Les murs étaient composés de caissons
soigneusement travaillés qui paraissaient s'assem-
bler sans la moindre faille. Il découvrit un trou encadré. On aurait dit une porte basse, avec corniche et
tympanon, mais l'orifice était si petit que Guillaume
recula.

— Je ne passerai jamais là-dedans! déclara-t-il.

Jordi estima que c'était à lui d'intervenir. Le nain
se courba et disparut sans prendre le temps de discuter.

— Cela va mieux que je ne l'aurais cru, annonça
par le trou sa voix assourdie. Ça se rétrécit... je suis
dans une chambre dorée.

— Reviens! cria Yeza.

Mais ils n'entendirent qu'un halètement.

— Jordi? demanda Yeza en se penchant,
anxieuse, vers l'orifice.

— Je n'y arrive pas! dit-il d'une petite voix. La
galerie est trop étroite!

— Absurde! fit Roç pour le tranquilliser. Si tu es
entré...

— Je ne peux pas l'expliquer, répondit Jordi. Il n'y
a pas de chemin de retour. C'est une chambre funéraire.

Le troubadour parlait moins fort, mais la peur se
mêlait à sa voix.

— Il y a des ossements là-dedans.

— Chante une chanson, Jordi! demanda Guillaume.

— Arrête donc ces crétineries! rétorqua brutalement Roç. Ne consomme pas l'air. Nous allons te sortir de là !

— Qu'il chante tranquillement, répliqua Yeza, si cela lui donne du courage.

Peu après, la voix du chanteur retentit, sourde mais confiante, de la chambre funéraire.

> « *Ab l'alen tir vas me l'aire*
> *qu'eu sen venir de Proensa;*
> *tot quant es de lai m'agensa,*
> *si que, quan n'aug ben retraire,*
> *ieu m'o escout en rizen*
> *e'n deman per un mot cen :*
> *tan m'es bel quan n'aug ben dire.* »

Le bassin dans la pierre noire de la mer

Lorsque Abu Bassiht et Ezer le rejoignirent, Gosset venait de constater que Roç et Yeza n'étaient pas là où il pensait les trouver. Pour le leur prouver, le prêtre souleva le lourd tapis qui servait de rideau (le domicile des Templiers n'avait plus de portes). La couche installée au milieu de la pièce était en grand désordre, et curieusement, les vêtements du couple royal étaient dispersés sur le sol.

— Je savais que Roç et Yeza entreprendraient leur voyage cette nuit, murmura Gosset, blessé par le fait qu'ils n'aient pas pris le temps de lui faire leurs adieux.

— Cela vous dérange, qu'ils soient nus ? demanda le soufi.

— Ils portent sans doute l'aube, répondit Gosset, la chemise blanche de la mort ! Mais nous ne pouvons pas les laisser seuls..., s'indigna-t-il faiblement. Jakov et Laurent nous ont dupés. Ils leur ont envoyé Guillaume et Jordi, le signal du départ ! Et nous ne savons même pas où ils se trouvent à présent.

Ezer hocha la tête, satisfait. Pour le cabaliste, tout cela était normal. Laurent d'Orta et Jakov Ben Mordechai entrèrent d'un même pas dans la pièce et prirent l'air étonné lorsque Gosset leur cria :

— Le couple royal nous a quittés !

— Et pourquoi donc n'êtes-vous pas à genoux, pourquoi ne priez-vous pas pour le salut de leurs âmes, tonna Jakov en reprenant la voix qu'il avait adoptée pour sa réincarnation en charpentier.

Gosset n'en fut nullement effrayé, il connaissait l'organe de basse de saint Joseph depuis Rhedae, mais sa puissance troubla Laurent, et ses mots choquèrent Ezer Melchsedek.

— Que devons-nous faire ? se mit-il à gémir. Il n'était pas question de mort... Qu'avez-vous ?

Abu Bassiht intervint rapidement.

— Je vais prier de bon cœur pour vous tous, qui avez peur de la mort. (Il se balança, comme chaque fois qu'il commençait sa danse de derviche, et se mit à réciter une litanie.) « Voyez-vous, aveugle comme Jakov, il cherche le fils perdu », dit-il en entourant le charpentier, « et il retrouve la vue. Qui donc a tant de chance ? » (Il reprit son tournoiement, cette fois vers Laurent.) « Moïse s'approcha du buisson desséché dans le désert et découvrit le feu de mille soleils ! Qui donc a tant de chance ? » (Le tournoiement du soufi s'accéléra, il se dirigea vers le prêtre, le seul à s'être agenouillé.) « Jésus entra dans une maison pour échapper à l'arrestation, et découvrit le chemin vers un autre monde. Qui donc a tant de chance ? »

— Mais lui est allé volontairement au sacrifice ! gronda Botho, le vieux Templier, qui était entré sans se faire remarquer, en compagnie de Kefir Alhakim. Et il est ensuite glorieusement ressuscité.

Nul ne prit garde à ses protestations.

— Eh bien ! fit Abu Bassiht en haletant et en arrêtant son tournoiement. « Qui a tant de chance ? »

— Vous blasphémez ! tonna le Templier, furieux, en se précipitant hors de la pièce. Mais son bref passage avait mis l'assemblée en mouvement, plus efficacement que ne l'aurait fait un tonneau du meilleur vin.

— Ouvrez-nous la mosquée, exigea Gosset, excité par l'arrivée du « grand mufti » Kefir. Il faut que nous retrouvions Roç et Yeza !

— Nul n'a pénétré dans le *beit as-salah* ces dernières heures, du moins pas après la dernière prière du soir ! répliqua Kefir. Et surtout pas un infidèle !

— Est-ce donc ainsi, que vous, le raccommodeur d'Ustica, vous récompensez la bienveillance du couple royal, qui vous a conduit ici, nourri et habillé ?

Gosset donnait l'impression d'avoir bu. Laurent d'Orta rétablit le calme.

— Nous allons, devant la porte fermée, honorer notre Dieu par des chants de piété ! proposa-t-il habilement.

— *Bismillah !* fit le mufti, qui n'avait pas résisté bien longtemps. Dans ce cas, je préfère que vous le fassiez derrière les gros murs, que personne ne vous entende !

Ils descendirent tous l'escalier et passèrent à l'air libre, là où Simon montait la garde devant la tente du Templier.

À l'intérieur, Botho se tenait couché devant deux bougies allumées, et priait à voix haute : « *Pater dimitte illis, non enim sciunt qui faciunt.* » Et Kefir ouvrit les portes de la mosquée.

Ils n'avaient plus qu'une torche, celle que tenait Guillaume. À sa lumière, Roç examinait les caissons de pierre. Ils devaient faire vite : la flamme commençait déjà à décliner. Yeza observait les efforts des deux hommes, l'air amusé. Depuis la crypte, on entendait toujours résonner la voix de son petit troubadour :

> « *E s'ieu sai ren dir ne faire.*
> *Ilh n'aia l grat, que sciensa*
> *m'a donat e conoissensa,*
> *per qu'ieu sui gais e chantaire.*
> *E tot quand fauc d'avinen*

ai del sieu bell cors plazen,
neis quan de bon cor consire. »

En vérité, c'est de Jordi qu'elle se souciait. Mais
Roç, lui aussi, s'inquiétait pour leur fidèle serviteur.
Il passait la pointe des ongles dans les joints des caissons, espérant découvrir une fissure. Yeza observait
à distance la paroi où se trouvait le funeste orifice.
Elle avait remarqué le pignon triangulaire de la
porte. Il ne portait pas de poids.

— Roç! s'exclama-t-elle. Accrochez-vous donc à la
pointe du tympan.

Son compagnon, par habitude, s'apprêtait à lui
dire qu'elle n'y connaissait rien, mais Guillaume
s'exécuta aussitôt. Le pignon céda sans grincer et
tourna sur un axe invisible. On entendit un gronde-
ment sourd à l'intérieur de la pierre, puis le bruit
cessa. Le chant de Jordi s'arrêta lui aussi.

— Continuez, continuez! s'exclama-t-il. Une porte
est en train de s'ouvrir!

Mais la paroi située devant la chambre funéraire
se transforma elle aussi, presque sans un bruit. Puis
le silence complet revint. Le trou s'était suffisamment agrandi pour que même Guillaume puisse se
frayer un chemin entre les pierres. Roç le retint :

— Je passe devant!

Dès qu'ils furent entrés dans cette galerie désormais haute comme un homme, ils entendirent la
voix effrayée de Jordi.

— Au secours, un ours!

Yeza, qui avait immédiatement suivi Roç, le
poussa vers l'avant.

— Jordi, attends-nous! Nous arrivons!

Mais le troubadour ne répondait plus.

— Jordi! supplia-t-elle. Reste où tu es!

Puis, penché vers Roç, elle chuchota :

— Arslan?

Son chevalier hocha la tête, sans dire un mot. Roç
se faufila dans le passage. Il comprenait à présent
pourquoi son troubadour n'avait pas réussi à revenir

sur ses pas : jusque-là, les murs étaient disposés en pointes coniques. Cela permettait uniquement une progression vers l'avant. Le torse humain se comportait comme un bouchon : il ne passait que dans un sens. À présent, l'une des parois s'était décalée, et l'on pouvait zigzaguer entre les pierres pointues. Mais lorsqu'ils arrivèrent dans la chambre funéraire décrite par Jordi, ils n'y virent ni le petit troubadour, ni l'ours. En revanche, une porte noire, semblable à la précédente, était béante. Mais les battants de celle-ci, ouverts vers l'intérieur, étaient en pierre massive. Comme tout le reste de la pièce, ils étaient ornés de mosaïque dorée et recouverts d'une écriture étrangère, des signes d'une simplicité archaïque, qui rappelaient les hiéroglyphes. On ne distinguait aucune représentation imagée, juste des symboles tissés dans un réseau d'incrustations en paillettes d'or et sur les pierres, souvent précieuses, que l'on avait disposées aux angles : des rubis et des émeraudes, des topazes et des améthystes qui resplendirent lorsque Guillaume fit tomber sur eux la lumière déclinante de la torche.

— On croirait un langage des étoiles ! dit Yeza. Un message d'un autre monde.

Roç, lui aussi, était captivé et suivait attentivement les lignes incandescentes, les nœuds scintillants et les espèces de runes, qui pouvaient aussi être des chiffres. Un code secret ? Un message des premiers gardiens du Graal ?

Guillaume s'arrêta, intimidé : dès que ses yeux se furent accoutumés à la nuit profonde, il remarqua une lumière bleuâtre vers laquelle marchaient Roç et Yeza, devant lui. Il vit leurs silhouettes en tenue blanche, prit son courage à deux mains et les suivit. Il ne parvenait pas à voir d'où provenait la lumière, mais elle avançait en même temps que le couple royal, comme un mur de brouillard. S'il ne voulait pas rester dans la pénombre, il était forcé de les imiter. Il se rappela l'exhortation de Laurent d'Orta. Il se serait volontiers arrêté, mais il avait peur, à présent,

de rester tout seul. Le franciscain se faufila derrière
Roç et Yeza, avec le mauvais sentiment de faire quelque chose de mal, pire qu'un homme qui épie deux
amants. Tandis qu'ils paraissaient planer, détachés
de leur corps, Guillaume descendit l'escalier en
tâtonnant, marche après marche, dans la crainte
perpétuelle que la puissance pour lui inconcevable
qui se trouvait derrière chaque événement ne
l'empêche de passer, l'aveugle d'un éclair ou ne fasse
éclater son cœur palpitant. Il tituba, dut se retenir à
la paroi, ses pieds semblaient ne plus vouloir obéir à
ses ordres.

Une gigantesque grotte s'ouvrait devant lui, non
pas une caverne à stalactites, mais une salle à coupole; il n'en avait jamais vu d'aussi grande sans
pilier de soutènement, et ne pouvait s'imaginer
qu'une main humaine ait réalisé pareil prodige. Les
architectes inconnus avaient dépassé toutes les lois
de l'art des voûtes. Aucun pilier ne soutenait le plafond, aucune colonne latérale ne captait la pression.
On aurait dit un ciel : dans le bleu profond de la nuit
s'étalait le firmament, saturé d'astres brillants qui
paraissaient se déplacer, projetant des étincelles ou
des éclairs. Mais ils ne diffusaient pas de lumière, ils
se contentaient de la refléter, et ils ne lançaient pas
d'ombres non plus. Qui leur donnait leur puissance ?
Guillaume en eut le souffle coupé, ses genoux tremblaient. Il dut s'asseoir en se pressant contre la pierre
lisse. Était-ce cela, le « Takt », la mystérieuse église
du Graal, à l'intérieur de la terre ? Le sol de cette
vaste salle était recouvert de morceaux de roches et
de cailloux aux reflets d'or et d'argent, comme si l'on
avait laissé ici les gravats extraits de la plus produc-
tive d'entre les mines. À moins que quelqu'un n'ait
empêché l'achèvement de cette précieuse crypte ?

Roç et Yeza franchirent ce terril rocheux sous les
yeux de Guillaume, sans lancer le moindre regard
aux pierres précieuses qui brillaient entre les éclats
de cristal et les blocs minéraux. Alors seulement, le
moine vit lui aussi la pierre. Un gigantesque cylindre

noir comme jais au reflet mat sortait du sol inégal comme si un projectile lancé depuis le cosmos était venu se planter là. Il paraissait circulaire et d'une régularité parfaite, taillé dans un matériau visiblement plus dur que le champ de granit dans lequel il s'était enfoncé sans éclater. Une pierre travaillée de cette taille-là (cinq, six, huit hommes n'auraient pu en faire le tour en se tenant la main), même un attelage de cent bœufs ou dix mille esclaves répartis en onze cordées n'aurait pu la déplacer. À sa surface légèrement inclinée, on avait rempli d'eau claire, jusqu'au rebord, un rectangle creusé qui formait un bassin. Guillaume eut l'impression que le miroir était tantôt lisse, tantôt fripé, comme si un souffle de vent passait dessus. L'idée d'une vulve ouverte dans le giron de la grande mère universelle s'imposa à lui. Guillaume n'eut pas le temps d'avoir honte de son obscénité ou de s'étonner de son imagination : déstabilisé par sa mauvaise conscience, il glissa de son poste d'observation.

En entendant ce bruit, Roç et Yeza se retournèrent. Ils reconnurent aussitôt leur futé Flamand. Yeza sourit, et Roç prit lui aussi la peine de ne pas donner l'impression de le chasser.

— Tu ne dois pas nous suivre plus loin, mon vieil ami, dit-il, et l'on avait l'impression qu'il le regrettait.

— Nous avons parcouru ensemble de longues parties d'un long voyage, mon cher Guillaume, ajouta Yeza, tu as été notre porte-bonheur dans l'aventure, notre source de joie dans la détresse...

Roç remarqua que Yeza avait les larmes aux yeux. Il l'avait rarement vue ainsi. Il posa tendrement le bras autour de ses épaules et mit un terme à ces adieux.

— Nous devons parcourir tout seuls le dernier segment de notre chemin. Mais nous nous reverrons ! promit-il en parlant vite, car lui aussi avait la gorge nouée.

Guillaume ne se sentait pas beaucoup mieux. Il se retourna d'un seul coup et gravit les marches de l'escalier. Mais cela ne dura pas longtemps : il ne put résister à la tentation, et regarda derrière lui. Roç et Yeza avaient atteint le rebord de la pierre noire. Roç se tourna vers sa compagne.

— Ce creux rectangulaire ne te rappelle-t-il pas la pierre noire de la source, celle devant laquelle Rinat nous a peints ? (Roç toisa le bassin.) Elle s'encastrerait exactement ici ! s'exclama-t-il, enthousiaste. Même si...

Yeza se contenta de lui lancer un regard étonné.

— Cela a-t-il une importance, pour le moment ?

Roç chercha à éviter de nouveaux reproches.

— Je suis prêt à tout pour toi, Yeza, mais dis-moi, je t'en prie, ce que tu attends.

Yeza le scruta des yeux. Roç lui avait refusé leur enfant, il avait préféré découvrir le Graal. Et c'est lui qui posait cette question, à présent !

— L'accomplissement ! répondit-elle d'un ton solennel. Nous errons sur cette terre depuis notre enfance. Je veux enfin savoir, à présent, quelle est la réalité de cette promesse.

Roç lui passa le bras sur les épaules, pour qu'elle sente qu'il la comprenait — ce qui n'était d'ailleurs pas le cas.

— Je veux savoir qui je suis, dit-il, l'air songeur. Jusqu'ici, je ne l'ai entendu que de la bouche d'autres personnes, et c'était souvent aussi contradictoire que notre vie : d'autres que nous l'ont guidée. (Il se pencha vers elle et l'embrassa derrière l'oreille.) Lorsque je le saurai enfin, chuchota-t-il, je t'offrirai l'enfant que tu désires, et il sera le Messie.

Yeza prit la tête de Roç entre ses mains.

— Dans ce cas, menons notre chemin à son terme, mon chéri, dit-elle d'une voix ferme.

Ses yeux brillaient comme des étoiles. Ou bien s'était-elle mise à pleurer ?

Guillaume ne put se faire une certitude sur ce point : il venait d'apercevoir le calice. C'était un récipient lourd, presque grossier, qui se tenait sur le bord du bassin. Il était manifestement du même matériau que la pierre elle-même ; il en faisait partie, comme Jakov le leur avait raconté. Le calice lui semblait beau, avec sa forme trapue. Il paraissait imposant, mais aussi inquiétant, peut-être même dangereux.

Roç et Yeza virent le calice, eux aussi, ils l'avaient forcément remarqué, mais quelque chose les fit hésiter à s'en emparer. Roç plongea sa main dans l'eau. Guillaume se retourna, indécis. Une niche dans la cage d'escalier l'incita à se cacher. Il céda à son envie de demeurer le gardien des deux enfants — ou à son désir de ne pas se laisser exclure. Le franciscain rondouillard se fit une place dans la cachette.

Roç puisa dans l'eau avec les mains nues et voulut en goûter, mais au même instant, Yeza lui tendit le calice noir. Guillaume vit qu'ils ne le remplissaient pas, mais le portaient à leurs lèvres. C'est donc que la coupe contenait la boisson dont tous deux avaient soif. Ils burent à tour de rôle. Guillaume eut l'impression que le contenu du calice ne voulait pas se tarir — sorcellerie ! Peut-être ce lieu magique n'était-il pas du tout la porte invisible vers des sphères extra-terrestres, mais le vestibule scintillant du royaume de Lucifer ? Le reflet trompeur du paradis céleste ? Le moine frissonna. Tout ce qu'il voyait de ses yeux n'était-il qu'une illusion, une suggestion du Malin ? Le démiurge, en les faisant boire dans le calice, avait-il acquis un pouvoir sur le couple royal ? Alors, lui aussi, Guillaume, était désormais entre ses mains ! La fierté s'empara du gros frère mineur ; il avait toujours partagé le destin des enfants. Cette fois, il irait en enfer avec eux !

Roç et Yeza se faisaient face, immobiles, et se regardaient. Puis Roç, d'un mouvement vif, jeta le calice contre la roche. Guillaume pensa qu'il allait entendre un bruit de verre brisé, mais il ne perçut qu'un choc sourd. Des étincelles jaillirent de la pierre que le calice avait heurtée. Le couple royal n'y accorda aucune attention. Yeza souleva lentement sa robe, la fit glisser sur ses cuisses, son ventre et sa poitrine. Guillaume vit l'ombre de son pubis et sentit, à son grand effroi, sa queue enfler sous sa bure. Diablerie ! Il n'avait jamais désiré charnellement sa reine ! La chevelure blonde de Yeza disparut sous le drap blanc relevé, elle se libéra et se retrouva nue devant son amant, qui paraissait figé. D'un geste rapide, Yeza tira sur la tunique de Roç et la lui arracha à hauteur de la poitrine. Le bruit du tissu déchiré fit frissonner Guillaume jusque dans la moelle de ses os. L'aube tomba devant Roç. Il l'éloigna de lui d'un coup de pied.

Yeza lui prit la main, et ils montèrent ensemble dans le bassin sombre de la pierre noire et ronde. Au grand étonnement du moine, qui respirait lourdement, l'eau n'arrivait qu'aux genoux des deux amants.

Ils s'enlacent comme deux personnes qui se noient, pensa d'un seul coup Guillaume, avant même de prendre conscience du fait que les corps s'enfonçaient dans la pierre, d'abord lentement, puis de plus en plus vite. Guillaume voulut crier pour les mettre en garde, mais sa voix ne lui obéissait plus. Il vit, muet d'effroi, l'eau sombre atteindre leur poitrine, recouvrir leurs épaules puis se refermer sur leur tête, sans gargouillis ni bulles d'air, comme si le noble Roç Trencavel et sa courageuse dame Yeza Esclarmonde n'avaient jamais existé.

Guillaume dévala les marches et se précipita vers le bassin, dans la pierre noire. La surface de l'eau était lisse. Guillaume crut un instant apercevoir dans les profondeurs la chevelure blonde de Yeza, mais c'était sans doute une illusion. Pris de panique, il remonta en courant, aveuglé par les larmes, l'escalier qui devait le mener dans la froide mosquée, sur la colline du Temple.

Botho avait été réveillé par ce tumulte. Il sortit devant sa tente, encore à moitié endormi.

Ressuscités des ténèbres

La tranquillité de la nuit régnait dans la mosquée Al-Aqsa. Jérusalem dormait, seul Simon montait la garde devant la tente des Templiers. Le vieux chevalier Botho de Saint-Omer y dormait en ronflant, du sommeil du juste. Kefir Alhakim avait refermé le bâtiment avec sa lourde clef après être parvenu à attirer à l'extérieur, à l'aide d'une amphore de bon vin du mont Sion, le prêtre Gosset, le soufi Abu Bassiht et le vieux cabaliste Ezer Melchsedek. Les trois hommes étaient assis sur un banc de pierre, sous les colonnades de la « Belle Porte », et ils buvaient avec bonheur. Kefir, lui aussi, était disposé à profiter de la faveur de la nuit et à se joindre à eux, lorsque des coups violents retentirent contre la porte de la mosquée.

— Le *cheîtan* vient te chercher, Kefir ! lança Abu Bassiht au mufti. Il connaît avant toi tes plaisirs interdits !

Mais ce n'était pas le diable : dès qu'ils eurent ouvert la porte, ils virent jaillir Guillaume, qui courait comme s'il était poursuivi par des furies.

— À l'aide ! bredouilla-t-il, effaré. Venez à leur secours, mes amis, Roç et Yeza se sont noyés !

— Comment cela ? demanda Ezer. Dans quel étang ?

— Suivez-moi ! les implora Guillaume. Je vais vous mener sur le lieu de l'accident.

— Qui vous dit qu'ils ont eu un accident ? s'exclama Abu Bassiht, qui se leva pourtant aussitôt. Ils ont peut-être réussi à quitter ce monde. Tous les autres univers ne peuvent être que meilleurs ! expliqua-t-il avant de citer son refrain favori, « Qui donc a tant de chance ? »

— Mieux vaut le demander aux personnes concernées ! répondit Ezer, sceptique, en se ralliant à la troupe qui disparut rapidement à l'intérieur de l'Al-Aqsa, suivie par Gosset.

Botho avait été réveillé par ce tumulte. Il sortit devant sa tente, encore à moitié endormi.

— Le couple royal est monté au ciel! dit Kefir au Templier.

— C'est en enfer qu'ils sont descendus, ces imposteurs!

Kefir se rappela sa position de mufti des musulmans, et le fait que nul n'était plus là pour les entendre.

— Ils se sont vraisemblablement noyés, admit-il. Et puis vous avez raison : seuls les véritables prophètes réussissent leur ascension.

— Pieds nus, marmonna Botho, et pas à dos de cheval!

Il allait se retirer lorsqu'une grille de citerne s'ouvrit au milieu du parvis du Temple, soulevée par une main invisible.

— Le cheîtan! gémit Kefir. *Allah uchfurli nafsi al chati'a!*

Jordi passa la tête hors du trou.

— C'est un ours qui m'a guidé jusqu'ici! s'exclama-t-il. Il m'a sauvé la vie!

— Certainement! grogna Botho. Il a dû vous prendre pour une ruche, avec votre babil incessant!

Et il tira le rideau de la tente derrière lui, d'un geste agacé. Kefir préféra lui aussi s'éloigner, si bien que le troubadour, lorsqu'il eut fini son escalade, se trouva seul avec Simon.

— Où sont donc passés tous les autres?

Simon était heureux que quelqu'un lui parle, mais il redoutait la colère du vieil homme. Il posa l'index sur ses lèvres, et ils attendirent que le ronflement recommence.

— Messire Jakov est allé voir le rabbin Jizchak pour qu'il réveille les juifs. Messire Laurent s'est rendu chez le patriarche, pour qu'il rameute les chrétiens. Tous les autres sont... (Il désigna le sol couvert de plaques de pierre, à leurs pieds, et chuchota :) En bas, c'est l'enfer! Réjouissez-vous d'avoir échappé au mal sans que votre âme chrétienne en souffre!

— Qui vous le dit? demanda avec un rictus le petit

troubadour. J'ai perdu ma maîtresse quelque part là-dessous, je n'ai plus mon luth !

— Vous pouvez aussi louer le Seigneur sans lui !

— Mais je ne le veux pas ! protesta Jordi en redescendant dans la citerne.

Guillaume tremblait toujours de peur pour la vie de ses deux protégés. Il parvint pourtant à guider la petite troupe tout droit sur le lieu du drame. Mais lorsqu'ils eurent franchi la porte de la chambre funéraire en or, lorsque le large escalier s'ouvrit devant eux, la pénombre était complète. Il n'y avait plus trace de ce brouillard lumineux qu'avait décrit Guillaume. Il n'y avait rien là-dedans, aux yeux de Gosset, qu'une grotte ordinaire, qui n'avait rien à voir avec la *gleyiza* magique ou le grand « Takt » ! Il ignorait aussi comment ils pourraient bien venir en aide à Roç et Yeza s'ils étaient effectivement montés dans un puits et s'étaient noyés. Il ne savait même pas nager, encore moins plonger, et ne pensait pas que le soufi ou le cabaliste en soient plus capables que lui. Et puis bien trop de temps s'était écoulé pour qu'on puisse encore les récupérer vivants. Mais le prêtre ne dit rien : ils entendirent un sanglot au pied de l'escalier. Ils avaient emporté suffisamment de torches, et ils découvrirent bientôt le petit troubadour qui pleurait, assis sur les marches, son luth brisé dans les mains.

— Ils m'ont quitté, gémit-il, ils ne reviendront plus jamais !

Ezer caressa le nain sur la tête.

— Tant que tu n'abandonneras pas, ils seront toujours auprès de toi !

— Ne pense pas à ce que tu as perdu, réjouis-toi de ce que tu gagnes ! ajouta Abu Bassiht.

— Je donnerais volontiers ma vie, mon corps et mon âme pour eux, si seulement...

— Oh, non ! (Le soufi adressa un sourire à Jordi.) Pour retrouver ceux que tu aimes tant, tu dois devenir comme eux.

Jordi pleura encore plus fort. Guillaume enviait ses larmes au troubadour. Lui-même avait bien plus de motifs d'être désespéré. Il était descendu jusqu'à la base de la pierre noire, en avait fait le tour, avait cherché le calice. Il était prêt à le boire jusqu'à la lie pour être de nouveau uni à ses petits rois. Mais le récipient mystérieux n'était plus entre les roches, là où Roç l'avait lancé. En revanche, les deux aubes étaient bien rangées, toutes proches, à côté du bassin. Cela signifiait, et cette idée le remplit de bonheur, que quelqu'un les avait précédés en ces lieux. Et ce quelqu'un s'attendait forcément à ce que Roç et Yeza refassent surface. Pourquoi, autrement, aurait-on déposé les vêtements... À moins que quelqu'un n'ait voulu dissimuler l'événement ?

Jordi avait cessé de pleurer.

— J'ai entendu une voix qui sonnait comme le tonnerre, confia-t-il à ses amis. Et je crois aussi l'avoir reconnue. (Il n'exprima pas son soupçon.) Elle criait : « On met fin aux ténèbres, on fouille jusqu'à l'extrême limite la pierre obscure et sombre. »

— C'était forcément Jakov ! laissa échapper Gosset.

Les autres secouèrent la tête, incrédules. Il est vrai qu'eux n'avaient pas été présents à Rhedae. Mais Abu Bassiht confirma :

— C'est lui qui a apporté à Jérusalem le calice noir dont tu parles, Guillaume.

— Alors, c'est lui qui a leur mort sur la conscience ! gémit Jordi, qui recommença à pleurer.

— S'il en a une, grogna le prêtre.

Mais le soufi désigna l'eau, dans le bassin : sa surface commençait à s'agiter comme si une source allait jaillir des profondeurs.

— Même l'eau de la vie est jalouse des larmes que verse celui qui aime.

Honteux, comme un gamin prit sur le fait, Jordi s'essuya les yeux et sourit. Une lumière bleuâtre commença à emplir l'air au-dessus de la pierre, des bulles apparurent dans l'eau, comme si elle allait entrer en ébullition.

— Partons d'ici! demanda Guillaume à ses compagnons, non par crainte, mais en se rappelant l'exhortation de Laurent. Je vous en prie, faites demi-tour, évitez ce lieu! implora-t-il d'une voix qui tremblait de bonheur.

Ils suivirent son exemple et se rendirent entre les rochers voisins, sans bien comprendre pourquoi ils devaient se cacher. Seul Jordi demeura au bord du bassin. Il s'y assit même.

— Pourquoi devrais-je avoir peur alors que mon vœu est exaucé? chuchota-t-il à voix basse à Guillaume. Pourquoi la honte, lorsque la pureté se révèle?

Jordi tenta d'arracher quelques notes à l'unique corde encore présente sur son luth, qu'il avait détruit sous le coup de la fureur et de la tristesse. Le petit troubadour paraissait à présent se contenir bien mieux que tous les autres, qui ne pouvaient dissimuler leur émotion.

— Si le couple royal dépasse la mort, nous connaîtrons le mystère de Salomon! s'exclama Gosset, avec une joie à peine réprimée.

— Chut! siffla Abu Bassiht en souriant. Le mystère de la vie ne se transmet que dans le silence.

Tout bruit cessa alors dans la haute salle. Même Jordi cessa de jouer. La lumière bleue s'intensifia, l'eau décrivit quelques vagues dans le bassin. Guillaume, qui était monté bien plus haut dans les rochers que ses amis plus curieux, vit le premier les cheveux bouclés de Yeza sortir des profondeurs; puis leurs têtes suivirent, la lumière devint vive, enveloppa leurs corps, aveugla les spectateurs.

Roç et Yeza étaient de nouveau dans le bassin, étroitement enlacés, tels que Guillaume en avait gardé le souvenir. Ils se détachèrent l'un de l'autre sans un mot et attrapèrent les tenues qu'on leur avait préparées. Ils s'aidèrent à passer leurs aubes. Dès que leur nudité fut voilée, un craquement retentit

dans la salle. Un mur de pierre avait éclaté quelque
part ; la lumière bleue disparut aussitôt que les premiers rayons dorés du soleil levant entrèrent par une
faille, dans le mur extérieur de la colline du Temple
et illuminèrent le couple royal, transformant les
aubes blanches et austères en somptueux manteaux
de souverains. Roç et Yeza se prirent par la main
sans dire un mot et marchèrent vers la fissure qui
s'était ouverte dans le mur. Devant eux, à leur hauteur, s'étalait la plaine de Kidron, qui descendait
doucement jusqu'à l'étang de Siloah. Ils ne prêtèrent
aucune attention à leurs amis, que la joie fit sortir de
derrière leurs rochers, et qui s'apprêtaient à les
suivre. Seul Jordi était encore au bord du bassin.
Lorsque Guillaume s'avança vers le nain pour le sortir de sa torpeur, il constata que toute vie l'avait
abandonné. Il était froid comme de la glace. Jordi
devait avoir éprouvé un immense plaisir ; sa bouche
esquissait encore un sourire. Mais ses yeux avaient
roulé dans leur orbite : on n'en voyait plus que le
blanc. Guillaume eut peur, il n'osa pas lui fermer les
paupières, et rejoignit les autres, décidé à ne rien
leur révéler de sa découverte. Ce qui l'attristait, c'est
que ni Roç, ni Yeza n'avaient remarqué la présence
de leur fidèle serviteur, alors qu'il se trouvait à leurs
pieds. Ils l'avaient forcément vu ! Mais ils ne semblaient se rappeler aucun de leurs vieux amis. Quelque chose en eux s'était transformé.

Guillaume frissonna. Il se hâta de quitter ce lieu
effroyable pour sentir enfin, de nouveau, la chaleur
du soleil.

DÉCHAÎNEMENT DES LÉGIONS INFERNALES

Avant même le lever du jour, le mugissement des
cornes de bélier avait tiré les juifs de leur sommeil.
Le rabbi Jizchak ne put savoir qui avait osé faire
retentir la corne sacrée devant les murs de la synagogue. Quelques anciens de sa communauté affir-

mèrent qu'ils avaient aperçu Jacob, l'ancêtre, mais il s'était avéré que nul ne l'avait vu de ses yeux : chacun l'avait entendu dire par un autre. C'est de la même manière que s'était propagé l'ordre de s'habiller en tenue de fête, de partir pour la colline du Temple et de quitter la ville par l'ancienne double porte, là où se trouvait désormais la Zawijha Khantunihja, l'abri dévasté où l'on accueillait les derviches itinérants. De mémoire d'homme, cette porte n'avait jamais été utilisée. Pourtant, lorsqu'ils y arrivèrent, les battants étaient grands ouverts. On n'y voyait aucun garde. Le rabbin, hésitant, mena ses fidèles à l'extérieur pour respecter ce commandement. Ils virent alors, à leur grand effroi, qu'en dessous de la petite entrée latérale qui assurait l'aération des écuries et que l'on appelait « Porte d'Ophel », la paroi abrupte située au sud de la colline du Temple s'était partiellement effondrée, sans qu'aucun d'entre eux ait ressenti l'ombre d'un tremblement de terre. À moins qu'une vieille porte ne se soit ouverte d'un seul coup, une porte située en profondeur et murée du temps d'Hérode ?

Le rabbin observa, méfiant, le nuage bleu noir qui planait au-dessus de la vallée, vers Siloah. Une chaleur lourde, inhabituelle pour un petit matin, pesait sur la campagne. La terre avait-elle donc tremblé ? Le rabbin songea à la santé de sa fille unique, qu'il avait enfermée à la maison pour que ce gamin chrétien non circoncis ne puisse pas aller l'importuner, ce qui était une honte, d'autant plus que le père de ce fils dégénéré occupait à présent les fonctions de mufti. Le rabbi Jizchak n'eut pas le temps d'y réfléchir plus longtemps : ses fidèles se mirent à crier « Messie ! Messie ! » et dévalèrent la colline. Dans leur hystérie, ils manquèrent le renverser. Le rabbin fut contraint de courir avec eux, si indigne que cela ait pu lui paraître.

Le couple royal, vêtu de blanc, sortit de la fissure ouverte dans le mur sacré. Les juifs s'arrêtèrent et formèrent une haie d'honneur le long du coteau. Ils cessèrent de crier. Roç et Yeza ne les regardaient pas. Derrière le couple royal, Guillaume de Rubrouck et le prêtre Gosset sortirent à leur tour de la roche, suivis par Abu Bassiht et par Ezer Melchsedek, ce charlatan d'Alexandrie qui se donnait le nom de « cabaliste ». Comment pouvait-il trahir la foi de ses pères jusqu'à se mêler à pareille escorte ? Mais que faisaient ses propres hommes ? Ils couraient comme des agneaux derrière la petite procession qui descendait à présent la vallée de Kidron, le couple royal à sa tête. Le rabbin Jizchak devait-il rester à l'écart ?

Le soufi était le seul à s'être détaché du groupe et à attendre. C'est à lui que le rabbin s'adressa : il était impatient de savoir ce qui se passait. Lui aussi était fâché de voir le mur du Temple endommagé.

— Ces seigneurs ne peuvent-ils pas emprunter la porte, comme chacun d'entre nous, s'ils veulent aller se baigner dans l'étang de Siloah ? grogna-t-il.

— Le grand amant est venu dans la nuit et est reparti au premier rayon du soleil. Les aimés ne doivent-ils pas alors percer le mur avant que le matin ne devienne le jour ?

Le rabbin sursauta.

— Ils ne vont tout de même pas nous quitter ? gémit-il. Nous voulions les honorer comme notre pain quotidien.

— Qu'ont-ils à faire de vos boulettes ? C'est une autre main qui leur donne la vie !

Et il s'éloigna en dansant, tandis que le rabbin pensait qu'il avait bien agi en attirant ce goy insolent, ce Matou de Beni, dans le piège du patriarche, qui avait promis de le garder comme lecteur. Où allait-on, s'il était désormais permis aux chrétiens enamourés de franchir les murailles avec la tête !

Le rabbin Jizchak courut rejoindre le groupe. Il se trouva juste sur la trajectoire de la première pierre, qui l'atteignit en plein front. La populace chrétienne accourait avec des cris de haine vers la « porte du fumier », projetant une grêle de pierres sur les juifs qui, malgré eux, protégeaient de leur corps le petit cortège. Les chrétiens s'en seraient aussi pris aux juifs avec des gourdins et des faux si, de l'autre côté, des hommes en armes n'avaient pas dévalé d'un seul coup le mont des Oliviers — une troupe menée par Faucon rouge, arrivé à point nommé devant les murs de Jérusalem avec les soldats que le sultan lui avait confiés.

L'émir ordonna aux archers de Damas de s'agenouiller. Leurs flèches clouèrent au sol les premiers assaillants, et décimèrent les rangs suivants. Les survivants criaient de rage, mais ils s'arrêtèrent et remontèrent le coteau en rampant, puis regagnèrent avec force jurons et gémissements la porte par laquelle ils avaient afflué.

Guillaume et Gosset s'étaient jetés au sol dès le début de l'attaque ; seul Ezer avait continué à marcher droit, sans se soucier de la flèche perdue qui s'était plantée dans son dos. Le couple royal ne regardait ni à droite, ni à gauche, et encore moins derrière lui. Même lorsque Ezer Melchsedek, qui les suivait, prononça les mots « Le jour n'apporte pas le bonheur » et tomba sur le sentier pavé, face en avant.

Les juifs qui les accompagnaient prirent cela pour un mauvais présage, et ils s'arrêtèrent. Ils s'aperçurent alors que leur rabbin avait lui aussi perdu conscience. Ils abandonnèrent le cabaliste et coururent prendre leur rabbin sur leurs épaules avant de rentrer chez eux en pleurant.

Guillaume et Gosset étaient sortis indemnes de la poussière. Ils se dirigèrent vers Ezer Melchsedek.

— Ça commence bien, dit Guillaume, pour encourager Ezer, couché sur le sol. Mais comme celui-ci ne répondait pas, Gosset murmura :

— Et la fin ne va pas être bien meilleure !

Puis ils reprirent rapidement leur marche. Roç et Yeza s'étaient déjà bien éloignés.

Faucon rouge avait gardé les chevaliers de Damas

en arrière-garde, et n'avait envoyé que les archers
dans la vallée, afin qu'ils couvrent la marche du
couple royal et de ses deux derniers compagnons. Il
dirigea alors son cheval vers le bas du mont des Oliviers, pour que Roç et Yeza lui indiquent eux-mêmes
où les menait leur chemin, et ce qu'il devait entreprendre pour les protéger. Faucon rouge était
accompagné par Ali, le fils du sultan, qu'il n'avait pas
tenu à laisser sous la garde de son épouse. L'émir et
son écuyer étaient arrivés à mi-hauteur de la colline
lorsqu'ils aperçurent, au sommet du mont Sion qui
leur faisait face, l'armée des chevaliers de Saint-
Jean. Faucon rouge brida son cheval : il avait cru
reconnaître le maréchal de Ronay. Les rapports
entre l'ordre de l'Hospital et Damas étaient régis par
une sorte d'accord tacite : les uns s'efforçaient de ne
pas entraver les démarches des autres. Lorsque la
phalange des tuniques rouges, croix blanche sur la
poitrine, s'approcha de lui, l'émir s'aperçut qu'ils
étaient tellement imbibés de sang que l'on ne distinguait pratiquement plus les croix. Quelques chevaliers, qui n'appartenaient manifestement pas à
l'Ordre, portaient fièrement des têtes découpées qui,
si l'on se fiait à leurs turbans, avaient sans doute
appartenu à des musulmans.

Faucon rouge ne connaissait pas messire Julien de
Sidon. Mais il reconnut très bien la tête de Kefir
Alhakim au bout de sa lance. Quelques minutes plus
tôt, le mufti lui avait souhaité la bienvenue avec
enthousiasme au nom des partisans du prophète.
L'islam, lui avait-il expliqué, connaissait de sérieuses
difficultés dans la ville de Jérusalem depuis que Yeza
et Roç y étaient entrés. Ils n'avaient aucune responsabilité personnelle dans cette situation, mais leur
apparition avait réveillé tous les chiens dormants,
notamment les chrétiens. Ils se contentaient encore
d'aboyer, lui avait-il dit, mais qu'il vienne à leur
manquer un seul os sacré, et ils se mettraient à
mordre. Faucon rouge put constater, à la vue du turban ensanglanté, que le mufti ne s'était pas trompé.

Il se rappela alors qu'il était un mamelouk. Mais, avant de donner le signal de l'attaque, il voulut attendre que les chevaliers de Saint-Jean soient arrivés dans la vallée. Il envoya Ali auprès des archers de Damas, avec l'ordre de se détacher du couple royal et d'occuper les coteaux de part et d'autre.

Roç et Yeza avançaient comme deux somnambules, sans se soucier le moins du monde de ce qui se préparait dans leur dos. Guillaume et Gosset avançaient en trébuchant derrière eux, car le chemin était jonché de pierres, ce qui ne semblait pas non plus déranger la progression de leurs protégés. Le couple royal ne disait rien à personne, Roç et Yeza ne s'adressaient même pas la parole l'un à l'autre. Les deux accompagnateurs jugèrent sans doute la chose extrêmement étrange, mais ils préférèrent respecter leur mutisme.

Comme les chevaliers de Saint-Jean, contre toute attente, ne se précipitaient pas dans la vallée, mais restaient en formation à la même hauteur que lui, Faucon rouge décida de jouer les appâts. Il descendit au galop le reste de la pente, fit danser son étalon et leva son bouclier et son épée pour les défier. La phalange des chevaliers de l'Ordre ne bougea pas. Messire Sidon et ses compagnons répondirent à la provocation, mais sans se presser particulièrement. Que pouvait bien faire contre eux un unique cavalier, surtout un musulman ? Au même instant, un chevalier du Temple descendit la colline au galop, dans une pluie de cailloux. C'était Botho de Saint-Omer. Son clams blanc était tellement ensanglanté qu'on aurait pu, de loin, le prendre pour un chevalier de Saint-Jean.

— Ce maudit mamelouk m'appartient ! cria-t-il à Sidon et Montfort, ahuris. Ne prenez pas le risque d'essayer de le dérober à ma lame !

Messire Julien fit arrêter ses troupes. Il avait déjà remarqué ce vieux fou qui menait la populace chrétienne dans les rues du quartier juif et se déchaînait contre les enfants d'Israël comme s'il s'agissait de gagner la sainteté. Il les avait tous abattus, vieux, femmes, enfants, il avait même massacré de sa main les membres du cortège funèbre qui ramenait chez lui le corps du rabbin. Les chrétiens qu'il avait guidés n'avaient pratiquement plus qu'à achever le pogrome. Jean de Ronay avait escorté les survivants dans le palais du patriarche.

— Mets-toi en position, fils de putain égyptienne, crailla le vieil homme de sa voix de vieillard, que je te...

On n'entendit pas le reste : le Templier furieux s'était précipité vers l'émir. Seul son bouclier, qu'il portait encore imprudemment sur le dos, lui évita de mourir dès le premier coup que lui assena Faucon rouge après avoir laissé son assaillant se ruer sur lui, et le manquer. Botho de Saint-Omer se retrouva sur la nuque de son cheval, le souffle bloqué, et seul le fait que son adversaire ne l'ait pas attaqué à son tour lui permit d'arrêter sa monture à une certaine distance pour respirer un peu. Saint-Omer aperçut alors, pour la première fois, le nuage d'orage sombre et dense. Il paraissait avancer lentement, comme une menace. Il comprit pourquoi l'air lui paraissait si pesant, pourquoi il était aussi fatigué. Il plaça cependant son bouclier bosselé devant sa poitrine, abaissa la visière et remit sa lance à l'horizontale. Il allait relancer son cheval au trot lorsqu'un vieux guerrier, un Chevalier teutonique, arriva derrière lui, depuis la sortie de la vallée.

— Arrière ! Hors de mon chemin ! hurla Botho.

Mais, au lieu de lui répondre, le chevalier passa devant lui et lui arracha sa lance.

— Personne ne parle ainsi à Sigbert von Öxfeld ! répondit le soldat.

Botho de Saint-Omer en resta pantois. Mais son adversaire était déjà de l'autre côté. Il lui fallait d'abord mettre pied à terre et ramasser sa lance. Ah, s'il avait emmené Simon ! Mais le jeune Templier s'était détourné de lui avec dégoût lorsque Botho l'avait invité à venir tuer les juifs en sa compagnie.

Sigbert avait rejoint Faucon rouge, qui se préparait pour le tour suivant.

— Vous êtes encore jeune, Constantin, et vous avez une femme aimante!

Le commandeur de Starkenberg mit son cheval en travers et éclata de rire avant d'ajouter d'une voix douce et grave :

— Je vais retenir ici la meute à votre place. Vous, galopez vers Siloah! Les Templiers, Face d'Ange à leur tête, y ont installé un barrage pour capturer Roç et Yeza, sinon pire...

— Ne sont-ils pas leurs gardiens? demanda l'émir, incrédule, tout en s'apprêtant à suivre les conseils du chevalier.

— Les chiens de berger se sont transformés en loups! répondit Sigbert avec mépris.

Le vent brûlant lui soufflait du sable dans la figure. Son cheval, lui aussi, pressentait la tempête imminente et s'agitait.

— Mais je vais commencer par faire sortir ce vieux fou de notre chemin!

Le commandeur éperonna son cheval. Botho galopait déjà vers eux en hurlant, la lance dirigée vers deux hommes, comme s'il comptait les embrocher d'un seul coup. Sigbert n'avait même pas soulevé la sienne : il la tenait en travers du cou de son cheval, si bien que l'assaillant ne pourrait l'éviter s'il voulait que son attaque soit efficace. L'Allemand laissa la lance du Templier glisser sur le bouclier de Botho et heurter le casque de l'homme qui passait au galop devant lui. On entendit un craquement. Botho vacilla sur sa selle, assommé. La force du choc avait fait éclater l'arme de Sigbert. Il la jeta et tira son épée. Faucon rouge bondit devant lui. Les deux vieux compagnons de combat se saluèrent en se présentant leur lame. Alors seulement, Sigbert vit que son bouclier était crevé et sa cotte de mailles déchirée et ensanglantée au-dessus de la hanche. Le Templier avait certainement dû accrocher une pointe à son arme, pour lui avoir causé pareille blessure. Von

Öxfeld sentit alors la douleur, et la colère s'empara de lui. Il fit tourner son cheval, l'air songeur, comme s'il n'avait pas remarqué que le Templier lui fonçait à nouveau dessus. Cette fois, Botho tenait sa lance bien droite, pour l'enfoncer dans le corps de son adversaire. Mais il s'était laissé abuser par l'inattention feinte de Sigbert, qui avait placé toute sa concentration dans le bond puissant qu'il imprima à son cheval au dernier moment. Le coup tomba dans le vide, et Botho perdit sa lance, qu'il ne tenait pas assez solidement. Sigbert était dans son dos, et n'hésita pas un seul instant. Il serra les dents et lui assena un coup si violent à la nuque que la tête de Botho et son casque tombèrent d'un coup sur la poitrine. Lorsque son cheval, effrayé, se remit au galop, la tête et le tronc glissèrent chacun de leur côté.

Julien de Sidon laissa échapper un cri de rage. Ses compagnons saisirent l'occasion pour se jeter enfin sur l'adversaire, même s'il s'agissait d'un chevalier chrétien dont tous connaissaient le caractère irréprochable, Sigbert von Öxfeld avait certainement deux fois l'âge de la plupart de ces jeunes spadassins. Cela ne l'empêcha pas de frapper avec fureur, fort de l'expérience de tant de batailles gagnées. Il disposait aussi d'une série de feintes suffisante pour que ses adversaires s'épuisent à faire des trous dans l'air épais : le vieil homme, lui, savait comment frapper pour découper un bras à la hauteur du coude ou sectionner les tendons d'un cheval. Il se défendit admirablement contre cette meute. Mais trop de chiens causent la perte de l'ours même le plus puissant. Le vieux commandeur tenait encore en selle, mais il n'était pratiquement plus capable de lever le bras qui portait son épée. Furieux, Jean de Ronay, le maréchal des chevaliers de Saint-Jean, s'interposa : un Templier décapité n'était tout de même pas une raison suffisante pour tailler en pièces un Allemand respectable. Mais son intervention à la tête de quelques chevaliers de l'Hospital transforma, sans qu'il l'ait voulu, le combat en bataille.

Ali, le fils du sultan, n'avait certes aucune expérience du combat, mais son maître d'armes l'avait admirablement formé. Faucon rouge avait renvoyé le jeune homme en le chargeant de mener l'armée des chevaliers ayyubides vers Siloah. Lorsqu'il aperçut les chevaliers de Saint-Jean, en bas, dans la vallée, il ne put résister à la tentation. Il donna le signal de l'attaque, et toute la cavalerie de Damas descendit le mont des Oliviers dans un bruit de tonnerre. Ils coururent ainsi à leur perte. Car les hommes de l'Hospital eurent tout le temps de les voir arriver. Ils oublièrent les désagréments que leur causait Julien de Sidon et accueillirent l'ennemi qui descendait à grand-peine les coteaux non consolidés et les pentes impraticables ; les soldats se gênaient les uns les autres et venaient s'empaler sur les lances, coincées dans leur direction sur le sol rocheux. Les survivants se jetèrent courageusement dans le combat au corps à corps.

On n'entendit que la sourde rumeur de la bataille au bord de l'étang de Siloah balayé par le vent, comme si un troupeau de buffles attaqué par un lion dévalait la vallée de Kidron. Le nuage noir approchait. Il recouvrit bientôt le ciel tout entier, au sud de la ville. La poussière tournoyait.

L'ESPOIR EXSANGUE ET L'APOCALYPSE

Faucon rouge aperçut de loin le couple, qui continuait à marcher, imperturbable. Dans leurs longs habits blancs, Roç et Yeza avaient l'air de deux anges radieux. Derrière eux, image de faiblesse pitoyable et d'attachement émouvant, le gros franciscain avançait en titubant dans sa bure brune. Plus loin encore marchait le prêtre Gosset. Il ne prenait garde ni au danger qui approchait par derrière, ni au mur de nuages noirs qui se dressait devant lui. Il tenait la tête baissée et priait en silence. Faucon rouge brida son étalon. Roç et Yeza lui faisaient l'effet de deux créatures lumineuses, venues d'un autre monde. L'image était d'autant plus forte qu'un autre mur se dressait devant eux : celui formé par les chevaliers du Temple, serrés les uns contre les autres. Ils avaient tous fermé la visière de leur heaume, si bien qu'aucun visage humain ne saluait Roç et Yeza. Seuls des yeux morts les regardaient de derrière les fentes étroites, taillées dans le fer-blanc de ces longs casques informes. Ils tenaient leurs lances à la verticale, ce qui renforçait encore l'impression de se trouver face à une paroi infranchissable. Devant eux paradait Guillaume de Gisors. Son clams paraissait plus blanc que celui de ses chevaliers, et la croix rouge griffue brillait comme une blessure. Il tournait volontairement le dos aux enfants du Graal. Faucon rouge décida de ne pas intervenir pour le moment, et d'observer la scène : les Templiers oseraient-ils effectivement barrer le chemin au couple royal, ou même porter la main sur eux ? Il voulait attendre les renforts de la cavalerie menée par Ali. Les bruits de combat qui parvenaient des environs de la ville inquiétèrent l'émir. Son regard glissa vers le haut du mont Sion. Une litière noire escortée par des Templiers venait d'y apparaître. Les porteurs l'avaient déposée sur le sol et se tenaient figés à côté d'elle, comme des piliers de sel. Le rideau de la litière était immobile. Faucon rouge sentit pourtant le regard de la femme qui l'observait.

Le vaniteux Guillaume de Gisors eut la même impression. Répondant à un ordre qui n'avait pas été prononcé, il releva sa visière et monta le coteau avec son cheval. La Grande Maîtresse n'aimait pas qu'on la fasse attendre. Mais cette fois, le Templier avait bien l'intention de montrer à sa mère adoptive qu'elle ne pourrait le désavouer chaque fois devant tous ses hommes, Guillaume lança sa monture sur la première terrasse et refusa à Marie de Saint-Clair l'obéissance qu'il lui devait. À cet instant précis, Roç et Yeza n'étaient plus qu'à trois longueurs de cheval des Templiers. Sigbert, accroché au cou de sa monture, fila alors devant Faucon rouge et dépassa le couple royal avant d'aller s'effondrer à grand fracas sur le sol. Il saignait de tout son corps. Ni lui, ni son cheval ne se relevèrent.

L'émir s'était attendu à ce que Roç et Yeza s'occupent aussitôt de leur vieil ami. Mais il lui fallut bien constater qu'ils passaient devant le commandeur sans même accorder un regard à l'homme couché au sol. Cela serra tellement le cœur de Faucon rouge qu'il voulut leur barrer le chemin et leur faire la leçon. Mais il n'en eut pas le temps : Roç et Yeza avaient atteint le front des Templiers sans ralentir leur pas un seul instant. Ils avancèrent droit sur les premiers d'entre eux, touchant presque les naseaux des chevaux. Alors, les Templiers reculèrent en silence et formèrent une haie que le couple royal franchit, tête haute, sans regarder ni à gauche ni à droite. Guillaume de Gisors assista à la scène depuis la hauteur, et la haine lui remplit l'âme. Ce n'étaient pas des enfants du Graal ! Satan s'était introduit en eux, ils apportaient le mal dans le monde ! Il se mit à brailler d'une voix stridente :

— Abattez-les, ces démons ! Ne les laissez surtout pas s'échapper !

Faucon rouge lança encore un regard rapide vers la litière pour s'assurer qu'aucune attaque ne viendrait de cette direction. Gisors dévala le coteau comme s'il était devenu fou. Faucon rouge vola à sa rencontre avant qu'il ne puisse atteindre la haie des Templiers. Roç, Yeza et même Guillaume étaient déjà hors de sa portée. Face d'Ange s'en prit donc au dernier homme du petit cortège : d'un seul coup, en écumant de fureur, il fendit le crâne au prêtre Gosset. Puis il se tourna vers l'émir.

— À ton tour de partir en enfer, mamelouk ! couina Gisors, le visage déformé par la haine. Faucon rouge attrapa son cimeterre par la lame, sous le pommeau, assena un coup violent de l'angle du bouton sur l'os nasal du Templier qui continuait à vociférer, et lui entailla la bouche avec la poignée ornée de pierres précieuses, qui lui découpa la gencive avant de lui mettre la lèvre inférieure en lambeaux. Personne ne parlera plus jamais de « Face d'Ange », se dit l'émir avec une satisfaction hargneuse. Il fut alors emporté par un flot qui se déversa comme un torrent dans la vallée de Kidron : c'étaient ses cavaliers de Damas, qui fuyaient devant les chevaliers de Saint-Jean. Ceux-ci les repoussaient vers les Templiers. En les voyant arriver, les chevaliers à la croix griffue abaissèrent avec jouissance leurs lances à hauteur de la poitrine. La haie s'était refermée depuis longtemps, Guillaume avait tout juste eu le temps de la franchir, comme une souris brune affolée.

Faucon rouge frappa autour de lui et tenta de gagner le coteau. Sur le mont Sion, la litière noire avait disparu dès que le cri de douleur de Gisors était parvenu jusqu'à elle. Ensuite, on n'entendit plus que son hurlement, recouvert, peu à peu, par le mugissement du vent. Le nuage noir était descendu très bas au dessus de la vallée, la poussière soulevée par la tempête aveugla presque Faucon rouge. Il vit, sans rien pouvoir y faire, les premiers rangs de la cavalerie qu'on lui avait confiée se jeter, dans un bain de sang, sur les lances des Templiers. L'émir grinça des dents. Ce sacrifice était indispensable. Autrement, rien ne pourrait percer la phalange formée par les Templiers. Et s'ils n'y parvenaient pas, les soldats de Damas seraient de toute façon broyés comme du grain entre les meules formées par les deux Ordres, si hostiles l'un à l'autre en temps normal. Mais les Templiers n'ouvrirent pas de brèche. De nouvelles pointes acérées sortaient du deuxième rang lorsque celles du premier fléchissaient sous le poids des corps embrochés, hommes et chevaux. À l'arrière, les chevaliers de Saint-Jean taillaient les fuyards en pièces. L'émir ne voulut pas rester plus longtemps à l'écart de ce massacre. Mieux valait mourir au combat que vivre avec la honte d'avoir stupidement mené son armée au désastre. Mais comment en était-on arrivé là ? Qu'est-ce qui les avait tous poussés à se battre à mort devant les murs de Jérusalem, comme s'il y avait un empire à conquérir ? Faucon rouge distinguait en bas, sur le chemin, le cadavre de Sigbert. Celui du prêtre reposait juste à côté de lui. Les combattants les piétinaient. Combien allaient encore perdre la vie pour le « royaume de la paix » ? Roç et Yeza devaient mettre un terme à tout cela !

L'émir vit une possibilité de contourner les Templiers par le mont Sion, afin de rejoindre les enfants. De toute façon, il ne restait plus rien de la fière cavalerie qu'il avait menée depuis Damas. Mais dès que les chevaliers de Saint-Jean, pris d'une véritable ivresse sanguinaire, eurent déchiqueté le dernier porteur de turban, ils s'en prirent aux Templiers. L'effet de surprise leur valut d'abord un succès fulgurant. Les chevaliers en clams blanc étaient fatigués de se tenir à cheval. Certains avaient encore leur lance baissée, immobilisée par le poids des cadavres. Leur commandant ne parvenait plus à se faire comprendre, alors que le maréchal de l'Hospital était maître de ses troupes. Celles-ci auraient rapidement massacré tous les Templiers si une effroyable grêle de flèches ne s'était pas abattue sur eux. Le ciel déjà sombre s'obscurcit comme pendant une éclipse, tant était dense la pluie de projectiles qui tombaient à la verticale sur les chevaliers de Saint-Jean et les derniers cavaliers de Damas, perçant même les cuirasses et les épaulières. Les chevaux roulaient sur le sol, écrasaient sous leur poids les chevaliers précipités par terre, ou leur enfonçaient le casque dans le crâne à coups de sabot. Les mamelouks, qui venaient d'arriver sur le lieu du combat et affluaient des deux côtés comme des essaims de sauterelles, sauvèrent la vie aux Templiers. Les yeux de Faucon rouge cherchèrent leur chef. Ce n'était pas Baibars qui commandait ces troupes, mais l'immonde Naiman. Cette créature bigleuse, ce fidèle de Qutuz n'était ni officier, ni mamelouk : ce n'était qu'un piteux agent des Services secrets du Caire. Il se tenait loin du champ de bataille et faisait tirer les chevaliers de Saint-Jean d'en haut, comme des lièvres. L'émir aperçut alors Ali, qui se défendait en riant contre deux attaquants. Ce fut l'élément décisif. Faucon rouge renonça à poursuivre Roç et Yeza et se précipita dans la mêlée. Comme chacun frappait depuis longtemps sur tout le monde, il n'eut pas de mal à se frayer un chemin jusqu'au fils du sultan, qui s'amusait encore avec ses adversaires : il coupa le bras droit au premier, et atteignit le second sous le bouclier, dans les parties génitales.

— Les mamelouks ont abattu tous les chiens chrétiens à Jérusalem ! lui cria Ali, rayonnant de joie. Ceux qui n'ont pas pu se réfugier au château de David, comme le patriarche et sa couvée, on leur a coupé les pieds, on a ouvert le ventre des femmes, arraché les yeux des enf...

— Tais-toi ! hurla l'émir. Sans cela, je te fais subir le même traitement, pour que tu comprennes...

Faucon rouge garda pour lui le reste de sa phrase, en voyant le visage abasourdi du gamin, qui ne comprenait absolument pas sa réaction. Ils avaient donc tous perdu leurs esprits ? À cet instant seulement, l'émir remarqua les petites têtes sur les pieux, les boucles enfantines collées par le sang séché. C'était l'œuvre des mauvais *djinns*, sortis de leurs cachettes sombres. Seul un homme damné par Allah pouvait les avoir libérés ! Et ils se déchaînaient à présent. C'était le début d'Armageddon, le grand massacre de la fin du monde ! Les cadavres s'accumulaient déjà, formant de si hautes haies qu'on ne les franchissait plus à cheval. Couverts de sang, ennemis et amis ne se distinguaient plus les uns des autres. Et après tout, quelle différence cela faisait-il ? Le sang des uns et des autres s'unissait pour former un torrent qui courait dans la vallée de Kidron.

— Partons d'ici ! cria Faucon rouge à Ali.

Mais le gamin avait déjà replongé dans la bataille. Il fit se cabrer son cheval lorsque deux chevaliers de

Saint-Jean voulurent s'emparer de lui. Les sabots atteignirent le premier au visage, tandis qu'il enfonçait son arme dans la gorge du second. L'émir dut attraper les rênes du cheval pour éloigner le fils téméraire du sultan, ivre de sang!

Les chevaliers de Saint-Jean comprirent qu'il ne leur restait plus qu'une issue. Leur maréchal, dont le cheval avait été abattu, s'approcha de Gisors, qu'il avait à peine reconnu.

— Frère dans le Christ! lança Jean de Ronay au Templier. Laisse-nous passer, ou nous sommes tous morts!

Mais Gisors eut un rire sarcastique.

— Quelle perte épouvantable! laissa-t-il échapper entre ses morceaux de lèvres déchiquetées, et il cracha.

— Ne vous damnez pas! implora le chevalier de Saint-Jean.

Mais celui-ci finit par comprendre qu'il n'émouvrait pas le Templier au visage ravagé et se mit à hurler: Soyez maudit! Que le diable emporte aussi votre...

Il n'alla pas plus loin: une flèche venait de lui entrer dans l'œil.

Guillaume de Gisors se mit à rire. Le sang jaillissait de sa gueule déchiquetée. Mais ses Templiers écœurés reculèrent et desserrèrent leurs rangs, laissant passer les chevaliers de Saint-Jean, et s'en allèrent en direction de Siloah. Guillaume de Gisors les suivit du regard, ahuri. La poussière soulevée par les fugitifs lui sauta au visage, le sable grinçait entre ses dernières dents, il crachait du sang.

— Abattez-les! bredouilla-t-il.

Puis un coup du maréchal l'atteignit dans le dos. Il tomba, la face dans la boue ensanglantée, et se tut.

Roç et Yeza avaient dépassé l'étang de Siloah sans se retourner une seule fois. Guillaume avançait toujours derrière eux. Le vent brûlant du désert avait pris une telle force que la poussière l'aveuglait constamment. Il avait peur de les perdre. Il se voyait

lui-même courir derrière eux dans un nuage, mais
l'autre Guillaume, devant lui, savait qu'il ne les rat-
traperait jamais. Il avançait pourtant, en titubant, en
trébuchant, parce qu'il ne pouvait pas faire autrement. Le désert s'ouvrit devant eux, non pas une
dune de sable, mais une terre pierreuse et aride. Ils
n'ont même pas pris d'eau à la source, songea Guillaume, qui en avala quelques gorgées avant de
reprendre sa course, désespéré de la mutation
incompréhensible qui semblait avoir frappé Roç et
Yeza. « Puissent-ils négliger ce calice », s'était
exclamé Gosset lorsque Guillaume était venu l'appeler à l'aide pour sauver les noyés de l'eau de la pierre
noire. Lui, Guillaume, n'avait pas dit un mot du
calice noir, ni du fait qu'ils y avaient déjà bu. Ils
avaient sur lui cette avance : ils avaient vu le Graal,
la connaissance douloureuse d'un savoir qui englo-
bait toutes choses. Il lui paraissait impossible de
faire pareille découverte dans la joie. Elle faisait sans
doute éclater toutes les capacités de l'entendement
humain. Peut-être était-elle simplement inhumaine ?
Guillaume regarda autour de lui, effrayé. Comme les
cavaliers de l'Apocalypse, les Templiers se ruaient
dans leur direction, en compagnie des chevaliers de
l'Hospital, puis des derniers soldats de Damas et de
la meute des mamelouks. Cette union inouïe ne pouvait être qu'un subterfuge du Malin... Peut-être vou-
lait-il s'emparer ainsi du couple royal ? Il fallait qu'il
prévienne Roç et Yeza, Guillaume ouvrit la bouche
pour crier, mais un vent brûlant étouffa son appel.
La tempête s'était levée comme un typhon entre lui
et les enfants qui s'éloignaient, un mur de sable et de
pierres tournoyantes, haut comme un clocher
d'église, l'avait jeté au sol, ce qui lui évita d'être
découpé en morceaux par les guerriers qui approchaient. Eux aussi furent emportés, pêle-mêle,
comme fétus au vent. La tempête de sable se
déchaîna sur les chevaliers, leur ôta la vue, le sens de
l'orientation, et ils renoncèrent à rejoindre le couple
royal. Chacun ne combattait plus désormais que

pour sa survie, pour pouvoir respirer. Mais même dans cette situation, Guillaume pensait à ses chers protégés, à Roç et Yeza. Peut-être n'étaient-ils plus de ce monde ?

À lui, Guillaume, leur compagnon de la première heure, cette vallée de larmes ne serait pas épargnée. Il était enterré sous le sable, sentait les grains fins lui emplir le nez et la bouche, ils allaient l'étouffer. Tous les amis du couple royal avaient payé leur fidélité de leur vie, à commencer par ceux qui s'étaient toujours déclarés prêts à se rendre aux enfers pour eux, s'il le fallait. Mais Roç et Yeza y étaient descendus eux-mêmes, ils l'avaient traversé. L'angoisse lui nouait à présent la gorge : les pires souffrances lui étaient certainement réservées à lui, Guillaume, le plus fidèle des fidèles, même à l'heure ultime, il venait de le prouver en les suivant pas à pas. Guillaume se reprit, désespéré, pour ne pas se laisser emporter par la mort. Il se força à faire apparaître l'image de Yeza dans son esprit. Elle lui parlait, il voyait ses lèvres bouger, mais il ne pouvait pas l'entendre. Une voix retentit alors :

— J'ai invoqué les esprits de la tempête, pour que le couple royal puisse enfin aller à son véritable destin.

Guillaume leva les yeux. Il vit au-dessus de lui Arslan, qui lui tendait une main secourable.

— Tu es le seul véritable gardien, dit-il amicalement en l'aidant à se lever, car tu les aimes pour eux-mêmes. Tous voulaient leur royaume de paix, mais uniquement au nom de leur propre idole, celle qu'ils prient et au nom de laquelle ils se massacrent les uns les autres.

L'air se purifia devant Guillaume, la tempête se coucha et le laissa découvrir le désert. Roç et Yeza étaient tournés vers Guillaume. Un sentiment de bonheur le submergea. Il entendit alors la voix de Yeza :

— Celui qui veut connaître le Graal doit être prêt à brûler dans la lumière des lumières, car il voit Dieu dans toute sa splendeur.

— Et le monde du démiurge, ajouta Roç, dans toute sa misère.

Puis il se tourna pour reprendre sa route.

— Qu'est-ce que le Graal ? cria Guillaume derrière eux.

Il n'obtint pas de réponse, mais Yeza lui offrit un dernier regard. Elle laissa son fidèle gardien regarder au fond de ses yeux étoilés, et il sentit qu'elle compatissait avec ce monde où ils l'abandonnaient. Guillaume ferma les yeux, reconnaissant. Il vit les deux silhouettes qui s'éloignaient. Et, pourtant, elles demeuraient si proches de lui, elles resteraient éternellement à ses côtés. Cela le consola. Comme un souffle, il comprit tout d'un coup que le dernier secret, le grand secret de la création, ne pouvait être exprimé en mots par des êtres humains. Dieu seul connaissait ces paroles :

$$\text{ἐν ἀρχή ἦ ὁ λόγος}$$

NOTES

LA PISTE DU CALICE

I. Vers de nouveaux rivages

Stretto : (italien) Détroit ; ici, le détroit de Messine.

Ponant : Vent soufflant au nord-ouest.

Castel d'Ostia : château pontifical situé dans la ville d'Ostia (Ostie), qui fut dans l'Antiquité le principal port de Rome, situé à environ 25 km.

Mappa Terrae Mongalorum : (latin) Carte mondiale qui montrait pour la première fois le royaume du grand khan des Mongols.

Gobi : Bassin d'altitude très sec, presque dépourvu de cours d'eau et entouré de montagnes, en Asie centrale. Paysage de désert et de steppes.

Altaï : Montagnes de Mongolie occidentale.

Senatus... : (latin) Sénat et peuple de la ville de Rome.

Maison des Allemands : Château de l'ordre des Chevaliers teutoniques à Rome.

Venerarius venerabilis : (latin) Vénérable empoisonneur.

Aventin : L'une des sept collines de Rome.

Théâtre de Marcellus : Théâtre antique de Rome, ainsi dénommé d'après Marcus Claudius Marcellus, consul, 50 avant J.-C.

Albergo del Paradiso : (italien) Auberge du Paradis.

San Giovanni in Laterano : Basilique Saint-Jean du Latran. Jusqu'au XIVᵉ siècle, ce n'est pas Saint-Pierre, mais Saint-Jean qui était considérée comme « la mère de toutes les églises ». C'est encore aujourd'hui la plus élevée dans la

« hiérarchie » des églises du monde catholique, et l'église épiscopale du pape (en tant qu'évêque de Rome).

De don plus... : (vieux français) De là où réside toute ma vie, je n'ai reçu ni message, ni lettre scellée. Mon cœur ne rit ni ne dort plus, et je n'ose pas faire un pas de plus avant de savoir si l'harmonie existe toujours entre nous, comme je le souhaite.

La nostr'amor... : Il s'agit de notre amour, comme les branches de l'aubépine qui tremblent la nuit, exposées à la pluie et au gel jusqu'à ce qu'au matin, le soleil inonde de sa lumière les feuilles et les brindilles vertes. (« Ab La Dolchor Del Temps Novel », Guillaume de Peitieus, 1071-1127.)

Capitole : L'une des sept collines de Rome, qui fut dans l'Antiquité le centre public et religieux de la ville ; aujourd'hui encore, siège du sénat de Rome.

Khamsa : (arabe) « Main de Fatima », amulette en forme de main, censée détourner le malheur et le mauvais œil.

Les Goths : Peuple germanique qui colonisa à la fin du IIe siècle avant J.-C. le territoire situé au nord de la mer Noire. En 248 après J.-C., premières attaques des Goths contre Rome ; au milieu du IIIe siècle, scission entre Ostrogoths et Wisigoths. En 378, victoire des Wisigoths sur l'armée romaine près d'Adrianople ; en 410, sac de Rome. En 493, l'Ostrogoth Théodoric devint le grand roi d'Italie.

Et in Arcadi ego : (latin) Moi aussi, j'étais en Arcadie.

Guelfes : Dans l'Italie du Moyen Âge, ce terme désignait les partisans du pape et de l'Église.

Gibelins : À la même époque, désignant les partisans de l'empereur et de l'empire.

Porta Flaminia : À côté de la Porta Pia, l'une des deux portes septentrionales de Rome.

Les murailles de Borgo : Le « Passetto ». Le château Saint-Ange a toujours été au cœur des combats pour la domination de Rome. Depuis la fin du XIIe siècle, il était la propriété incontestée des papes. En 1277, Nicolas III le fit relier au Vatican par le Passetto, un mur pourvu d'une galerie couverte.

Adrien : Publius Aelius Hadrianus (76-138 après J.-C.), empereur romain depuis 117, construisit des murailles frontalières en Allemagne (Limes) et en Angleterre (mur d'Adrien) ; écrasa l'insurrection juive menée par Bar Kochba.

Marie-Madeleine : Une Galiléenne libérée des démons par le Christ, témoin de la crucifixion et de la mise en tombe. Dans d'autres versions, c'était son épouse (issue de la maison royale de Benjamin) et la mère de ses enfants, avec les-

quels elle se serait enfuie pour Marseille, après la crucifixion, en compagnie de Joseph d'Arimathia.

Le monastère d'Andechs : Abbaye bénédictine et lieu de
pèlerinage en Haute Bavière.

Champ de mars : (Campus Martius) Plaine située entre le
Tibre et les collines de Pincius, du Quirinal et du Capitole,
à l'origine à l'extérieur des murs de la ville. À l'époque répu-
blicaine, c'est ici qu'on levait l'armée romaine. La plaine fut
ensuite construite, et fortement peuplée au temps de
l'empire.

Ponte Milvio : Pont antique sur le Tibre, sur lequel
l'empereur Constantin battit en 312 l'antiempereur
Maxence.

Via Flaminia : Rue centrale de Rome, donnant sur l'Italie
du Nord, ainsi baptisée d'après Gaius Flaminius. Construit
vers 220 après J.-C.

Roderich : Jeune chevalier de l'Ordre à Rome.

Ar em al freg... : (occitan) Nous voici arrivés à la saison
froide, avec le gel, la neige, la boue glacée. Les oiseaux se
sont tus, aucun n'a envie de chanter ; les branches sont
nues, on ne voit plus ni fleurs ni feuilles. Le rossignol ne
chante plus, qui m'éveillait au mois de mai. (Azalais de Porcairages, femme troubadour, vers 1170.)

Par la Salaria... : La Via Salaria, qui doit son nom au fait
que les Romains vivant dans la région de Reate
(aujourd'hui Rieti) s'approvisionnaient en sel par cette
voie, dans l'Antiquité.

Porta Aurelia : Porte dans le mur de la ville, qui permettait de sortir de Trastevere vers la Via Aurelia.

Nikè : Voilier de l'ambassadeur de l'empereur de Nicée.
Porte le nom de la déesse grecque de la victoire.

Mare Nostrum : (latin) Littéralement : notre mer, la
Méditerranée.

Shiroual... : (arabe) Pantalons bouffants.

II. La caverne de *L'atalante*

Sutor : Chef d'un peuple de bergers fidèles aux Hohenstaufen et bannis de Sardaigne.

La croix noire en forme d'épée : Emblème des Chevaliers
teutoniques.

Torre et Galura : Ancienne désignation de la Sardaigne.

Tartuffi : (italien) Les truffes.

Romagne : Partie sud-orientale de la plaine du Pô (Émi-
lie-Romagne).

Linosa : Île située entre la côte sud de la Sicile et la côte nord-africaine, à environ 100 km à l'ouest de Malte. Ancienne île-pénitencier, appartint jadis à la Sicile. Elle servait de repaire aux pirates sarrasins. Elle fut ensuite affermée par l'ordre des Templiers, et transformée en une forteresse imprenable.

Turcopoles : Nom des troupes indigènes des barons d'outremer et des ordres de chevalerie. Souvent, les turcopoles n'étaient même pas des chrétiens, mais de simples mercenaires. Dans les Ordres, on avait créé spécialement pour eux le poste de commandeur des turcopoles.

L'empereur Barberousse : L'empereur Hohenstaufen Frédéric Ier (vers 1125-1190), fils du duc Ferdinand de Souabe et de la guelfe Judith. Roi d'Allemagne en 1152, empereur en 1155. Pour rétablir le pouvoir de l'empire, Barberousse partit cinq fois en campagne contre le pape et les villes de Haute Italie. En 1189, à la tête de la chrétienté, il fut le chef de la IIIe croisade, avec une armée de 12 à 15 000 hommes. Le 10 juin 1190, Barberousse se noya dans le Saleph, un petit fleuve, et fut enterré à Tyr.

Baliste : Grande arbalète sur roues, qui tirait avec précision des pieux affûtés ; le plus souvent, sa corde était tendue par le biais d'une roue.

Sirocco : Vent brûlant du sud de l'Europe, qui vient du Sahara et souffle au-dessus de la Méditerranée.

Tempo uene : (italien ancien) Vient le temps où l'un monte et l'autre tombe, le temps des mots, le temps du silence, le temps de l'écoute et de l'apprentissage, le temps où l'on n'a plus de menace à craindre. (Roi Enzio, cité d'après Masson, p. 375)

Re Enzio : Le roi Enzio (sur sa biographie, voir plus haut) comptait au nombre des plus célèbres poètes de son époque. Il a écrit en prison, à Bologne, sans doute les plus beaux sonnets de ce que l'on a appelé l'école sicilienne. Aujourd'hui encore, le palais où Enzio était détenu s'appelle le Palazzo di Re Enzio. Il y tenait cour dans un cercle de poètes, qui ont fortement contribué à propager en Italie centrale la poésie de l'école sicilienne.

Tempo d'ubbidir... : (italien ancien) Le temps d'écouter celui qui te blâme, de se préoccuper de beaucoup de choses, de veiller sur celui qui t'offense, le temps de faire semblant de ne rien voir.

La bataille de Fossalto : (Fossalta) Elle opposa les troupes d'Enzio et les Bolonais ; c'est là qu'Enzio fut capturé.

Però lo tegno... : (italien ancien) Et pourtant il me paraît sage et avisé d'aborder les faits avec sagesse, et avec le temps, on sait bien se comporter.

E mettesi : (italien ancien) Et de plaire aux gens, afin qu'il n'y ait pas de motif de critiquer ton comportement.

Mysterium Hierosolymintanum... : le mystère de la Jérusalem de Salomon.

Palazzo del Podestà : (italien) Palais du maire.

Ramon de Perelha : Père d'Esclarmonde, châtelain de Montségur.

Castel del Monte : En Apulie, le plus beau et le mieux conservé des châteaux de Frédéric II. Son architecte était vraisemblablement l'empereur lui-même. L'unique mention écrite contemporaine de ce château de chasse se trouve dans une note du registre impérial de 1240.

San Domenico : Saint Dominique.

Dietrich von Röpkenstein : Chevalier allemand.

Tuari : Les Touaregs, nomades, éleveurs de chameaux du Sahara.

Robert de Les Beaux : Noble provençal.

Amir al mumin : (arabe) Commandeur des croyants.

Refermées et calfatées : Les trappes étaient fermées avec des planches de bois et les bords colmatés avec du goudron ou de la poix, si bien que la coque était étanche et que le navire pouvait reprendre la mer.

III. LE ROI PRISONNIER

« *L'autonomie à l'égard de l'empire* » *:* Indépendance politique sous la seule souveraineté du roi. À long terme, les seules à obtenir cette autonomie en Allemagne furent les villes situées sur le territoire de l'empire. Les autres durent, au bout du compte, reconnaître le pouvoir d'un souverain régional. En Haute et Moyenne Italie, de nombreuses villes autonomes se transformèrent en républiques libres.

Missa pro... : (latin) Messe des morts.

Castiglione : (italien) Ville portuaire en Toscane, province d'Arezzo. Après avoir changé de souverain à plusieurs reprises, elle tomba aux mains de Florence en 1384. Aujourd'hui, il n'en reste plus que des restes des murs médiévaux.

Ravenne : Importante ville provinciale de l'Italie centrale, port de l'Adriatique dans l'Antiquité (située aujourd'hui à environ 10 km à l'intérieur des terres).

Corrado de Salente : Lancelotto sur *L'Atalante*, le navire amiral des Templiers.

Mangonneaux : Catapultes basses et mobiles, dont la force provenait du déroulement d'une corde enroulée sous tension ; bras de lancer courbe.

Salomé : Fille de Clarion de Salente et d'An-Nasir, sultan de Damas.

Mahmoud : dit « Le Diable du feu », neveu de Shirat, fils de l'émir Baibars.

Cathai : Terme utilisé pour désigner le nord de la Chine, dérivé du nom des Kitan (peuple vivant en lisière de la Chine au début du Moyen Âge).

Alphonse de Castille : Alphonse X le Sage, 1252-1284, petit-fils de Philippe de Souabe, fils de Ferdinand III (« le Saint »), roi de Castille, et de Béatrice de Hohenstaufen. Élu roi d'Allemagne en 1257 sans s'être jamais rendu dans le pays. Grand mécène des arts et des sciences.

Emigrantes in pectore : (latin) Ceux qui ont l'intention d'émigrer.

Magister... : (latin) Professeur en machines de jet et expert en feu grégeois.

Fibonacci : Leonardo, Pisan, auteur du « Traité sur la planche à calculer » (1212). C'est à lui que l'on doit l'introduction des chiffres arabes en Europe, du zéro, du calcul des fractions et du pourcentage.

Jordanus Nemorarius : (Jordanus Saxo, Jordanus de Namora) Né vers 1180 en Allemagne du Nord, † 1237, théologien et mathématicien allemand. Fondateur de l'université de Toulouse, rédigea des textes sur l'arithmétique, l'algèbre, la géométrie et les mathématiques à partir des connaissances des Grecs et des Arabes.

Albert le Grand : (Albertus Magnus) Dominicain, de son nom véritable Albert, comte de Bollstädt (1193 ou 1206-1280); l'un des principaux érudits du Moyen Âge; chercheur en sciences naturelles, théologien, scholastique; enseigna à Paris et à Cologne. Il fut le maître de saint Thomas d'Aquin.

Roger Bacon : (Rugerius Baconis) dit « Doctor mirabilis » (1214-1292 ou 1294); franciscain, philosophe anglais de la scolastique, chercha, sur la base de la philosophie aristotélicienne et arabe une nouvelle forme de savoir empirique. Il ouvrit de nouvelles voies en mathématiques et enseignant à la même époque qu'Albert le Grand à Paris.

Allah ya'allam ! : (arabe) Allah le sait.

Ya'Allah ! : (arabe) O Allah !

Agli ordini... ! : (italien) Aux ordres, commandant !

Gallia Placidia : Fille de l'empereur Theodosius Ier, née vers 390 après J.-C. : lorsqu'en 425 son fils Valentinien III devint empereur, alors qu'il était encore un enfant, Gallia devint *de facto* souveraine de l'Empire romain occidental. Elle mourut à Rome en 450.

Dietrich de Berne : Personnage masculin d'une légende d'abord gothique ; modèle de Théodoric le Grand ; Dietrich apparaît dans de nombreuses épopées allemandes et nordiques du Moyen Âge, entre autres dans le chant des Nibelung.

Signoria da Polenta : (italien) La souveraine de la *polenta* ; surnom de Ravenne, allusion à la spécialité culinaire du lieu.

Exarchate : L'exarchate était le nom donné aux provinces byzantines, notamment à celle de Ravenne (553-771), qui regroupa d'abord toute l'Italie et fut plus tard limité au territoire situé autour de la ville. L'exarchate était d'abord le titre du gouverneur de l'empereur de Byzance, puis, dans l'Église orientale, le représentant du Patriarche pour un territoire donné.

Vicaire : Ici, équivalent de gouverneur.

Vasama la... : (arabe) Embrassez-vous les testicules !

Por coi me... : (vieux français) Pourquoi mon époux me bat-il, pauvre de moi ? Je n'ai pourtant rien fait de mal, je ne lui ai pas dit de mauvaises paroles, je n'ai fait qu'enlacer en secret mon doux ami. (...) il ne tolère pas que je mène une vie joyeuse et heureuse. Je vais sûrement le dénoncer bruyamment pour ses coups, (...) Allons, je sais bien ce que je vais faire et comment je me vengerai pour cela : la nuit, je me coucherai auprès de mon ami. (Motet médiéval français, auteur inconnu.)

IV. LES FLÈCHES DE CUPIDON ET QUELQUES AUTRES

Canzo : (italien) Chanson.

Del gran golfe... : (occitan) Les profondes lames de la mer, les perfidies du tour, les risques du phare, je les ai surmontés, Dieu soit loué ! À présent je peux parler des maux et des tourments que j'ai soufferts là-bas. (« Del Gran Golfe », écrit vers 1172-1203.)

Il cazzo : (italien) La queue de la comtesse du diable ; désigne le bélier de la trirème.

Coram publico : En public.

Sourate : (arabe) Fractions du Coran, qui est composé de 114 sourates.

Si tacuisses : (latin) Si tu t'étais tu !

Constellatio malae fortunae : (latin) Funeste constellation des étoiles.

Zaprota : Doyen du village de Pantokratos.

Pantokratos : Village de l'île de Corfou.

Ugo, le Despote : Ugo d'Arcady (Hugues d'Arcadie), bâtard de Villehardouin, duc d'Achaïe et de Corfou.

E pos a Dieu… : (occitan) Et si cela devait lui plaire, je reviendrais le cœur joyeux à la place que j'ai quittée avec tant de tristesse. Je le remercierai pour ce retour et pour le bonheur qu'il m'a offert. (« Del Gran Golfe »).

Ar hai dreg… : (occitan) Je n'ai pas de raison de chanter, puisque je reconnais à présent la joie et les plaisirs, la distraction et les jeux de l'amour, si tel est votre bon plaisir, (*idem*).

E las fontz… : (occitan) Les sources et les torrents limpides réjouissent mon cœur, tout comme les jardins. Tout est tellement aimable, ici. (Azalais de Porcairages, vers 1170.)

Taureau de Crète : Le Minotaure, monstre de la mythologie grecque, mi-homme, mi-taureau, enfermé dans un labyrinthe par le roi Minos de Crète, et tué par Thésée.

Ariane : Personnage de la mythologie grecque. Fille de Minos. Donna à Thésée une pelote de fil à l'aide de laquelle il trouva la sortie du labyrinthe après avoir tué le Minotaure.

La Palestine : « Pays des Philistins », désigne depuis l'Antiquité le territoire situé entre la côte orientale de la Méditerranée et le Jourdain, le Liban au bord et la presqu'île du Sinaï, et le golfe d'Aqaba au sud. Également désigné sous le nom de Canaan dans l'Ancien Testament.

Q'era no dopti… : (italien ancien) Je ne crains plus la mer ni les vents, qu'ils soufflent du sud, du nord ou de l'ouest. Mon navire n'est plus le jouet des flots, je n'ai donc plus peur des galères ni des pirates. (Auteur inconnu)

Trani : Petite ville portuaire de la côte adriatique.

Ishtar : (Istar, Ischtar) Divinité féminine principale des Babyloniens ; fille du dieu de la Lune, Sin, et sœur du dieu du soleil, Shamash. Étoile du matin, elle est la déesse du combat, étoile du soir elle est la déesse de l'amour.

Ptolémée : Claude, vers 100-180 avant J.-C. Astronome, mathématicien et géographe (géographie en 8 volumes) ; a travaillé en 127-151 à Alexandrie. Son œuvre principale, *L'Almageste*, une « syntaxe mathématique » en treize volumes, a été intégralement transmise. On y trouve le savoir astronomique du IIe siècle avant J.-C. La terre est considérée comme une sphère et comme le centre du monde.

Bahrites : Unités des mamelouks, ainsi nommés ainsi d'après leurs casernes, situés au bord du Nil (*bahr* en arabe).

Gamdarites : Mamelouks.
Haroun al-Rachid : Calife de Bagdad.

V. LE MAL SUR MAUGRIFFE

Al-Khaf : Guerrier bédouin au service de l'émir Fassr ed-Din Octay.
Hadha : (arabe) C'est entre les mains d'Allah.
An-nisr al ahmar : (arabe) Le Faucon rouge.
Allah ya... : (arabe) Allah le sait.
Naiman : Sbire du sultan Saif ed-Din Qutuz.
La bibliothèque d'Alexandrie : La plus grande et la plus célèbre bibliothèque de l'Antiquité, de la période de Ptolémée Ier. Détruite en 47 avant J.-C. Sous Ptolémée II, elle aurait contenu 700 000 ouvrages.
Un museion : (grec) Une académie où des savants célèbres enseignent toutes les sciences.
Lorsque j'agissais... : poème de Rumi.
Allah ijazihum!... : (arabe) Puisse Allah les damner !
Allah ikun... ! : (arabe) Qu'Allah nous assiste.
Hadha tasouir mafduh ! : (arabe) C'est une grossière falsification !
Bab an-Nasr : (arabe) : Porte du Nil, nom d'une porte de la cité.
Shai bi... : (arabe) Thé à la menthe fraîche.
Abu Bassiht : Soufi d'Iconium (Konya).
Ya Abuya : (arabe) Précieux Abu.
Khilal rida... : (arabe) Des actes appréciés par Allah.
Samarcande : L'une des plus anciennes villes d'Asie centrale, mentionnée pour la première fois en 329 avant J.-C.
Al hami Allah ! : (arabe) Qu'Allah les protège !
Botho de Saint-Omer : Chevalier du Temple.
Damiette : (Dumjat) Ville portuaire égyptienne dans le delta oriental du Nil. Place commerciale importante au Moyen Âge.

LE SCEAU DE SALOMON

I. Le tarot d'Alexandrie

Sephirot : Palier dans l'enseignement secret de la cabale juive.

Ezer Melchsedek : Cabaliste et chiromancien d'Alexandrie.

Turuq Allah... : (arabe) Les voies du Seigneur sont impénétrables.

Le centre du monde : Nom de la salle de stratégie dans l'ancien palais Kallistos (Callixte) à Constantinople, dont le sol de marbre représentait la Méditerranée sous la forme d'un gigantesque jeu d'échecs sur lequel des joueurs en costumes se déplaçaient devant l'empereur en fonction des opérations militaires.

Alfiere : Porteur de bannière du pape. Titre honorifique, décerné à des nobles pour leurs mérites envers l'Église.

Bab al djanna : (arabe) Porte du Paradis, désigne ici les jardins du harem du grand maître. C'est là, selon la légende, que les novices et les initiés de l'Ordre, enivrés par le haschich, avaient le droit de jeter un rapide coup d'œil sur les *houris* (en arabe : les compagnes) ou de rester un peu avec elles, afin qu'ils soient submergés par le désir du paradis et ne craignent pas la mort.

Fida'i : Novice dans l'ordre des Assassins, qui n'est pas encore initié, mais a déjà prêté serment.

Le père du géant : Surnom d'Abu al-Amlak.

Gran Da'i : Chef des ismaéliens. Le titre était porté par les membres de l'ordre des Assassins et désignait le plus haut degré de l'initiation, tandis que le titre « d'imam » les désignait comme chefs spirituels et porteurs de la lignée légitime du prophète Mahomet.

Pax Mongolica : (latin) Paix mongole ; pacification du royaume des Mongols par les lois promulguées par Gengis Khan.

Coniunctio aurea : (latin) Conjonction d'or ; concept astrologique désignant une constellation déterminée de planètes.

Memphis : Ville située au bord du Nil, au nord du Caire.

Hélouân : Bourg situé sur la rive droite du Nil, au sud du Caire, connu pour ses sources salines et sulfureuses.

Aqaba : Ville située à l'extrémité nord-orientale du golfe d'Akaba.

Qadda oua qaddr : (arabe) Par une heureuse disposition d'Allah.

Prima peregrina : (latin) Prostituées d'élite étrangères.

L'âme s'élève... : Moïse, 21, 7 sq (même référence pour les deux citations suivantes.)

À l'intérieur d'une puissante roche : Moïse, 29, 11.

C'est là que le Tout-Puissant : Isaïe 64, 3.

Mira peix : Mira-peixes (occitan), littéralement : admire le poisson. Armes des comtes de Mirepoix.

Thessalie : Région grecque située sur la côte nord-occidentale de l'Égée.

Via Egnatia : Ancienne voie militaire menant de Constantinople à la côte adriatique.

Pelagonia : Région macédonienne.

II. Trompeuses sont les vagues de la mer

Ascalon : Ville portuaire de Palestine (aujourd'hui en ruine), objet de combats fréquents, bastion le plus méridional du royaume de Jérusalem.

Amalfi : Ville située sur le Golfe de Salerne.

Le Lion de Saint-Marc : Venise.

Bailli : Haut-fonctionnaire régional, administrateur des terres de la maison royale de Chypre en Terre sainte.

Plaisance de Chypre : Sœur de Bohémond VI d'Antioche, épousa le roi Henri Ier de Chypre.

Godefroy de Sargines : Bailli de la veuve du roi, Plaisance de Chypre.

Thomas Agni de Lentino : légat pontifical en Terre sainte.

Philippe de Montfort : L'un des principaux barons d'Outremer, descendants du fameux Simon de Montfort, qui mena l'armée pendant la croisade des Albigeois. Les Montfort étaient installés en Terre sainte, notamment à Tyr.

Julien de Sidon et Beaufort : Adversaire de Philippe de Montfort.

Atabegh Turan-Shah : Gouverneur et malik (roi) d'Alep.

Shoukr Allah ! : (arabe) Allah soit loué !

Hethoum : Roi d'Arménie.

Hierosolyma... : (latin) Jérusalem n'est pas le lieu.

Héliopolis : Ville et temple situés à l'est du Caire, aujourd'hui Masr el-Gedida.

Néguev : Zone désertique située au sud d'Israël.

Bi mashiat... : (arabe) Louange à Dieu.

Grande pyramide : La pyramide de Cheops, la plus grande d'Égypte.

III. Les bourreaux d'Ascalon

Tcherkesses : Les Tcherkesses sont un groupe de tribus du Caucase occidental, le plus souvent bergers des montagnes.

Allah ia'alam : (arabe) Allah soit témoin de ma grandeur d'âme.

Ahmed le Bourreau : Garde du corps nubien d'Abdal le Hafside.

In nomine ordinis : (latin) Au nom des combattants sacrés de la Maison du Christ et des seigneurs du temple de Salomon à Jérusalem. (Nom entier des Templiers.)

Locus sigili : (latin) Place pour le sceau. Comparable à notre « Signé... »

Anama... : (arabe) Turban et burnous.

Fi shams : (arabe) Au soleil d'Allah.

Ya munqadhi : (arabe) Mon noble chevalier.

Maktab al mina : (arabe) Bureau du commandant du port.

Gaza : Ville du sud-ouest de la Palestine, non loin de la côte, fondée vers 2750 avant J.-C., islamique à partir de 675 après J.-C., à l'exception de la période 1100-1170.

Le sage... : Kohelet, 2, 14, cité d'après *Der Sohar*, p. 151.

Iudex caput... : (latin) Président du tribunal.

In res : (latin) Sur le fond.

In modo : (latin) Sur la manière.

Sidi : (arabe) Seigneur.

Princesse Sybille : Fille du roi Hethoum Ier d'Arménie, 1224-1269; sœur de Sempad et de Léon III, épousa en 1254, sur proposition de Louis IX, le jeune prince Bohémond VI d'Antioche.

Habitus : (latin) Manière, habitude.

Circe : Magicienne de la mythologie grecque (*Odyssée*) qui transformait les hommes en cochons.

Domitas... : (latin) Les désirs sont domptés.

Qahua : (arabe) Salon de thé.

De mortibus : (latin) Des morts, on ne doit dire que du bien.

In nomine Dei... : (latin) Au nom de Dieu le père et des chevaliers de l'ordre du Temple de Jérusalem.

Esgard : Punition infligée par l'ordre du Temple en cas de manquement à la règle.

In dubio pro reo : (latin) Au bénéfice du doute.

Videant consules ! : (latin) Puissent les consuls s'en occuper (transmission au bras séculier).

Murus strictus : (latin) Emmuré vivant.

Rabbi Jizchak : Chef de la communauté juive à Jérusalem.

Miriam : Fille de Jizchak.

Jehosaphat : Le quartier syrien à Jérusalem ; chrétien.

Godefroy de Bouillon : Duc de Basse-Lorraine (1088-1100), obtient un titre de duc pour ses mérites comme maréchal de l'empire (occupation de Rome) ; le titre n'était pas héréditaire, raison pour laquelle Godefroy prit part à la première croisade. Il vainquit les Sarrasins près d'Ascalon ; auparavant, il avait vendu son comté à l'évêque de Liège, frère de Baudouin, premier roi de Jérusalem, qui n'avait pas, lui non plus, de droits héréditaires.

Mala'oun... ! : (arabe) Maudit soit le père du monde ! Maudit soit le ventre de ta mère !

Te Deum... : (latin) Nous te louons, ô Dieu, nous te faisons confiance.

Tibi omnes... : Tous les anges t'obéissent, Seigneur du ciel et du monde. (Chant liturgique.)

Mustafa : Berger de Jérusalem.

Si tu veux trouver une perle : Rumi.

Goy : (pl. : Goïm) Terme désignant un non-juif.

Alhami Allah ! : Qu'Allah (nous) protège.

La cathédrale rocheuse : (en arabe, Kubbat As Sahrat) Mosquée située dans la région des temples de Jérusalem, appelée à tort Mosquée Omar. Fut bâtie de 688 à 691 par le calife Abd Al Malik, au-dessus de la roche sainte sur laquelle Abraham aurait préparé le sacrifice d'Isaac. L'un des lieux les plus sacrés du monde musulman.

Al-Aqsa : À l'extrémité méridionale de la zone des temples de Jérusalem. La première pierre en a été posée au début du VIIIe siècle. Après la conquête de Jérusalem par les croisés (1099), on a édifié sur le côté ouest de la mosquée le palais des rois latins de Jérusalem, dans lequel Baudouin Ier résida jusqu'en 1118, date à laquelle il s'installa dans le nouveau palais royal, dans le jardin arménien, laissant les bâtiments à Hugues de Payen et ses camarades. Ils y fondèrent l'ordre des Templiers et utilisèrent en partie la mosquée et ses bâtiments annexes comme église et quartier général. Après sa victoire sur les Chevaliers teutoniques, le sultan Saladin fit de nouveau transformer le bâtiment en mosquée (1187).

Ius primi Supplicii : Droit à la première exécution.

Shimtar al Badi'a : (arabe) Sabre géant.

Pacta cum… : (latin) Les traités conclus avec des incroyants et des Grecs n'ont pas à être respectés.

Les as-saiidun : (arabe) Trois seigneurs.

Sous l'ebai : (arabe) Sous la tunique.

Tepidarium : (latin) Salle contenant une piscine d'eau tiède.

IV. Pax Hierosolymitana

Seul le derviche : Rumi, *op. cit.,* p. 41.

Assiq laiati : (arabe) Un toit au-dessus de la tête n'offre aucune sécurité si ses murs ne reposent pas sur Allah.

Mon cœur offre… : Cité d'après Star/Shiva, p. 53.

Skamlat : (arabe) Tabouret.

Quiconque transgresse l'interdiction : Commentaire du Sohar sur Moïse, 2, 13, *op. cit.,* p. 157.

Une fête sans fin… : Rumi, *op. cit.,* p. 32.

Djihad : (arabe) Ici, dans la signification originelle de « effort ».

Bismillah : (arabe) Au nom d'Allah.

Moudiat al'alam : (arabe) Celle qui éclaire le monde.

Muchaddir : (arabe) Narcotique.

Allah jurid dhalek ! : (arabe) Allah le veut !

Barakat Allah : (arabe) Et la bénédiction d'Allah !

Qamis : (arabe) Chemise.

Siroual dachili : (arabe) Sous-vêtements.

Djinn : (arabe) Esprits.

A l'entrada… : (vieux français) Lorsque le beau temps est venu, heia, pour faire refleurir les joies, heia, et faire fondre la neige, heia, la reine voulut faire savoir qu'elle était tellement amoureuse.

A la vi'a… : Va-t'en, va-t'en, la glace ! Laisse-nous, laisse-nous danser ensemble. (Refrain.)

El'a fait… : Et elle a ordonné, heia, que jusqu'à la côte de la mer, heia, aucune jeune fille et aucun escolier, heia, ne reste en dehors de la joyeuse ronde. (Anonyme, chant pour une danse, fin du xiie siècle.)

Heureux ton élu : Psaumes, 65,5.

Chassé l'Antéchrist : Allusion à Frédéric II, excommunié, qui fut injurié en 1229 par les chrétiens locaux.

Rota fortunae : (latin) La roue de la fortune.

Tu affirmes… : Rumi, *op. cit.,* p. 36.

Daz war… : Wolfram von Eschenbach, *op. cit.*

Ne dites pas que les soufis… : Rumi, *op. cit.,* p. 33.

Den Wunsch von pardiîz : Le prix du paradis, de la sainte racine, du tronc et du riz. (Eschenbach.)

Allahu akbar : (arabe) Dieu est plus grand! Il n'y a pas d'autre Dieu que Dieu! (Début de la prière du soir des musulmans.)

Minbar : Siège surélevé (du prédicateur).

Ashaddu ana... : (arabe) Je crois qu'il n'y a pas d'autre Dieu que Dieu. Je crois que Mahommet est le prophète de Dieu!

Ab la dolchor... : (occitan) Dans la douce chaleur de la première saison, les forêts bourgeonnent, les oiseaux chantent, chacun dans sa langue, au rythme d'un nouveau chant. Il est donc juste que chacun ouvre son cœur pour ce à quoi il aspire le plus. (Guillaume de Peitieus (1071-1127), troubadour occitan.)

Dous Dieus... : (ancien français-occitan) Dieu, le doux, fais en sorte qu'elle me garde comme son préféré, mais elle est de si haute extraction qu'elle me vouera à l'oubli. (Version occitane du chant de danse « Nouvele Amor Qui si m'agrée » de Rogeret de Cambrai, XIIIᵉ siècle, strophe 2.)

Cortez'e... : Si courtois et sage, le visage gai, mes yeux n'en ont jamais vu de plus belle. Vous avez plongé mon cœur dans la hâte, puisque vous n'avez pas pitié de moi. (*Idem*, strophe 3.)

Por li fas... : Pour elle, je fais sonner ma viole doucement, matin et soir, et une tendre pensée me rappelle les bienfaits que l'on m'a réservés. (*Idem*, strophe 4.)

Enquer me... : Je me rappelle encore ce matin-là, lorsque nous avons mis un terme au combat. Elle m'a donné un grand cadeau, son amour et sa maturité. Puisse Dieu me laisser vivre encore assez longtemps pour pouvoir (un jour) poser mes mains sous son manteau. (*Idem.*, strophe 5.)

V. ARMAGEDDON

Armageddon : (hébreu) D'après la révélation de saint Jean, lieu sur lequel les mauvais esprits rassemblent les souverains de la terre pour le grand combat.

Schoenius lant... : (moyen haut allemand) Dans mes voyages, j'ai vu de beaux pays bénis. Aucun n'est comparable à toi : quels miracles sont survenus ici! (Walther von der Vogelweide, *Palestinalied*.)

Daz ein... : (moyen haut allemand) Une servante a donné le jour à un enfant, le seigneur au-dessus de la légion des anges, n'était-ce pas un miracle? (*Ibid.*)

Hic la Superba... : (latin) Ici Gênes, là Venise.

Civitas : (latin) Ici : la civilisation.

Unio regni : Union du gouvernement.

La grande querelle de Saint-Jean-d'Acre : La guerre entre Gênes et Venise pour les monopoles commerciaux.

Jafki! Jafki! : (arabe) Assez! Assez!

Quand, très cher... : Rumi, *op. cit.*, p. 85.

Ab l'alen... : (occitan) Je respire profondément dans la douce brise, je sais qu'elle vient de Provence, tout ce qui me vient de là-bas me met d'humeur joyeuse, même lorsque j'entends que l'on dit du bien d'elle, j'écoute et j'attends en souriant le parfum bien connu. Telle est la joie que je ressens. (Peire Vidal.)

Jésus entra dans une maison... : Rumi, *op. cit.*, p. 120.

Beit as-salah! : (arabe) Maison de la prière.

Pater dimitte... : (latin) Seigneur, pardonne-leur, car ils ne savent pas ce qu'ils font. (Saint Luc, 23, 34.)

E s'ieu sai... : (occitan) Tant que je puis parler et agir, advienne ce que doit. Toute ma gratitude vous appartient donc, car c'est vous qui m'avez donné connaissance et talent, qui font de moi un joyeux poète. Toute la joie qui s'écoule de moi, qui sort de mon cœur pour entrer dans mes pensées, je la dois à votre corps charmant et plein de grâce. (Peire Vidal.)

Allah uchfurli... : (arabe) Qu'Allah ait pitié de mon âme de pécheur!

On met fin... : Job, 28, 3.

ἐν ἀρχῇ ἦ ὁ λόγος : (grec) *En arche en o logos* : Au commencement était le Verbe.

L'auteur adresse tous ses remerciements à :

Michaël Görden, pour l'aide amicale qu'il a prêtée à l'auteur et l'intérêt inépuisable qu'il a accordé au texte, auquel il a contribué de manière essentielle en y apportant ses connaissances abondantes en ésotérisme et sur le domaine apocryphe des religions. Je remercie tout autant Regina Maria Hartig pour son travail de lectrice consciencieuse et dévouée. Elle a su conforter l'auteur à chaque phase de son travail sans renoncer à porter sur le texte un regard critique.

Le Pr Dario Della Porta, pour ses conseils sur la liturgie chrétienne et la philologie classique.

Le Pr N. Popoff et Roland Belgrave, de la Bibliothèque nationale de Paris, pour leurs recherches sur l'héraldique occitane.

Daniel Speck et Jubrail Mashael pour leurs contributions sur l'Islam et la langue arabe, ainsi que le Pr Wieland Schulz-Keil pour ses précieuses indications dans le domaine du judaïsme.

Tout particulièrement, au Dr Michael Korth, dont la connaissance profonde de la musique des troubadours, du *canzo* et du chant courtois a été extrêmement précieuse à l'auteur, et à Schirin Fatemi, pour ses connaissances en *materia medica*, en toxicologie et en pharmacologie.

À mes collaboratrices indispensables et infatigables, Anke Dowideit et Sylvia Schnetzer, qui ont saisi sur ordinateur les bien plus de deux mille pages que comptait mon manuscrit. Je sais qu'écrire est un rude labeur.

Les collaborateurs de « l'agentur spezial » à Ilsede-Bülten, pour leurs illustrations très sensibles et leur cartographie (pour l'édition allemande), Alexandre Aspropoulos, Anne-Kristin Baumgärtel et Andreas Henk pour leur travail sur la vignette et la couverture.

Last, but not least, à Arno Häring pour la coordination de la fabrication.

Je suis particulièrement heureux de l'hommage de mon ami Enki Bilal, qui s'est laissé inspirer par le personnage de Yeza pour dessiner les portraits repris en annexes (dans l'édition allemande), et qui sont très proches de l'image que je me faisais moi-même de Yeza.

Peter BERLING, Rome, le 20 mars 1997

BIBLIOGRAPHIE

J'ai trouvé de nombreuses citations dans l'ouvrage *A Garden Beyond Paradise, The Mystical Poetry of Rumi*, Jonathan Star et Shahram Shiva (éd.), Bantam Books, New York 1992 : un choix réussi de la poésie du fameux soufi Rumi.

Je peux en dire autant des ouvrages *Der Sohar; Das Heilige Buch der Kabbala*, Ernst Müller (éd.), Eugen Diederichs Verlag, Munich 1993, et *Parzival* de Wolfram von Eschenbach, dans l'édition de Walther Hofstaetter pour les éditions Philipp Reclam Jr., Stuttgart 1956.

La source de toute la bibliographie que j'ai utilisée pour mon travail est l'ouvrage *Der Kreuzzug gegen den Gral* d'Otto Rahn, Urban Verlag, 1933 (rééd. 1997 chez le même éditeur), livre auquel je dois mon intérêt pour le Haut Moyen Âge.

Le chef-d'œuvre de l'historiographie des croisades reste à mes yeux le livre *A History of the Crusades,* de Steven Runciman, Cambridge University Press, 1950-1954, pour la pondération de son point de vue, qui tient compte aussi bien du point de vue occidental que des multiples perspectives de l'Orient. J'ai d'autre part eu recours aux ouvrages suivants :

Bedu, Jean-Jacques, *Rennes-le-Château*, Loubatières, 1990.

Billings, Malcolm, *The Cross and the Crescent*, BBC Books, 1987.

Bosworth, C.E., *The Islamic Dynasties,* Edinburgh Univ. Press, 1967.

Bradbury, Jim, *The Medieval Siege*, The Boydell Press, 1992.

Brenon, Anne, *Le Vrai Visage du Catharisme*, Loubatières, 1991.

Charpentier, John, *L'Ordre des Templiers*, Ullstein Verlag, 1965.

Costa i Roca, Jordi, *Xacbert de Barberà, Lion de combat, 1185-1275*, Llibres del Trabucaire, 1989.

Demurger, Alain. *Vie et mort de l'ordre du Temple*, Le Seuil, 1989.

Eschenbach. Wolfram von, *Parzival*, Bd. 1, Reclam, Stuttgart 1989. (On trouve une édition partielle de *Parzival* en français aux éditions 10/18, 1989.)

Marti, Claude (éd.), *Guilhèlm de Tudèla & L'Anonyme* (Extraits) Loubatières, 1994.

Forey, Alan, *The Military Orders*, Macmillan Education Ltd., 1992.

Fuentes, Pastor, *Jésus, Crónica Templaria*, Iberediciones, 1995.

Garnier, Patrick, *Le trébuchet de Villard de Honnecourt*, Association la promotion du patrimoine en Midi-Pyrénées, 1995.

Gimpel, Jean, *The Medieval Machine*, Victor Gollancz Ltd., 1976.

Girard-Augry, Pierre (éd.), *Aux origines de l'ordre du Temple*, OPERA, 1995.

Godwin, Malcolm, *The Holy Grail*, Labyrinth Publishing, 1994.

Goldstream, Nicola, *Medieval Craftsmen*, British Museum Press, 1991.

Graetz, Heinrich. *Das Judentum im Mittelalter* (vol. 4, *Volksgeschichte der Juden*), Benjamin HarzVerlag, 1923.

Knight, Chris et Lomas, Robert, *The Hiram Key*, Century, 1996.

Levy, Reuben, *A Baghdad Chronicle*, Cambridge Univ. Press, 1929.

Lewis, Bernard. *The Arabs in History*, Oxford Univ. Press, 1958.

Loiseleur, Jules, *La Doctrine Secrète des Templiers*, Tiquetonne éditions, 1973.

Maalouf, Amin, *Les Croisades vues par les Arabes*, J.-C. Lattès, 1983.

Lampel, Yvi (éd.), *Maimonides', Introduction to the Talmud*, Judaica Press, 1975.

Martin, Bernd et Schulin, Ernst (Hg.), *Die Juden als Minderheit in der Geschichte*, dtv, 1981.

Masson, Georgina, *Das Staunen der Welt*, R. Wunderlich-Verlag, 1958.

Matthew, Donald, *The Norman Kingdom of Sicily,* Cambridge Univ. Press, 1992.

Matthews, John, *The Grail. Quest for the Eternal,* Thames and Hudson, 1981.

Niel, Fernand, *Albigeois et Cathares,* Presses Universitaires de France, 1955.

Obermeier, Siegfried, *Walther von der Vogelweide. Der Spielmann des Reiches,* Ullstein 1982.

Prawer, Joshua, *The History of the Jews in the Latin Kingdom of Jerusalem,* Oxford Univ. Press, 1988.

Prutz, Hans, *Entwicklung und Untergang des Tempelherrenordens,* G. Grote'scheVerlagsbuchhandlung, 1888.

Reznikov, Raimonde, *Cathares et Templiers,* Loubatières, 1993.

Roquebert, Michel, *Les Cathares et le Graal,* Éd. Privat, 1994.

Runciman, Steven, *The Medieval Manichee,* Cambridge Univ. Press, 1947.

Runciman, Steven, *The Sicilian Vespers,* Cambridge Univ. Press, 1959.

Smail, R.C., *CrusadingWarfare, 1097-1193,* Broadwater Press, 1956.

Van Buren, Elizabeth, *Refuge of the Apocalypse : Doorway into Other Dimensions,* Burlington Press, Cambridge, 1986.